LANATA

LUIS MAJUL

LANATA

Secretos, virtudes y pecados
del periodista más amado y más odiado
de la Argentina

Majul, Luis
    Lanata - 1ª ed. - Buenos Aires: Margen Izquierdo, 2012.
    456 p.; 23x15cm.

    ISBN 978-987-28889-0-9

    1. Lanata, Jorge. Biografía. I. Título
    CDD 920.5

Diseño de cubierta:
Departamento de Arte del Grupo Editorial Planeta S.A.I.C.

De esta edición:
© 2012, La Cornisa Producciones S.A.,
bajo su sello Margen Izquierdo
Avda. Córdoba 4953, Ciudad Autónoma de Buenos Aires

Producción, distribución y comercializacion exclusiva
Grupo Editorial Planeta S.A.I.C.

1ª edición: diciembre de 2012
40.000 ejemplares

ISBN 978-987-28889-0-9

Impreso en Arcángel Maggio - División Libros,
Lafayette 1695 (C1286AEC), Ciudad Autónoma de Buenos Aires,
en el mes de noviembre de 2012.

Hecho el depósito que prevé la ley 11.723
Impreso en la Argentina

1

SUICIDIO

Quince minutos antes del año nuevo de 1998, Jorge Lanata, el periodista más odiado y más amado de la Argentina, pensó en matarse por segunda vez en la vida.

Estaba solo, agobiado, melancólico y aturdido.

Miraba el cielo atiborrado de pirotecnia desde el balcón terraza del piso 26 de su departamento de 250 metros cuadrados, en el corazón del barrio de Belgrano, en la esquina de Teodoro García y Zabala. A través del alambrado Lanata podía ver una buena parte de la ciudad de Buenos Aires.

Tenía 37 años y una Smith & Wesson calibre 38, de 800 dólares, lista para ser utilizada. Al lado del arma, sobre la mesa ratona de metal oxidada, había un "papel" repleto de cocaína "de la buena", una botella abierta del exquisito champagne francés Veuve Clicquot y unos cuantos atados Benson & Hedges y Parliament. A pesar de la angustia, Lanata se había vestido para la ocasión: traje negro, camisa blanca, impecable, corbata negra y zapatos nuevos, negros también y recién estrenados.

Para demorar la decisión final, el periodista había empezado a escribir, esa misma noche, un texto sobre las cosas que le estaban haciendo demasiado daño. Los fuegos artificiales dominaban la escena. Por eso lo tituló *Fuegos*. Comienza así:

> *Iba a empezar diciendo*
> *"querido diario"*
> *pero mi diario se llamaba*
> *Página/12*
> *y ya no lo tengo.*

Hacía muy poco, exactamente siete meses, que sus excompañeros de *Página* habían cometido lo que todavía el periodista considera un acto de

7

"alta traición": ignorar que él, Jorge Lanata, había sido el principal creador y fundador del diario. Entonces, profundamente dolido, había escrito una carta personal y con expreso pedido de no publicación a sesenta y tres personas que habían compartido con él los mejores y los peores días de *Página/12*. Estos son los párrafos más importantes:

> *Trabajamos siete años juntos, lo que nos convierte en una especie de compañeros de cárcel, o de colegio, obligados al amor y al odio de la convivencia. Cualquiera de nosotros puede contar historias espantosas o conmovedoras de su vecino. Creo que somos mejores que hace diez años, aunque más desangelados y más viejos. Sin embargo, no pensé –hasta este lunes– que íbamos a perdernos el respeto.*
>
> *Yo pensaba en aquellos años que (Ernesto) Tiffenberg era una especie de Descartes que compensaba mi rol de elefante en un bazar. Después –y a destiempo– supe que las dudas de Ernesto no eran expresión de inteligencia crítica sino de miedo. Aprendí, también tarde, que a veces los cobardes son peores que los hijos de puta.*
>
> *Fue tortuoso y difícil dejar el diario: yo estaba en un lugar que jamás había soñado, pero que también me impedía crecer. Tenía –como también tengo ahora– un fuerte temor al fracaso, y creo que ese temor me impidió salir de allí un año antes.*
>
> *Cada vez que un periodista de Página me contaba que le habían cortado mi nombre en una nota, me parecía patético y hasta gracioso. Pero este lunes, por ejemplo, me dolió que Juan Gelman me desapareciera de su contratapa. Me encontré con alguna gente de Página –cuatro o cinco personas, en realidad– que me dijeron que era injusto. No les pregunté qué hacen para cambiarlo porque hubiera sido molesto, para ellos y para mí. Pero no creo, sinceramente, que como periodistas podamos llegar a la verdad si partimos desde una mentira. Tal vez hubiera tenido que hablar sobre todo esto mucho antes.*
>
> *Que tengan un feliz cumpleaños.*
>
> JORGE LANATA

¿Era solo el vacío que le provocaba el desprecio de sus excompañeros del diario lo que lo hacía pensar en la muerte?

No.

Seguro que no era solo eso.

Porque esa noche Lanata siguió escribiendo, a mano, con letra de imprenta:

8

X no está
Z tampoco
Está Caetano en el living
y acabo de marcar repeat en el equipo.

X es Florencia Scarpatti, la productora periodística doce años menor que él con la que estaba yendo y viniendo hacía ya cuatro años. Bellísima, alta, ultrasensible y muy culta, Florencia lo seguía amando a pesar de que Lanata no era su modelo de pareja ideal. A Scarpatti no le molestaba tanto el rock and roll. Lo que parecía no poder tolerar más era la idea de ser un satélite más del enorme planeta llamado Lanata.

Z es Sara "Kiwi" Stewart Brown, la fan que un día le regaló una botella de JB para su cumpleaños número 36 y que ahora es la mamá de Lola, su segunda hija. Se trata, sin dudas, de la mujer más importante de su vida. La persona que, como se verá después, lo salvó de pasar para el otro lado. Pero las cosas con Sara, en aquel año viejo de mierda, no se habían terminado de fraguar.

Caetano Veloso no estaba en el living de cuerpo presente, como Lanata escribió en *Fuegos*. Sí se escuchaba su voz suave y dulce al interpretar *Noche de Hotel*, una de las canciones más lindas y melancólicas que el artista brasileño compuso en un hotel de Lisboa, cuando parecía tan desesperado como Lanata. Al lado del equipo de audio había una biblioteca y un enorme sillón. Caetano cantó:

Noite de hotel
A antena parabólica só capta videoclips
Diluição em água poluída
(E a poluição é química e não orgânica)
Do sangue do poeta
Cantilena diabólica, mímica pateta

Noite de hotel
E a presença satânica é a de um diabo morto
Em que não reconheço o anjo torto de Carlos
Nem o outro
Só fúria e alegria
Pra quem titia Jagger pedia simpatia

9

Noite de hotel
Ódio a Graham Bell e à telefonia
(Chamada transatlântica)
Não sei o que dizer
A essa mulher potente e iluminada
Que sabe me explicar perfeitamente
E não me entende
E não me entende nada

Noite de hotel
Estou a zero, sempre o grande otário
E nunca o ato mero de compor uma canção
Pra mim foi tão desesperadamente necessário

Después de escuchar la canción una y otra vez, Lanata empezó a pasar lista a sus afectos más cercanos. Lo dejó sentado en la misma "prosa poética":

Bárbara está
en la quinta de Andrea
y espero llamarla a las 12 en punto.
Papá está muerto,
También Dionisio.
Mamá está viva, aunque nunca entendí dónde.
Con Nélida hablé
esta tarde
Y ya.

Y ya.

Bárbara es su hija. Por entonces rondaba los ocho años. La concibieron junto a Andrea Rodríguez, periodista de *Sin Anestesia*, *Página/12*, *Veintiuno*, *Veintitrés*, *Lanata sin Filtro* y *Periodismo Para Todos*.

Su papá, Ernesto Lanata, era odontólogo y había muerto, de cáncer en los huesos, en junio de 1989. El periodista se había reconciliado con él antes de la despedida final. Sin embargo, esa noche no podía dejar de recordar cómo su padre lo había ignorado durante toda su infancia. Tampoco podía sacarse de la cabeza sus constantes peleas, a los gritos, que a veces terminaban con Lanata "lumpeneando" por las calles de Buenos Aires, San Isidro, Mar del Plata, Río de Janeiro o en San Pablo.

Su tío, Dionisio Álvarez, del que había heredado su primera biblioteca, era el hermano de su mamá y el hombre con el que había empezado a fumar Particulares 30, cuando tenía solo 13 años. Él también había muerto hacía tiempo.

Tía Nélida, la solterona, la otra hermana de su mamá, era, de hecho, la mujer que lo crió durante toda su infancia y su adolescencia. Moriría mucho tiempo después, a los 95 años, contenida por Lanata y su familia, en el cuarto de la casa de 450 metros cuadrados que su sobrino alquiló entre 2003 y 2012, en el primer piso del ala de la calle Esmeralda del Palacio Estrugamou, en la zona más concheta de Retiro, a razón de cuatro mil quinientos dólares por mes.

Su mamá, María Angélica Álvarez, en efecto, todavía estaba viva. En silla de ruedas, sin poder hablar ni valerse por sí sola, pero viva. Y muy presente. Esto era así desde abril 1968, cuando fue operada de un meningioma en la cabeza que la dejó cuadripléjica, le afectó el centro del habla y le impidió articular las palabras, hasta su muerte, en mayo de 2004.

Desde hacía treinta años Lanata se comunicaba con su mamá por medio de señas. A veces María Angélica se reía, y Lanata también. Pero otras veces, como esa noche, "no la encontraba". Desde muy pequeño, Jorge vivió con el temor de que pudiera sucederle a él mismo algo parecido a lo que le pasó a su mamá. Quizá por ese miedo atávico, y otros miedos secretos, el periodista siguió escribiendo, agotado:

> No se puede pelear contra la historia
> en una sola noche
> es demasiada pelea.
> La historia pesa,
> pega
> golpes bajos.
> Se tira encima.
> Estuve
> todo el día
> angustiado.
> Los motivos son tan obvios
> Que he dejado de creer en ellos.

Es verdad.

Entre los fuegos artificiales y los estruendos de las cañitas voladoras que anunciaban la llegada de 1998, los motivos de Lanata parecían demasiado obvios como para incorporarlos a su balance de fin de año,

11

beber otra copa de champagne, volver a darse un saque de merca y, por fin, dispararse en la cabeza el tiro del final.

¿Cómo había llegado hasta ahí?

Mil novecientos noventa y siete había arrancado como uno de los mejores años de su vida. Y sin embargo, estaba terminando como uno de los peores, para no decir el peor.

Si quería ser indulgente con él mismo, Lanata podía incluir, en el haber, su primer intento de desintoxicación en Glens Falls, aquel pueblito cercano a New Jersey donde un experto en adicciones prometía que le haría abandonar su amor por la cocaína. Aterrizó allí el 5 de enero de 1997 con su chica de entonces, la estudiante de cine Mariana Erijimovich. Aquel ensayo terminó en un estrepitoso fracaso, como se comprobará, luego, en detalle. Sin embargo, el hecho de haber viajado hasta allí bien podía ser considerado como el principio del deseo de curarse de aquella enfermedad.

Podía anotar, sin mentir, a 1997, como el año de mayor facturación de toda su vida. Había calculado casi dos millones de dólares entre la radio y la tele. A eso habría que sumarle las regalías de *Vuelta de Página*, el libro con los artículos periodísticos de Lanata en *El Porteño* y en *Página*, y los editoriales de la radio y de la tele, reunidos en una edición especial para quioscos, bajo el sello J. L. producciones y asociados. ¿Cómo era entonces que, al final de cuentas, tenía más deudas que dinero en el banco? Se lo había explicado su mánager, Fernando Moya, el mismo que representó a Charly García y a Fito Páez, una y otra vez, con una calculadora en la mano y los papeles en la otra:

–*Jorge, tu problema no es que ganás poco, o que mi porcentaje sobre tu facturación es demasiado alto. Tu problema es el mismo que tienen las estrellas de rock, como Fito o como Charly. Ganás un fangote, pero gastás mucho más. Y lo peor es que te lo gastás más rápido de lo que lo ganás.*

Lanata, podía, incluso esa noche de balance extremo, engañarse y dar por sentado que había llegado a ser cada vez más popular y al mismo tiempo cada vez más creíble y prestigioso.

Pero lo que no podía negar era que, lo que más lo había afectado, era su salida repentina de la tele. Es decir: la interrupción del contrato con América para conducir *Día D*. El programa había arrancado en enero de 1996 y había amenazado a los ciclos políticos tradicionales como los de Bernardo Neustadt y Mariano Grondona. También había sacudido a todo el establishment de los medios, cuyos representantes lo veían con una mezcla de pánico, envidia y admiración.

¿Cómo podía Eduardo Eurnekian, a quien él, cariñosamente, había llamado *tío Eduardo,* atreverse a rescindirle el contrato, si *Día D* era uno de los programas con más audiencia y mejor venta del canal, después de *CQC*?

¿Cómo tenía el tupé de dejar sin laburo así, sin más, a un adicto al trabajo semejante? ¿Cómo había elegido, para colmo, comunicárselo antes de fin de año, cuando él y su equipo ya daban por descontado que firmarían un nuevo contrato para la temporada 1998? ¿Cómo podía Eurnekian, de un día para el otro, quitarle la otra droga, el nutriente narcisista irresistible cuya dosis diaria lo hacía vivir un poco más y un poco mejor?

Lanata revisó su existencia una vez más.

¿Había estado alguna otra vez tan mal, tan vacío, tan desesperado y tan solo como aquella noche?

Quizás una o dos veces.

Sí. Una, dos veces. O tres.

¿Podía identificarlas?

Claro.

Una, muy clara, fue la noche de su cumpleaños número 30, cuando sintió que ya había hecho casi todo en la vida, y que no tenía mucho más para ofrecer.

—Ese día me quebré mal. Y llegué a pensar que ya había hecho de todo, y que no me quedaba tiempo para nada más. No me pidas más detalles. No es sencillo de explicar. Ese día toqué fondo —me dijo veinte años después.

Otro momento crítico fue la noche en que presentó *Egotrip,* durante su programa de radio de culto, *Hora 25,* que conducía, de lunes a viernes, de 0 a 1 de la mañana, en la Rock & Pop.

Fue el 16 de agosto de 1993. Tenía 32 años. Estaba sumergido en su etapa "literaria" y melancólica. Después de la apertura, Lanata apagó la luz, se puso de espaldas al control y e hizo algo demasiado osado para la época: una entrevista a sí mismo. Allí contó su propia biografía por primera vez y reveló la enfermedad de su madre y su carencia absoluta de padre. Explicó que había "coqueteado" con la muerte y que, de alguna manera, todavía seguía coqueteando. Reconoció que, en algunas ocasiones, había "transado". Contó por qué se había ido de su casa por primera vez. Habló de la parte de mujer que pensaba que tenía. Definió como a sus amigos a Fito Páez, el dibujante Miguel Rep y el escritor Rodrigo Fresán. Confesó algo que definió como "su capricho suicida". Su fantasía de desaparecer y que no lo reconozca nadie, como Teller, el personaje de su primera novela, la estrella de rock que cambió su rostro e intentó esfumarse en Venecia. Dijo Lanata en *Egotrip* que recibía cincuenta cartas lindas por día, pero una, con una crítica, podía llegar a amargarle la existencia por semanas. Que se sentía verdaderamente jodido porque a los 27 años ya había conseguido mucho más de lo que jamás había soñado cuando era chico. Hizo una referencia mínima sobre su experiencia con las drogas. Sugirió que no iba a dar muchos detalles por miedo a que la policía se apareciera en la puerta de la radio. Aceptó que tiene pánico al dolor físico. Y le pidió en el aire al "Chino" Chinen, el operador de *Hora 25*, que pusiera un disco de Roger Waters porque estaba a punto de quebrarse.

La sensación fue parecida a la que experimentó a los 12 años, cuando tuvo la certeza de que el mundo completo se le estaba cayendo encima. Él recuerda que no dudó. Que no le tomó ni un minuto la decisión de quitarse la vida. Que lo cuente Lanata, tal y como lo recuerda:

–*Sí. Me quise matar. Yo ya no vivía con mis viejos. Vivía con mi tía Nélida y mi abuela Carmen. Dejé una nota en el baño. No me acuerdo bien de lo que escribí. Sí me acuerdo de que se la dediqué a mis viejos y que, de alguna manera, los responsabilicé por mi soledad. A mi mamá ya la había agarrado el tumor cerebral y mi viejo vivía solo para ella. ¿Cómo lo hice? Tomé un montón de pastillas. No me morí porque se dieron cuenta enseguida. No te molestes en buscar la denuncia policial. No hubo. El lavaje no me lo hicieron en el hospital. Me lo hicieron en mi casa. Fue un momento muy confuso. Solo recuerdo al médico decir: "Se ve que tomó pastillas".*

–¿Por qué lo hiciste?

–*En ese caso lo hice porque mi viejo no me podía atender. No podía cuidar a un chico que era muy solitario y no tenía amigos. Quería escapar de eso. Estaba superado por la situación. Supongo que me sentía el chico más triste y más solo del mundo.*

–¿Qué pasó después?

–*Después fue peor que antes. Porque no me podía dormir. Me daba miedo. De hecho, estuve como un mes sin poder dormirme antes de las cinco de la mañana. Había noches que me iba caminando desde Constitución hasta (el bar) La Paz y me lo pasaba ahí hasta la madrugada. O me iba al bar Suárez, de Congreso, hasta que cerraba. De ahí me tomaba un colectivo a Constitución. Después volvía a casa y prendía la radio. Me quedaba escuchando* La peña del camionero *hasta que me dormía agotado de cansancio, cuando empezaba a amanecer. Por supuesto, en la familia, aquel hecho habrá sido un tema tabú. Pero todo el mundo debía saberlo porque yo, por un tiempo, dejé de ir a la escuela. En esa época, con el único que hablaba era con mi primo Emilio Álvarez, que ahora vive en Italia. Era mi único pariente-amigo.*

Después de aquel suicidio frustrado, Lanata pareció comprender que la única manera de sobrevivir a la enfermedad de su mamá y el enorme agujero negro que le producía su estado era usar todo el tiempo las palabras. Decir. Comunicar. Y, en especial, escribir.

Escribir sus primeras notas en la revista del colegio. Escribir en los bares o en la piecita del fondo de la despensa de sus abuelos, en Sarandí.

Escribir para el diario o escribir para él.

Escribir, sobre todo, para comprender quién era. Y hasta dónde había llegado.

Un par de años antes de la noche vieja de 1997 Lanata escribió dos textos que revelan, de manera cruda y estruendosa, cómo se veía entonces a sí mismo. Uno se llama *Soy*. El otro *Tengo*.

Soy habla, entre otras cosas, de lo que los otros esperan de él, de su adicción a la cocaína y de su preocupación por el dinero. Lo redactó cuando se disponía a salir de su etapa de rock and roll y de camisas Versace con flores estampadas. Eran los días en que le empezaba a molestar que sus compañeros le preguntaran cómo podía ser que un hombre que se definía como de izquierda pudiera tener una casa en José Ignacio, Punta del Este. Había comprado el terreno en 50 mil dólares y le había encargado al humorista, guionista, productor y arquitecto Alejandro Borensztein que se la hiciera cómoda, pero llamativa. Durante aquel loco verano de 1993, paparazzi de *Noticias* y de *Caras* le habían hecho una guardia en el mismo jardín de su casa. Él había tenido que llamar a Jorge Fontevecchia para pedir que no le publicaran una foto con una chica que no era, en aquel entonces, su pareja oficial. Le había caído la ficha de lo mucho que le jodía la contradicción del chico de Sarandí con una casa en Punta después de que Carlos Ulanovsky se lo preguntara, como al pasar, durante un reportaje para la revista cultural *La Maga*. Lanata leyó su propia respuesta publicada en 1994, mientras hacía *Rompecabezas*, de 6 a 9 de la mañana, en la Rock & Pop. Se la mostró, en el medio de una tanda, a su columnista de música y espectáculos, Carlos Polimeni. Enseguida le preguntó:

—*Boludo, ¿por qué un tipo como yo no puede tener una casa en José Ignacio? ¿Cuál es el fucking problema?*

Polimeni se quedó en silencio.

Días después, agobiado por la culpa, la vendió, a precio de bicoca: 80 mil dólares por una propiedad que valía, por lo menos, el doble.

La prosa poética *Soy* bien podría ser la letra de una canción. Lo único que le falta es la música y los arreglos. Es una confesión brutal y narcisista.

Lo que sigue son partes extraídas de su versión original:

Yo no tenía que ser periodista
ni tenía que dejar el colegio,
ni tenía que abandonar una carrera,
ni tenía que separarme.
Yo no tenía que meterme en ese lío,
ni tenía que querer un diario,
ni tenía que decir que sí,
que casi sí.
Yo no tenía que gastar tanto dinero,
yo no tenía que tomar,
yo no tenía que escribir en primera persona,
yo no tenía que hablar tanto de mí mismo.
Yo tenía que negociar,
yo no tenía que ser egoísta,
yo no debía tener ese auto, o aquella casa.
Mi alma estaba
en otro lado.
Me disfracé,
me volví esnob.
Tuve vergüenza de mí mismo.
Hubo ocasiones en las que me perdí el respeto
y otras veces
fui.
No necesito otra vida
para tener la mía.
Mi hija es importante, pero no es mi vida.
Mi obra es mi vida,
es lo mejor que tengo para dar.
No sé hacia dónde voy
pero quiero ser yo quien llegue.

Mientras que en *Soy* Lanata se miró hacia adentro, en *Tengo* presentó un inventario de afectos personales y bienes materiales, como si fueran una misma cosa. Pero *Soy* y *Tengo* no se pueden comprender sino se las asume como parte de una misma vida. Casi sobre el final de *Tengo*, el autor hizo otra vez alusión al poco tiempo que siente que le queda. Los

16

chicos de Calle 13 podrían transformar esas palabras en uno de sus raps, y nadie se daría cuenta de que se trata, nada más y nada menos, que de la buena y tormentosa vida de un periodista estrella.

Con *Tengo* Lanata abandonó todo pudor, exhibió la enormidad de su ego y se mostró más desnudo todavía. Tenía 36 años. Es necesario reproducir parte del texto para empezar a conocer al personaje:

> *Tengo una mujer,*
> *una hija de siete años,*
> *una exmujer,*
> *público que me dice genio*
> > *o me pide que no transe.*
>
> *Tuve un diario,*
> *dos revistas*
> *varios programas de radio,*
> *un programa de televisión,*
> *un psicólogo,*
> *tres médicos,*
> *una casa,*
> *una quinta,*
> *dos autos,*
> *más de quince relojes pulsera*
> *quinientas camisas, treinta trajes,*
> *montones de ropa informal,*
> *medio millón de dólares en deudas,*
> *tres libros publicados,*
> *una antología publicada,*
> *cientos de charlas en universidades,*
> *cientos de chicas en cientos de lugares*
> *varios kilos de más,*
> *un elevado porcentaje de colesterol,*
> *cierto poder,*
> > *el poder de tirar a un ministro o dos*
> > *el de pedir custodia policial.*
> *Gasto demasiado dinero al mes.*
> *Tengo dos mucamas,*
> *más la enfermera de mi madre*
> *y la niñera de mi hija.*
> *Tengo un asistente,*
> *y una secretaria,*

> *y un representante*
> *y varios contratos firmados,*
> *y muchísimos viajes*
> *y algunas adicciones,*
> *y sesenta cigarrillos por día,*
> *y un suicidio frustrado*
> *y un buen cuento*
> *y unas diez o veinte buenas frases,*
> *y unas veinte o treinta buenas ideas.*
> *Tengo talento,*
> *Y miedo,*
> *Y miedo,*
> *Y miedo,*
> *Y un desconocimiento total de mi futuro,*
> *Y treinta y seis años*
> > *que a veces parecen cien*
> > *y otras muy poco*
> *Me agota toda esta vida encima*
> > *dónde ponerla*
> > *colgarla de qué.*
> *El tiempo*
> *se escurre,*
> *ya no tengo mucho tiempo.*
> *Debo empezar.*
> *No sé cómo.*
> *Quiero*
> *Ser*
> *un niño*
> *cruel y libre.*

Bien pudo preguntarse en su balcón terraza de su piso 26 cómo podía llegar a ser un niño cruel y libre si ni siquiera estaba en condiciones de manejar sus propias decisiones profesionales. Bien pudo preguntarse qué clase de persona era, qué clase de éxito tenía si se encontraba, en ese momento, absolutamente solo, con un arma cargada, especialmente recomendada para defensa personal, a la que nunca había usado en su vida.

La misma posesión del arma parecía el resultado de uno de los numerosos fantasmas y asignaturas pendientes de su propia vida. ¿Qué hacía Lanata, un periodista progresista y enemigo de la violencia con una Smith

& Wesson sobre la mesa? ¿Quién se la había suministrado? ¿Cómo la consiguió?

Lanata hizo memoria:

—*Fue en 1994 o en 1995. Yo estaba en mi casa de la calle Libertad y Córdoba, piso 12, frente al teatro Cervantes. Vivía solo. El portero era de mi absoluta confianza y su hijo estaba buscando laburo. A mí me venían amenazando por* Cortinas de humo (Una investigación independiente sobre los atentados contra la embajada de Israel y la AMIA). *Era una verdadera cagada. Porque yo pasaba un buen tiempo con Bárbara, que era chiquita y a mí me generaba más vulnerabilidad. Un día llegué a atender y un tipo joven, con el ruido del fondo de un taller, me dijo, muy tranquilo: "Lanata: vas a morir de una muerte dolorosa". Lo mandé a la concha de su madre y colgué. Enseguida le pedí una custodia al ministro del Interior de ese momento. Me la pusieron enseguida. Tuve que seguir escribiendo el libro de esa manera de mierda hasta que se publicó. Llegó el verano. Alquilé una quinta en la provincia de Buenos Aires. Yo no quería una custodia de la Maldita Policía de la provincia. Entonces le dije al hijo del portero si quería hacerme de custodio. El pibe aceptó y, como no estaba armado, le di la plata para que comprara una. Sacó el permiso y la compró. Fue mi custodio por ese verano. Duró poco la custodia. Al pibe lo tuve que echar porque se lastraba a la mucama que trabajaba en la quinta. Un día llegué de laburar y estaban juntos en la pileta. El arma, por supuesto, quedó en mi poder.*

La Smith & Wesson calibre 38 que tenía Lanata sobre la mesa ratona del balcón terraza del piso 26 de su departamento de Belgrano, la noche del 31 de diciembre de 1997, era una Modelo 10, conocida como *Military & Police*. Se trata de una de las más usadas por las fuerzas de seguridad de todo el mundo. Durante años fue la preferida de los policías y del Ejército, la Marina y la Fuerza Aérea de los Estados Unidos. Es un revólver con cilindro y puede cargarse con hasta cinco proyectiles. Tiene un bloqueo manual en el lado izquierdo y una varilla extractora debajo del cañón. Los 38 son de acero y carbono. Vienen en negro y azul, con el mango de madera. Un arma como la que tenía Lanata fue la que utilizó la periodista norteamericana Christine Chubbuck para suicidarse, en vivo, el 15 de julio de 1974, durante la emisión de un noticiario en Sarasota, Florida. Es la misma que usó Mark David Chapman para asesinar a John Lennon, el 8 de diciembre de 1980 en la puerta del edificio donde el artista vivía, en la ciudad de Nueva York.

¿Quería Lanata pasar para el otro lado, de verdad?

El psicoanálisis divide el impulso suicida en tres niveles bien diferenciados. Uno es el de la idea. Se lo reconoce enseguida. Es cuando la persona dice: "Me mato". Parece solo una hipótesis y suele quedar en eso. El segundo es el de la fantasía suicida. Puede concretarla o no. Puede comunicarla o no. Pero primero aparece en la mente en forma de fantasía. El tercer nivel es el del plan. En este caso, el individuo suele mostrar algo que se denomina omnipotencia suicida. Es la convicción de creer que él mismo puede doblegar a la muerte que siempre llega, por el hecho de elegir el momento de terminar con la propia vida. Para elaborar un plan se necesitan ciertos elementos. Artefactos, como una soga, pastillas, veneno o un arma. ¿Tenía Lanata, aquella noche, un plan suicida, y estaba buscando la manera de llevarlo a cabo? Se lo pregunté una y mil veces no bien confirmé que *Fuegos* no era una escena de ficción, sino uno de los episodios más reales de su controvertida y apasionada vida.

–*¿Qué querés que te diga? ¿Querés que te explique* Fuegos? *Tengo un problema con eso: no te lo puedo contar. Porque la mejor manera que tengo de explicar cosas como* Fuegos *es escribiendo. Y yo la escribí. Y es todo verdad. Era una situación de festejo, por eso me puse traje. El arma que tenía era la que le había comprado a una custodia que tuve. Era una 38, una Smith & Wesson. ¿Si el arma estaba cargada? ¡Qué hincha pelotas que sos, boludo! Sí. Estaba cargada. ¡Pero eso qué tiene que ver! ¿Pensás que no tenía control de la situación? No había posibilidad de nada. Sí. La cocaína estaba ahí. Y yo la estaba tomando. Pero no es un alucinógeno la cocaína. Si me hubiera tomado un ácido sí habría puesto en riesgo mi vida. Porque estaba solo y se me podría haber dado por tirarme de la ventana. Me acuerdo de que se veían los fuegos de la ciudad, por eso le puse* Fuegos. *No hay detrás de esto más de lo que se ve. Yo no puedo interpretarme a mí mismo. Solo te puedo decir que lo que parece ser, es. Que todo es cierto. Departamento de Belgrano. Piso 26. Estaba en la terraza. En una especie de balcón. Estaba solo. Igual yo odio las fiestas. Jamás hice una fiesta en mi vida. Lo siento como una situación rara. Y me molesta que la gente se obligue a divertirse. Otra vez, sí, lo admito: tenía un arma cargada. Y lo sé porque lo escribí. Y lo que escribí es cierto. ¿Tu pregunta es si quería usarla? Bueno. Estaba ahí. Y yo estaba triste. En ese momento me pesaba la historia. Ahora me pesa menos. Pero en ese momento me pesaba mucho. ¿Cómo no me iba a pesar si era un chico que a los 26 años ya había fundado un diario y me encontraba en el medio de miles de quilombos, sin ser de ningún lado? Porque al final, en ese momento, yo no sabía si era de Sarandí, de Barrio Norte o de dónde mierda era. Y la presión política era enorme. Como era y es insoportable sentir que todo el mundo habla de vos sin* *saber una mierda de vos. A mí, desde que nací, todo el mundo trata de moldearme. Trata que sea distinto de lo que soy. Que sea parte de lo que son ellos. La gente, por ejemplo, quiere que deje de fumar. Pero lo que les molesta no es, en realidad, que fume, sino que no les obedezca. No seas boludo. No tiene que ver solo con la salud. El cigarrillo es una excusa. El problema de fondo es que nuestros enemigos nos odian pero de alguna manera también nos quieren, porque nos animamos a hacer lo que ellos no pueden. Nos admiran porque no nos dejamos tocar el culo en un mundo tan de mierda como la televisión, pero en el fondo nos odian porque estamos ahí, refregándoles en la cara que hay tipos, como nosotros, que pueden resistir. Te quieren, y no te quieren. Te respetan, pero te odian. La presión que yo recibí, y todavía recibo, es una proyección de los deseos y los miedos de ellos. Te repito: estaba ahí y estaba triste. Estaba muy presionado y tremendamente dolido porque no podía despegarme de Página/12. ¡Sí, boludo! Con un arma cargada. Pero no me pegué un tiro. No lo hice porque, en el fondo, no lo quería hacer. Fue una boludez. Una pendejada. Lo hice y lo escribí. Podés poner que era una manera de coquetear con la muerte.*

Hay que empezar desde el principio, y detenerse en el lugar necesario para comprender quién es Lanata.

Nació el 12 de septiembre de 1960, veinte días antes de lo previsto, por complicaciones en el embarazo de su mamá.

Llegó a este mundo desde Mar del Plata, donde su familia tenía una casa de verano, y no desde Sarandí, el lugar de residencia de sus padres, porque los médicos le aconsejaron a María Angélica que no se moviera demasiado. El registro oficial dice que su mamá lo recibió en la clínica privada 25 de Mayo.

Fue, durante los primeros meses de su vida, el típico niño sobreprotegido, hijo de padres "demasiado grandes". Ernesto Lanata tenía 40 años cuando él llegó al mundo. María Angélica Álvarez ya había cumplido los 37.

Lanata tuvo dos hermanos mellizos, pero nunca los llegó a conocer. Nacieron siete años antes que él y murieron al cumplir una semana de vida. Me lo confirmó su tía, Carmen "Negra" Lanata, en su casa del barrio de Barracas:

—*Mi cuñada quedó embarazada a los cuatro años de casada. El parto se adelantó. Fue en el Sanatorio Anchorena. Eran mellizos y nacieron azules. Uno duró una semana y el otro duró dos días. A María Angélica le faltaba una vitamina que hubo que reponerle luego. Fue siete años antes del nacimiento de Jorge. La tristeza fue enorme. No sabés la que pasamos.*

21

Lanata se enteró de que había tenido dos hermanitos en el medio de la investigación para esta biografía. Cuando le pregunté qué le pasaba con eso me hizo entender que era demasiado tarde para que tuviera algún sentimiento en particular.

—*Vos no tenés ni la más puta idea de lo que significa vivir toda tu infancia y tu adolescencia en una casa en la que tu mamá no habla y tu papá no existe y nadie te cuenta nada de nada.*

A los siete años su mamá fue operada de un cáncer en la cabeza y su vida cambió para siempre, como se verá en el capítulo siguiente.

El 31 de diciembre de 1997, justo antes de las 12 de la noche, Lanata pudo interrumpir su coqueteo con la muerte. Fue en el instante en que empezó a escribir el final de *Fuegos*. El periodista dejó de hablar con él mismo y dio inicio a su diálogo con Dios. Vale la pena publicar el texto, casi completo:

Habrá
otra vez
muchos fuegos
feliz año,
Año nuevo
Espero poder estar
A la altura de las circunstancias.
Dios,
Estoy acá,
acá,
es bueno volver a sentir
tu luz azul.
No quiero volver todavía.
Tengo trabajo pendiente
Y es cierto,
   extraño
qué bueno es
volar un poco.
¿Por qué nos separaste de las cosas?
¿Qué buscabas?
Sí, ya sé,
Perdón, Señor:
perdón,
lo que debe ser
será.

22

No hay ruta
que no termine en mí.
No hay movimiento
sino existencia y expansión.
Ya son las doce,
acaba de comenzar otro año
del mismo destino.
Y una cosa más,
Señor:
Gracias por mi hija.

Aquella noche, al final, Lanata no se suicidó. Y en cambio recibió a una chica, después de las 12, la abrazó y la besó.

Los momentos clave de sus treinta y siete años anteriores y de sus quince años posteriores servirán para comprender todavía más su compleja personalidad.

Por ahora basta con saber que:

Fue casi un niño prodigio.

Tuvo decenas de mujeres, tres matrimonios con libreta y dos hijas.

Terminó el colegio secundario de noche y jamás obtuvo un título universitario.

Fundó dos diarios y cinco revistas.

Condujo programas de radio y televisión.

Hizo una película.

Hizo de actor para películas y videoclips.

Publicó ocho libros.

Fue acusado varias veces de plagio.

Ganó decenas de premios.

Soportó una quiebra personal, tuvo que vender relojes para pagar deudas y todavía sigue gastando más de lo que tiene, a pesar de que lo que gana es cien veces el salario promedio de un periodista argentino.

Se peleó con decenas de colegas y también con casi todos los presidentes desde 1983 hasta acá.

Tomó toda la cocaína que podía tomar y un poco más, hasta que su cuerpo y su alma le pusieron un límite.

Juró que jamás trabajaría para *Clarín*, hasta que se transformó en el periodista estrella del Grupo.

En los últimos dos años estuvo por lo menos dos veces a punto de morirse y su médico sostiene que, aunque está mucho mejor, tarde o temprano deberá volver a diálisis o necesitará un trasplante de riñón, si es que todavía quiere gozar de una vida más o menos normal.

Ahora que muchos de sus fans lo imaginan perfecto, o que sus enemigos le demuestran su odio con el apodo de "larrata", es un buen momento para empezar a contar su verdadera historia.

2

MAMÁ

Lanata tomó conciencia de que su mamá no podría volver a hablar ni a caminar ni llevarlo al colegio ni a jugar, un día muy frío de 1968.

Tenía apenas siete años.

Cuarenta y cuatro años después, Lanata me dijo:

–*Estaba en el patio de mi casa. Hacía frío. Sé que era yo porque ahora me recuerdo justo ahí. Pero no me veo con claridad. En mi memoria soy como una sombra.*

Hacía poco que a su madre, María Angélica Álvarez, la habían operado de un cáncer en el cerebro. Un meningioma que le impedía, entre otras cosas, articular oraciones. Por entonces casi todos, en la familia, tenían la esperanza de que una mañana se levantara y dijera, por fin, sus primeras palabras. En uno de aquellos días, su hijo, que estaba en su pieza, en silencio, creyó escuchar, con claridad, la voz de su mamá, que llegaba desde el cuarto matrimonial.

–*¡Agua!* –le pareció a Lanata que pedía María Angélica.

Lanata fue corriendo hacia la cocina y se topó con su tío Dionisio, el hermano de su madre. Estaba desesperado por darle la buena noticia:

–*Tío, mamá dijo "agua"* –informó.

–No, Jorgito. Eso no puede ser –lo desalentó su tío.

–*Sí, puede ser. Yo la oí. Dijo "agua". ¿Por qué no puede ser? ¿Por qué mamá no puede decir "agua"?*

–Porque ella se enfermó de algo muy grave. Y tal vez no vuelva a hablar nunca más.

A Lanata, entonces, le bajó el alma a los pies. Porque comprendió, de manera cabal, y más allá de las mentiras piadosas de las mujeres de la familia, que Mamá pasaría toda su vida inválida, en silla de ruedas. Él no solo la amaba. Sentía devoción. Y ella, hasta que se enfermó, había vivido tan solo para él. Se había preocupado de mantenerlo limpio y bien peinado. De cocinarle tortas y galletitas. De tejerle pulóveres y bufandas para que siempre tuviera algo que estrenar.

25

Ella, Mamá, siete años antes del nacimiento de Lanata, había perdido a los mellizos y por eso había resuelto dedicar todo su tiempo a su único hijo. Por esa razón había dejado de trabajar en la parte contable de una fábrica de azufre que tenía Duperial. Por eso había decidido no dejar a Lanata solito ni un minuto. De hecho, el niño todavía no había ingresado al jardín de infantes cuando María Angélica, junto a su hermana Nélida, ya le habían enseñado a leer de corrido los chistes del diario *La Razón* y algunas notas breves de *La Prensa*. Lanata me contó que desde que tenía tres años leía con cierta fluidez. Que lo hacía tirado en el piso del enorme living. Y también me contó que mientras leía, su padre, Ernesto Eduardo Jaime Lanata, trabajaba como cirujano dental dentro de la misma casa, en Sarandí. Era una enorme propiedad, en Luis María Campos 3115, esquina Acha, que tenía dos entradas: una para el consultorio y otra para el garaje donde su papá guardaba el primer y único auto que tuvo en toda su vida, un *Chevrolet 1951*.

El auto de Ernesto Lanata hablaba mucho de su personalidad: era enorme, blanco, cromado, tenía tapizado de cuero y cuatro puertas. Los asientos estaban unidos. Es decir: una fila delante y otra atrás sin butacas individuales. El auto de Lanata padre pesaba 1.485 kilogramos, medía 5 metros de largo, casi 1,90 de ancho, y cargaba 15 litros de agua y 5 de aceite. Su velocidad máxima era de 170 kilómetros por hora. Un día, el mecánico de Ernesto Lanata le prometió que su auto iba a estar listo para una fecha determinada, pero no cumplió. Entonces el papá de Lanata fue con una escopeta y le dijo que si no se lo entregaba, arreglado, al otro día, regresaría y le dispararía.

—*Mi viejo era violento, pero contenido. Nunca le pegó a nadie. Tenía, sí, una enorme violencia interior. Era muy conservador. Y además tenía un rollo con el tema de la palabra. Si le decías "te veo el miércoles" y aparecías el jueves, se te armaba una del carajo. Era cabrón, gritón y muy elemental. No era un tipo culto pero era fanático de Gardel. He tenido grandes peleas con él. Durante el tiempo en que luchamos por cambiarnos, nos odiamos. Al final de la historia, no puedo dejar de valorar que se haya quedado con mi vieja. Que no haya decidido internarla.*

Jorge Lanata usó el auto de su papá muy pocas veces. Una de las últimas fue un año después de su muerte. Lo hizo para sacar de paseo a su segunda esposa, la periodista Silvina Chediek, con quien se casó, en Nueva York, en 1990. Ella me dijo que en aquella época estaba tan enamorada, que, al ver llegar a Lanata con semejante vehículo, no le pareció grasa, sino todo lo contrario.

Además del consultorio y el garaje, en la casa de los Lanata, en Sarandí, había una sala de espera, una cocina muy grande, un living comedor más grande todavía, con tres habitaciones, un patio y una terraza.

María Angélica Álvarez de Lanata, a quien Lanata siempre llamó Mamá —sin el mi—, era linda. Rubia, muy alta, y de ojos verdes. Su hijo me dijo que era idéntica a Juliana Gatas, la cantante de Miranda, con quien él mismo compartió escenario en 2008, cuando se lanzó hacia la aventura de jugar de capocómico en El Maipo. Por más que se esforzó, el periodista no pudo recordar a su madre de pie. Tampoco pudo precisar cuándo fue la última vez que su mamá lo llevó de la mano a la escuela, a la plaza o al cine. Solo reconstruyó la imagen de ella cuando pasaron, juntos, frente a una comisaría y Lanata dijo "Perón", en tono de chiste, en la época en que decir Perón era casi un sacrilegio. Su mamá era peronista. Peronista de Eva Perón. Años después sus tíos le contaron a Lanata que María Angélica había asistido a los actos que Evita protagonizó en Plaza de Mayo.

La que sí recordó los detalles de aquellos años, cuando la tragedia aterrizó en la casa de Luis María Campos, es Carmen *Negra* Lanata, 81 años, hermana de Ernesto, cuñada de María Angélica y la única tía de Jorge que todavía está viva. La *Negra* es cantante de tangos y fue secretaria de Cultura del sindicato de Obras Sanitarias. Se trata de una mujer de carácter fuerte y una memoria excepcional.

Carmen, para empezar, fue testigo del inmenso amor que los padres de Lanata se tuvieron desde muy pequeños:

—*Ninguno de los dos tuvo otro novio jamás. Se conocieron cuando ella tenía siete años y mi hermano diez en la Escuela Número 10 de Avellaneda. Ellos (los Álvarez) vivían en Chenaut y Chivilcoy y nosotros (los Lanata) vivíamos a un par de cuadras, en Crámer y Chivilcoy. Ellos tenían una despensa muy grande que manejaban los papás de María Angélica, los abuelos de Jorge, don Dionisio y doña Carmen. A Jorge lo tuvieron siete años después de perder a los mellizos y once años después de haberse casado.*

—¿Lo malcriaban?

—*Más que eso: mi hermano, mi cuñada y Nélida, la hermana de María Angélica, vivían para él. Era el más consentido, y el más brillante. Comparado con mis hijos, parecía un príncipe. Venía a los cumpleaños de sus primos con guantes blancos. Lo mimaban tanto que no lo dejaban moverse. A los tres años y medio ya leía el diario.*

—¿Cómo lo sabe?

—*Porque me lo leía a mí. Un día me empezó a leer y yo agarré el diario y le cambié la página. Pensaba que me estaba haciendo trampa.*

27

Que no leía, sino que repetía de memoria. Cuando empezó a leer en voz alta, despacito, otra noticia, me di cuenta de que era un chico especial. De hecho, en la escuela, siempre estuvo un año adelantado. A los cuatro años ya había entrado al jardín de cinco, terminaba la tarea antes que ninguno y no dejaba aprender a nadie. Jorge no decía "voy a la calesita". Decía "voy al carrusel". Se lo pasaba leyendo y de paso corregía a todo el mundo. Los maestros lo dejaban terminar el año antes porque él iba mucho más adelantado que el resto de la clase. De tan inteligente que era cansaba. Molestaba. Y todo en esa casa y en esa familia parecía perfecto hasta que a mi cuñada le agarró el tumor cerebral.

La tarde que Mamá se descompuso, Carmen Lanata estaba en la cocina de su casa y tomaba mate con ella. Carmen me contó que a María Angélica le empezó a doler muy fuerte la cabeza y que de inmediato ella le avisó a su hermano, Ernesto Lanata. Él le dio un analgésico y le pidió que se fuera a descansar.

A la mañana siguiente Mamá no se quería levantar. Eso sí que parecía raro. *"¿Cómo podía ser que no tuviera voluntad para levantarse, si era capaz de encerar debajo de la vereda?"*, exageró Carmen, para destacar lo trabajadora que había sido. Entonces su marido cruzó la vereda de enfrente, llamó a Esteban Baglietto, director del Hospital Fiorito, y le pidió que la fuera a ver urgente.

La internaron de inmediato. Al cuarto día le detectaron el meningioma. Para operarla, la trasladaron al Sanatorio Mitre, de Avellaneda. Carmen Lanata también estuvo ahí:

—*Fue algo espantoso. Le hicieron una trepanación de cerebro, porque el cáncer lo tenía en uno de los pliegues. Estuvo diecinueve horas en el quirófano. Cuando la terminaron de operar se le aplastó la bolsa del corazón. La llegamos a dar por muerta. En un momento, la bolsa empezó a trabajar sola y Angélica "revivió". Cuando la fuimos a ver, estaba toda vendada. Durante las primeras cuarenta y ocho horas dijo algunas palabras sueltas. Frases incompletas. A partir de ese momento, ya no pudo caminar ni hablar más.*

—¿Cómo se comunicaba Jorge con su mamá?

—*Como podía. Era un infierno entenderla. A María Angélica le quedó la mano izquierda pegada al estómago. Casi no la podíamos vestir. Vivía en silla de ruedas y se comunicaba por señas. Solo podía decir "no" y "ahhh". Decía "ahhh", por ejemplo, cuando se alegraba de que alguien hubiera venido de visita. A mi hermano lo ponía muy nervioso la situación. No quería que nadie fuera a verla. Después de que se enfermó, María Angélica no pudo sacar a pasear más a Jorge. No lo pudo llevar a la escuela. No le pudo demostrar con palabras el profundo amor que le tenía, ¿entendés? Ahí se terminó el vínculo entre madre e hijo tal como lo conocemos vos y yo.*

Al año siguiente de lo que pasó con su mamá, a Lanata lo afectó una apendicitis. Lo tuvieron que llevar de inmediato a la sala de operaciones.

Antes de entrar al quirófano, pidió un "último deseo": quería un perrito. Su tío Dionisio salió a buscar uno a la quema de Sarandí, cerca de la laguna La Salada. Lanata fue operado con éxito y recibió a la mascota no bien le dieron el alta. Le puso Chiche y no se separó de él hasta que el animal murió. De hecho, en algún momento escribió que Chiche fue su confidente, cuando no tenía a nadie con quien hablar.

—*Es cierto, a mi perro Chiche le contaba todo, menos lo de las chicas de las que me había enamorado.*

Un día Chiche intentó escapar por la puerta de atrás de la casa de su tía Nélida, donde Lanata pasaba muchas horas del día. El niño pretendió evitar la fuga. Para eso, cerró la puerta de un empujón, y en el movimiento se dejó la uña entera de la mano izquierda. Corrió hacia la "pileta de lavar" del patio con el dedo sangrando. Entonces se miró al espejo y experimentó una cierta desazón. En aquella época estaba "perdidamente enamorado, pero en secreto" de su compañera de banco, Carmen Graciela Albornoz.

—*Lo primero que me angustió, aunque te parezca una pelotudez, no fue el dolor, sino la certeza de que ella no me iba a querer así, con un pedazo de dedo de menos.*

Carmen Albornoz y Jorge Ernesto Lanata fueron compañeros durante toda la primaria en el colegio privado San Martín de Avellaneda. Ella fue la mejor alumna de su curso. Y él fue el segundo. Él se enamoró de ella a primera vista, pero jamás se lo comunicó. También llamó a su casa varias veces solo para oír su voz y cortar de inmediato.

Carmen Graciela Albornoz tiene 52 años. Casada y divorciada, tiene una hija y una nieta. Apenas terminó el colegio, se recibió de contadora nacional. Uno de sus primeros trabajos fue como administradora contable del mismo Colegio San Martín. Ahora trabaja de manera independiente. El primer amor de la infancia de Lanata se sorprendió cuando se enteró de que había sido la primera obsesión del periodista.

—*Nunca me enteré de que estuvo enamorado de mí, pero lo recuerdo muy tímido, rellenito y de perfil bajo. Era más chico que todos nosotros. Era muy retraído y lo tomaban de punto. En cuarto grado nos sentamos juntos. No sé qué hacía durante todo el día. Lo que sí recuerdo es que siempre tenía las manos manchadas de tinta.*

La primera medida que tomó la familia cuando la enfermedad de María Angélica cayó en el hogar como un rayo destructor fue mudar a Lanata a la casa de su abuela Carmen López de Álvarez. Sobre ella, Lanata escribió:

—*Doña Carmen no sabía leer. Solo miraba las fotos o los dibujos de los diarios. La madre de mamá, de Nélida, de Dionisio y de Emilio, que no sabía leer ni escribir, había llegado de La Coruña con un libro y un cuadro al óleo: el retrato de los Reyes de España y un ejemplar de* Guía para la Juventud, *escrito por el reverendo padre Tomás Péndola en Madrid, durante 1896. Doña Carmen vestía de negro desde siempre, era viuda de don Dionisio, obrero portuario y nunca, ninguna mañana, dejó de despertarse llorando por la enfermedad de su hija, mi madre.*

Después, me dijo:

—*Fue algo muy triste, lo que le pasó a mi abuela. En los últimos años de su vida, la demencia senil le hizo olvidar el español, tuvo como una regresión a la infancia y volvió a hablar en gallego. Mi abuela era analfabeta, porque no sabía leer. Pero no era ignorante, porque era curiosa y se preocupaba por aprender.*

Además de portuario, el esposo de Carmen López, Dionisio Álvarez, era el dueño de la despensa. Todos los sábados, el abuelo Dionisio juntaba las cajas de cartón, las llevaba al fondo de la casa y las quemaba, porque esa era su manera de limpiar. Un poco antes de "lo de María Angélica" quiso hacer lo mismo, pero se mareó, se cayó encima del fuego y se quemó casi todo. O, para ser más precisos: de la cintura para abajo. A su hijo, Dionisio y a también su yerno, Ernesto Lanata, el papá de Jorge, le levantaron toda la piel del vientre para hacer un injerto sobre las partes quemadas del cuerpo del abuelo. El trasplante se hizo con mucho cuidado, pero Dionisio rechazó el injerto y, unos días después, se murió.

—*Los Álvarez pensaron que eso era lo peor que les podía pasar, pero no mucho tiempo después sucedió lo de María Angélica* —me contó Carmen Lanata.

El traslado de Lanata a la casa de Nélida tenía un doble propósito: que el niño no absorbiera el dolor de la situación y que no "molestara" a su padre, quien había decidido entregar su completa existencia al cuidado de la mujer a la que nunca dejó de amar.

Iba a ser una mudanza provisoria, pero terminó siendo definitiva.

Carmen Lanata justificó la decisión familiar. Y sobre todo, justificó a su hermano:

—*¿Qué iba a hacer mi pobre hermano? La casa se derrumbó de golpe. Porque hasta que se enfermó, María Angélica se ocupaba de todo. De*

limpiar, de lavar, de planchar, de pagar los impuestos y ordenar los núme-
ros del consultorio de Ernesto. Mi hermano, al mismo tiempo, tenía que
seguir trabajando. La imagen de la casa era: Ernesto, yendo y viniendo,
desde el consultorio a la cocina, donde estaba María Angélica en silla
de ruedas y con dos enfermeras a su disposición. Igual, mi hermano no
dejaba que la tocaran: la bañaba, la besaba, le hacía de pedicuro y le
pintaba las uñas, le ponía los ruleros, la perfumaba y le compraba por
lo menos un camisón por semana.

—¿Y Jorge?

—*A partir de ese momento fue criado por su tía Nélida, su abuela*
Carmen y su tío Dionisio. Jorge no hacía cosas de chicos. No tuvo una
infancia como la tuya o como la mía. Siempre tuvo la forma de ser de
una persona grande.

—¿No veía a su mamá?

—*Sí. Sobre todo al principio, cuando pensaba que se podía curar. Él se*
paraba al lado y le hablaba. Ella le entendía pero no le podía responder.
Jorge tenía los mismos ojos que ahora. Esos ojos llenos de tristeza que
nos partía el alma a todos.

—¿Lloraba?

—*Yo nunca lo vi llorar. Siempre fue muy tímido, muy reservado y muy*
solitario. Yo estoy segura de que, todavía hoy, tiene, en el fondo de su
alma, un dolor al que conoce solo él.

Desde los 7 hasta los 12 años, Lanata se lo pasó haciendo a su familia
una sola pregunta:

—*¿Qué va a pasar con Mamá? ¿Algún día se va a curar?*

Pero nunca nadie le dio ninguna respuesta concreta.

A Lanata, a partir de lo que le sucedió a Mamá, nunca más le festejaron el cumpleaños.

—*Vas a volver a tener fiesta de cumpleaños cuando tu madre se ponga*
mejor —le prometió su papá. Y Lanata le creyó. Y jamás se le ocurrió
cuestionar la decisión. Al contrario. La compartía. ¿Cómo iba a cometer
el sacrilegio de festejar algo con Mamá en semejante estado?

Es hora de que hable de Mamá su propio hijo:

—*Yo vi lo que le pasó a Mamá. Y lo que vi atravesó mi infancia, mi*
adolescencia y el resto de mi vida. Por eso crecí pensando que me iba
a pasar lo mismo. Con la ansiedad de suponer que me quedaba muy
poco tiempo.

—¿Tenés algún recuerdo, aunque sea mínimo, de tu mamá cuando
estaba bien?

—*Mamá me enseñó a leer antes de empezar el colegio. Yo leía rápido y también podía leer al revés. De hecho todavía lo hago. Mi mamá era muy alta y tenía ojos verdes. Cuando recién se había enfermado, la pusieron en su cuarto, al lado del mío, y yo no dormía bien, porque esperaba que se curara. Después me fui. O mejor dicho: me llevaron a la casa de mi tía. Así que ese cuarto no lo usé más. Nunca más fue "mi" cuarto. Porque a esa casa, a partir de que se enfermó mi mamá, yo iba de visita.*

—¿No tenías amigos?

—*No. Porque no salía a jugar a la pelota y el deporte no me gustaba. Leía mucho. Revistas:* Selecciones, Para Ti, Siete Días *y* Atlántida. *Y los libros de la biblioteca de mi tío Dionisio, cuando iba a su casa. Dionisio había laburado en una compañía de fertilizantes y en otra de repuestos de autos y era un tipo muy curioso y muy inquieto. No me acuerdo si era más chiquito o si era adolescente cuando empecé a leer* Rayuela, *de Cortázar. Era una edición de Sudamericana de tapa negra. Tenía una inscripción que decía "Pinamar", porque era usado.*

—¿Qué tipo de vínculo tuviste con tu tía Nélida?

—*Fue mi segunda mamá. Una mina increíble. Una hinchapelotas de aquellas. Yo me crié con mi tía y con mi abuela Carmen, pero la que estaba siempre ahí era mi tía. Nélida era la típica tía soltera que ayudaba en mi casa porque mi viejo no podía hacer todo. Se ocupaba del colegio y de todas mis cosas. Era cabeza dura, desconfiada y me metía mucha presión en el colegio. Era superpesimista y una inconformista total.*

—La quisiste casi tanto como a tu mamá.

—*Era también mi mamá. Yo tuve dos mamás, no una. Y mi carácter es una mezcla de las dos. Tengo el sentido del humor de mi mamá, y el pesimismo de mi tía Nélida. Era una buena mina. Yo la quise mucho. Se murió en el (Hospital) Británico, a los 95 años. Pero los últimos años de su vida los vivió acá con nosotros. Al escritorio de Sara lo convertimos en su cuarto. Ella metió toda su vida ahí. No tiró prácticamente nada. Se había hecho canutos por todos lados. Canutos de comida. Canutos de guita. Ella me bancó durante una buena parte de mi adolescencia y mi juventud. Nunca había salido del país, pero, durante mi etapa de lumpen, se las arregló para hacerme llegar un giro de guita a Paraguay, donde me había quedado varado. Yo le había pedido ayuda a mi viejo. Pero él, en vez de mandarme la guita, me puteó. ¿Sabés qué hizo Nélida? Como no podía mandar el dinero desde la Argentina viajó a Montevideo solo para eso. Era más bien bajita, pelo marrón. Decía y hacía cualquier cosa. Yo la quería llevar a la radio porque decía barbaridades. Un día, en casa, mientras estábamos con Sara y con Bárbara, se puso a hablar de ¡la diferencia entre las drogas duras y las drogas blandas!*

—¿Qué te queda, hoy, de ese niño solo?

—*Todo. Yo creo que nunca te lo sacás de encima. Mi vieja estaba ahí pero no hablaba ¿entendés? Viví años enojado con mamá, como si ella hubiese sido la responsable de lo que le pasó. Tardé siglos en abrazarla. Pensá en tu vieja por un momento. Todas las cosas que vos hablaste en la vida con tu vieja yo no las pude hablar. Si buscás en esto una explicación tal vez se pueda decir que yo me dedico a preguntar por qué tuve una mamá así. Yo no viví una vida normal. Crecí de golpe. Por eso me quebré tantas veces.*

A pesar del desbarajuste familiar que produjo "lo de su mamá", Lanata fue un alumno brillante. De los que en aquella época se conocían como *tragalibros* y a fines del siglo pasado se los empezó a denominar *nerd*. Como era el más chico de la clase, se veía un poco gordito y se mostraba muy retraído, sus compañeros más inquietos lo eligieron de blanco para las bromas más pesadas. Lanata siempre odió la gimnasia. En realidad, todavía la odia. Quizá por eso, entre otras cosas, sus compañeros, cada tanto, lo tiraban de prepo a la pileta del Club Atlético Independiente, donde los alumnos del Colegio San Martín asistían durante la clase educación física. "*¡Al agua, Lanata!*" fue un grito de guerra que sus amiguitos de entonces recuerdan con una sonrisa. En el aula, la dinámica no era diferente: día por medio a Lanata le sacaban los útiles del portafolio marrón y se los desparramaban por el piso, o le recordaban que estaba excedido de peso con la típica crueldad de los niños. Un buen día, un preceptor le puso un sobrenombre: Coco. Y algunos de los más crueles, lo empezaron a llamar Cocó. A ellos les llamaba la atención su manera de expresarse y las palabras que utilizaba. Decían que parecía poco varonil. Un tanto amanerado. Sus compañeras y compañeros de entonces coinciden en algo: el niño se las aguantaba con resignación; jamás tuvo una reacción violenta o destemplada.

Sus boletines de la escuela primaria, y también el de los primeros años de la secundaria están repletos de 8, 9 y 10 y de las calificaciones *excelente* y *felicitado*.

Su primer cuaderno, correspondiente a *Primero Inferior A*, es un documento valioso. Tenía apenas cinco años cuando empezó a escribir con letra clara y prolija. La primera frase que dejó estampada en su vida escolar fue con un lápiz marca Staedtler. Lo hizo bajo una foto de Sarmiento, a la que pegó con Plasticola: "*Domingo F. Sarmiento es el patrono de mi aula. Amó a los niños*".

Aquel cuaderno de Lanata es un gran ejemplo de los métodos pedagógicos de la época: rigor, y mucha repetición. De hecho, todos los días, y durante la primera hora, Lanata debía escribir la fecha, informar sobre el clima y saludar a la maestra. *"Hoy es martes 12 de abril de 1966. Es un lindo día de sol. Buenos días, señorita"* fue la frase que, con ligeras variantes, repitió ese año Lanata por lo menos ciento cincuenta veces. También aparecían, todo el tiempo, las alusiones a La Patria. El jueves 16 de junio, unos días antes del Día de la Bandera, a Lanata le hicieron escribir el siguiente texto, con el título de *Mi bandera*:

> *Banderita idolatrada*
> *Banderita bicolor*
> *En tu pecho canta el viento*
> *En tus pliegues brilla el sol*

En su primer cuaderno también quedaron registrados los ejercicios de Matemáticas. Todas las sumas y todas las restas las resolvió sin el más mínimo error.

El 25 de abril de 1966 dibujó a su papá y a su mamá. Primero hizo una caricatura y después pegó sus figuras, de cuerpo entero, rodeados de flores.

El 22 de agosto del mismo año escribió por primera vez con "lapicera de tinta".

El 29 de noviembre, último día de clase, Lanata hizo un resumen de todo lo que había trabajado durante el año. Lo escribió en letra cursiva y muy prolija. Quizá fue también la primera vez que usó la primera persona:

—*Yo en la escuela aprendí a escribir y a leer. Yo en la escuela aprendí problemas y cuentas. La señorita Lidia nos enceñó (¡por fin una falta de ortografía!) femenino y masculino.*

Por su parte, la señorita Lidia lo llenó de elogios y lo calificó de excelente y educado.

El saldo de aquella temporada no podía haber sido mejor. Solo computó tres faltas, en el mes de septiembre.

El año siguiente cursó Primero Superior y le fue mejor todavía.

El martes 11 de abril de 1967 Lidia pidió a sus alumnos que contaran quiénes eran. Lanata le puso un título a la tarea: *"Comentario de la lectura: yo"*. Después escribió:

Yo me llamo: Jorge. Tengo siete años. Quiero ser un buen alumno buen compañero buen hijo. Para sacarme la medalla de oro a fin de año y que mi señorita Lidia esté contenta y mis padres también. ¿Para qué quiero sacarme la medalla? Para que mis padres estén contentos.

Es una reproducción textual.

El 20 de abril de ese mismo año, 1967, Lanata escribió su primer relato corto. Lo tituló *"¡Cómo llueve!"*:

Cuando llueve me gusta andar corriendo por la calle y oír cómo caen las gotas en el paraguas. La lluvia me gusta mucho porque hace crecer a las plantas y es lindo ver en la flor cómo se resbalan las gotas. A veces es muy fuerte, caen piedritas y eso es hermoso y cuando alguien las agarra dan frío en las manos y parecen de hielo. Cuando espero el micro para ir a la escuela veo por la ventana de mi casa cómo caen las gotas y es precioso.

La maestra lo premió con la mejor calificación: le puso excelente. El día del periodista escribió:

7 de junio. Día del Periodista. Mariano Moreno fundó nuestro primer periódico. La Gazeta. El periodismo es un gran adelanto para una Nación.

Mil novecientos sesenta y ocho fue el año en que a su mamá, María Angélica Álvarez de Lanata la operaron del meningioma en la cabeza. Sucedió entre fines de abril y principios de mayo.

Sin embargo, Lanata casi no modificó su rutina de alumno ejemplar. Lo único que quedó registrado de aquella tragedia fueron sus inasistencias: ocho seguidas, todas durante el mes de junio.

No volvió a faltar en todo el año.

El 14 de junio de 1968, un mes después de la operación, escribió, a propósito del día del Padre:

Yo quiero mucho a mi mamá y a mi papá, y a mi papá en el día del padre le voy a regalar una cosa muy linda. Mi papá me ayuda cuando no puedo hacer algo y si no entiendo algo mi papá me lo explica con paciencia. Yo quiero mucho a mi papá y todos los días trato de hacer las cosas bien para que se ponga contento. Cuando mi papá me pide que vaya con él yo voy corriendo porque él es bueno conmigo y me quiere mucho. Mi papá es amable trabajador. ¡Y todo lo bueno que es! Y es por eso que lo quiero muchísimo.

El viernes 18 de octubre de 1968 Lanata escribió un poema a María Angélica. Era el día de la Madre. Hacía meses que la suya ya no podía hablar con él. La tituló: *Para mamá*.

Para mamá en su día
Le voy a dar
Lo más lindo que pueda.
Yo regalar.
Una cosa tan dulce
Como un bombón
Y también perfumada
Como una flor
Que sea tan alegre
Como su risa,
Tan tenue y delicada
Como la brisa.
Que quepa en cualquier lado
Como un suspiro,
O como su ternura
Cuando la miro
Para mamá en su día
Le doy un beso:
Lo que a ella más le gusta
Yo sé que es eso.

En 1969 Lanata cursó cuarto grado y consiguió el diploma de honor en la materia Trabajo Manual.

En 1970 hizo quinto grado y sus calificaciones pasaron de palabras a números.

Lanata logró un promedio de 8 en Lengua, Matemática y Desenvolvimiento, consiguió un 7,11 en inglés y un 8,66 en Manualidad. Sus tres promedios más bajos fueron 5,11 en Folklore, 6,37 en Educación Física y 6,77 en Cultura Musical.

En sexto grado las notas de Lanata fueron idénticas a las del año anterior.

Sin embargo, no fue un año cualquiera. Fue el año en que se empezó a definir su clara vocación de periodista.

Tenía apenas 11. La profesora de Iniciación Literaria, Sonia Erauski, había encargado a la clase completa una biografía sobre el escritor Conrado Nalé Roxlo. Todos incluyeron los datos básicos que habían aparecido publicados en algún libro o una enciclopedia.

Todos, menos Jorge Lanata, quien tomó la guía de teléfono, buscó el nombre y apellido del escritor y lo llamó a su casa.

—*Me acuerdo de que ese día estaba, de visita, en casa de mis papás. Habré hablado, con el tipo, por lo menos medio hora. No sé por qué, pero tenía miedo de que mi viejo se diera cuenta y me retara.*

Cuando Lanata pasó al frente a presentar su trabajo y explicó que le había hecho una entrevista exclusiva al protagonista de la biografía, sus compañeros lo empezaron a mirar con más respeto y su maestra se derritió de admiración.

Su primer amor secreto, Carmen Graciela Albornoz, lo recordó así:

—*Fue una de las cosas más extraordinarias que pasaron en la escuela. Fue muy comentado. Y durante mucho años. Porque de repente, el tímido, el retraído, el tapado, sacó a luz toda su personalidad.*

También reconstruyó su bautismo como periodista, y algunas otras cosas, otra compañera del colegio San Martín que fue muy importante durante la primera adolescencia de Lanata. Se trata de Alicia Rodríguez. Fue su segundo amor secreto. Fue, también, la única que lo defendió del ataque sistemático de sus compañeros. La chica con la que pasearon, solos, por el zoológico, tomados de la mano. La persona que lo impulsó a caminar desde su casa de Sarandí hasta la de ella, en Villa Domínico, solo para que Dios se enterara de que él la quería. La mujercita por la que fue sancionado injustamente, por un episodio menor. Lanata había escrito "Alicia Rodríguez" en una regla de su propiedad, pero el preceptor pensó que era de su compañera, y que se la había robado.

Alicia Rodríguez, casada y divorciada, tiene 52 años, dos hijos y una nieta. Se recibió de Bachiller en el mismo colegio donde con Lanata compartieron casi todo. Ella sigue trabajando allí de maestra jardinera:

—*Jorge era muy especial. Para la mayoría de mis compañeros, era "el gordito distinto". Para mí, en cambio, era el más inteligente de todos. Hablaba igual que ahora. Había épocas que estaba gordo y otras que no. Él aprendió a leer desde chiquito. Y no leía cualquier cosa. Mientras nosotros andábamos con la* Patoruzito *el leía a Cortázar y a Borges. Él hizo, en primer y segundo año, un autorretrato que lo pinta tal cual. Escribió que no le gustaba mirarse al espejo, pero terminó el texto confesando lo que le devolvía su imagen. Ya estaba obsesionado con eso. Después se convirtió en una sección de su programa* Día D.

—¿Eran novios?

—*Estábamos juntos todo el tiempo. Nunca nos dimos un beso en la boca pero a veces nos agarrábamos de la mano. Yo era la única que lo defendía porque la mayoría lo volvía loco. Le vaciaban el portafolio y lo tiraban a la pileta. Le pegaban con las reglas de madera y le dejaban los brazos llenos de moretones. Los compañeros lo golpeaban y los maestros no lo contenían. Todavía hoy, en el colegio, hay quienes lo quieren y quienes no lo quieren. Algunos profes porque son K. Otros porque él habló mal del San Martín.*

Lanata y Alicia Rodríguez se vieron mucho tiempo después de terminar el secundario. Él ya era el director de *Página/12*. Y ella ya se había separado. Se encontraron en El Tortoni. Recordaron viejas escenas. Él no la llamó más. Solo le envió una caja de bombones y un ejemplar de su primer libro, la *Guerra de las Piedras*, con la siguiente dedicatoria:

—Espero que no pasen otros catorce años sin vernos.

Sin embargo, diez años después, cuando la vio por televisión, durante el reportaje que le hice para el primer programa de *La Cornisa TV* que se emitió en un canal de aire, el Canal 7, Lanata se sintió incómodo y no supo qué decir. Solo balbuceó:

—Mirá vos. Cuánto tiempo pasó, ¿no?

Lanata se acuerda siempre de ese programa por dos datos. Uno es que midió casi 8 puntos de rating, algo que no había sucedido nunca, en ese canal, con un periodístico, cuyo atractivo principal era una sola entrevista a fondo, mano a mano. Otro es el testimonio de Alicia Rodríguez. Lo pusimos en el aire con la intención de recordar su época escolar. Pero él se sorprendió cuando ella le propuso, por televisión, que estaría bueno encontrarse para volver a tomar algo.

—Se deberían prohibir los encuentros con los excompañeros del colegio y con las exnovias, después de cierto tiempo. No sirven para nada. Son un bajón —me dijo Lanata, para zanjar la discusión.

Después de la exclusiva con Nalé Roxlo, Lanata fue convocado por *La Colmena*, la revista del colegio, para realizar otros reportajes y escribir otras notas.

La Colmena había sido fundada el 12 de marzo de 1962. Al principio se pensó como una publicación interna del Colegio San Martín. Más tarde se agregaron notas de interés general. La irrupción del alumno Lanata en el staff de *La Colmena* produjo un fuerte e inmediato impacto. Todavía es recordada por los alumnos y los docentes de aquella época.

Uno de los reportajes que más repercusión tuvo fue el que le hizo al doctor René Favaloro. Lanata tenía 14 años, y cursaba el segundo año del secundario. Ya mostraba plena conciencia sobre lo que significa la fama y el impacto de la televisión. Inició el texto dirigiéndose al lector:

—*Usted lo conoce. Si no lo vio como "único invitado" en* Almorzando con Mirtha Legrand, *lo vio hace pocos días en el programa de Bernardo Neustadt.*

A raíz de los comentarios de los papás y los alumnos que recibieron *La Colmena*, la nota con Favaloro fue reescrita y publicada en *La Ciudad*, el diario de Avellaneda.

Lo mismo pasó con su crónica sobre la filmación de la película *Rolando Rivas taxista*. La escribió en reemplazo de un informe especial que iba a hacer sobre el Centro Atómico en Ezeiza. Lanata no pudo hacerlo porque el encargado de prensa del Centro Atómico olvidó que había acordado con él una visita guiada. Apenas le dieron la mala nueva, el aspirante a periodista detectó que Claudio García Satur, Beba Bidart y Marcelo Marcote, entre otros, estaban trabajando en el rodaje de *Rolando Rivas*, muy cerca del aeropuerto. Entonces los encaró de inmediato. Terminó haciendo una nota más interesante que la que no pudo concretar. Ya era un Lanata auténtico: antes de iniciar la crónica, "denunció" al jefe de Prensa de la Comisión Nacional de Energía Atómica por no haber cumplido con la palabra empeñada.

El fotógrafo oficial de *La Colmena* era el exalumno Eduardo Calviño, seis años mayor que Lanata. También fue quien lo acompañó en la mayoría de las coberturas.

Calviño es el locutor que lee, desde 1992, los comerciales de Atilio Costa Febre para las transmisiones de River y de Walter Saavedra para las trasmisiones de Boca. Se recibió de locutor en el COSAL. Trabajó en Canal 7, Radio Belgrano, Radio del Pueblo y Radio Buenos Aires. Héctor Larrea le pidió que lo suplantara en *Rapidísimo*, cuando pasó a Radio El Mundo y se tomó vacaciones en verano. Fue la voz de *Líder Music*, la primera emisora que pasó música tropical en Buenos Aires.

Calviño definió a Lanata como un animal.

—*Un animal del periodismo. Alguien que apuntaba alto desde muy pequeño. Era frontal y expeditivo. "Tenés que estar a tal hora en el Güemes." "¿Para qué?", le preguntaba yo, un tanto incrédulo. "Nos espera Favaloro", me decía como si hubiera laburado de esto durante años. "A las cuatro, en tal calle de La Boca." "¿Y ahora a quién vamos a hacer?" "A Quinquela Martín", mandaba, con total naturalidad. Yo lo iba a buscar con mi Fiat 128 y él hacía todo lo demás: producía la nota, hacía las preguntas, la desgrababa, la escribía y después la diagramaba.*

Otro que lo acompañó a realizar las notas es Carlos Scafidi.

Scafidi tiene 64 años, el pelo blanco y mide 1,80 metro. Casado, dos hijos y un nieto, fue director de *La Colmena* y ahora es el encargado de la biblioteca del colegio. Scafidi reconoció que Lanata ya era "casi un profesional" a los 14 años y que tenía lo que un periodista tiene que tener.

—*Cuando quería algo, de alguna manera, lo conseguía. Y cuantos más obstáculos se le presentaban, más interesante le parecía el desafío.*

Scafidi, sin embargo, no tiene una buena opinión del Lanata que ahora mira por televisión:

—*No me gustó que haya hablado mal del colegio. No me gustó cuando le preguntaron por Alicia Rodríguez y, él, a la vez, se preguntó "¿No seguirá siendo feíta?". Esa "feíta" fue la única que le prestaba atención en la época que todo el mundo lo ignoraba. No me gustó que haya dado a entender que era un chico de la calle. Porque yo lo llevaba a la casa y sus tías lo tenían como quería. Ellas lo criaban. Quizá por eso me parecía un tanto amanerado. Ah: Y tampoco me gusta el tipo de espectáculo grotesco que hace hoy. Me parece que desaprovecha las condiciones que tiene.*

Sostuvo Lanata:

—*En el colegio me fue recontrabien, pero no tengo un recuerdo lindo. Tuve un montón de 8, 9 y 10. Fui abanderado muchas veces. Tenía mucha presión. La más insoportable era la de mi tía. Pero la disciplina era muy rígida. La maestra de primero superior nos pegaba con la regla. En sexto grado vino el director del colegio, el señor Bilelló, a pedirnos que hiciéramos mucha gimnasia y no nos hiciésemos la paja. Contó la historia de un exalumno que de tanto hacerse la paja le habían tenido que atar las manos y los pies a la cama. No sé qué habrá pasado con el pobre tipo. Yo, entonces, me lo imaginé mil veces, en medio de una paja continua e ininterrumpida.*

A los 12 años Lanata fumó su primer cigarrillo. Fue en la terraza de la casa de su tía Nélida. En ese mismo lugar, cuando tenía 5 años, le habían tomado una foto con el disfraz de Batman, que incluía la capa y una cartuchera con el boomerang adentro. Es la que apareció en la tapa de su libro *Hora 25*. Pero a los 12, mientras le daba sus primeras pitadas a los mismos Particulares 30, negros, que fumaba su tío Dionisio, escuchaba la radio. Le encantaban el Negro Hugo Guerrero Marthineitz, Edgardo Suárez, y los integrantes de *La Gallina Verde*, en Radio Belgrano, Eduardo Vaccari, Carlos Garaycochea, Juan Carlos Mesa y Jovita Luna. Durante la tarde, a la salida del colegio, no se perdía ni un capítulo de *Ladrón sin destino*, con Robert Wagner, o de *El fugitivo*, con David Janssen, una serie emitida entre 1963 y 1967. Janssen hacía el papel de Richard Kimble, un científico acusado de haber asesinado a su mujer que escapa de la justicia e intenta probar su inocencia.

—De tanto que me gustaba la serie, durante un par de años me peiné el jopo como el protagonista —me dijo.

A los 12 años Lanata se quiso suicidar tomando pastillas. (Véase "1. Suicidio".)

A los 13 años Lanata empezó a "tener problemas", cada vez más serios, con su papá.

Estaban en su casa de Punta Mogotes, Mar del Plata, junto a su mamá, cuando ambos empezaron a discutir a los gritos y de manera cada vez más violenta. Para evitar agarrarse a las trompadas, el hijo puso algo de ropa en un bolso pequeño, dio un portazo y se fue. Ya parecía, por lo menos, un joven de 18 años. De aquella experiencia se llevó cierto resentimiento hacia la Iglesia en general y hacia los curas en particular.

—Estuve una semana viviendo en la calle. Lo primero que se me ocurrió fue ir a pedir "asilo" a la Catedral. Llegué, pedí hablar con un sacerdote. Me mandaron a un lugar donde la gente se la pasa rezando hasta que te atiende la autoridad. Recé todo el día, hasta que, por fin, me atendió el obispo. Le dije que me había ido de mi casa. Que me dejara trabajar, limpiar o hacer cualquier cosa a cambio de un lugar para dormir en la Catedral. Me respondió que no. Que si él me dejaba hacer lo que yo le pedía, mañana tendría a todo el mundo en la puerta de la iglesia pidiendo asilo. Un hijo de puta, el obispo. Durante esa semana, al final, dormí en la calesita, enfrente de un canal de televisión. También dormí en un bar que se llamaba El Correo. Elegí esos lugares porque tenían toldo. Así que estaba protegido. El resto del día lumpeaba por la calle. Por suerte conocí a una chica. Era una estudiante. Me invitó a tomar café con medialunas y me dejó descansar en la pensión donde vivía. Después de esa semana de delirio de pendejo de clase media, me harté de estar en la calle y me fui a lo de un primo (Emilio Arcuri). No podía volver a mi casa enseguida, porque estaba todo mal.

—¿Qué problemas tenías con tu papá?

—Todos. No hablábamos.

En "Papá no conoció a Bárbara", otro de los textos que escribió para *Hora 25*, Lanata reveló:

—Habré cruzado, con mi padre, cincuenta o sesenta palabras durante toda la vida. "Vuelvo tarde; Hola, qué tal; Sí, lo vi; No, no sé; ¿Tenés algo de plata? Claro, cómo no", y así. Las palabras que faltan en la lista no fueron pronunciadas, sino gritadas en el medio de algunas discusiones. Nunca nos hicimos regalos, ni festejamos los cumpleaños el uno del otro: mamá estaba enferma y no había nada que festejar.

41

Después me contó:

—Todo era una mierda. Con mamá así, muda y en una silla de ruedas, yo no sabía qué decir ni cuándo comíamos. Una sola vez fui al cine con los dos, en la Avenida de Mayo, cuando mamá todavía estaba bien. Con mi viejo no dialogábamos. Solo peleábamos. Para que te des una idea de cómo era nuestra relación: una sola vez, en toda la vida, mi papá me invitó a comer afuera. Me llevó a una pizzería de Sarandí. Comimos una pizza de anchoas. No me acuerdo del motivo. Solo me acuerdo de que fue la única vez. Y también me acuerdo de que me había gustado mucho. ¡Por lo menos habíamos podido hablar como dos seres humanos! Después, durante el tiempo que luchamos por cambiarnos, nos odiamos.

En Mar del Plata, después de la fuga, fue contratado primero como acomodador y después como chocolatinero en el cine Diagonal.

A Mar del Plata Lanata la considera su segunda patria, después de Sarandí. Por eso escribió:

—Cuando mi mamá enfermó y mi viejo dejó de lado su profesión para cuidarla, volvió a soñar en Mar del Plata cinco o seis veces por año. En Mar del Plata me emborraché por primera vez y desde aquella noche nunca volví a tomar Gin Tonic. Mar del Plata es también, hace mucho, el viento frío de Punta Mogotes en la cara, y aquellos años en los que uno era chico e inmortal.

Cuando volvió a su casa, en Sarandí, repitió la experiencia en el cine Maipú, de Avellaneda. Pero en aquella oportunidad casi no cobró por su trabajo. Su tarea era asistir al acomodador oficial, un viejito que, según Lanata, escribía poemas horribles pero que lo dejaba ver películas para mayores de 18 años. De algo parecido se ocupó en el cine y teatro El Colonial, la sala porno soft de la zona, donde exhibieron, por ejemplo, casi todas las películas de Isabel "La Coca" Sarli. *Carne* era la preferida del niño que quería ser mayor.

A los 14 años, Lanata ya parecía de 20. Quizá fue por eso se presentó en RLA Radio Nacional, pidió hablar con el gerente artístico, Alberto Suárez Castro, le llevó una carpeta con las notas que había escrito en *La Colmena* y en el *Diario de la Ciudad de Avellaneda* y le pidió laburo ahí nomás, de puro caradura, y sin ninguna esperanza de ser contratado.

A los pocos días Lanata empezó a trabajar en el Servicio Informativo que se encontraba en el tercer piso del edificio de la radio.

Un día, su padre recibió un curioso llamado telefónico.

—¿Está Jorge Lanata?

—No.

—¿Con quién hablo?

42

—Con el papá.

—*¿Pero Jorge vive ahí?*

Lo primero que pensó Ernesto fue que su hijo estaba preso.

—*¿Y ahora qué hizo?*

—*¿Sabía que su hijo está trabajando en Radio Nacional?*

—No.

—*Solamente queremos que nos mande el documento para hacerle el contrato.*

Ernesto pidió a sus hermanas Carmen y Julia que llevaran el bendito documento de Jorge Lanata hasta Radio Nacional. Las recibió el mismo Suárez Castro, quien enseguida pegó el grito en el cielo:

—*¿Catorce años? ¡Si me dijo que tenía 19!*

Suárez Castro explicó a las tías que no podían contratar a un menor. Que era contra la ley. También les confesó que iba a ser, para la emisora, una pérdida importante.

—*Hace de todo. Y lo hace todo bien. Redacta, edita y habla. ¡Pero es un chico! ¡No lo puedo tomar!*

A la tarde, Suárez Castro llamó a Ernesto Lanata para darle la mala nueva.

Sin embargo, una semana después, el gerente artístico de Radio Nacional volvió a llamar a Lanata, porque no podía terminar de organizar el área de las noticias. Al inconveniente de la edad lo solucionaron de manera heterodoxa: le hicieron un contrato provisorio como violinista del Servicio Informativo, para que nadie se diera cuenta de la irregularidad.

Al poco tiempo, Lanata viajó, por primera vez en avión, hasta Córdoba, para cubrir una presentación del entonces ministro de Educación, Pedro Arrighi. Gobernaba, todavía, Isabel Martínez de Perón. El aspirante a periodista se hizo imprimir una tarjeta que decía:

Jorge Lanata,
Servicio Informativo
Radio Nacional.

Fue durante ese viaje cuando se produjo su debut sexual. Sucedió en un "albergue transitorio" de Córdoba Capital. Lanata le pagó a una prostituta.

—*Era una gordita a la que le prometí amor eterno* —me contó.

También me dijo que lo hicieron sin dificultad. Cuando terminaron, se la llevó a la vera del río y trató de convencerla para que abandonara su oficio y se volviera con él a Buenos Aires.

No lo consiguió.

De cualquier manera, aquel encuentro resultó mucho mejor que uno anterior, cuando, acompañado por su amigo del barrio de Sarandí, *El Flaco* Buckey, estuvo por debutar al aire libre. Lo escribió para la edición número 18 de la revista *El Caño*. Le quiso dar un toque poético. Explicó que tuvo que hacer cola debajo del Puente Pueyrredón:

—*Debajo del puente quiere decir, literalmente, debajo. En esos años no existían los monoblocks y los silos de Avellaneda se levantaban en medio de un enorme cráter verde oscuro. El pasto del cráter llegaba a la altura de la cintura y de allí, en pleno safari, emergía una chica con una falda diminuta y dos toallas en la mano derecha. Los cuatro clientes hicimos la cola hasta que la chica tomó al primero de la mano, como si estuviera invitándolo a la pista de baile, y la oscuridad los devoró a los dos. Era verano, y un viento sutil movía los yuyos. Yo era el último de la fila, y salí corriendo antes de empezar.*

Si antes de empezar a trabajar Lanata ya era un chico grande, al año de ingresar a la radio se llevaba el mundo por delante. En ese contexto, con un grabador de periodista y un discurso irresistible sedujo a quien definió como su "primer amor en serio".

Se llama Aída Anastasi. Fue actriz. La conoció en Radio Nacional, cuando ella empezó a trabajar en *Las dos carátulas*, el programa que conducía Omar Cerasuolo.

Desde el primer día se le pegó como una estampilla.

La segunda vez que se vieron, Lanata, que ya era movilero, le entrevistó para que hablara de *El sello*, la obra de la que formaba parte y que terminaba de presentar en la cárcel de mujeres que estaba en la avenida Paseo Colón.

Él tenía 15 años, pero a ella le decía que tenía 22.

Aída tenía más del doble: exactamente 31.

Ella se sintió atraída por su desparpajo y su inteligencia. Estuvieron juntos más de un año. Lo dejó de un día para el otro, cuando un amigo averiguó la verdadera edad de Lanata y le informó que podía estar cometiendo un delito, al mantener relaciones íntimas con un menor.

Que lo aclare Aída, aunque hayan pasado, desde entonces, más de treinta y cinco años:

—*Él me había dicho que era más grande y yo le creí. Pero no solo yo. Todos mis amigos se lo creyeron. Tenía una personalidad arrolladora. Y también era muy caballero y muy insistente. Me venía a buscar todos los días a la puerta de mi otro trabajo, en ENTel. Teníamos mucha afinidad y mucha piel. Él era cariñoso, muy tierno muy frontal y muy lanzado.*

Un día me hizo pasar a la Feria del Libro sin entrada. Otro día me dio un beso en la boca delante de mi jefe, en ENTel. Y en otro momento me insistió para que fuéramos a bailar. Yo no quería porque venía de otro palo. Un poco más bohemio y más intelectual. Al final fuimos. Y no me arrepiento: gracias a Jorge conocí un boliche. Cuando me enteré de que era mucho más chico, lo dejé de inmediato. Corté la relación. Él se sintió muy mal. Porque estaba reenganchado conmigo. Pero yo también. Lloré tres días seguidos. Lloré porque me sentí engañada. Y también lloré cuando tomé conciencia de la situación.

Lanata le quitó drama y le puso rock and roll:

—*Sí, boludo, era mucho más grande que yo, pero estaba recontra enamorado. Una vez, para su cumpleaños, quería regalarle algo lindo y no tenía un mango. Lo de la radio estaba bien pero ganaba muy poco. Entonces agarré un Omega de oro de mi viejo y se lo reventé.*

—¿*Qué significa "se lo reventé"?*

—*Que se lo afané y lo vendí. Me acuerdo de que no tenía documento y que le mostré la credencial de la radio y el tipo accedió. Lo llevé al Trust Joyero Relojero. Nunca había visto tanta plata junta. Le compré un vestido, un pantalón y una cartera. Cuando mi viejo se enteró de que le había desaparecido el reloj se armó un quilombo infernal. Igual, yo nunca confesé el delito. No le dije que lo había vendido yo. ¿Ya te había dicho que me gustan mucho los relojes, no? Bueno. Desde hace años busco el mismo modelo de Omega que le reventé a mi viejo, y todavía no lo puedo encontrar.*

Al año siguiente, Lanata empezó a experimentar con drogas, aunque su adicción a la cocaína llegaría varios años después.

—*Tomé anfetaminas desde los 16 hasta los 18. Como mi viejo era dentista y tenía recetario, no me era tan difícil conseguir. Por esa época también empecé a fumar porro. Pero eran cosas de chico: con las anfetas y con el porro nunca me enganché.*

A los 17 se fue de Radio Nacional porque, aseguró, no le dejaron poner un disco de Mercedes Sosa que contenía la palabra "pobre".

A los 18, Lanata terminó el colegio secundario a los tumbos, y como pudo: rindió la última materia, de noche, en el colegio Joaquín V. González, de Barracas.

En esa época empezó a trabajar de mozo en John Bull, en San Isidro. (Véase el capítulo "16. Privado".) Al mismo tiempo, ingresó a la Facultad de Derecho y Ciencias Sociales de la Universidad de Buenos Aires (UBA).

Sus notas en la universidad no fueron las mismas que en el colegio y su desempeño fue errático e incompleto. Cursó solo seis materias y las aprobó todas, pero estuvo muy lejos del cuadro de honor.

Rindió Introducción al Derecho el 29 de octubre de 1979. Logró un 7. Cinco días después, en Economía Política, obtuvo 6.

En Derecho Político fue bochado, primero, con un 2 y el 2 de marzo de 1980 zafó con un 4.

Aprobó raspando Derecho Civil I con 5, el 11 de noviembre de 1980. Y el mismo día consiguió un 7 en Derecho Constitucional.

De inmediato abandonó la carrera. Intentó estudiar Filosofía y Letras, pero tampoco lo consiguió. Y no dejó rastros de su paso por la facultad. O por lo menos no guardó, entre sus papeles más preciados, la libreta universitaria que lo hubiese acreditado.

Fue una época de descontrol y precariedad.

También pertenece a aquellos años el extraño y estruendoso vínculo que tuvo con Carola McLenahan, una mujer varios años mayor que él que se pasaba una buena parte del día drogada o alcoholizada. Solo un poco más drogada y alcoholizada que el propio Lanata. (Véase el capítulo "14. Chicas".)

En octubre de 1983 Lanata hizo su primer móvil para Radio Belgrano. Fue para cubrir el histórico triunfo de Raúl Alfonsín, quien le terminó ganando a Ítalo Luder con el 51 por ciento de los votos.

En marzo de 1984 Lanata conoció a la que, apenas tres meses después, se transformó en su primera esposa. Se llama Patricia Inés Orlando. Fue locutora y productora periodística. Tiene apenas un año menos que él y, como se verá, no guarda un buen recuerdo de aquella experiencia.

Patricia Orlando y Jorge Lanata coincidieron gracias al destino. Ella trabajaba para una productora de contenidos periodísticos y publicidad llamada Diblos y él ya formaba parte del Servicio Informativo de Radio Belgrano. El primer día, se cruzaron en la oficina de producción de la radio: Patricia estaba reemplazando a una amiga, Laura Balciunas, y Jorge a un compañero que se había tomado el día por enfermedad. Lanata, sin presentarse, la interrogó:

—¿Qué le pasó a Laura? ¿Cuándo vuelve?

Patricia le dio una respuesta mínima, porque le pareció un maleducado. A los pocos días se volvieron a encontrar en la oficina de la productora. Lanata estaba de paso. Sin embargo, se había tomado el atrevimiento de usar la máquina de escribir y el escritorio de Patricia. Además ya le había fumado uno de sus cigarrillos. Cuando ella volvió del baño, no lo trató con amabilidad.

—¿Qué hacés en mi escritorio, con mi máquina y fumando mis cigarrillos?

—Estoy trabajando. ¿Siempre sos tan simpática?

–No. A veces también soy peor. Casi como vos –lo desafío.

Entonces Lanata decidió empezar una conversación distinta. Le pidió disculpas. Le terminó confesando que estaba mal. Que estaba tratando de encontrar el mejor momento para decirle a Roxana, una periodista que entonces trabajaba en la revista *Gente* que, al final, no se casaría con ella. Patricia se enterneció, le puso la oreja y le dejó su teléfono. Antes de despedirse, le dijo, en broma:

–Cuando estés aburrido y te den ganas de casarte de nuevo, llamame.

Lanata la llamó la misma tarde y a la noche fueron a un local, en San Telmo, donde cantó Dina Roth, la mamá de Cecilia y Ariel Roth. Durante los próximos dos meses, se vieron todos los días hasta que él debió viajar a Chile por trabajo. La llamó desde Santiago y le dijo:

–*Te extraño: casémonos.*

–¿Cuándo?

–*Ahora mismo. Empezá a buscar departamento.*

No tenían un peso partido por la mitad. Daniel Divinsky, director general de Ediciones de la Flor y entonces gerente general de Radio Belgrano, les salió de garante para que pudieran alquilar un departamento de dos ambientes, a dos cuadras de la radio. Lanata le aseguró al propietario que su empleo en el noticiario y su reciente incorporación a *Sin Anestesia*, el programa de Eduardo Aliverti que lideraba la audiencia de la primera mañana, le iban a permitir pagar el alquiler en tiempo y forma. Cuando lo terminaron de pintar, lo primero que hizo fue escribir, con un marcador negro, el título de la novela de García Márquez que más le gustaba a Patricia, *Ojos de perro azul.*

Se casaron el 1° de junio de 1984, al mediodía, en el registro civil de la calle Uruguay.

Lanata no se tomó el día y a la mañana fue a trabajar a *Sin Anestesia*, donde sus investigaciones empezaban a tener cada vez más repercusión. Habían quedado en encontrarse con Patricia en el bar más cercano, pero la ansiedad del novio le hizo imposible la espera y se fue derecho a la oficina donde los esperaba el juez casamentero. Asistieron a la discreta ceremonia el papá, la mamá, los hermanos y algunos amigos y amigas de la novia. Su Mamá se quedó en la casa, al cuidado de la Tía Nélida. La testigo por parte de Patricia fue su compañera de trabajo, Laura Balciunas. Estuvieron allí, para acompañar a Lanata, su papá, Ernesto, su tío, Dionisio y un amigo del novio que ofició de testigo, el escribano Ives Carlos Doynel Raggio.

Se fueron de luna de miel a Pehuen-Có, una localidad muy cercana a la ciudad de Bahía Blanca. Se volvieron antes de lo previsto, porque Lanata quería regresar al trabajo de manera urgente.

—*Ya tenía una compulsión obsesiva por el trabajo* —sentenció Patricia Orlando. Además recordó que por aquella obsesión se "quemaron" los pocos ahorros de los que disponían en ese momento al comprar dos pasajes de avión del regreso.

Patricia fue testigo del vertiginoso crecimiento profesional de Lanata. Lo acompañó cuando se volvió imprescindible en el programa de Aliverti.

Lo sufrió cuando ingresó a la cooperativa que se formó para relanzar la revista cultural *El Porteño*. Allí Patricia conoció a Ernesto Tiffenberg, hoy director de *Página/12* y a quien después se convirtió en su mujer, la periodista Andrea Ferrari. También conoció a Gabriel Levinas, primer director de *El Porteño*.

Ella también escuchó, de la boca de Lanata, a principios de 1986, la primera idea de lo que después se terminó transformando en su obra cumbre: el matutino *Página/12*.

Patricia Orlando es bajita y morruda. Mide un metro cincuenta y tiene 50 años. Se casó, en segundas nupcias, tres años después de romper con Lanata. Tiene tres hijos, vive en Villa del Parque y dejó la locución. Viste de manera sencilla, con un cierto toque de chica hippie: jeans, zapatos negros, camisa de bambula y unos largos aros. Lo pensó mucho antes de aceptar la entrevista. Es el testimonio de una mujer decepcionada.

—*Para el inicio de* Página/12 *ya estábamos separados y él ya tenía pensado salir, o empezaba a salir, con quien después fue su mujer (Andrea Rodríguez, la mamá de Bárbara, la primera hija de Lanata). Recuerdo que en* El Porteño *las discusiones por las tapas y el contenido eran tremendas. Él fue el autor de la investigación sobre el Caso Ítalo. Él (Lanata) hizo algo poco ético: reveló la identidad de sus fuentes de información. Reveló, ante la Comisión Investigadora de la Cámara de Diputados, que había sido el diputado radical (Guillermo) Tello Rosas quien le había dado las cintas con las declaraciones de los testigos. Para mí fue tremendo: nos amenazaron de muerte varias veces. Tuvimos que mudarnos durante una semana, a la casa de una amiga. Después él me dijo que se iba por unos días, por razones de seguridad. Me llamaba de vez en cuando, pero la verdad es que ya estaba todo mal. Nos separamos antes de cumplir los dos años de casados. Lo volví a ver a los tres meses. Fue después de alquilar un departamento que, para mi desgracia, resultó que estaba en Montevideo y Lavalle, donde funcionó la primera redacción de* Página/12. *Lo vi salir con Andrea. No fue lindo para ninguno de los dos. Al poco tiempo me tocó el timbre de casa. Me*

48

dijo que quería devolverme algunos libros pero yo no lo hice subir. Bajé
a buscarlos porque no quería que entrara. Él ya me había hecho algo feo.

—¿Grave?

—*Grave no. Feo. Porque me había dejado la tele y el lavarropas, pero*
se había llevado la biblioteca. Y la tele era blanco y negro. Porque la que
teníamos a color, que nos la había regalado su papá, él la había vendido.
Y sin preguntarme nada. Éramos muy distintos.

—¿Distintos por qué?

—*Para poner solo un ejemplo. Yo nunca tuve problemas en trabajar*
de cualquier cosa. Y él nunca se subió a un colectivo. Cuando me fui
de la productora acepté un trabajo en una fábrica de muebles cerca
del segundo departamento que alquilamos, en Parque Centenario. Me
acuerdo de que mientras yo hacía horas extras, él se hacía trajes a medida
en sastrerías Modart.

Se divorciaron oficialmente años después, en 1990. Lanata lo recuerda
con sentido del humor. Patricia Orlando no. Parece que no se lo va a
olvidar mientras viva.

—*El divorcio se lo pedí yo. Es cierto que estaba embarazada del que*
hoy es mi marido, pero la panza ni se me notaba. Era la primera entre-
vista para el trámite y yo me empecé a sentir mal. Jorge me preguntó "¿Te
bajó la presión?". Y mi abogado que además era mi amigo y lo odiaba,
le dijo: "No. Está embarazada de su nueva pareja". Cuando entramos, el
juez nos propuso una segunda reunión. Era algo usual. Se lo pedían a
todos. Entonces Jorge le dijo: "¿Otra reunión? ¡Ni loco! ¿No se da cuenta
de que está embarazada de otro tipo?". Yo me puse bordó. ¡Presentó las
cosas como si mi embarazo hubiera sido el detonante del divorcio!

Sostuvo Lanata:

—*Me separé de Patricia porque empecé a salir con Andrea. Nos casa-*
mos muy chicos. Eso no podía durar. No llegamos a estar juntos ni un
año y medio. Es cierto, ella me pidió el divorcio. Quería casarse con un
pibe que había conocido en Córdoba. Cuando nos encontramos en Tri-
bunales, tenía una panza enorme. Estaba embarazada de unos meses.
Entonces el juez empezó con el verso de por qué no lo pensábamos mejor.
En esa época te intentaban convencer para que no te precipitaras. Yo
lo corté enseguida y le dije: "Señor juez: está embarazada de otro tipo.
¿Para qué nos va a citar a una segunda audiencia?" "Firme acá", me
dijo el juez. Llamó a una segunda audiencia pero yo le hice un poder a
mi abogado y él firmó el divorcio en lugar mío. No me parece que haya
sido para tanto.

A Lanata nunca le gustó llenar formularios ni juntar papeles. De hecho, el árbol genealógico más completo que pude conseguir de su familia me lo suministró su tía Carmen Lanata, la pariente de más edad que todavía está viva.

El primer Lanata del que Carmen tiene memoria era argentino se llamó Bartolomé y nació en 1850. Sus padres habían nacido en Génova, Italia.

Se casó con Ernestina Martínez, quien también era argentina. Ella nació en San Clemente del Tuyú, también en 1850. Uno de los padres de Ernestina era originario de Andalucía, España. Y otro —Carmen Lanata no recuerda cuál— nació en el principado de Andorra.

Bartolomé y Ernestina concibieron a siete hijos.

Bartolo Lanata nació en 1982 y fue imprentero.

Ernesto Lanata en 1986 y se recibió de odontólogo.

Julio Lanata llegó al mundo en 1898 y fue médico.

Luis Lanata nació un año después y llegó a ser presidente de la Asociación de Fútbol Argentino, como Julio Humberto Grondona.

Arturo Lanata nació en 1901 y fue marino mercante.

Y Eduardo Lanata lo hizo en 1903 y llegó a director de la Compañía de Fósforos de Avellaneda.

Agustín Lanata, el abuelo de Lanata, nació en 1894. Fue jugador de River, empleado de la Casa de Moneda y boxeador amateur.

El abuelo de Lanata se casó con Ema Galletti. Tuvieron seis hijos. Tres murieron a los pocos meses de nacer. Se llamaban Noemí, Beatriz y Marta. Los otros tres, por orden de aparición en este mundo, son: Ernesto Jaime Lanata, papá de Jorge; Julia Lanata, la madrina de Jorge y Carmen "Negra" Lanata, la tía.

En otro texto íntimo y personal, Lanata habló de sus orígenes y puso como excusa al club de fútbol Arsenal de Sarandí.

—Papá me llevaba a la cancha de Arsenal. Vengo de una familia de futbolistas, de modo que llegábamos al partido impulsados por el pasado y por el corazón. Mi abuelo, Agustín Lanata, formó parte del equipo de River que ganó su primera copa, la "Competencia", en el final de la etapa amateur: 1914. Isola, Chiappe y Lanata, recuerda ahora mi tía Negra, que cuenta que don Agustín entraba a la cancha de River mientras Antonio Liberti, que luego fue presidente del club, le levantaba el alambrado para que pasara.

Lanata precisó que su padre Ernesto jugó en El Porvenir como "mediocampista" entre 1938 y 1939. Y recordó que le contaron algunas anécdotas de Julio Grondona. En particular una sobre unos borceguíes que "don Julio" heredó del papá de Lanata.

—*Cuando me hablan de fútbol, por deformación familiar, pienso en aquel fútbol, en el que no se llevaba ninguna marca en la camiseta, y en el que jugar significaba eso, cansarse con alegría, divertirse, poner el corazón.*

Hasta ahí llegó la memoria familiar de Lanata.

Le pregunté por qué no se había preocupado en averiguar sus orígenes si cada tanto se preguntaba de dónde vino y hacia dónde va. Se sacó el problema de encima:

—*¡Qué sé yo! Vengo de una familia y de una época donde nadie te contaba nada. Sé qué mi bisabuelo Agustín anduvo por Uruguay y que tenía muchos hermanos. Sé que la mamá de mi mamá era analfabeta, y ya. Sé que los padres de mi bisabuelo vinieron desde Génova. También sé que hay unos vinos marca Lanata que son bastante buenos. Un día, con Miguel Brascó, los comparamos con los de la familia Menem. Fue una pavada, pero los vinos Lanata resultaron mejores que los vinos Menem.*

Lanata me dijo que no guarda el árbol genealógico de la familia porque no cree en los números ni en los formularios ni en el "firme acá, por favor". Que le aburre tanto eso como armar o desarmar valijas. Que si lo tiene que hacer lo hace, pero prefiere que no.

Un día de febrero de 2004, mientras estaba en Washington con la intención de entrevistar a la entonces responsable del Fondo Monetario Internacional (FMI) Anne Krueguer, para su película *Deuda*, no tuvo más remedio que pedir ayuda a su equipo de trabajo para armar sus valijas con urgencia.

Acababa de recibir un llamado desde Buenos Aires con una de las peores noticias de su vida. Era Sara, Kiwi, su mujer. Le decía que Mamá estaba muy mal, y que probablemente se moriría en cualquier momento. Quienes lo acompañaron en aquel viaje me confesaron que nunca antes lo habían visto tan angustiado y triste. Sus productoras Silvina Chaine y Romina Manguel estuvieron ahí. Manguel me lo contó con lujo de detalles, como si estuviera reviviendo aquella escena.

—*Él estaba en un hotel divino. Nosotras en uno normal. Era uno de esos inviernos de diez grados bajo cero. De repente me llamó y me dijo: "Mi Mamá está muy mal. Buscá un vuelo a Buenos Aires ya". Apenas podía hablar. Se lo conseguí lo más rápido que pude. Lo fui a buscar al hotel. Cuando entré a la habitación me di cuenta de que estaba devastado. No podía hacer nada. Ni mover un dedo. Ni cerrar la valija. Ni hacer el check out. Debajo de la cama estaba lleno de papeles de chocolates y golosinas. Había escondido todo ahí. Supongo que así deben funcionar los diabéticos. Con Silvina no podíamos creer la plata que se*

había gastado en el minibar. Los cuarenta minutos que tardamos desde
el hotel al aeropuerto fueron tremendos. De una intensidad insostenible.
Bajó la ventanilla para poder fumar. El frío era insoportable. Te lo juro:
nunca en mi vida sentí tanto frío. Pero él parecía no registrar lo que
sucedía alrededor. Miraba a la nada. Le agarré la mano porque no sabía
qué hacer. Y él dejó que se la agarrara. Era la mano enorme de un chico
que no tenía consuelo.

María Angélica Álvarez de Lanata murió a los 81 años.

Algunos de los seguidores de Lanata tuvieron la oportunidad de conocer su historia en julio del año 2000, cuando el conductor hizo un editorial sobre ella en *Día D,* para agradecer las cartas y los mensajes de quienes se habían mostrado interesados por su salud.

Lo tuvo que leer completo, casi sin levantar la vista, porque no quería correr el riesgo de mirar a la cámara de manera franca para luego ponerse a llorar. Lanata leyó:

—*Recién el jueves pasado, supe, con certeza, el nombre de la enfermedad que mi madre sufrió durante los últimos treinta y dos años. Se llamaba meningioma y es una especie de tumor cerebral. Fue un meningioma lo que le sacaron de la cabeza un día de 1968 en un quirófano del Sanatorio Mitre. Yo tenía siete años. Las diecinueve horas de cirugía le dejaron terribles secuelas: todo el costado de su cuerpo quedó casi paralizado y desde entonces Mamá está anudada a una tortuosa cuadriplejía y su cerebro perdió la posibilidad de formar palabras; aunque no la de emitir sonidos: puede decir que no, o que sí, o que ¡Uuauu! O ¡Eeehhh! Sonidos, pero no articular otra cosa con su voz. Hace treinta y dos años que me comunico así con ella. Del mismo modo, con miradas y monosílabos. Con palabras que no son.*

Entonces Lanata hizo una pausa, tomó aire y por fin miró a la audiencia:

—*Cuando recuerdo esos años, el espejo me muestra al chico más triste que vi en mi vida.*

3

COCAÍNA

Lanata tomó ocho gramos de cocaína por día durante casi diez años, pero le bastaron solo dos semanas para dejar la droga y no probarla nunca más.

—Uno llega a pensar que jamás va a ser capaz de dejarla. El problema es tomar la decisión —me dijo, sentado detrás de su escritorio repleto de medicamentos, y en presencia de su esposa, Sara Stewart Brown.

Dos especialistas en adicciones a quienes consulté me explicaron que el hecho de que la cocaína que tomó haya sido, casi siempre, de máxima pureza, lo pudo haber salvado de una muerte segura. También reconocieron que pudo haber influido su enorme contextura física:

—¿Ocho gramos de cocaína por día durante diez años? ¡Guau! Es un milagro que viva para contarlo —se sorprendió cuando se lo comenté al conductor de radio Mario Pergolini, otro sobreviviente de aquellos años de sexo, droga y rock & roll.

—Es que yo compraba de la mejor y siempre al mismo dealer. Era la más cara del mercado. Para mí no era un problema pagarla, porque ganaba muy bien —se justificó Lanata.

—Estuve hablando con dos especialistas en adicciones. Uno de ellos me dijo que ocho gramos de cocaína pura por día te matan —lo puse en duda. Él me respondió:

—No. No te matan. ¿Vos me ves muerto? Andá a saber qué es lo que piensa un médico que es un gramo y qué es lo que te venden por un gramo. Quizás estaba rebajado y no eran ocho. Ponele que eran cuatro gramos, cinco o seis. Lo que yo sé es que eran ocho papeles. Y lo que me acuerdo es que casi siempre he tomado solo, sin hacerle daño a nadie, más que a mí —insistió.

Lanata me contó que tomó por primera vez, a principios de los años noventa, en el medio de una fiesta, en una quinta del Gran Buenos Aires que había alquilado su amigo Fito Páez. Fito estaba en plena etapa de deslumbramiento mutuo con Cecilia Roth, en la época en que empezaba la grabación del disco *El amor después del amor*. El periodista creyó recordar que había ido a aquel encuentro con su chica de entonces, la productora y periodista Florencia Scarpatti, pero aclaró que a ella la mantuvo lejos de la tentación.

—*No me acuerdo del año exacto. Sí me acuerdo de que estaba en Página. Me acuerdo también de que estaba con Florencia, pero que ella no participó. Es que yo casi nunca tomé socialmente. Y lo hice para estar despierto. Para demostrar que podía responder a las expectativas de los demás. También para blindarme frente la realidad, los aprietes del canal y los aprietes políticos. Cuando digo que siempre tomé solo, lo que quiero decir es que, en diez años, habré estado, con otra gente, tres o cuatro veces, no más. ¿Con quiénes? Si me esfuerzo mucho en recordar debo contabilizar la de Fito y Cecilia, otra vez con Gabriel Carámbula (el guitarrista de la banda de Fito), y otra vez con Eusebio Poncela (actor español; trabajó, por ejemplo, en* Matador, *bajo la dirección de Pedro Almodóvar) en mi departamento de la calle Libertad. Fuera de eso, siempre tomé solo* —repitió.

Lanata me dijo que, a partir de la decisión de aspirar por primera vez cocaína, no hubo un solo día en el que dejó de tomar. También reconoció que asumió demasiados riesgos con tal de darse el gusto. Y que pudo haber sido detenido y acusado de tenencia de estupefacientes más de una vez, y en pleno apogeo de su carrera profesional.

—*Fui con merca encima a los Estados Unidos, a Europa y a Uruguay, boludo, ¿me entendés? Compré todo lo que pude y donde pude. Pude ir preso pero tuve demasiada suerte. Hay gente que toma drogas solo los fines de semana. Yo tomaba todos los días.*

—¿*Todos*?

—*Sí. Todos ¿Por qué me preguntás tantos detalles? ¿Acaso no me creés? Para que lo sepas: yo no tuve, ni tengo, un comportamiento de turista. Si decido tomar, tomo. Y yo tomaba todos los días. Y tomaba todo el tiempo. Así como reconozco que tomé ocho gramos por día, también admito que llegué a hacer cosas demasiado locas para conseguir un poco de cocaína de buena calidad.*

Lanata escondió polvo de cocaína en la tapa del frasco del perfume que usó siempre, Armani clásico, durante varios de los viajes que hizo en avión desde Buenos Aires hasta Punta del Este.

Lanata llegó a comprar "merca" en la calle, a pesar de que sabía que los funcionarios del gobierno de Carlos Menem y también del gobierno de Eduardo Duhalde lo perseguían con cierto disimulo para atraparlo con las manos en la droga.

Lanata relató detalles desopilantes. Y los contó casi sin respirar:

–*Una vez, en una disco que se llamaba Infierno, dos tipos intentaron darme y yo estuve a punto de aceptar. Era la época de (el expresidente Carlos) Menem. Eran canas. Yo estaba en pedo y todo, pero me di cuenta igual. Un par de veces compré en Prix D'Ami y varias veces en la calle a un tipo. ¡Una pelotudez! ¿Cómo iba a estar comprando en la calle? Otra noche, durante el caso Coppola, fui, como siempre, a Los Arcos, a buscar un poco de merca. Pero no había quedado ni el loro. Fue increíble. En Los Arcos todos tomaban, pero con semejante quilombo no habían quedado ni los mozos. Menos mal que ese día no me crucé con ningún falso dealer, porque hubiera sido el principio del fin. Igual, siempre traté de cuidarme. Por eso mi dealer siempre fue el mismo. Venían él, su mujer, y a veces también traían a sus hijos, porque no los podían dejar solos. Ellos tenían incorporada la merca a su vida, y yo también. Mi dealer venía siempre directo a mi casa. Nunca pasaba antes por ningún otro lugar. Cuando cayó en cana siguió viniendo la mujer con sus hijos chiquitos. Era una cosa tipo familiar. Era obvio que el tipo tenía un acuerdo con la policía. De otra manera, ¿cómo podía aparecer cada tanto con tanta merca? Además parecía un policía. No tenía el pelo largo. Tenía el pelo corto, y demasiada pinta de botón. Pero era de confianza. Era conocido de gente amiga nuestra, de* Página. *Le vendía, de vez en cuando, a gente amiga del diario. Yo compraba una vez por semana, seguro. Y compraba para varios días. ¿Cuánto? No sé. Ponele veinte papeles, o más.*

–¿Por qué decís "papel"?

–*Porque la cocaína viene en una especie de papel glacé. Te la venden en polvito blanco o en piedritas que después tenés que pisar. La que me vendían a mí era más cara que la que se podía conseguir en la calle y yo suponía que era mejor. En realidad no suponía. Era mejor.*

–¿Cómo sabías que era mejor?

–*Porque la de la calle, casi siempre, olía a pis de gato.*

–¿Y cuánto pagabas por conseguir "de la buena"?

–*Yo pagaba treinta lo que en la calle valía diez o quince.*

Lanata volvió a meter merca en otro frasco de perfume Armani clásico en el año 2000, cuando viajó en el avión que lo dejó en los Estados Unidos para iniciar su segundo intento de desintoxicación. Como estaba muy ansioso se la tomó demasiado rápido y se quedó sin la reserva correspondiente. Entonces, desesperado, tuvo que contactar un dealer en Nueva York –"un amigo de un amigo, boludo, ¿o querés que te dé el nombre y el apellido así lo va a buscar Interpol?", me dijo– quien se la entregó personalmente, en su cuarto del Hotel Plaza. Una suite por la que pagó más de mil dólares la noche. Ese día, Lanata creyó enloquecer cuando comprobó que lo que le suministró aquel dealer, que no hablaba español, no era cocaína en polvo sino una "piedra". Parecía "de la buena". Pero era la primera vez que le daban algo así. Tuvo que "pisarla" con sus propias manos. La pasó realmente mal, porque debió involucrar en la operación a Sara, su mujer, la persona que lo terminó de convencer para que abandonara la cocaína de forma definitiva. Ella casi nunca lo vio tomar a pesar de que él inhalaba todos los días. Sí vio la sustancia en dos oportunidades. Una fue esa: la de Nueva York. La otra, cuando Lanata regresó desde Uruguay a Buenos Aires de manera anticipada. Había hecho las valijas demasiado rápido. Había guardado la cocaína en un lugar inconveniente y húmedo. Entonces Lanata desplegó "el papel" con la sustancia blanca lo puso a secar debajo de una lámpara y Sara comprobó hasta dónde llegaba el deseo de su pareja de tomar cuanto antes.

Que lo confirme la propia Kiwi:

—*Solo lo vi aquellas dos veces con cocaína encima, pero nunca lo vi tomar, y jamás me ofreció compartirla. Yo tomé una sola vez en mi vida, con mis amigas. También fumé marihuana un par de veces, pero nunca me enganché. Por otra parte él siempre fue muy sincero conmigo. A la semana de conocernos, nos encontramos un sábado a la noche, en un bar de Juncal y Callao, y me lo dijo de una.*

Kiwi no miente. Y Lanata, por aquellos días, practicaba la honestidad brutal.

Por ejemplo: a las mujeres que aceptaban salir con él, les aclaraba que también se acostaba con otras chicas, como se corroborará más adelante. (Véase el capítulo "14. Chicas".) Y esa noche, en aquel café de Recoleta, a Sara tampoco le quiso mentir. Ni sobre sus vínculos ni sobre sus costumbres. Él tenía 36 y ella no cumplía los 20.

—*Yo tomo cocaína.*

—Está bien.

—*Pero tomo mucha.*

—Ah.

—*Si vamos a estar juntos es algo que tenés que saber* —insistió, para que ella un tuviera ninguna duda de con quién se estaba metiendo.

Lanata tomó cocaína entre los treinta y los cuarenta años. Tomó, incluso, antes y después de sus programas de televisión y de la radio. Durante ese tiempo, tuvo picos de euforia y se creyó una especie de semidiós. También vivió lo que él mismo caracterizó como "un estado de locura". Una de sus noches más "locas" la experimentó en 1996, año de su debut televisivo con *Día D*. Estaba en su casa de dos plantas, estilo inglés, de la calle Tres de Febrero, junto con el genial Adolfo Castelo, cuando escribió su prosa poética titulada *Relojes*. Es necesario detenerse en parte de aquel texto para contar el lío que tenía en la cabeza y el alma.

Soy, a los treinta y seis, un tipo encerrado en su casa de Belgrano,
tomando merca para soportar la vida, buscando donde no hay nada.
Pienso sinceramente en matarme y un segundo después pienso en
un proyecto, y las dos cosas son verdaderas.
Dejar la tele,
Dijo Adolfo en Soul Café: es uno mismo el que puede detenerse.
Asombro de cómo llegué hasta acá.
Nunca es demasiado lejos.
El desinterés y la otredad, ¿será la merca?
Es raro: si fuera así, yo diría que es la merca en mí y no mi culpa.
Culpa de la merca en mí.
¿Dónde mierda vive el hombre en estado puro?
¿Dónde está el chico genio?
El chico genio solo se pegó un tiro.

Le pregunté a Lanata qué le pasaba en el momento en que escribió *Relojes*. Si había pensado sinceramente en pegarse un tiro, tal como lo escribió. Por qué volvían a aparecer el arma y la profunda angustia del niño solo que se crió junto a una mamá que no podía hablar. Me respondió:

—*Era parte de mi estado de locura. Es difícil explicarlo. ¡Estaba tan angustiado en esa época…!*

—*¿Qué pasó aquella noche?*

—*Esa noche la pasamos juntos con Adolfo (Castelo). Yo sentía demasiada presión. Estaba laburando mucho. Estaba en la tele y en la radio. Hacía las dos cosas a la vez y no me lo podía bancar. Había estado dos años (1994 y 1995) haciendo* Rompecabezas *en Rock & Pop, de 6 a 9 de la mañana. El horario era un delirio y yo ya venía desbarrancando. El que me venía a despertar todas las madrugadas era Jorge Repiso (el hermano del dibujante Miguel Rep). Ese era su laburo y lo tenía que cumplir al pie de la letra. Él tenía las llaves del auto y de mi casa. Debo decir que hice ese programa gracias a Jorge, porque de otra forma hubiese sido imposible. Estaba en una época de malambo completo. Me acostaba a cualquier hora. Estaba pasado de minas, de alcohol y de merca. Capaz que dormía solo dos horas. Y había que despertarse a hacer radio a la mañana. ¡Las cosas que habrá visto el pobre Jorge! Una vez entró a mi casa y había una mina en bolas. Repiso se tapó los ojos y empezó a decir: "Yo no miro, yo no miro". De la Rock & Pop nos fuimos a Radio City. Otro delirio. Cobré un prima de cien mil dólares para pasar de una radio a otra ¡Como los jugadores de fútbol, boludo!, ¿entendés? Ahí metí la pata: acepté hacer algo propio de alguien que no está bien: arreglé ir a la radio de 7 a 13. Los tipos, para que aceptara, me plantearon "bueno, no llegues a las 7, llegá a las 8". Pero yo nunca llegaba antes de las 8:15 u 8:30. Entonces la gente llamaba para putearme, y con razón, porque la mayoría ponía la radio para empezar a escucharme a las 7. Y yo no estaba para hacer radio, estaba realmente mal. Estaba pasado de vueltas. ¡Eran 8 gramos por día!*

—¿Ahí apareció tu tendencia suicida?

—*Suicida no soy. Porque estoy vivo, hablando con vos. Y la cabeza me funciona a full. Supongo que estoy vivo porque hay cuerpos que aguantan más. Además, no me jodas: yo he escuchado de gente que tomó hasta los 80 años. Pero en ese momento yo estaba muy presionado y angustiado. En uno de aquellos días me encontré a (Eduardo) Eurnekian en un pasillo de la radio. Le dije: "Me voy, quedate con todo...". Me acuerdo de que puse la mano en el bolsillo, saqué la plata que tenía, me quité el reloj y también se lo di. Le dije: "Quedate con todo. Con mi casa y todas mis cosas...". ¡Había firmado tremendo contrato y no lo podía cumplir! El Tío Eduardo me miraba y no lo podía creer. Entonces lo mandó a Dardo Gasparré (entonces gerente general del grupo América) para negociar. Nos encontramos en un bar a la vuelta de la radio. "¿Vos estás loco? ¿Qué pretendés hacer?" "Irme", le respondí. Y levanté el programa. Y el equipo quedó ahí, haciendo el programa hasta fin de año. Ese era mi verdadero estado de locura.*

Dentro del equipo "que quedó ahí" estuvieron, entre otros, Adolfo Castelo, Ernesto Tenembaum, María O'Donnell, Marcelo Zlotogwiazda, Julia Bowland, Miguel Rep, Sylvina Walger, Aníbal Vinelli y Norberto "Ruso" Verea.

El creador de *Página/12* intentó abandonar la cocaína varias veces.

La primera fue el 5 de enero de 1997. Si no fuera porque terminó en un rotundo fracaso, la historia podía ser calificada de desopilante. Un amigo de su mánager Fernando Moya fue el que le dio el dato preciso. Se trata de Rubén Ciro "Pelo" Aprile.

Aprile, de 62 años, es el dueño de Pelo Music, el legendario sello discográfico creado en los años ochenta. Ahora representa a bandas como Miranda y Jóvenes Pordioseros. Fue productor de Mercedes Sosa y Andrés Calamaro, entre otros artistas.

58

Un día Aprile le contó a Lanata sobre la existencia de una pequeña clínica. Funcionaba en un "pueblito", muy cerca de Nueva Jersey, donde trabajaba un médico que había logrado alejar de la droga a varias estrellas de rock y también a uno de los productores de la banda Rolling Stones, Fred Andrew.

Glens Falls es, en realidad, una pequeña ciudad que se encuentra en el condado de Warren, en el estado de Nueva York. Fundada en 1908, viven allí no más de 15 mil personas. Según la revista *Forbes*, Glens Falls ocupa el octavo lugar entre las ciudades de tamaño medio de los Estados Unidos para el desarrollo del empleo. Está ubicada a 296 kilómetros de la ciudad de Nueva York, está rodeada de bosques y la atraviesa el río Hudson.

En Glens Falls no hay mucho movimiento.

Solo cuenta con un cine, un museo histórico, otro de arte, un puente y una orquesta sinfónica que se la pasa tocando en cada rincón de la ciudad. Más del 95 por ciento de sus habitantes son blancos. Sus deportes favoritos son el hockey sobre hielo, el béisbol y el básquet. Tiene dos parques más o menos grandes y un lago propio. Una mitad de la población vive de la producción de dispositivos médicos gracias a la empresa Navilyst Medical. La otra, de la industria del cemento. Desde 1893 funciona The Glens Falls Cement Company, que, según la página oficial de la comuna, es una de las más grandes del mundo.

Lanata llegó a Glens Falls el 5 de enero de 1997, a la una y media de la mañana.

En el trayecto que va desde el aeropuerto de Nueva York hasta el hotel donde se alojó tuvo tiempo de coger, arriba de una limusina, con Mariana Erijimivich, su pareja de aquel entonces. Mariana es asistente de dirección de cine y ahora vive en España con su familia.

Aquel intento de Lanata de abandonar la cocaína, como se verá enseguida, resultó un verdadero fiasco, pero le permitió a escribir una de sus prosas poéticas más curiosas. Se publicó en su libro *Hora 25*. El texto se llama "5/1/97, *Glens Falls*, USA" y empieza así:

> *No recuerdo cómo empecé,*
> *¿Fue en lo de F?*
> *¿en José Ignacio?*
> *¿durante el proyecto del libro?*
> *¿yéndome del diario?*
> *No sé para qué querés que ande más rápido tu corazón —dijo G.*
> *Fiu-Fiuuu, siento olas en las piernas —dijo F.*
> *Llorás mirando una película de Palito Ortega —dijo Pelo.*

Todo parece indicar que F sería Fito Páez.

G sería Graciela Mochkofsky, periodista, autora de la biografía de Jacobo Timerman, entre otros interesantes libros, y una de las mujeres a las que el periodista más amó.

Pelo es Pelo Aprile.

El proyecto del libro al que alude es uno que ofreció a la editorial Sudamericana. Lanata quería hacer una investigación sobre la droga de la época porque sostenía, y todavía sostiene, que la cocaína era directamente proporcional a la marca cultural que dejó el menemismo en la Argentina.

—*El libro se iba a llamar* Cocaína. *La cocaína era una droga de la época y era obvio que había un libro ahí. Menemismo. Guita fácil. Era una época cruel. Porque uno empieza a tomar por curiosidad y al comienzo es agradable. Pero después, cada vez se te hace más difícil dejar de tomar. No me mires con cara de desentendido. Tampoco me juzgues. Tomar cocaína fue, para mí, una manera de acolchar el mundo. Y las adicciones no son un delito, sino una debilidad. Tomar cocaína no significa ser más o menos inteligente. Un tipo puede ser muy inteligente para analizar la política o hacer música y muy estúpido en la vida.*

—¿Qué efecto tenía en vos la cocaína?

—*¿Qué me pasó a mí? Bueno: no experimenté la famosa escena de* The Doors. *Nunca vi un tigre. Pero me pasaba que estaba atento todo el tiempo. Que me costaba mucho dormir. Después me volví paranoico, pero esa es otra historia. ¿Qué loco, no? Fue como que terminé de vivir el libro antes de escribirlo. Hubiera sido mejor no tomar. Pero tampoco me arrepiento. No lo recomiendo, pero fue algo que me pasó en la vida. También me enseñó cosas. Me enseñó que yo mismo podía terminar. Y que uno suele ser su propio obstáculo. Pongámoslo así: la cocaína es una droga del sistema que te pone a producir y para eso te necesita despierto. Es la droga de Wall Street. El problema es que no estás despierto para vos. Estás despierto para los demás* —me dijo.

En otra parte del mismo texto, donde habló de su primer intento de desintoxicación, Lanata fue más preciso y describió lo que en aquel momento le producía a él mismo la cocaína:

> *No recuerdo cómo empecé.*
> *Tomar cocaína es no sentir.*
> *no sentir la salida de un diario*
> *no sentir la separación de G*

no sentir las diferencias con F
no sentir la cacería de la noche,
¿Tomaba merca el primer día de la radio?
¿Qué es lo que tengo que sentir ahora?

Otra vez: G no sería otra que Graciela y F debería ser Florencia.

Lanata recordó aquel viaje delirante hacia Glens Falls quince años después:

—*Llegué a ese pueblito en la loma del orto, porque Pelo había estado y le había parecido perfecto. El lugar donde supuestamente me desintoxicaría era una casita de dos plantas. Fui con merca encima. No bien llegué al pueblito dejé la merca en la caja fuerte del hotel y me fui para el lugar. Allí estaba el productor de los Stones, quien me presentó al médico que me salvaría. El consultorio era muy chiquito, y el médico, de entrada, me pareció un chanta. Lo primero que hizo fue darme cuatrocientas treinta y dos pastillas. Era imposible iniciar un tratamiento así. Era, además, imposible tomarlas a todas. No te daba el tiempo, boludo. La cuestión es que fui a verlo un par de veces más. Y al final metí todas las pastillas en un bolso y las tiré a la mierda. El tipo era un boludo, el tratamiento era un delirio y yo después me fui con Mariana a Nueva York.*

Lanata se empezó a tomar en serio aquello de abandonar la droga casi dos años después, en noviembre de 1999. Fue cuando estuvo a punto de morirse, por una combinación explosiva de diabetes no diagnosticada, obesidad mórbida, apnea y un excesivo consumo de cocaína.

Estaba viviendo, otra vez, demasiado al palo.

Había faltado siete de los últimos diez días a su programa de televisión *Día D (El regreso)*, que hacía, desde julio, de lunes a viernes a las 9 de la noche.

Días antes, habían pintado las paredes de algunas calles de Buenos Aires con la descalificación:

Lanata
trolo,
falopero y
corrupto

Y habían pegado carteles que decían:

¿Quién banca al periodismo canalla de Lanata y Paenza? ¡Aguante, Ramón! La Barra del Tablón.

Antes de caer en cama, extenuado, Lanata había denunciado que

61

Armando Gostanián, el expresidente de la Casa de Moneda durante el gobierno de Menem, lo había amenazado de muerte. Además estaba indignado porque ningún colega y ningún medio de comunicación se habían hecho eco de la noticia.

Cargaba con el estrés de ser el director de una revista, entonces llamada *Veintidós*, a la que no le cerraban los números por ningún lado. De hecho, Gabriel Yelín, su principal inversor y el hombre que años después lo llevaría a la quiebra personal, ya se había logrado quedar con el 66 por ciento de las acciones y cada tanto amenazaba con vender la publicación, ante la desesperación del propio Lanata y del resto de los periodistas.

Al departamento de 250 metros cuadrados donde vivía, en el piso 26 de la calle Teodoro García, que había adquirido con un crédito del Banco Credicoop, lo había tenido que hipotecar para conseguir más dinero y poder financiar tanto la revista como su regreso a la televisión. La peor crisis económica de la Argentina estaba por llegar y por eso "El Tío" Eurnekian, esta vez, no estaba dispuesto a perder plata de su propio bolsillo.

Lanata venía tomando cocaína antes y después de pararse frente a las cámaras de América.

Tenía taquicardia, estaba disfónico y transpiraba más que nunca.

Dentro del estudio de televisión, pedía que bajaran la temperatura del aire acondicionado hasta congelar a todos los demás.

Antes de cada programa, su mal humor resultaba insoportable.

Después del programa, no había manera de que se pudiera dormir. Entonces se quedaba con el inseparable Adrián Paenza y su pareja, Sara, a resolver problemas matemáticos que le planteaba su colega y amigo.

Lanata lograba conciliar el sueño recién cuando empezaba a amanecer. Y conseguía levantarse a duras penas, a las diez y media de la mañana, con los llamados siempre urgentes de Claudio Martínez y Ernesto Tenembaum. Martínez era el director de la revista y productor general del programa de tele. Tenembaum era el secretario de redacción de *Veintidós* y volvería a ser su columnista en la televisión el año siguiente. Ninguno de los dos, en aquella época, tomaba una decisión importante sin consultar antes a su jefe.

El 20 de noviembre de 1999 *Noticias*, la revista de editorial Perfil que competía y le ganaba a *Veintidós*, eligió al agobiado periodista como nota de tapa. La tituló "Lanata contra Lanata", con una volanta que decía: "Lo que el conductor de *Día D* no puede contar".

La bajada era, para la mirada de Lanata, todavía peor: *"Faltó a 7 de sus últimos 10 programas. Está acosado por el estrés, los juicios, las deudas y las insaciables demandas del personaje que creó. El canal decidió que el año próximo no tendrá un programa diario. Secretos y peleas del periodista más carismático y creativo de la TV".*

Cuando Lanata abrió la revista de Jorge Fontevecchia no lo podía creer. Él había estado hablando, en su casa, todavía convaleciente, con uno de los periodistas más importantes de *Noticias*, pero nunca creyó que usaría la información para publicar semejante tapa. ¿Había sido ese periodista el que lo había traicionado y había "hablado" sobre su adicción, aunque la palabra cocaína no había aparecido en toda la nota? ¿O había sido Alejandro Carrá, el especialista en adicciones al que tenía contratado y que lo acompañaba a todas partes y en especial, al estudio de América, porque Lanata tenía pánico de que la agarrara un ataque y se quedara duro en el medio del programa?

Lanata conoció a Carrá en 1995, por teléfono, durante el segundo año de *Rompecabezas*, cuando lo llamó para hablar de la cocaína, por radio, y en público.

Carrá tiene 55 años. Es médico clínico y toxicólogo. Nació en Paraná y hoy vive entre esa ciudad y Barcelona, donde también trabaja en programas contra la adicción. Estudió en la Universidad de Buenos Aires donde se recibió de médico. Durante los años noventa trabajó en el Hospital de Clínicas de la Universidad de Buenos Aires como toxicólogo. También fue médico aeronáutico y trabajó para empresas aéreas. Antes de empezar a trabajar con Lanata dirigió, en el Clínicas, un programa para dejar de fumar. Al mismo tiempo manejó un "laboratorio de drogas". En 2010 impulsó, en Paraná, otro programa para dejar de fumar llamado *Sintox*.

Como le había gustado tanto lo que Carrá dijo por radio, lo volvió a llamar en privado, a principios de 1996, cuando debutó en la tele y le confesó:

—*Yo tomo. Y tomo mucho. Tengo miedo de que me pase algo durante el programa.*

Lanata estaba demasiado paranoico y necesitaba algo de seguridad.

—No te va a pasar nada si estás un poco más controlado. No te preocupes. Yo me voy a encargar de eso —lo tranquilizó Carrá.

El vínculo, entonces, se fue tornando cada vez más complejo. Que lo explique Lanata, que es el que más lo sufrió:

—*Carrá se encontró con un gran negocio. Pasó a ser parte de los tipos que vivían de mí. Yo le garpaba por mes y Carrá se instaló en mi vida. Es más: me acompañó a Miami y a Uruguay un par de veces. Tardé un buen tiempo en darme cuenta de que el tipo era un desastre. Con la paranoia que tenía empecé a pensar que era un topo que me habían plantado los servicios. Es que el tipo, además, laburaba para la Fuerza*

Aérea y andaba calzado. Lo terminé echando meses después de aquella tapa de Noticias. *Yo nunca pude terminar de confirmar si fue él el que habló. Y no lo despedí por eso. Lo eché porque lo último que me recetó fueron diuréticos. ¡Y lo hizo a pesar de que yo era diabético! ¿Entendés? Carrá era mi médico, yo era diabético, el tipo nunca me lo había diagnosticado... ¡Y me recetó diuréticos! Darle diuréticos a un diabético es casi como asesinarlo. Se produjo una combinación horrible. Estuve a punto de tener un coma diabético. Estaba tan hecho mierda que un día me dormí... ¡Mientras estaba meando!*

Kiwi todavía no vivía con él, pero ya se quedaba a dormir de lunes a viernes. Ella recordó a Carrá con cierta indignación:

—*Era un médico irresponsable, supuestamente experto en adicciones, que le cobraba un montón de plata por mes. Decidimos que lo dejara de atender porque le dio cortisona siendo diabético. Era un trucho. Un confianzudo. Un día nos habíamos ido a comer y la empleada nos dice: "Estuvo Carrá". Lanata hacía poco que se había comprado un DVD y tenía un montón de películas para ver. ¡El tipo se había llevado unas cuantas sin ni siquiera haber llamado antes! Jorge le tenía miedo. Más bien tenía miedo de que lo denunciara. Por eso, después del desastre, lo dejó un par de meses más, como médico de su mamá María Angélica y de su tía Nélida. Duró hasta que descubrimos que la mamá de Lanata tenía úlceras en los tobillos y Carrá jamás se las trató. Tampoco había detectado las cataratas de Nélida. Eso fue el colmo. Y por eso cambiamos de médico.*

El primero que se dio cuenta de que Lanata estaba a punto de caer en un coma diabético fue Félix Orozco, el kinesiólogo que Paenza le había recomendado para su dolor de espalda. (Véase el capítulo "16. Privado".)

Paenza, entonces, llamó a su médico de toda la vida, Julio Bruetman, jefe de Clínica Médica del Hospital Británico.

Bruetman es, quizás, el hombre más importante en la vida de Jorge Lanata.

Él lo salvó de la muerte más de una vez. (Véase el capítulo "12. Muerte".)

Tuvieron que pasar varios meses para que Lanata se diera cuenta de que lo primero que tenía que hacer, si quería salvar su vida, era dejar de tomar cocaína.

En julio de 2000 hubo un factor desencadenante.

Fue durante una fortísima pelea con Sara, un sábado a la noche.

Ya habían pasado juntos por muchas cosas.

Hacía tiempo que se trataban, cariñosamente, de usted. Entonces, se trenzaron en una violenta discusión telefónica. Después de los gritos, Sara, en persona, corrió a verlo y le dijo, por primera vez, sin rodeos:

—*Me parece que la merca lo está volviendo demasiado paranoico.*

Ellos dormían juntos casi toda la semana, menos los días en que Bárbara, la hija de Lanata, se quedaba con el padre. Sara alquilaba un departamento en San Telmo que compartía con una amiga, pero cada vez se sentía más incómoda.

—*En realidad no vivíamos juntos porque él todavía no había resuelto qué hacer conmigo. Para mí no era divertido estar sin él los sábados a la noche. Él me había llamado por teléfono y discutimos mal. Después llamó de nuevo y yo estaba en un bar, tomando algo, con unos amigos. A Lanata le molestó que no estuviese en mi casa llorando. Se puso celoso sin ninguna justificación. Fue entonces cuando fui a Belgrano, le dije que yo quería estar con él, pero que también pensaba que la merca lo estaba volviendo paranoico.*

Las palabras de su chica lo pusieron en un lugar incómodo. Y entonces Lanata, entre lágrimas, de inmediato dejó de discutir y reconoció:

—*Puede ser. Puede ser que sea eso.*

Sara también lloró y esa misma noche durmieron en Teodoro García y también decidieron vivir definitivamente juntos.

Esa misma noche, además, acordaron que hablarían con Bruetman para iniciar un tratamiento definitivo de desintoxicación.

Bruetman le ofreció varias opciones, pero insistió en que se internara fuera de la Argentina, en algún lugar adonde el periodismo no pudiera llegar.

Lanata y Sara se inclinaron por los Estados Unidos.

Lanata informó lo que haría a muy pocas personas.

Margarita Perata, su amiga y asistente de *Página/12*, de *Veintiuno*, de *Veintidós* y de *Veintitrés*, fue una de las primeras.

También se los confesó a Adrián Paenza y a Horacio *El Perro* Verbitsky.

Ambos, en ese momento, trabajaban como columnistas estrella de *Día D 2000: ajustado*, que entonces se emitía por América los martes y los jueves, a las 10 de la noche.

Le pregunté a Verbitsky si me podía confirmar los datos básicos del tratamiento de Lanata. Y lo hizo con varios agregados que vale la pena publicar. Reproduzco la pregunta y la respuesta, para evitar malos entendidos.

—Lanata me dijo que cuando fue a hacer el tratamiento de desintoxicación a los Estados Unidos se lo confesó a muy pocas personas. Y que

65

vos fuiste uno de ellos. También recordó que quienes lo estaban reemplazando después quisieron quedarse con su programa.

—*Él tenía un problema grave de salud, sobre el cual yo no voy a hablar, y necesitaba hacer urgente un tratamiento en los Estados Unidos. Además necesitaba que no se supiera dónde estaba y qué iba a hacer. Entre Paenza y yo lo organizamos. Hubo tratamiento médico, entrevistas con organizaciones y contactos con colegas. Le abrí mi agenda, lo ayudé todo lo que pude. Me acuerdo de que tuvo una entrevista en la CNN. Creo que además estuvo con la Universidad de Columbia. Y nosotros le difundíamos cada cosa que él hacía. Él nos dijo que viéramos nosotros cómo podíamos continuar con el programa. El canal lo quería levantar. No quería seguir sin él. Lo seguimos a pedido de él. Y surgió algo imprevisto: el programa mejoró en audiencia y mejoró en pauta publicitaria. Es importante ser preciso con eso: no creo que haya sido porque nosotros somos mejores o más divertidos que él. Tenía que ver con la coyuntura política del momento. Un programa político es interesante cuando la coyuntura política es interesante. Era el momento de la renuncia de Chacho (Álvarez). De hecho yo la anuncié la noche anterior. El programa lo conducíamos entre todos. Paenza hacía de bastonero, porque era el que más experiencia tenía y más le gustaba. A mí mucho no me atraía. Por eso siempre fui columnista del programa y nunca tuve programa propio, porque no me interesa ese rol. Lanata abandonó el tratamiento y volvió al país para retomar el programa. Y lo retomó. Yo no recuerdo que alguien se haya querido quedar con el programa.*

Lanata, antes del *detox*, se despidió de los televidentes de manera sorpresiva.

Fue el jueves 28 de septiembre del año 2000.

Anunció que lo reemplazarían Paenza, Verbitsky, Tenembaum y Marcelo Zlotogwiazda. Aclaró que mientras eso durara, *Día D* dejaría de llamarse *2000, ajustado* y pasaría a denominarse *Día D 2000: El equipo*. Deslizó una contraseña para los entendidos:

—*Estoy cansado. Me duele acá, acá y acá.*

Lanata ya había elegido, para tomar una de las decisiones más importantes de su vida, uno de los centros médicos más exclusivos de todo el planeta.

Se llama McLean Hospital, se encuentra en Boston y detrás de semejante institución hay una apasionante historia.

Fundado en 1817, McLean es una mezcla de hospital psiquiátrico con hotel boutique.

Es carísimo: cuesta más de 2.500 dólares por día, hay que pedir reserva con varios meses de anticipación, se debe pagar dos semanas por adelantado y tiene, entre otros servicios exclusivos, el uso de una limusina para llevarte y traerte a cualquier lugar de la ciudad.

McLean no es para cualquiera.

Entre la lista de celebridades que lo visitaron se encuentran el matemático esquizofrénico y Premio Nobel John Nash; el enorme pianista negro y heroinómano Ray Charles; el líder de Aerosmith Steven Tyler; y Susanna Kaysen, la escritora que convirtió en *best seller* el relato de los días que estuvo allí internada. También pasó por allí Sylvia Plath, una escritora de culto que tuvo éxito después de muerta con *La Campana de Cristal*, otro texto en el que contó su experiencia personal como paciente de McLean. Ella había sido sometida a electroshock. Años después, ya casada con el poeta Ted Hughes, se quitó la vida abriendo la llave de gas de la cocina de su casa.

McLean apareció varias veces en películas taquilleras que fueron vistas en todo el mundo.

No se mostró como un lugar recomendable en *Una mente maravillosa*, la película en la que Russell Crowe hizo de Nash. Es en uno de los pabellones de McLean donde el matemático imagina que los oficiales del Pentágono lo obligan a decodificar mensajes soviéticos. También se ve cómo le aplican un shock de insulina, algo bastante habitual en aquella época. La corresponsal de *El Mundo* de España, Berta González de la Vega, escribió parte de la historia de McLean el 3 de marzo de 2002. Ella aclaró que además de la insulina, Nash tenía la posibilidad de jugar al golf o elegir para cenar, por ejemplo, una langosta de Maine o un cerdo criado en la huerta que rodea el centro.

McLean tampoco terminó bien parado en el transcurso de la película *Inocencia Interrumpida*, con Winona Ryder y Angelina Jolie, una versión del libro de Susanna Kaysen.

Otro libro, *Gracefully Insane*, definió a McLean como un hospital psiquiátrico equivalente al Club Med.

Peter Lowell, poeta y Premio Pulitzer, coincidió con Nash en McLean y bautizó a sus pacientes "lunáticos con estilo".

Ray Charles tocó algunos de sus blues mientras se rehabilitaba.

Y el cantautor James Taylor le dedicó una canción en agradecimiento por haberlo contenido a él y a uno de sus hermanos.

Lanata decidió ir a McLean con Sara. Bruetman le prometió que se sumaría cuatro días después de iniciar el tratamiento.

Antes de viajar, Lanata y Bruetman eligieron desde aquí el programa que mejor calzaría a la adicción del periodista.

Se llama *The Pavilion*. Es un tratamiento intensivo de tres semanas de evaluación. Sus instalaciones están ubicadas en la *Casa Wyman* del campus principal en Belmont, Massachusetts. Los objetivos básicos en *The Pavilion* son "ofrecer un diagnóstico e iniciar de inmediato el tratamiento para neutralizar los trastornos del estado de ánimo, trastornos psicóticos y los relacionados con la ansiedad, la personalidad y el uso de drogas".

Aquel viaje para iniciar su rehabilitación fue una de las aventuras más curiosas de su vida.

Lanata y Sara salieron desde Buenos Aires el lunes 2 de octubre a la noche y aterrizaron en Nueva York al otro día. Ya se dijo que volaron con la sustancia prohibida encima, escondida en la tapita del frasco del Armani clásico que siempre usa el periodista. Se quedaron tres noches en el Hotel Plaza, donde recibieron al dealer que les vendió la piedra de cocaína que tuvieron que pisar para consumir. En el Plaza, uno de los empleados le pidió a Lanata que dejara de fumar y, como toda respuesta, le dijo a Sara que armaran las valijas y dejaron el hotel. Durmieron una noche en el Marmara Manhattan y a la mañana siguiente partieron hacia Boston. Llegaron a la ciudad demasiado tarde, porque pensaron que la distancia desde Nueva York era de trescientos kilómetros pero era, en realidad, de trescientas millas. Pasaron la primera noche en el Hotel Lenox y la segunda en el Boston Park Plaza.

El lunes 16 de octubre Lanata ingresó al McLean para iniciar su tratamiento.

No entró con su propio nombre y apellido, porque tenía miedo de que algún periodista indiscreto publicara la noticia bomba.

Lo hizo bajo el nombre de George Stewart, el apellido de Sara.

Su primer movimiento fue tragicómico.

Una importante autoridad de McLean, mientras le pedía los datos básicos, siguió el protocolo y le preguntó:

—¿Cuándo fue la última vez que tomó cocaína?

Y Lanata respondió, con sinceridad.

—*Recién.*

—¿Qué quiere decir con recién?

—*Recién. Ahora. Hace un minuto. De hecho, todavía tengo algo de cocaína encima, en este bolsillo.*

La autoridad llamó a seguridad. Se movilizó casi todo el hospital. A Lanata le hicieron firmar un papel para que dejara constancia que la sustancia prohibida la había ingresado él y le hicieron firmar otro para que prometiera que no lo volvería a hacer mientras durara su estada.

Fueron las horas más difíciles de su vida.

68

Lanata tenía miedo de las consecuencias físicas que traería aparejado el abrupto cese del consumo. Tenía, además, plena conciencia que lo llenarían de pastillas y que por nada del mundo iban a dejar que volviera a tomar hasta quedar completamente desintoxicado.

Lanata no se acuerda de casi nada. Todo lo que pudo reconstruir de su calvario en McLean es lo que le contaron tanto Bruetman como Sara. Pero su mujer estuvo siempre con él, a metros de su cama. Y tiene una memoria envidiable:

—*En* The Pavilion *había cuatro cuartos. Cuando llegamos le estaban iniciando un tratamiento a un chico joven, por adicción, y a un señor grande, por depresión. Lanata entró mal porque no tenía claro que iba a ser tan americano, tan intenso, con tantas entrevistas. Yo me interné con él, pero él armó un lío bárbaro porque no nos dejaban dormir juntos, en el mismo cuarto. No bien llegó, se quería ir. Ahí se empezó a poner supermalo. Muy agresivo. Muy violento. Como nunca lo había visto antes. Me reputeaba una y otra vez. Cuando me iba afuera, o a la cocina, y después volvía, lo encontraba llorando. Me decía, cada cinco minutos: "No se vaya. No me deje solo. La necesito".*

"Jorge subía y bajaba, ¿me entendés? Le daban mucha medicación. En especial, un antidepresivo bien fuerte. Nosotros habíamos alquilado un auto y yo tenía que poner las llaves debajo de la cama. Tenía miedo de que se despertara, las agarrara, se subiera al auto y se pegara un palo. Él tomó todo lo que le indicaron. Pero un día se hartó del sistema y se quiso ir. No se bancaba las reuniones ni las citas. Tenía decenas. Para hacerse resonancias. Para hablar con el psicólogo. El día en que tenía pautada la cita con el director, me exigió que me fuera con él. "Me chupa un huevo quién es ese tipo", me dijo. Agarramos el auto y nos fuimos a Cambridge. Un lugar muy cercano que tenía un restaurante mexicano. Comimos ahí. Después me acompañó a comprar ropa a Abercrombie. Más tarde volvimos al hospital. Entonces sí, se armó un quilombo de aquellos. Lanata había roto las reglas. Había salido sin avisar. Entonces querían que hiciera pis, para ver si se había vuelto a drogar. También me interrogaron a mí. Yo le dije la verdad. Solo habíamos tomado un poco de vino. Él se negó a hacer pis. Entonces nos fuimos. Es decir: nos quedamos solo una semana, aunque el tratamiento exigía dos o tres. Igual, él dejó de tomar en ese momento. Y no volvió a tomar más. Y ya, en esos días, lo empecé a notar mejor.

—¿Qué significa mejor?

—*Más amable. Menos paranoico. Más sociable. Más sensible y más bueno. Porque a él la cocaína lo ponía supersensible. No le podías tocar la cabeza. Sentía que le podían estallar las venas de la cabeza. Y después de lo de McLean estuvo mucho mejor. Volvió a ser el tipo amoroso y con el mismo empuje que conocí siempre.*

Lanata y Sara se mudaron de McLean al Charles Hotel, en Boston. Allí esperaron los estudios del sueño que le hicieron en el Sleep Health Center, donde los expertos determinaron, con cierto pánico, que Lanata era casi un anfibio, porque tenía la capacidad de pasar mucho tiempo sin respirar y no morirse.

En aquel momento Lanata se sintió tan bien que salió al aire para *Día D 2000: El equipo* y comentó las alternativas de los debates en el medio de las elecciones que terminó ganando George Bush hijo.

El 27 de octubre Lanata y Sara regresaron a Nueva York. Lanata se había encaprichado en hacer informes especiales desde aquella ciudad. Llamó de urgencia a su productora Silvina Chaine, le pidió que contratara a una camarógrafa colombiana y empezaron a trabajar.

Se alojaron unos días en el Marmara y, cuando quisieron prolongar su estada, se dieron cuenta de que era difícil conseguir una habitación, porque el 5 de noviembre se iniciaría la maratón de Nueva York.

Ya habían decidido dejarle la suite que estaban usando en el Marmara a Chaine. Habían llamado a una agencia. Los habían mandado al Hilton. Sin embargo, cuando llegaron, se encontraron con una habitación "común, que además era horrible".

Empezaron a consultar hotel por hotel, hasta que Lanata sugirió:

—*Llamemos al Pierre.*

The Pierre es uno de los edificios más caros del mundo.

Pagaron la habitación de tres mil dólares la noche.

Estuvieron por lo menos diez días. (Véanse más detalles en el capítulo "10. Dinero/2".)

Lanata también había invitado a Nueva York a Mariano Scarpatti, hermano de su ex, Florencia, quien trabajaba para *Veintitrés* y *Data 54*. También a Margarita Perata. La excusa formal era el proyecto del documental. La verdad era que tenía el deseo de compartir con la gente que sentía más cerca el éxito de su desintoxicación de la puta cocaína.

El recuerdo de Bruetman no es tan festivo:

—*El tratamiento para dejar la cocaína se lo empecé a sugerir casi desde el mismo día en que lo conocí. Él siempre me contestaba que cuando estuviera preparado lo haría. Cuando decidió hacerlo su consumo era altísimo y su irritabilidad y su falta de concentración también. Entonces le dije que podía terminar mal y que lo más conveniente era hacerlo afuera, porque de otra manera no iba a poder evitar que se hiciera público. Nos contactamos con McLean Hospital porque nos parecía el más adecuado. Costaba más de 25 mil dólares las dos semanas.*

—¿Cómo fue el tratamiento?

—*Suspensión total de la cocaína en la primera semana y un riguroso control de quince días con psicólogos, psiquiatras y todos los chequeos médicos que te pudieras imaginar.*

—¿Es un hospital o un hotel boutique?

—*Es un lindo lugar que compartía con otras tres o cuatro personas. Las habitaciones tenían televisión. Había una especie de cocina que se podía compartir con los otros pacientes. Es un lugar tranquilo con mucha vegetación.*

—¿Y en qué consiste la desintoxicación?

—*Le dieron antidepresivos y tranquilizantes. Es que la cocaína tiene más dependencia psíquica que física. Quienes lo atendieron interpretaron que Jorge tenía una fuerte depresión y que el consumo de cocaína se explicaba por eso. Es decir: que tenía una depresión encubierta.*

—¿Y cómo lo medicaron?

—*Le dieron un antidepresivo convencional. Se llama nefazodona y pertenece al grupo de los duales. Duales quiere decir que inhibe la recaptación de la serotonina y también inhibe la degradación de la noradrenalina. Ese antidepresivo tiene, además, una cierta acción sedante. Con el tiempo lo cambió por sertralina. Ese antidepresivo todavía lo sigue tomando.*

—¿Por qué? ¿Sigue con depresión?

—*No lo podría asegurar. Sí puedo decir que cuando se la suspendimos no se sintió tan bien. Entonces volvimos a dársela.*

—¿Por qué se fue antes de McLean?

—*Porque se empezó a sentir incómodo. Le molestaba que lo hicieran orinar todos los días. También le molestaba el lugar, la comida y que no lo dejaran fumar. Lanata se rajó en la mitad del tratamiento y le devolvieron la mitad del dinero. Había programado dos semanas y se fue al octavo día. Así y todo no volvió a consumir. Por suerte no se opuso al estudio que le hicimos para controlar la apnea. Fuimos a un lugar donde le monitorearon el sueño, la saturación del oxígeno en sangre y el movimiento de las piernas. El estudio duró toda la noche. Al otro día, a las 7 de la mañana, me llamó el neumonólogo y me confirmó que las apneas de Lanata eran muy prolongadas y con un nivel de saturación muy alto. Me dijo que si no se la trataba como corresponde le podían causar hipertensión nocturna, arritmia y hasta muerte súbita. Fue muy claro. Me dijo: "Doctor: este paciente parece estar viviendo bajo el agua.*

Es una de las apneas más graves que vi en mi vida. No entiendo cómo está vivo. Tiene una saturación severa masiva".

A partir de ese momento, Lanata empezó a usar una máscara especial llamada *BiPAP* para poder dormir en paz. Lo que hace la máscara es tirar oxígeno, de manera mecánica, cuando recibe el dato de que el paciente dejó de respirar. La máscara es enorme y bastante incómoda. Me la mostró el día en que hicimos la primera entrevista para este libro:

–*Parezco el piloto de* Top Gun –se rio de él mismo.

La decisión más difícil que tomó Lanata después de abandonar la cocaína tuvo lugar ocho años después, cuando invitó a comer a su hija Bárbara para decirle cómo, cuándo y por qué empezó a tomar y de qué manera la había dejado.

Estaba a punto de salir *Hora 25*, el libro de textos públicos y privados que publicó la editorial Alfaguara en diciembre de 2008. Su título fue tomado del programa de radio que condujo entre 1990 y 1993 y que se transformó enseguida en un ciclo de culto.

Lanata me explicó por qué lo hizo:

–*Yo no podía no decírselo a Bárbara, porque no quería que se enterara por el libro. Fuimos a comer y se lo conté. Ella tenía 19 años. Le dije que yo esperaba que nunca hiciera lo mismo porque suponía que tenía las herramientas para evitarlo. También le dije que hacía tiempo que había dejado y que quería que se enterara por mí, bien, y no de manera indirecta y mal. Lo entendió. Me agradeció la consideración. Le expliqué que antes no lo había hecho público no por una cuestión moral. Que mi temor era que se supiera y que lo utilizaran para desprestigiarme. Que me hicieran una cama. Ahora que te lo estoy contando a vos me siento tranquilo. Aliviado. Me llevó mucho tiempo comprender lo sana que es mi relación con la gente. Recién ahí me tranquilicé. Me di cuenta de que yo me estaba jodiendo solo a mí. Que no era un narco. Que, tal como sucedió con* Veintitrés, *el que quebré fui yo, que es muy distinto de afanar y quedarse con algo que no es de uno. Por eso ahora no tengo vergüenza de contarte por qué, cómo y cuándo me drogué.*

Por qué, cómo y cuándo contar la verdad es algo que Lanata pretendió controlar en cada una de las etapas de su vida. Quizá, la época en que más lo intentó fue entre 1987 y 1994, durante su período de mayor éxito, cuando era conocido como director de *Página/12*.

Es el momento justo para contarlo todo.

4

PÁGINA/1

Lanata se quitó la tela que le tapaba los ojos, sacudió un poco la cabeza y, al final, vio a "el hombre" en persona: allí estaba, de pie, frío y distante, nada más y nada menos que Enrique Haroldo *El Pelado* Gorriarán Merlo.

Sus antecedentes eran impresionantes.

Metían miedo.

Gorriarán había fundado, junto a Roberto Santucho, el Partido Revolucionario de los Trabajadores (PRT) y su brazo armado, el Ejército Revolucionario del Pueblo (ERP) en 1970.

Se había fugado del penal de Rawson el 15 de agosto de 1972 y había sobrevivido a la denominada Masacre de Trelew.

Había huido de la Argentina después del fallido ataque de Monte Chingolo, antes del inicio de la dictadura de 1976.

Había mandado a matar, en Paraguay, el 17 de septiembre de 1980, al dictador nicaragüense Anastasio Somoza, después de un seguimiento de tres meses.

Había sido reclutado por el sandinismo para organizar su departamento de seguridad.

Y ahora Gorriarán, de 46 años, estaba allí, enfrente de él, parado, en la puerta de la enorme casa que había elegido para permanecer en la clandestinidad. ¿Cómo se debía comportar Lanata? ¿Qué lenguaje tenía que utilizar? ¿Era mejor hablar o escuchar? No era una circunstancia cualquiera. Ni se trataba de un apasionante reportaje previamente acordado. El motivo era otro. El director periodístico de *Página* había sido mandado a llamar por el Gran Sponsor. Para que se entienda mejor: el guerrillero capitalista que estaba poniendo el dinero necesario para la salida diaria del matutino progresista que "había llegado a este mundo para molestar".

El anfitrión fue, en un primer momento, amable, pero seco. Después de extenderle la mano, preguntó:

–¿Viajaste bien?

Como si le estuviera pidiendo disculpas por haberle impedido observar el camino que lo había llevado hasta allí.

El encuentro secreto entre Lanata y El Pelado sucedió "en algún lugar de Mar del Plata" durante 1987.

Jamás fue relatado ni publicado, hasta ahora.

Fue una cita de película.

El flamante editor de *Página* tenía apenas 26 años.

Lo habían trasladado desde el centro de la ciudad de Buenos Aires, en auto, "tabicado", por "razones de seguridad".

Viajó en el asiento de atrás, con los ojos tapados o siempre mirando hacia abajo. Lo acompañaron Hugo "Biafra" Soriani y Jorge Prim. Ambos habían estado presos, junto a decenas de compañeros del PRT. Ahora son el gerente general y el vicepresidente del diario, respectivamente. Ni uno ni otro pueden ni siquiera oír nombrar al actual periodista estrella del Grupo Clarín.

En aquel momento, cuando Gorriarán recibió a Lanata, se encontraba procesado y prófugo de la justicia argentina. Raúl Alfonsín lo había incluido en un decreto que lo consideraba, junto con otros líderes guerrilleros, como el de Montoneros, Mario Firmenich, responsable de múltiples asesinatos y atentados con bombas. En cierta forma, el Presidente los colocó en el mismo estatus que los jefes de las tres juntas militares de la dictadura. Las organizaciones de derechos humanos bautizaron a la decisión de Alfonsín como la teoría de los dos demonios. Transcurría el cuarto año del gobierno radical. Todas las fuerzas de seguridad estaban buscando al exlíder del ERP para meterlo preso.

Apenas se dieron la mano, Lanata quedó impactado por la mirada de Gorriarán:

–Era muy raro. Tenía un ojo que miraba para el otro lado. Parecía que tenía dos caras –me dijo.

El visitante tuvo el buen tino de no preguntar en qué parte de la República Argentina se encontraban.

–Me acuerdo de que me subieron al auto y me pidieron que no mirara el camino. Me di cuenta de que estábamos en Mar del Plata por el tipo de piedra de la entrada de la casa y el tiempo que había pasado desde que salimos. La verdad es que era todo muy sinuoso, como la propia vida de Gorriarán.

El Pelado, un poco más tarde, aflojó la tensión del ambiente con una frase que usaría como una muletilla en los otros encuentros que tuvieron mano a mano:

—Mirá vos, aquí está Lanata. ¡Es el único gordo que conozco que labura como una bestia!

La casa de Mar del Plata donde se vieron por primera vez tenía las ventanas completamente cerradas.

Conversaron durante una hora.

Lanata temía que Gorriarán hiciera valer el dinero que había invertido en la aventura y le bajara línea ideológica para imponerla dentro del diario. Pero aquel día se dio cuenta de que El Pelado no le iba a pedir tanto. Solo un mínimo espacio para que sus muchachos del Movimiento Todos por la Patria (MTP) Jorge Baños, el sacerdote Fray Antonio Puigjané o Quito Burgos pudieran escribir y publicar sus columnas de vez en cuando. Apenas que Lanata hiciera alguna colaboración para la revista *Entre Todos*. O que se fuera hasta San Nicolás para dar una charla con el sindicalista metalúrgico Alberto Piccinini, quien también formaba parte de "la orga".

Un año y medio después, el 23 de enero de 1989, Baños y Burgos serían fusilados durante el ataque del regimiento de La Tablada y Puigjané quedaría detenido durante nueve años. A Gorriarán lo capturarían en México recién en 1995.

Lo liberaron en 2003, luego de ciento cuarenta y seis días de huelga de hambre. Fue a través de un indulto firmado por el presidente Eduardo Duhalde. Murió el 23 de septiembre de 2006 en el Hospital Argerich, luego de un paro cardíaco.

En aquel ataque contra La Tablada murieron treinta y nueve personas. Veintiocho pertenecían al MTP. Once eran parte de la fuerzas de seguridad. La historia secreta de cómo impactó semejante suceso en el diario y también en el propio Lanata será contada a su debido tiempo. (Véase el capítulo "5. Página/2".)

Después de aquel encuentro secreto con Gorriarán y mientras regresaba, en el mismo auto, a la redacción, Lanata se tranquilizó y preguntó a sus acompañantes:

—En el fondo solo quieren que sigamos haciendo un diario, ¿no?

No fue la única vez que el editor vio al sponsor en persona.

Porque durante el año siguiente, en 1988, Lanata hizo por los menos un viaje a Brasil, junto a Soriani y el entonces editor responsable de *Página*, Fernando Sokolowicz. Todos los presentes tuvieron tiempo para volver a hablar largo y tendido.

Se bajaron en el aeropuerto de Río de Janeiro. Los fue a buscar, en su propio auto, la entonces pareja de Gorriarán, Ana María Sívori, una mujer gordita y morocha. Ella manejó durante más de una hora. Durante todo el viaje se lo pasó mirando para atrás y para los costados. Quería asegurarse de que nadie los estuviera siguiendo. Llegaron a una fazenda muy cerca de una montaña, casi de noche. A Lanata le sorprendió ver, en aquella enorme casa, a las "mellizas", las hijas del líder guerrillero, Adriana y Cecilia. Lo esperaban Gorriarán y también Roberto Felicetti.

Felicetti, 59 años, apodado Gato, es otro de los que lideró el ataque a La Tablada. Estuvo preso desde que lo atraparon, vivo, el mismo 23 de enero de 1989, hasta que el presidente Eduardo Duhalde lo indultó, junto al mismo Gorriarán, en el año 2003.

Felicetti nació en Mar del Plata. Desde pequeño trabajó en el puerto y como albañil. Inició su militancia en la Unión de Estudiantes Secundarios (UES) y más tarde ingresó al PRT. Fue detenido, por primera vez, el 7 de marzo de 1975. Salió ocho años después de haber pasado por los penales de Rawson y Sierra Chica. En 1983 fue designado secretario general del Partido Intransigente que lideró Oscar Alende. En 1987 se sumó al secretariado nacional del MTP. Desde allí fue uno de los principales miembros de la revista *Entre Todos*.

En aquella reunión, en las afueras de Río, Felicetti fue imbuido de autoridad para entregar el dinero con el que Gorriarán continuaría financiando *Página/12* durante los próximos meses. Felicetti es un personaje fundamental, como enseguida se verá, para comprender la compleja trama de la historia secreta de cómo *Página* sobrevivió hasta ahora.

Pero ese día, en aquel encuentro, en las afueras de Río, Lanata y Gorriarán hablaron de Alfonsín y de cómo lo estaban condicionando los militares. También conversaron sobre la creación de un frente político para que los cuadros del MTP pudieran competir en las próximas elecciones presidenciales. Gorriarán soñaba. Lanata solo lo escuchaba.

Dialogaron durante la mañana siguiente, porque la noche anterior se limitaron a comer para después irse a dormir y mantener la "reunión de trabajo" al otro día. Regresaron a Buenos Aires a las pocas horas. Durante el vuelo, Biafra creyó detectar a alguien que pretendía fotografiarlos. Entonces se tapó la cara, se dio vuelta, y se hundió en el asiento hasta que llegaron al Aeropuerto de Ezeiza.

Lanata tardaría por lo menos diez años en contar, a medias, la verdadera historia del origen y financiamiento de *Página/12*. De hecho, durante las conversaciones mantenidas para este libro, solo reconoció que se había encontrado más de una vez con Gorriarán cuando lo confronté con las versiones de otros testigos presenciales, y no tuvo más remedio que aceptarlo.

Uno de los actuales directivos de *Página* también accedió a dar su versión, a condición de que no revelara ni su nombre ni su apellido. A él no le gustó que Lanata usara lo que denomina "memoria selectiva".

—Si te piensa contar todo de verdad, decile al Gordo que no se haga el boludo. Él también viajó con nosotros a Managua.

Managua, la capital de Nicaragua, fue, a partir del 19 de julio de 1979, cuando el Frente Sandinista de Liberación Nacional tomó el poder, no solo la residencia casi permanente de Gorriarán. También se transformó en uno de los centros políticos, intelectuales y culturales de una buena parte de la izquierda latinoamericana.

En el libro *Grandes Hermanos (Alianzas y negocios ocultos de los dueños de la información)* que firmó Eduardo Anguita pero que escribió, en parte, un ex*Página/12*, Rubén Furman, lo explicó en detalle.

Muchos parlamentarios progres argentinos iban a Managua para buscar oxígeno para sus ideas revolucionarias. No para armar guerrillas en la Argentina, sino para buscar aliados en la batalla de no pagar la deuda externa. En Managua, se cruzaban artistas como Mercedes Sosa y Julio Cortázar con el comandante cubano Raúl Ochoa, que había hecho la campaña de Angola, o con funcionarios del KGB soviético. En Managua había conspiradores de toda laya y también fondos para proyectos revolucionarios en otros países, cuyos orígenes podrían ser insospechados.

Managua fue uno de los lugares de origen de los fondos que posibilitaron la salida de *Página*, la experiencia editorial más innovadora e importante de los últimos años. Me lo terminó de decir Lanata, veinticinco años después de la salida del diario, sin eufemismos:

—Gorriarán terminó poniendo un palo. Y yo supe desde siempre que la guita venía de ahí.

A pesar de los esfuerzos de Furman, que contó hechos y detalles con asombrosa precisión, la historia del nacimiento de *Página* se conoció siempre de manera parcial y tardía. Quizá porque publicar la trama completa nunca le convino a nadie.

Página nació de la cabeza del propio Lanata, a principios de 1986, cuando todavía trabajaba para Eduardo Aliverti en *Sin Anestesia* y él era algo así como el jefe de redacción de la cooperativa de la revista *El Porteño*.

Sin Anestesia arrancó en 1984. Iba de 7 a 9 y era el programa más escuchado en su franja horaria. Formaban parte del equipo entre otros, Liliana Daunes, Roxana Russo y Andrea Rodríguez. Lanata ingresó a *Sin Anestesia* para hacer informes e investigaciones. Su protagonismo avanzó sin pausa y pronto se convirtió en arrollador. La competencia con Aliverti no tardó nada en aparecer. Incluso se manifestó en asuntos personalísimos. En ese programa Lanata conoció a su primera esposa, Patricia Orlando, y tiempo después se fue a vivir con Andrea Rodríguez, la mamá de Bárbara Lanata, su primera hija. A propósito de eso, en el medio de una reunión de producción, Aliverti se preguntó, mitad en broma mitad en serio:

—*¿Cómo puede ser que todas las minas se vuelvan locas con Lanata?*

El Porteño fue fundada por Gabriel Levinas en 1981, junto a los escritores Miguel Briante y Jorge "Dipi" Di Paola. Era un mensuario que se destacaba por estar muy bien escrito, y por incorporar a la discusión pública asuntos como la existencia y el ninguneo de los aborígenes, la voces de los presos políticos, de las organizaciones de derechos humanos y de homosexuales y travestis.

Briante y Di Paola era dos locos lindos, y brillantes. Yo era demasiado joven cuando los conocí, pero me gustaría decir que sus apasionantes discusiones sobre política y literatura en los bares de la avenida Corrientes me dejaron una marca imposible de olvidar.

Briante nació en General Belgrano, provincia de Buenos Aires, el 19 de mayo de 1944. Escribió tres libros de cuentos: *Las hamacas voladoras*, en 1964; *Hombre en la orilla*, en 1968 y *Ley de juego*, en 1983. También escribió una novela, *Kincón*, en 1975. Los textos de Briante resisten el paso del tiempo. Además de *El Porteño*, trabajó en *Confirmado*, *Primera Plana*, *Panorama* y *La Opinión*. Miguel ingresó a *Página* desde su fundación, en 1987 y trabajó allí hasta su muerte, el 25 de enero de 1995. Ocupó el cargo de responsable de la sección Artes Plásticas. Fue el único periodista del diario al que se le permitió, al mismo tiempo, ser director y asesor del Centro Cultural Recoleta, entre 1990 y 1993. Su muerte fue tan absurda como estúpida: se cayó de una escalera, mientras intentaba colocar una lamparita.

Sus amigos de los últimos años me contaron que a Miguel le faltaba un tornillo. Cuando Briante murió, Lanata escribió sobre él una anécdota simpática.

Miguel, cada tanto desaparecía. Y cuanto más tiempo pasaba, más miedo tenía de volver y encontrarse con el telegrama de despido. Entonces lo llamaba por teléfono, completamente borracho, y vaticinaba:

—Vos me vas a echar.

Y Lanata le decía, resignado:

—*No, Miguel. No me jodas, no te voy a echar.*

Sucedió varias veces. Lanata contó que toda la redacción lo sabía y lo había tomado como un chiste interno. De hecho, a la paciencia del director le pusieron un nombre: "la beca Lanata". Briante no era el único beneficiario. Quienes poseían "la beca Lanata" gozaban de inmunidad casi ilimitada.

Otro día Miguel llamó con el mismo temor. Lanata estaba en una reunión con un embajador aburrido y se negó. Al rato, Briante volvió a llamar, Lanata atendió y le dijo:

—*Mirá, Miguel. ¿Sabés cuándo te voy a echar? Si vos entrás y me meás y me cagás el escritorio. Si hacés eso, yo te voy a echar.*

—Sssí —dijo Lanata que respondió Miguel, mientras el embajador escuchaba con atención.

—*Pero es solo si me lo meás y me lo cagás, ¿okey? Si, por ejemplo, solo me lo meás, no. ¿Vos vas a entrar a mearme y a cagarme el escritorio?*

Dipi Di Paola nació en Tandil, el 25 de diciembre 1940. En 1974 publicó un libro de cuentos, *La virginidad es un tigre de papel.* Escribió para *Panorama, Confirmado* y *La Opinión.* También escribió en el diario *Página/12.* En 1970 vivió tres meses en la verdadera isla de Robinson Crusoe, donde buscó tesoros e historias de piratas y se perdió una noche en un bote en el Océano Pacífico. En 1963 publicó la obra de teatro *Hernán.* La prologó nada menos que Witold Gombrowicz. En 1987 publicó la novela *Minga!* Murió el 23 de abril de 2007 en Tandil, a los 66 años.

Levinas tenía una galería de arte y un espíritu inquieto. La había abierto en 1974. Desde allí convocó a grandes artistas como Grippo, Juan Carlos Distéfano, Noé, Dowek, Eguía, Pino y Stupía. También editó la revista *Artemúltiple* y el libro *Arte Argentino Contemporáneo.* En octubre de 1976, a escasos seis meses del golpe, expuso figuras de cuerpos torturados realizadas por Distéfano. Por eso, el artista fue amenazado y se marchó hacia el exilio, en Madrid.

En 1978, junto a Enrique Stein, Levinas convocó a Jorge Luis Borges, Ernesto Sabato y María Elena Walsh, entre otros, para que firmaran una carta en la que se le pidió al gobierno militar que dejara entrar a la Comisión Internacional de Derechos Humanos a la Argentina.

Esa carta la publicó *Clarín.*

A la redacción de *El Porteño* le arrojaron una bomba en 1982, después de haber publicado la primera nota sobre los hijos de desaparecidos que salió en la Argentina. Estaba en Cochabamba y Piedras. Enrique Symns, uno de sus principales periodistas, y creador del suplemento *Cerdos y Peces*, escribió que parecía más un café para almas libres que una redacción. Porque allí podías encontrarte con Hebe de Bonafini, Luca Prodan, León Gieco, Miguel Ángel Solá, Soledad Silveyra y María Eugenia Estenssoro. También escribió que fue allí donde Levinas le había dado la oportunidad de escribir al joven y audaz Jorge Lanata.

Mientras Levinas financiaba cada número de *El Porteño* con la venta de cuadros que hoy valen cientos de miles de dólares, Briante y Dipi alargaban las madrugadas en La Paz, la Giralda o el Bar Ramos. De aquellas largas veladas, en las que ambos se tomaban todo, también participaban escritores como Roberto Fogwil y Jorge Asís. Lo sé porque en esa época yo era un aspirante a periodista al que dejaban participar de aquellas tertulias en calidad de escucha. Trabajaba de coordinador en *Competencia,* un programa deportivo que condujo Quique Wolf en Radio Continental. Levinas y Briante tuvieron la grandeza de aceptar para *El Porteño,* un reportaje que le hice a César Luis Menotti, todavía técnico del Seleccionado argentino de fútbol. La titulé con una de sus frases grandilocuentes: "Yo pude haber sido Perón". Las correcciones que le tuvieron que hacer en la redacción fueron numerosas. Menotti, quien todavía ostentaba mucho poder, adujo que lo había sacado de contexto. Además me retiró el saludo durante mucho tiempo. Cuando mis amigos de *El Porteño* se enteraron de la ira del César levantaron una copa para la ocasión. Durante aquellas madrugadas interminables escuché, por primera vez, la palabra "desaparecidos".

El primer ejemplar de *El Porteño* apareció a principios de 1982. La revista llegó a vender 30 mil ejemplares después del lanzamiento de la bomba. Su promedio de venta era de 23 mil ejemplares.

Levinas conoció a Lanata en el medio de aquella efervescencia.

—*Era flaco, hacendoso, inquieto y audaz. Vino a la revista con las cintas del Caso Ítalo. Lanata las quería pasar en Radio Belgrano pero, por alguna razón, no pudo. Cuando las escuché, me asusté. Le sugerí que se las devolviera al Congreso, porque era de su propiedad. Discutimos mal. Al final salieron. Se armó un escándalo descomunal.*

—¿Y cómo nació la cooperativa de *El Porteño*?

—*Fue una idea mía. Un invento de judío de Once, ciento por ciento. No quería seguir poniendo más guita. Tampoco quería seguir desprendiéndome de los cuadros para cubrir los gastos. El Porteño fue el peor negocio de mi vida. No me arrepiento. Pero es la verdad. ¡Tuve que vender un Warhol que llegó a valer dos millones de dólares! Después, en 1985, cuando ya estaba afuera, me enteré de que Lanata hizo una especie de golpe de Estado, y se quedó con el manejo de la revista.*

Lanata y treinta periodistas más pusieron 200 dólares cada uno y formaron una cooperativa. Entre los miembros más destacados, estuvieron, además de Lanata, Osvaldo Soriano, Ernesto Tiffenberg, Eduardo Blaustein, Homero Alsina Thevenet, Ariel Delgado, Rolando Graña, Juan José Salinas, Enrique Symns, Daniel Molina, Aliverti, Marcelo Zlotogwiazda, Gerardo Yomal, Eduardo Berti, Carlos Ulanovsky y Ricardo Ragendorfer.

Las asambleas de la cooperativa de *El Porteño* eran una carnicería.

Lo contó El Pájaro Salinas, en su blog, *El Pájaro Rojo*, el 12 de noviembre de 2008. Y lo hizo solo para dejar en claro que Lanata jamás fue director de la revista. Salinas estaba furioso por una entrevista halagüeña que el legendario Symns le había terminado de hacer a Lanata en *Rolling Stone*. Decía que era en agradecimiento porque Jorge le había dado "conchabo" en *Crítica de la Argentina*. Tan enojado estaba que le puso de título, a su comentario: *Symns: viejo, desdentado y chupamedias*.

Salinas, un periodista complejo, de una memoria prodigiosa, cerró la nota contra Symns con otro título. El de una obra breve, del autor under, Pablo Pérez. Se llama *El mendigo chupapijas*.

Salinas nació en Buenos Aires el 25 de marzo de 1953. Sus padres eran españoles "y republicanos". A fines de 1976 se fue a Barcelona, donde empezó a trabajar como periodista en la revista *El viejo topo* y *El diario de Barcelona*. Volvió a la Argentina en 1984. Escribió en los diarios *Sur, Ámbito Financiero*, las revistas *Humor*, la vieja *Caras y Caretas*, *El Periodista* y *El Porteño*. Salinas, además, es autor, junto a Julio Villalonga, de *Gorriarán (La Tablada y las "guerras de inteligencia" en América Latina)*. El texto fue publicado en abril de 1993. Sostiene Salinas, todavía hoy, que jamás pudo ingresar a *Página* porque Lanata y Verbitsky, entre otros, temían que publicara la verdad sobre el vínculo entre Gorriarán y el diario.

—*Nunca llegué a publicarla porque jamás me enteré* —aclaró.

En su blog, Salinas habló, en concreto, de su discusión con Lanata durante el verano de 1986 en el consejo de redacción de la cooperativa. Es textual:

—*El mandato de la asamblea de cooperativistas había facultado al consejo de redacción a editar la revista sin diferencias entre sus miembros. Pero Lanata proclamó que él no quería acordar ni con Molina ni conmigo en igualdad de condiciones y, para reafirmar su resolución, metía la mano en los cajones de nuestros escritorios frente a nuestras narices. Manifestó que quería ser el jefe y me hizo comunicar por un compañero que debía irme del consejo. Como me resistí tanto a irme como a aceptar su jefatura, el contencioso derivó en tumultuosas asambleas de cooperativistas en las que Lanata a la postre logró imponerse y compartir la jefatura de redacción con su entonces socio y amigo Tiffenberg. Que yo recuerde, nunca llegó a ser nombrado "director" de la revista, aunque lo haya sido en la práctica, siempre en tándem con Tiffenberg.*

Graña también conoció a Lanata en la cooperativa de *El Porteño*. En aquel entonces la función del actual gerente periodístico del Grupo América era la administración del poco dinero que ingresaba a la caja de la revista.

—Allí tuvimos el primer encontronazo. Jorge era muy desprolijo con el dinero. Un día le pedí que me rindiera la plata de los viáticos de los gastos de un viaje que hizo al Interior. Él se negó. Me miró con cara de "¿cómo te atrevés?". Pensaba que estaba por encima de esas tonterías.

Lanata, Marcelo Helfgot, hoy en *Clarín*, y Alberto Ferrari, ahora en la agencia DyN, eran los encargados de *The Posta Post*, un suplemento con formato de diario que salía dentro de *El Porteño*. Tenía información picante e investigaciones no tradicionales. Datos que la mayoría de los medios no tenían, o que poseían pero que no querían o no podían publicar.

The Posta Post se transformó, de alguna manera, en el antecedente más cercano a lo que terminó siendo, más tarde, *Página/12*.

El clima de época era propicio.

La radio y la revista le habían dado a Lanata la oportunidad de conocer gente que tenía cosas importantes para decir y también cosas urgentes para hacer.

Había estado, por ejemplo, más de una vez en la cena que todos los miércoles hacía la psicoanalista Eva Giberti, en su casa, con el fin de que nadie se olvidara de que su hijo, Hernán Invernizzi, era uno de los pocos dirigentes del PRT que continuaban presos.

Eva Giberti, 83 años, psicóloga, psicoanalista, escritora, docente conferencista, es ahora coordinadora del programa de Víctimas contra la Violencia del Ministerio de Justicia y Derechos Humanos de la Nación. Estuvo casada con Florencio Escardó, un inolvidable sanitarista y pediatra argentino.

A esa cena concurrían, bastante seguido, otros "militantes revolucionarios" que habían estado detenidos, como Eduardo Alfredo Anguita y Alberto Elizalde Leal, a quienes todos conocían por el apodo de *Manzanita*.

En una de esas comidas, Lanata habría expresado por primera vez, pero sin tanto detalle, su deseo de fundar un diario de contrainformación, con pocas páginas y mucha audacia. Patricia Orlando, la primera esposa de Lanata, estuvo allí. Ella recordó cómo la mamá de Invernizzi, en su calidad de anfitriona, estimuló a Lanata.

—*Le mandaba cartas perfumadas. Le sugería cambiar el estilo de vida que estaba llevando conmigo.*

Anguita tiene 60 años y trabaja como director de *Miradas al Sur,* entre otros medios oficiales y paraoficiales. Fue parte del ERP. Estuvo preso durante once años cuando fue capturado, en el mes de septiembre de 1973, y condenado por el asalto al Comando de Sanidad del Ejército. En aquella acción fue asesinado el teniente coronel Raúl Juan Duarte Ardoy. Su madre fue secuestrada durante la dictadura y permanece desaparecida. Junto a Martín Caparrós, Anguita escribió *La voluntad,* una historia muy completa y apasionante, de varios tomos, sobre la violencia política de los años sesenta y setenta.

Anguita fue gerente de contenidos de Canal 7 durante el gobierno de Fernando de la Rúa.

Manzanita no es alguien muy conocido en el mundo de los medios. Sin embargo, es un personaje clave para explicar la historia de *Página.*

La historia de su vida es trágica.

Para empezar, su madre, su hermana, su hermano y su primera mujer permanecen desaparecidos.

Él comenzó su militancia muy joven, en el Partido Comunista Argentino. Viajó a Cuba donde recibió adoctrinamiento ideológico y militar a fines de la década del 60. Cuando regresó al país se unió a la Guerrilla Ejército de Liberación (GEL). Lo metieron preso, acusado de la autoría de secuestros y atentados contra la policía y el Ejército en la ciudad de La Plata. En la cárcel pasó a integrar el ERP. En mayo de 1973 salió en libertad gracias a la amnistía general. Pero cuatro meses después fue capturado cuando intentaba copar el Comando de Sanidad del Ejército. Elizalde estuvo preso, otra vez, hasta 1984, cuando salió con una de las últimas camadas de detenidos políticos.

Apenas se conocieron, Manzanita entusiasmó a Lanata con un proyecto editorial a plazo fijo: le propuso escribir un libro con los testimonios de varios militantes políticos que habían pasado los últimos años de su vida en la cárcel, incluido él mismo. Manzanita había terminado de leer por segunda vez *Recuerdo de la muerte,* de Miguel Bonasso, la novela histórica más importante sobre los Montoneros que se haya publicado jamás. Manzanita le había comentado a su amigo, Francisco "Pancho" Provenzano, que sería una buena idea que alguien escribiera otro libro parecido, pero con eje en los dirigentes del ERP.

Provenzano es otro de los protagonistas estelares de la apasionante y compleja historia de *Página/12.* Los que lo conocieron lo recuerdan como un cuadro político excepcional, carismático y solidario.

Era nada más y nada menos el hombre que manejaba todos los proyectos del MTP y también el dinero que le enviaba Gorriarán.

Provenzano murió en La Tablada, junto a su mujer y Baños, entre otros.

Furman contó parte de su vida en *Grandes Hermanos*.

Provenzano era hijo de una familia radical "de médicos y académicos destacados". Estudió en el Colegio Nacional Buenos Aires. Jugó al rugby, ingresó a Medicina pero dejó la facultad para meterse de lleno en la militancia. Antes de la dictadura se fue a vivir con su compañera de promoción, Claudia Lareu. Cayó detenido en 1976 cuando integraba la cúpula del PRT. Lo estaban torturando cuando hizo saber que tenía llegada al almirante Eduardo Emilio Massera. Era, por cierto, no tan directa. Su tío era el cardiólogo del almirante y le había hecho un gran favor: había pasado por alto una arritmia cardíaca que le habría impedido ascender de capitán de navío a contraalmirante. En aquel momento no le alcanzó para lograr la libertad pero le bastó para salvar su vida. Fue liberado en 1982 y se reencontró, después de ocho años, con su compañera. Lareu había estado exiliada en Europa. Luego se sumó a las fuerzas sandinistas de Gorriarán en Nicaragua.

Mientras trabajaba de plomero para una cooperativa de exdetenidos, Provenzano distribuía los fondos para hacer la revista *Entre Todos* y financiar otros proyectos culturales. Al hacerse pública la lista de muertos en La Tablada, él fue uno de los más llorados.

Cuando Manzanita le dijo a Pancho lo del libro, Provenzano sugirió:

—Recuerdo de la muerte *es un gran libro, pero también es un bajón. El libro que tenemos que hacer nosotros debería plantear un horizonte. Una salida. Debería invitar a la participación que es donde nosotros apuntamos.*

Tanto Manzanita como Provenzano entendieron que Lanata era el autor ideal. Había difundido para *Sin Anestesia* algunas de las historias más apasionantes de los presos políticos que habían salido de la cárcel a partir de 1984. Había abierto, junto con Salinas, las páginas de *El Porteño* para la campaña a favor de Invernizzi y otros compañeros. Parecía comprometido por la causa y era muy joven y muy audaz. Es decir: tenía energía de sobra para soñar con el futuro.

Provenzano eligió a quienes serían las principales voces del libro. Manzanita, Biafra Soriani y Nora Mathion, todos exPRT, hablarían con el periodista y le contarían los detalles más crudos de los últimos años de su vida.

Lanata empezó a trabajar en el proyecto. Hasta llegó a escribir dos capítulos y medio de aquel libro que nunca fue publicado. La pura verdad es que pronto se desencantó. Dijo que Biafra no se terminaba de aflojar, y no le contaba nada interesante. Y que Nora era imposible de ubicar, porque sus horarios no coincidían.

—*El único testimonio valioso es el tuyo. Pero con eso no hacemos ni medio libro* —le explicó Lanata y agregó—: *¿Por qué no te venís para casa así te cuento bien el proyecto del diario?*

Manzanita escuchó por primera vez la idea completa de lo que sería *Página* en el primer departamento propio de Lanata. Era un monoambiente de 40 metros cuadrados, sobre la calle Paraguay, esquina Armenia. Lo compartía con su pareja, Andrea Rodríguez. También tenían un perro. Se trataba de una planta baja con un pequeño patio al que algunos vecinos usaban de basurero particular. Los días de Lanata transcurrían entre la pelea con la gente del edificio y el sueño de armar un diario distinto. De hecho, el periodista les escribió a copropietarios e inquilinos una nota de tono crítico y burlón, en la que los acusaba de maleducados. Pero lo importante es que en ese inmueble se habló por primera vez, de manera precisa, de lo que pronto sería *Página/12*. Que lo cuente el propio Alberto Elizalde Leal, que estuvo ahí y recuerda los detalles.

—*Me dijo que quería hacer un periódico de contrainformación, muy chico, de 12 páginas y que estuviera en los quioscos de lunes a viernes. Me mostró una hoja un tanto desprolija. Figuraban los supuestos costos del papel, la impresión y la venta de ejemplares. Si no me equivoco, no superaba los cincuenta mil dólares. Enseguida me preguntó: "¿Por qué no te encargás de buscar financiación para esto?"*

Lanata ya se lo había contado, por lo menos, a media docena de personas. Pero casi todos, aunque no se lo decían, pensaban que se trataba de un proyecto inviable.

¿Había espacio para otro medio progresista, de centro izquierda? Los más importantes, en aquella época, eran *Humor*, *El Periodista* y *La Razón*.

La revista quincenal *Humor Registrado*, de Ediciones de La Urraca, había aparecido en pleno Mundial de Fútbol de la Argentina, en junio 1978. Todavía gozaba de una aceptable salud. Fundada por Andrés Cascioli, tenía entre sus periodistas estrella a Enrique Vázquez, cuyos textos eran muy críticos de la dictadura, a Mona Moncalvillo, cuyos reportajes eran imperdibles, y un grupo de dibujantes, como el propio Cascioli, Carlos Nine y Tomás Sanz, entre otros, que la hacían inigualable. Entre sus colaboradores figuraban Osvaldo Soriano y Carlos Ares. Tuve el honor de escribir un par de notas gracias a la generosidad del propio

Cascioli. *Humor* cerraría en octubre de 1999, veintiún años después de su fundación.

La revista semanal *El Periodista de Buenos Aires* también nació de La Urraca, pero recién en 1984. Era la versión seria de *Humor*. Lo que la caracterizaba era su periodismo de investigación. La dirigió Carlos Gabetta, exdirector de la versión latinoamericana de *Le Monde Diplomatique*. Integraron su redacción, entre otros, Horacio Verbitsky, Carlos Ábalos, Carlos Ares, Oscar González y Norberto Colominas. Allí hicimos nuestros primeros informes para las notas de investigación de Ares, Lanata, Jorge Fernández Díaz, el editor general de Perfil, Gustavo González y yo, entre otros. De mi paso por allí me siento orgulloso. En especial porque pude conseguir un documento que fue la tapa de una de las ediciones más vendidas de *El Periodista*: la lista de los represores que había confeccionado la Comisión Nacional de Desaparición de Personas (CONADEP). La reacción de Alfonsín ante la publicación no fue sobria. Me mandó a decir, por su vocero de entonces, José Ignacio López, que le estábamos haciendo el juego a quienes buscaban voltear al Presidente a través de un golpe de Estado. *El Periodista* terminó cerrando en mayo de 1989, en el medio de la hiperinflación.

El matutino *La Razón*, al mando de Jacobo Timerman, también pretendió ocupar un espacio entre los medios progresistas de la época. Pero el experimento del gobierno de Alfonsín empezó en 1985 y terminó sin pena ni gloria en 1987, el mismo año de la salida de *Página*.

Elizalde Leal no tenía una mirada tan completa sobre el mapa de medios de entonces. Quizá por eso mismo la idea de Lanata no le parecía tan descabellada.

Manzanita primero habló con sus amigos del PC y se le rieron en la cara. Días después se encontró con Provenzano en "el bar de siempre", ubicado en Bartolomé Mitre y Callao. Entonces le dijo, sin ninguna expectativa:

—*Lo del libro no va ni para atrás ni para adelante, pero Lanata tiene un proyecto de diario. Sería maravilloso si se pudiera hacer.*

—¿Cuánto vale? —preguntó Pancho.

Le mostró el papel con los números de Lanata.

—¿Estás seguro?

—*La verdad que no. Esto es lo que dice Lanata. Pero si me das unos días lo chequeo y te lo confirmo.*

Manzanita los confirmó y confeccionó un informe más prolijo. No tenía ninguna esperanza de que Provenzano le diera el sí. Una semana después se volvieron a encontrar en el bar de siempre y Pancho le comunicó:

—Hablé con El Pelado. Me dijo que el proyecto se hace. Las únicas condiciones es que no sea un diario dogmático ni partidario. Que sea amplio. Y que no se embandere con nadie.

No bien se despidió de Provenzano, Elizalde Leal llamó a Lanata desde un teléfono público.

—Jorge, conseguí la plata.

—¿De dónde?

—De los compañeros.

¿Había sido claro y explícito, Manzanita, cuando le informó que el dinero provendría de los compañeros?

En el primer encuentro que mantuve con Elizalde Leal le pregunté:

—¿Qué dijo Lanata cuando usted le planteó que el dinero venía "de los compañeros"?

—*En el momento no me pidió más detalles. No quiso saber más. Pero un poco más adelante Pancho Provenzano y yo se lo dijimos con claridad. Así que nunca tuvo dudas ni desconocimiento sobre quién ponía la plata. Cuando él me dijo "buscá financiación" no me puso límites. Y si yo hubiese traído la plata del PC, Jorge hubiera hecho* Página/12 *igual. Que ahora él de repente diga "me tienen harto con la dictadura" o "yo no hablo con tipos que son capaces de pegarte un tiro o secuestrarte y dejarte en un sótano" demuestra cuánto cambió su posición inicial.*

—¿Cuánto condicionó el dinero de Gorriarán a la línea de *Página*?

—*El Pelado nunca se metió en el diario. La única vez que lo intentó fue cuando mandó a Jorgito Baños a denunciar un pacto entre Menem y los milicos para después armar lo de La Tablada. Denunciaron un encuentro entre (el líder de la Unión Obrera Metalúrgica) Lorenzo Miguel y el coronel golpista Seineldín para derrocar el gobierno de Alfonsín. Pero en* Página *lo sacaron cagando. Apenas publicaron una columna de Quito Burgos y no mucho más. Ni un estudiante de periodismo podía creerse semejante bolazo.*

Lanata, veinticinco años después, también reconoció que fue el mismo Provenzano quien le preguntó:

—¿Te molestaría que nosotros ayudáramos?

Y recordó que él respondió, en forma textual:

—*Mirá, a mí lo único que me molestaría es hacer un diario con* Camps.

El general Ramón Camps nació en 1927 y murió, de cáncer, en 1994. Fue jefe de la policía de la provincia de Buenos Aires durante la dictadura. Tuvo bajo su mando a varios centros clandestinos de detención. Fue condenado, entre otros delitos, por el secuestro y la tortura de Jacobo Timerman.

Además de la identidad del inversor, Lanata siempre supo tanto sobre la cantidad como sobre el origen del dinero que sirvió para fundar el diario. Me lo dijo de manera directa:

—*Gorriarán terminó poniendo un palo. En ese momento había un grupo de militantes del MTP que nos hacía llegar la plata.*

—¿Y de dónde salía la plata de Gorriarán?

—*Ellos tenían canutos en todas partes del mundo. Podía ser de secuestros. De Cuba. De Nicaragua. De la política. No sé. Después, cuando todo empezó a funcionar, apareció Sokolowicz, que, según él, puso otro palo y pico.*

—Quiere decir que vos lo sabías desde el principio.

—*Sí. Yo sabía desde el principio que parte de la guita venía de Gorriarán y otra de Sokolowicz.*

—¿Y por qué nunca lo dijiste?

—*Porque toda la derecha se nos hubiera venido encima.*

—De manera que cuando viajaste a ver a Gorriarán no fuiste a ver a una fuente, sino al líder guerrillero que era, además, sponsor del diario.

—*Sí. Lógico. Pero, aunque vos no lo creas, no nos condicionaron para nada. Solo nos pedían publicar alguna columna firmada por alguien del MTP. No era una cosa orgánica. Ni yo le preguntaba qué tenía que hacer ni ellos me decían cómo hacerlo.*

—¿Podés admitir, veinticinco años después, que sin la plata de Gorriarán *Página/12* no hubiera existido?

—*Sí. Reconozco que hubiera sido muy difícil hacerlo. Y también acepto que el ataque a La Tablada puso en riesgo la continuidad del diario y también la credibilidad de todos nosotros como periodistas.*

—¿Qué diferencia hay entre fundar un diario con la plata de los secuestros extorsivos del ERP a hacerlo con la de los militares? Porque vos, en una nota que te hicieron para *Rolling Stone*, dijiste que mientras *Página* no tenía ni un peso ni para las máquinas de escribir, Jacobo Timerman había hecho un diario con la guita de los milicos.

—*Es distinto. Son distintos momentos. Jacobo recibió plata de los milicos y punto. Los tipos, cuando empezaron a financiar* Página, *no estaban a los tiros. Eran un partido político. Intentaban hacer un frente. Había un cura progresista como (Antonio) Puigjané, un abogado que defendía presos políticos y trabajaba gratis en las causas por violaciones a los derechos humanos (Jorge Baños), expresos políticos como (Alberto) Piccinini.*

—Y también Gorriarán, prófugo de la justicia.

—*Perseguido. Igual que estuvieron perseguidos Miguel Bonasso y*

Juan Gelman. ¿Cuál es el problema? Yo también te podría decir que en Página *había tipos acusados de matar a (José Ignacio) Rucci o al general (Eugenio) Aramburu en los años setenta. Y ellos escribían o escriben en el diario. No está buena esta línea de análisis. Miguel fue diputado hasta hace poco. Y Gelman está considerado el gran poeta nacional. Visto desde la perspectiva de hoy, es muy fácil hacer historia. Hasta yo podría decirte, después de la locura de lo de La Tablada, que para mí, al final, Gorriarán era un agente doble.*

Manzanita hizo su trabajo: consiguió al financista y quiso dar las hurras. Pero Lanata le pidió que se incorporara al proyecto. No quería que le pusieran ningún comisario político, y sentía que Elizalde Leal podía garantizar la no intromisión. Al mismo tiempo, Provenzano, una vez que Gorriarán confirmó que el dinero estaba a disposición, le pidió a Manzanita que creara una empresa. Elizalde, con buen criterio, se negó. Y lo hizo en forma terminante:

—*Acabo de salir de la cárcel y vivo con un sueldo de empleado en la obra social de Empleados de Comercio (OSECAC). Si mañana aparezco como titular de una sociedad me meten preso de nuevo* —le explicó—. *Mejor conseguí a alguien que ponga la cara y la terminamos de armar.*

Provenzano tardó veinticuatro horas en conseguir al *frontman*. Porque buscó y encontró a Fernando Sokolowicz. Era rubio, tenía barba y formaba parte del grupo fundador del Movimiento Judío por los Derechos Humanos. Su papá tenía una empresa maderera, Dani Maderas, y por eso mismo, presentarlo como el supuesto inversor, no levantaría la más mínima sospecha. Había militado en el ERP y había pasado una buena parte de su exilio en Israel. Estaba comprometido con la lucha para sacar a los compañeros que quedaban en distintas cárceles del país. De hecho, cada tanto les llevaba locro que cocinaba él mismo a Devoto. En esos días habían liberado a Pino Cuesta y, la semana siguiente, harían una fiesta, en la que estarían su esposa, Hilda Nava, y el abogado defensor de ambos, Jorge Baños. La organizarían para festejar, en especial, la inminente libertad de Invernizzi. Provenzano entonces le dijo a Manzanita:

—*Sokolowicz es de mi absoluta confianza. Vive en Devoto. La fiesta se hace en su casa, así que venite y te lo presento.*

En la casa de Sokolowicz, el anfitrión y Manzanita hablaron por primera vez. Y en esa fiesta estuvieron, también, Lanata y Provenzano. Horas después, en la oficina de Sokolowicz del Centro de Ingenieros, en Paseo Colón e Independencia, acordaron que a *Página* lo manejaría una Sociedad de Responsabilidad Limitada (SRL) para evitar cualquier embargo personal.

Sokolowicz le ofreció una parte de las acciones y Manzanita dijo que no. El empresario maderero informó entonces que se quedaría con la mayoría absoluta. También aclaró que, para cumplir con las formas, le entregaría unas pocas acciones a Carlos González, más conocido como *Gandhi*, del Servicio de Paz y Justicia (SERPAJ). Provenzano le pidió a Elizalde que abandonara su trabajo en OSECAC y que se transformara en un administrador todoterreno. Al mismo tiempo le pidió a Sokolowicz que le firmara a Elizalde Leal un amplio poder para hacer y deshacer. Manzanita preguntó, un poco aturdido:

—¿Y con el dinero cómo nos vamos a manejar?

—*Por eso no te preocupes* —lo tranquilizó Provenzano.

El financiamiento de la primera etapa de *Página* resultó sumamente irregular. Me lo contó Manzanita, que llevó la plata de un lado al otro.

—*Eran dólares, llegaban una vez por mes, y siempre tarde. Me la daba, en la mano, Pancho (Provenzano). Yo lo iba a buscar a la casa de los padres, sobre la calle Charcas, al lado de una comisaría. Fernando me mandaba a cambiar los dólares a una cueva del centro. En la cueva estaban convencidos de que yo vendía y compraba propiedades. Alcanzaba apenas para pagar sueldos y gastos y se completaba con la recaudación por ventas.*

El proyecto original de *Página/12* estuvo a punto de naufragar antes de ser iniciado.

Porque en medio de las conversaciones entre Lanata, Manzanita y Provenzano, apareció un plan alternativo que, en los papeles, parecía más viable que el de un ambicioso pero demasiado joven periodista de 26 años.

Era un diario de una sola página, tamaño sábana y que se iba a llamar *La Hoja*. Tenía presupuestado hasta el último tornillo. Sus impulsores tenían peso propio: eran Verbitsky y Eduardo Luis Duhalde. Los financistas los hubieran apoyado sin dudarlo. Duhalde fue secretario de Derechos Humanos de Néstor Kirchner y Cristina Fernández. Verbitsky es, entre otras cosas, el archienemigo declarado del fundador de *Página/12*. El plan de Horacio no siguió adelante, porque El Perro se bajó a mitad de camino.

Los recuerdos de Lanata y Verbitsky sobre cómo se conocieron y de qué manera se inició y se financió *Página/12* son muy distintos, y reflejan la visión de las cosas que tienen uno y otro. Lanata me dijo:

—*Al Perro lo conocí en su oficina cuando le ofrecimos ser columnista de* Página. *Pidió una fortuna. Me acuerdo de que se llevaba como mil dólares. Era la época en la que ganaba como yo, o más que yo.*

Y Verbitsky lo corrigió:

—*Yo nunca hablé con él de dinero. La negociación económica la hice con Fernando, que era amigo y compañero de militancia en las organizaciones de Derechos Humanos. En relación a* Página/12 *nunca hablé de plata con Lanata. Sí hablé cuando hicimos televisión juntos. Recuerdo que me dijo "esta vez sí voy a ganar más que vos". No le contesté, porque realmente la plata no es mi tema.*

—¿Y cómo se conocieron? —le pregunté a Horacio.

—*Después de que Fernando me ofreciera colaborar en el diario que estaban por hacer. Antes habían venido a verme, a mi oficina, Ernesto Tiffenberg, Carlos Gandhi González y Manzana Elizalde. Vinieron a pedirme consejos porque sabían que Eduardo Luis Duhalde y yo habíamos terminado de armar un proyecto de diario. Era un proyecto viable que yo, al final, desistí de hacer porque no quería estar tantas horas frente a una redacción. Entonces yo trabajaba en* El Periodista *y Sokolowicz sabía del proyecto. Es más: estaba interesado en él. Al final, yo acepté la propuesta de Fernando.*

—¿Cuál es tu mirada sobre quiénes son los verdaderos fundadores y creadores de *Página*?

—*Me parece que fue un proyecto del que participó mucha gente. Él (Lanata) tuvo un rol muy importante y otras personas también tuvieron un rol muy importante. Yo no sé si tuve un rol muy importante. Creo que ese diario fue una feliz combinación de las posiciones propias de la militancia de los setenta y de la visión vitriólica de los pasotas de los noventa que él representaba muy bien. Y veamos qué hizo cada uno después para saber lo que fue el diario.*

—¿Estás orgulloso de lo que es ahora *Página/12*?

—*Sí, me parece un diario muy interesante, muy bueno, muy valioso. Único en el país. Cosa que mucha gente no va a reconocer porque tiene otros intereses. Y se ha hecho entre mucha gente. Si fuera obra de una persona, hubiera desaparecido con esa persona. O esa persona hubiera producido después fenómenos equivalentes. Lanata dice "creador de* Página/12*", no dice "creador de* Crítica de la Argentina*".*

Página nació en la cabeza sin límites de Lanata, pero también se fue construyendo sobre la notable prudencia de Tiffenberg, secretario o jefe de redacción de *El Porteño* desde que la revista se transformó en una cooperativa.

—*Con Tiffenberg, en aquella época, nos complementábamos bien. Él era muy prudente, y yo no* —reconoció Lanata.

El gran sueño se empezó a moldear sin oficina.

Lanata y Tiffenberg convocaron a los primeros periodistas en La Ópera y en La Paz, dos de los bares bohemios más emblemáticos de la avenida Corrientes. Verbitsky, Osvaldo Soriano y el diagramador Daniel Sordo Iglesias dieron el sí de inmediato. Un poco más tarde se agregaron Julio Nudler en Economía, Lía Levín en Política, Furman como secretario de redacción y Ricardo Ibarlucía en Cultura. Es probable que la mayoría de ellos, incluso, haya participado de la discusión sobre cuál debería ser el nombre del pequeño diario.

Rememoró Manzanita:

—Lanata registró dos o tres nombres. Uno fue Contragolpe, pero creo que ni él estaba muy convencido de que era el mejor. Un día, boludeando en la casa de Jorge, del Sordo o en La Paz, yo tiré: "¿Y si le ponemos Página/12? Porque seguimos con la idea de sacarlo con doce páginas, ¿no?" Al Sordo le encantó, hizo el primer borrador con el logo y Lanata se lo mandó a diseñar de vuelta: "Esto es una porquería", me acuerdo de que le dijo, textual. Entonces el Sordo, con el orgullo herido, lo hizo más claro. Más prolijo. Presentó la palabra Página con la barra inclinada y el doce en números. Me acuerdo de que Jorge abrió los ojos y le pidió que le agregara la bajadita: El país a diario.

Manzanita registró la marca *Página/12* a su nombre. Es decir: a nombre de Alberto Elizalde Leal. Esa decisión le permitiría, seis años más tarde, venderla al módico precio 300 mil dólares, cuando Sokolowicz se la pidió para transferir la mitad más uno del paquete accionario de la empresa a Héctor Magnetto o el Grupo Clarín. Los detalles de la operación se darán a conocer a su debido tiempo. Se justificó Manzanita:

—No fue una decisión especulativa. La presenté yo porque nadie quería o tenía tiempo de hacerlo. Cuando se lo planteé a Jorge me dijo "Dale, registrala", porque estaba demasiado ocupado con los números cero. El Sordo se sentía el creador de la gráfica pero no del nombre. "No: a la marca la tienen que registrar vos o la sociedad", me planteó. Y en esa época, todos los trámites los hacía yo. Desde la inscripción de la sociedad en la Inspección General de Justicia hasta el edicto. Yo era el apoderado y Fernando (Sokolowicz) solo era el frontman.

—¿Sólo el frontman?

—Ni más ni menos. Contemos de una vez la verdad de la historia. Fernando no puso un peso hasta el 23 de enero de 1989, cuando ocurrió lo de La Tablada. Ni siquiera para el alquiler de la oficina en la que empezamos a funcionar, en la calle Montevideo entre Lavalle y Tucumán. Yo tuve que salir a buscar hasta las garantías para el contrato de

alquiler. Los conseguí gracias a la generosidad de dos compañeros de la militancia.

La primera reunión "oficial" para anunciar la intención de lanzar un diario tuvo lugar en la oficina de Sokolowicz de la avenida Paseo Colón. Estuvieron allí, además del anfitrión, Lanata, Tiffenberg, Elizalde Leal, Nudler, Levit, Berti, Ibarlucía, "El Sordo" Iglesias, Aliverti, Andrea Rodríguez y Andrea Ferrari, que es la mujer de Tiffenberg y había sido asistente de Levinas en *El Porteño.*

Uno de los grandes temas de discusión, antes de que el diario comenzara a funcionar, era el creciente descontrol del presupuesto. En ese contexto, los honorarios de Verbitsky se transformaron, casi, en una cuestión de Estado. Lanata insistió con su tesis de que El Perro siempre fue demasiado caro:

—El Perro puede decir lo que quiera, pero yo me acuerdo bien. Yo lo conocía de haberlo leído de El Periodista. Él todavía trabajaba ahí. Para contratarlo lo fui a ver a su oficina de Tribunales. Tuvimos una discusión por guita. Para mí era muy importante tenerlo. Él tenía información dura. Y a mí no me conocía nadie. Página/12, en aquel momento, no era nada. Ni siquiera un proyecto serio. No era el lugar ideal para periodistas estrellas. De hecho, los pocos que habían aceptado, eran activistas de otros medios, como Furman. El Perro siempre ganó muy bien.

Manzanita recordó el hecho con mayor precisión. Después de todo, ya ostentaba el cargo de gerente general y era el que manejaba la plata:

—Verbitsky arrancó ganando cuatro mil australes. Lanata ganaba un poco más y yo cobraba un poco menos que Jorge. A los pocos meses El Perro mejoró mucho su cotización.

La oficina de Montevideo estaba arriba de una peluquería y no alcanzaba los cien metros cuadrados. Eran ostensibles la precariedad y el entusiasmo. Allí solo entraban, muy apretados, los quince o veinte periodistas que trabajaban de manera efectiva. La administración todavía no tenía lugar suficiente y el taller operaba en la calle Tabaré, en Barracas. Fui uno de los tantos periodistas que pasaron por allí. Estuve de visita. Tenía 25 años. Ya era redactor de *El Periodista* y además colaboraba en *Humor.* No recuerdo a quién se le ocurrió llamarme. Pudo haber sido a Ibarlucía o Eduardo Berti, con quien habíamos estudiado juntos Comunicación en el Centro de Estudios de Buenos Aires (CEBA). Quizás haya sido Tiffenberg o incluso Lanata. No me ofrecieron nada en concreto. Lo que sí recuerdo es que no permanecí más de veinte minutos, y huí espantado. Nada parecía indicar que desde ese oscuro departamento pudiese salir algo parecido a un diario.

Lanata no lo desmintió. Y fue todavía más lejos:

—*Una semana antes de salir nos agarró una desesperación difícil de olvidar. Era todo un desastre. Los números cero no se podían ni mirar. Y lo peor era que no podíamos volver atrás. Estaba todo lanzado. Desde la publicidad hasta los horarios del taller. En esos días con Tiffenberg arrancábamos a las 10 de la mañana y nos íbamos a las 2 de la madrugada. Yo tenía, más que miedo, vergüenza. Mucha vergüenza.*

Manzanita acotó:

—*Un día Lanata me llamó y me dijo: "Esto no sale". "¿Por qué?", le pregunté yo, asustado. "Leé estas notas. Están escritas con los codos." "¡Pero a los periodistas los convocaste vos!", le recordé. "Sí, pero no sirve ninguno. Tenemos que contratar un lugar más grande y salir a convocar más gente." Esa fue la primera de las cientos de peleas que tuve con Jorge. Era un barril sin fondo. Nunca le alcanzaba la plata. Y cuando las cosas empezaban a andar mal, siempre tenían la culpa los demás.*

Uno de los que más influyó para que ese amasijo de voluntades se transformara en un periódico legible fue el recordado Gordo Osvaldo Soriano.

Soriano nació el 6 de enero de 1943 y murió a los 54 años, el 29 de enero de 1997. Lo concibieron en Mar del Plata, donde vivió hasta los tres años. En 1969 vino desde Tandil, donde vivía, hasta Buenos Aires, para empezar a trabajar en *Primera Plana*. En 1971 empezó a trabajar en *La Opinión* con Timerman. En 1973 publicó su primera novela *Triste, solitario y final*. Se exilió primero en Bélgica y después en París. Desde allí editaron, junto a Cortázar, *Sin Censura*, una revista sobre el exilio. Es autor de libros inolvidables como *No habrá más penas ni olvidos*, *Cuarteles de Invierno*, *A sus plantas rendido un león*, *Artistas, locos y criminales* y *Una sombra ya pronto serás*.

—*El Gordo corregía los títulos. Tachaba adjetivos y metáforas a lo loco. Opinaba sobre el diseño. Venía con la impronta del lector especializado en* Le Canard enchâiné *(El canario encadenado), un periódico con tapas satíricas, denuncias e investigaciones exclusivas. Él fue el primero que planteó la idea de cambiar los títulos solemnes por otros más directos y desprejuiciados* —me recordó un amigo de Osvaldo que no quiso aparecer con nombre y apellido.

Lanata recreó una noche inolvidable con Soriano. *Página* estaba a punto de salir. Ellos se fueron a cenar, solos, a un restaurante de la calle San Martín que se llamaba Claudio.

La reconstruyó así:

—*Yo estaba recagado. Osvaldo un poco menos. Yo pensaba que en cuanto el diario saliera, se nos iban a reír todos en la cara. La ciudad estaba tapada de carteles que decían:* "Despiértese con *Página/12. El país a diario". Terminamos de comer. Caminamos unos metros y nos paramos en un lugar donde había una persiana. Entonces se nos acercó un gato. Enseguida llegó otro. Osvaldo los miraba con una sonrisa. El Gordo era un enfermo de amor por los gatos. Eso, y unas cuantas cosas más, me las fue pasando a mí. La cuestión es que a los cinco minutos había como seis gatos, a nuestros pies, a la una de la mañana, en la calle San Martín. Fue ahí cuando me dijo: "Jorge. Acordate de lo que te digo: el diario va a ser un éxito. Los gatos están con nosotros".*

El primer diario salió el 26 de mayo de 1987. No tenía doce, sino dieciséis páginas. El título de tapa fue "Sí, juro". Era la primera vez que los militares juraban por la Constitución. La volanta rezó: "Fidelidad con dudas". La nota la escribió Verbitsky. El Perro reveló, entre otras cuestiones, que un mayor del Ejército se había negado a repetir la fórmula del juramento democrático. A Raúl Alfonsín le publicaron un "textual" desde Montevideo. Aliverti escribió una columna titulada "El reino del revés". Rudy y Daniel Paz dibujaron al Papa y un sacerdote. El cura le informaba que había salido un nuevo diario. El Papa le preguntó: "¿Son divorcistas?". Y el religioso le respondió: "No creo… Dicen que no se casan con nadie".

El fantasma de un golpe por parte de las Fuerzas Armadas estaba, todavía, muy presente. El primer levantamiento carapintada había sucedido apenas un mes atrás. La histórica frase de Alfonsín *"La casa está en orden. ¡Felices Pascuas!"* había sido considerada, por los sectores progresistas, una traición y un retroceso. Los oficiales que pretendían imponer el indulto y leyes de amnistía y punto final para evitar que continuaran los juicios por delitos de lesa humanidad habían avanzado más de un casillero.

Para el estreno de *Página* se tiraron 23 mil ejemplares.

Se vendieron 17.500. Es decir: casi se agotó la edición.

Cada ejemplar costó 0,50 australes.

En la redacción, antes del cierre, Soriano había propuesto el siguiente título de tapa: *Hoy un juramento*. Por el tango que dice: *Hoy un juramento/ mañana una traición*.

El Gordo sugería que había que salir a fijar posición con audacia y desenfado. Que la primera tapa iba a ser decisiva para mostrar al lector la verdadera identidad del diario. Ganó la postura que sostenía que era demasiado. Que los militares lo sentirían como una provocación y que eso significaba tomar demasiado riesgo.

95

Lanata, Soriano, Tiffenberg y Manzanita, entre otros, fueron a la imprenta, que se encontraba en Barracas. Todos estaban muy nerviosos. Los seis números cero que se habían probado no solo habían sido mal escritos. También habían salido mal impresos. Era un momento de mucha tensión. Entonces Soriano decidió contar una anécdota de prensa para mejorar el ambiente. Ninguno de los presentes pudo corroborar si decía la verdad. Después de todo, Osvaldo Bayer siempre recordó al escritor de Tandil como uno de los mentirosos más simpáticos y creíbles que jamás haya conocido. Soriano contó, esa noche, cómo la excesiva prudencia de los editores de *Le Monde* les había hecho meter la pata a la hora de elegir el título de tapa de un hecho histórico. Según Osvaldo, el día en que Estados Unidos tiró la bomba atómica sobre Hiroshima, Japón, el diario francés tituló "Revolución científica en la guerra". Era el tipo de títulos que Soriano despreciaba.

La redacción se mudó de Montevideo y Lavalle al piso 13 de Perú 367. La oficina tenía antecedentes promisorios. Años atrás, había funcionado allí la primera redacción de *Primera Plana* y durante 1982 y 1983, había trabajado el comité de campaña del candidato Alfonsín. De hecho, cuando la redacción de *Página* ingresó a Perú todavía no se había desarmado la central telefónica en la que figuraban el interno de Margarita Ronco, la secretaria privada de quien después fue elegido presidente de la Nación.

Si Montevideo parecía una tapera, Perú tampoco era una fiesta.

Margarita Perata, 59 años, casada, cuatro hijos, añora, todavía, aquellos buenos tiempos. Ella es hoy una de las mejores amigas de Lanata y fue su asistente y coordinadora en *Página* y *Crítica*. Es, además, una de las pocas personas a las que Lanata le confesó su adicción a la cocaína y le avisó que intentaría desintoxicarse. También la consultó sobre la posibilidad de transformarse en candidato a jefe de Gobierno de la Ciudad de Buenos Aires. (Véase capítulo "17. Revancha".)

Margarita ingresó a la primera oficina de Montevideo por recomendación de su amigo, Pancho Provenzano. Empezó a trabajar en la administración hasta que Lanata abrió la puerta de la oficina, agitó un papel garabateado y preguntó:

—*¿Quién entiende esta letra?*

Margarita levantó la mano y a partir de ese momento no se separaron nunca más. Ella primero comenzó a hacer sus llamados telefónicos y enseguida se transformó en su persona de confianza. Su profesionalismo y enorme voluntad la convirtieron más tarde en jefa de cierre. Son recordadas en casi todo el periodismo de la época las intensas discusiones que mantenían con Lanata. Incluían, por cierto, el dato de que cada tanto Lanata le arrojaba tazas de café por la cabeza, hasta que un día Perata se cansó y se las empezó a lanzar ella también. Recordó Perata:

—*Página, cuando empezó, era un quilombo en el más estricto sentido de la palabra. En Montevideo no se podía ni estar. Era una peregrinación de pendejos de 14 años que soñaban con ser fotógrafos, lúmpenes del periodismo que iban y venían y unos pocos profesionales que corrían de un lado para el otro. Jorge, Tiffenberg, el Sordo Iglesias, el viejo Edgardo Sierra (igual que Iglesias, diagramador), Ibarlucía, Adriana Schettini y Sergio Resumil eran algunos de ellos. Después Manzana encontró la oficina del piso 13 de Perú y Belgrano, el antiguo búnker de Alfonsín. La mudanza desde Montevideo a Perú la hicimos un sábado con una pequeña camioneta. Ahí adentro pusimos todo lo que había: dos escritorios, una "teletipo" ¡y nada más! A los baños, después del mediodía, ya no se podía entrar. El ambiente era de mística y de paranoia. Todo el mundo sospechaba que había escuchas. Lanata, cuando quería hablar de algo importante con Tiffenberg, lo convocaba al balconcito, para que nadie escuchara. Todos discutíamos todo con demasiada pasión. Un día, incluso, se armó un quilombo tremendo por el nido de una paloma que estaba en la ventana. Salvador Benesdra, que era el editor de internacionales, era un tipo brillante y muy bueno. Salvador no quería que sacaran el nido de ahí. Incluso había escrito carteles a mano con la leyenda: "Salvemos a la paloma". El problema es que no se podía cerrar la persiana y a determinada hora entraba luz y le daba de frente a Lanata y a Furman. Bueno: Jorge se calentó y junto con Furman tiraron el nido a la mierda. Benesdra nunca se los perdonó.*

Perata explicó por qué nunca ni las tazas ni los platos que cada tanto le arrojaba Lanata terminaba de impactar en su cabeza:

—*Jorge no era agresivo. Esperaba que yo le cerrara la puerta en la cara antes de tirarme con lo que tenía en la mano. Una vez me pasó muy cerca. Fue cuando discutimos, muy fuerte, por el tema del aborto. Yo estoy a favor. Y el diario también lo estaba. Le grité: "¡Conservador de mierda! ¡Hijo de puta! ¡Vos no entendés nada!" Esa intensidad hizo que más tarde nuestra relación fuera más allá de la del jefe y la secretaria.*

Es cierto. De hecho Margarita fue la única empleada que ayudó a escribir, editar y cerrar el diario un día de 1987 cuando los trabajadores de *Página* decidieron apoyar un paro de la CGT y que no saliera el diario. Se sentó junto a Lanata y a Tiffenberg y lo publicaron igual.

—*Había que tomar el toro por las astas. Si nos ganaban la primera nos iban a acostar en todas. Fueron escenas de película. Lanata y Tiffenberg escribían, a los pedos, en las hojas pautadas, con la vieja Reming-*

ton, la máquina de escribir. Yo iba de la redacción al taller y del taller a la redacción. Se juntaron los materiales y se tipearon. Al mismo tiempo se fueron armando las películas. Cuando al otro día la redacción comprobó que Página *había salido igual, yo les expliqué que jamás en mi vida ninguneé una asamblea, pero que mientras yo estuviera ahí el diario siempre saldría a la calle.*

A los pocos días de su lanzamiento, el diario pasó de dieciséis a veinticuatro páginas y, a pedido de los lectores, se agregó una edición dominical.

Entonces las oficinas de Perú empezaron a quedar chicas e incómodas.

Para entrar al baño de caballeros, había que pasar por el laboratorio fotográfico, donde se revelaban las fotos en blanco y negro que se usarían al otro día.

Para ingresar al baño de mujeres había que pasar por el despacho del director periodístico. Sin embargo, Lanata tampoco estaba solo: compartía su oficina con Tiffenberg y con el columnista de política de los domingos, José María Pasquini Durán.

Silvia Mercado, otra de las jóvenes promesas de entonces, entró como redactora cuando tenía 28 años. La recomendó El Sordo Iglesias, ya que se había quedado sin trabajo porque el último diario *Tiempo Argentino*, que había financiado Luis Cetrá, de la Junta Coordinadora de la Unión Cívica Radical, acababa de cerrar. La primera entrevista laboral de Mercado fue con Furman, jefe de política. La recibió en Perú:

—En la redacción había tres mesas grandes, tipo de jardín de infantes, pintadas de colores. También había seis máquinas de escribir y todas estaban hechas mierda. El baño de mujeres estaba en el despacho de Jorge y el de los varones en el laboratorio fotográfico. Teníamos dos agencias, Telam y DPA, porque eran las más baratas. Nos matábamos por conseguir un teléfono y una máquina de escribir. Lanata demostró que para hacer buen periodismo gráfico, más que mucha plata, se necesitan buenas ideas.

Las internas, además, empezaron más temprano que tarde, al ritmo del éxito de *Página*.

Diez días antes del número uno, Lanata despidió a Ibarlucía, responsable del suplemento de Cultura, por elitista.

Lo del despido de Ibarlucía me lo contó Martín Caparrós, quien más tarde ocuparía su lugar, en Cultura, junto a Jorge Dorio. Caparrós y Dorio eran dos jóvenes soberbios y brillantes que se empezaron a hacer conocidos hablando muy rápido y con excelente dicción, en su programa de

Radio Belgrano, *Sueños de una noche de Belgrano*. Inteligentes, cultos y leídos, se fueron ganando la antipatía de la mayoría de sus compañeros. El tono, la manera de hablar y los tupidos bigotes que ambos se dejaban los hacían aparecer como demasiado pedantes.

—*El Gordo nos ofreció Cultura porque entró en pánico. Faltaban diez días para salir y no sabía qué hacer. Primero echó a Ibarlucía porque Ricardo le había hecho una página entera de Schopenhauer, y se cumplían, creo, noventa y ocho años de su muerte. "Hijo de puta", me contó Jorge, "si por lo menos se hubiesen cumplido cien." Después llamó a María Moreno y a Telma Luzzani. María no duró una semana.*

A los pocos días de empezar a trabajar, Caparrós tendría, con Lanata, el primero de una serie de conflictos profesionales que signaron su relación para toda la vida. Hoy el autor de *Valfierno* y *Los Living* es uno de los mejores amigos y también es el padrino de Lola, su hija más chiquita. Pero en aquel entonces Martín, si hubiese podido, lo hubiera agarrado a las piñas.

La primera diferencia fue que Lanata no quiso que Caparrós escribiera, en primera persona, una crónica de cómo le habían pegado en la Bombonera en el medio de la popular.

—*Curioso, ¿no? Justamente Lanata y encima en* Página/12, *un diario que se caracterizaría por escribir en primera persona, no quería que un jefe de sección al que habían terminado de cagar a trompadas escribiera en primera persona. Como no me dejó hacerlo, armé una ensalada con el tema de la agresión y la puesta en ridículo de la exigencia de no firmar en primera persona. Nos reputeamos con ganas, como siempre.*

El segundo problema entre ellos fue que Lanata lo tuvo que despedir, a pedido de Osvaldo Soriano, a quien Caparrós había criticado en algún momento de su carrera. Lanata no le mintió:

—*No es mi deseo, pero Soriano me puso entre la espada y la pared. Me dijo o él o vos. Y la verdad es que yo hoy lo necesito más a él que a vos.*

—Te agradezco la sinceridad. Igual te va a salir un montón de plata. Me vas a tener que pagar una indemnización del carajo por un mes y medio de laburo.

—*Con eso no va a haber ningún problema.*

—Mejor.

Antes de despedirse Caparrós le preguntó:

—Ya que sos tan honesto conmigo, ¿te puedo pedir un favor?

—*Sí.*

—Decile a Soriano de mi parte que así como él usó su poder para echarme yo voy a usar el poco poder que tengo para cagarlo bien a trompadas.

Caparrós y Soriano se encontraron ese mismo día. En los pasillos.

—*Osvaldo salió corriendo. Y yo me llevé ocho meses de sueldo. Así terminó mi primera etapa en* Página/12 —me contó, muerto de risa, Caparrós.

Las internas de los primeros años eran furiosas, cruzadas y de todos los colores.

Lanata competía con Verbitsky por el liderazgo de la redacción y la supremacía intelectual.

Horacio consideraba a Lanata un *esloganista* superficial, frívolo y sin compromiso político ni militante.

Lanata consideraba al Perro un egocéntrico y a partir de la salida de *Robo para la Corona*, lo mandó a investigar, porque sospechaba que había trabajado para la Fuerza Aérea durante la dictadura. *El Perro* lo negó una y otra vez. (Véanse los capítulos "5. Página/2" y "13. Periodistas".)

Lanata competía con Aliverti por motivos parecidos a los de su conflicto con Verbitsky.

Aliverti tenía y tiene una concepción del periodismo más política que profesional. Por eso mismo, siempre tomó distancia de la actitud histriónica de Lanata. Aliverti fue consultado para aparecer en este libro. Nunca terminó de responder.

Lanata, por su parte, le hizo la cruz cuando se enteró de que Aliverti había colaborado en un libro sobre Malvinas del que Leopoldo Fortunato Galtieri fue la principal fuente. El contenido de aquel texto es algo de lo que el periodista radial debería arrepentirse. Lanata le perdió todavía un poco más el respeto cuando se enteró de que Aliverti, en el acto de lanzamiento de *Rosario/12*, se presentó como uno de los fundadores del diario, aunque solo era uno de sus columnistas.

Silvia Mercado empezó a cubrir peronismo por su fluido acceso a Antonio Cafiero, quien en diciembre de 1987 ganó las elecciones a gobernador de la provincia de Buenos Aires. Adrián Kochen, quien escribía sobre radicalismo, competía con ella para ver quién obtenía más y mejor información. Pero el día en que Cafiero le ganó la elección al candidato radical Juan Manuel Casella, Kochen la felicitó, como si Mercado hubiera sido la triunfadora.

Un par de años después, a Mercado se le vino al humo Gabriela Cerruti, la actual legisladora de la ciudad por Nuevo Encuentro. Apenas empezó a trabajar, Cerruti compartió a *Página* con los trabajos de prensa para el entonces diputado Carlos Grosso. La estrella de Cerruti empezó a brillar cuando se subió al *menemóvil* y logró algunas exclusivas con el candidato y después presidente Carlos Menem. Y llegó a su punto máximo cuando ayudó a conseguir una línea directa entre el diario y Alberto Kohan, un vínculo que Lanata jamás abandonó.

Cerruti, a la vez, era una de las "protegidas" de Verbitsky, junto con una decena de profesionales a quienes no bien pisaron la redacción sus adversarios internos comenzaron a denominar *Los chicos diez"*.

Los chicos diez eran los encargados de hacer el diario del domingo y de supervisar todos los suplementos. Trabajaban aparte, en otra redacción, también sobre la calle Perú, en unas oficinas que compartían con la gerencia comercial, que en ese momento estaba a cargo de la agencia Vocación. En la lista de los chicos diez se encontraban, entre otros, Claudia Acuña, Sergio Ciancaglini, Rolando Graña, José Antonio Díaz y Daniel Capalbo. En los primeros tiempos, también habían entrado como becarios Cerruti, Marcelo Panozzo, Gabriela Esquivada y Guillermo Alfieri. Entre sus "aliados", además de Verbitsky, se encontraba Sylvina Walger.

El que les endilgó el mote fue, según me contaron varias fuentes independientes, el secretario general a cargo de Política, José María Pasquini Durán. Quienes lo repitieron más de una vez fueron algunos de los que trabajaban en la sección Política, como Furman, Eduardo "Gato" Aulicino y Román Lejtman. Martín Granovsky, prosecretario de redacción a cargo de la sección Internacional, Alberto Dearriba, jefe de Política y Rubén Furman, no pertenecían a ninguna de las bandas, pero cada tanto se ponían el diario al hombro, por encima de la vanidad de algunos de sus compañeros.

Daniel Capalbo lo rememoró así:

—*Nos decían "Los chicos diez" porque muchos de nosotros veníamos de laburar con Timerman. Una tontería. Porque, a pesar de que se decía que teníamos determinados privilegios, laburábamos como unos hijos de puta y cobrábamos como cualquiera. El liderazgo de Los chicos diez lo tenía Claudia Acuña. Pero Lanata, cuando nosotros empezamos a tomar vuelo, nos desmembró. La movida más fuerte es que mandó a Claudia como editora de Espectáculos. Al mismo tiempo mudó a José Antonio Díaz a la sección Política y a Sergio Ciancaglini lo pasó a Sociedad. Mirado desde ahora, parece una tontería, pero para nosotros era cosa de vida o muerte.*

De aquella época de *Página*, Capalbo rescató a un Lanata auténtico, audaz y desprejuiciado, a través de una anécdota imperdible.

Sucedió el sábado 17 de enero de 1988, cuando Aldo Rico encabezó un levantamiento militar por segunda vez. Rico permanecía en Los Fresnos, el barrio cerrado en el que vivía con su familia. Amenazaba con salir de allí para dirigirse a Monte Caseros, desde donde marcharía hacia Campo de Mayo. Todos los medios seguían los movimientos del militar con atención. Si Rico salía, empezaba la asonada. El gobierno afirmaba que Rico no podía salir, porque estaba "sitiado".

Aquel día, Lanata pasó por la redacción de Perú, donde estaban Los chicos diez, y les dijo:

—*Yo me voy. Cierren ustedes. Cualquier problema me llaman.*

Los jóvenes brillantes cerraron temprano, como todos los sábados, para que el material llegara a las imprenta a las once de la noche.

—*Estábamos Sergio (Ciancaglini) José Antonio (Díaz) y yo. Nos faltaba el título de tapa. Con la última información que llegó de Los Fresnos titulamos "Rico sitiado". Después nos fuimos a comer a la casa de Sylvina Walger. Sergio llegó último porque fue el que despachó la tapa para el taller. En cuanto llegó comentó a la anfitriona el título de tapa. Pero Sylvina le dio la mala nueva:*

—No, chicos. Rico no está en Los Fresnos. Rico ya está en Monte Caseros.

La angustia de casi todos contaminó la cena. Entonces Ciancaglini se tomó unos minutos, le pidió el teléfono a Walger, llamó a Lanata a su casa, le explicó la situación y anunció, con elegancia:

—Yo me hago responsable de la decisión. Renuncio.

Lanata también se tomó su tiempo. Pero no para pensar si la aceptaba. Después respiró profundo y soltó la carcajada.

—*¿Qué? ¿Me estás hablando en serio? ¿Por esa boludez vas a renunciar? El diario no tiene un año. ¿Sabés la cantidad de cagadas como estas que todavía nos vamos a mandar?*

Los chicos diez solían ir a comer, casi todos los viernes a la noche, a los restaurantes de la calle Venezuela, en el barrio de Balvanera. El preferido era Plaza Mayor. El grupo era liderado por Verbitsky. Acuña, Ciancaglini, Díaz y Capalbo tenían asistencia perfecta. Walger iba y venía. Su espíritu libre le hacía difícil la conexión. No le gustaba tanto el "espíritu de secta".

José Antonio Díaz estuvo allí:

—*Discutíamos con pasión. Sobre todo a partir del triunfo de Menem. La mayoría eran medio gorilones y estaban muy asustados. Yo, en esa mesa, era uno de los más peronistas. Claudia, por ejemplo, advertía que llegaría un período de censura casi total. Horacio, al principio, desconfiaba, pero después parecía estar fascinado con el menemismo. Todavía tengo guardada una columna del Perro donde hablaba de Menem como una leyenda, un caudillo y un principista.*

102

Lanata habló con una sonrisa nostálgica de sus idas y venidas con Los chicos diez.

—*Los chicos diez aparecieron cuando* Página *empezó a salir los domingos. Las diferencias con el resto de la redacción se iniciaron porque como no había lugar se fueron a laburar a Perú, a las oficinas de Vocación. Claudia, Martín Granovsky, Sergio, José Antonio, Capalbo, Guille Alfieri y Esquivada cerraban de séptima gran parte del diario.*

—¿Te quisieron dar un "golpe de Estado"?

—*Si quisieron, nunca me enteré. Es que en el diario había mil puteríos, pero no dos directores. Había uno y era yo. Lo del Perro con Los chicos diez sí que era gracioso. Horacio iba de invitado a los programas de Grondona y unos días después se juntaban para ver el video, todos juntos. Lo coucheaban, ¿entendés?*

Página/12 es lo más importante y lo mejor que le pasó a Lanata en toda su vida. Como profesional y como persona. Lo explicó así:

—*Por primera vez sentí que iba a tener trabajo siempre. Por primera vez pude ser yo mismo, a pesar de que todo el mundo me pedía que fuese otro. Por primera vez pude poner una tapa en blanco a pesar de las puteadas de todos. Por primera vez pude hacerlo y me fue bien, lo que me dio mucha seguridad para toda la vida.*

De *Página/12* Lanata tiene mil anécdotas. El tiempo y la marca que dejó el diario en la historia del periodismo parecen hacerlas más atractivas todavía.

—*A* Página/12, *los lectores y los que laburábamos ahí lo teníamos pegado en la piel. Los lectores llamaban todos los días para sugerirnos treinta y cuarenta títulos de tapa. Y cuando todavía no llevábamos ni un año en la calle, después de un cierre, un motoquero se accidentó cerca de Pompeya. Pensá en la época. No había celulares ni Internet. Lo vieron desde enfrente unos tipos de un taller mecánico o una gomería. Querían llamar a una ambulancia. El motoquero les dijo que no. Que prefería que llevaran el material a la imprenta de Tabaré, porque sino* Página *no salía.*

Lanata recordó que a una semana del primer número, el segundo diario de Francia, *Libération* hizo, sobre *Página*, una nota muy elogiosa. Y que más tarde *The Times* hizo lo mismo.

Lanata citó, una vez más, sus grandes ideas:

La tapa en blanco por el indulto de Menem a los militares.

La de *Amarillo 12*, cuando Menem los acusó de amarillos.

La de *Pelota 12*, cuando el mismo expresidente participó, de manera simbólica y junto a Diego Maradona, en el Seleccionado Nacional.

También rememoró las grandes investigaciones, como los guardapolvos de Bauzá, el Swiftgate, el Yomagate y la leche podrida de Miguel Ángel Vicco. Sin embargo, lo que todavía Lanata no terminó de explicar, de manera satisfactoria, es por qué no informó, desde el principio, su pecado de origen. El hecho de que el proyecto que le cambió la vida haya sido fundado de una forma poco transparente.

Se lo dije en la cara. Él me respondió con el Manual de Estilo Marca Lanata, cuyos principios irán apareciendo a medida que avance la historia de su vida. Transcribo la pregunta y la respuesta para que quede claro de qué estamos hablando:

—Vos te guardaste la información hasta que un día, de buenas a primera, se te ocurrió hablar. Dejame recordarte solo un episodio que puedo probar. En 2003, cuando La Cornisa produjo *Por qué*, te propusimos un capítulo sobre La Tablada. Me dijiste textual: "Ni en pedo. No lo pienso hacer ni en pedo".

—*Es verdad. No lo quería hacer. Y ya te conté por qué: no era momento, creo que no le interesaba a nadie y había una campaña de la derecha para perjudicarnos. No tenía que ver con ningún acuerdo espurio. No tenía nada firmado. Podría haber hablado al otro día. ¿Por qué no hablé? Porque no tuve ganas. Como tampoco dije nada, en su momento, sobre la entrada de* Clarín *a* Página. *Y no lo dije porque no quería perjudicar al diario.*

—¿Y por qué saliste a contarlo después?

—*Porque después el diario se estaba perjudicando a sí mismo. Entonces no me importó.*

—¿Un capricho personal?

—*Una cuestión de tiempos internos. Desde que* Página/12 *dejó de ser mi diario para convertirse en el Boletín Oficial.*

No se trata solo de Gorriarán y todo lo que representaba.

También se trata de contar qué le pasó a Lanata en el momento en que se enteró de que los atacantes de La Tablada podían estar vinculados, de alguna manera, con *Página* y también con él.

Y se trata, también, de revelar la verdadera trama de otra historia que permanece oculta e incompleta: la venta del diario a los dueños de *Clarín* y sus consecuencias para Lanata, para sus trabajadores y para los lectores también.

5

PÁGINA/2

Lanata escuchó por radio las confusas noticias y, alarmado, llamó a su secretaria Margarita Perata de inmediato:

—*Dicen que en La Tablada también murieron mujeres. ¿No te parece raro? No me imagino a las minas de los milicos tomando un cuartel.*

Era muy raro. Y Margarita ya sabía por qué. Ella contaba con datos proporcionados por "amigos de toda la vida" a los que jamás mencionó. Ya estaba enterada de que no había sido un golpe de Aldo Rico, como en la Semana Santa de 1987, ni de Mohamed Seineldín, como en enero de 1988, en Monte Caseros. Acostumbrada al secretismo desde que empezó a militar, a los 17 años. Solo le dijo a su jefe:

—*Jorge, el quilombo es más serio de lo que pensamos. Te recomiendo que saques a Andrea fuera del país.*

El diálogo telefónico entre Lanata y Perata tuvo lugar el martes 23 de enero de 1989, después del mediodía. En la ciudad de Buenos Aires, la sensación térmica era de 37 grados. Habían pasado apenas unas horas del asalto al Regimiento 3 de Infantería La Tablada, el más brutal y delirante ataque de la guerrilla a una unidad militar desde la transición democrática iniciada en 1983.

Lanata estaba con su pareja, Andrea Rodríguez, en su departamento de la calle Cerviño. La periodista de *Página* transitaba los primeros meses del embarazo de su hija Bárbara.

No bien colgó, el director periodístico de *Página* entró en pánico.

La Argentina vivía una tremenda confusión. La experimentaban desde el Presidente hasta el último de sus habitantes. Todos permanecían pegados a la radio y la televisión, en vivo y en directo, como si desde La Tablada se estuviera transmitiendo la final de un mundial de fútbol con el Seleccionado nacional como finalista.

¿Qué se sabía, hasta ese momento?

Solo que a las seis y media de la mañana, un camión de Coca-Cola

105

había ingresado a la unidad militar con un grupo de aproximadamente cincuenta personas.

Para agregar un poco más de confusión, Raúl Alfonsín, a través de su vocero, había hecho llegar a los periodistas amigos su hipótesis de que se trataba de un nuevo levantamiento de Aldo Rico o Mohamed Seineldín. Pero el gobernador de la provincia de Buenos Aires, Antonio Cafiero, tenía otra información: los responsables de Inteligencia de la policía le habían asegurado que todo parecía indicar que serían combatientes vinculados al ERP.

Durante las primeras veinticuatro horas no hubo datos oficiales y confiables.

Solo se afirmaba, sin demasiada precisión, que se trataba de "un grupo comando". También se informaba que había decenas de muertos y heridos.

El mismo lunes a la noche, sin los datos confirmados, Lanata planteó a los lectores de *Página* dos hipótesis. Aparecieron con la edición del martes a la mañana. Una: que podían ser guerrilleros de izquierda. O dos: que sería "una provocación de algún aparato de Inteligencia que utilizó a sectores lúmpenes de la violencia política y a adolescentes encaminados hacia una matanza".

El misterio y la confusión terminaron el mismo día martes, cuando toda la plana mayor de *Página* recibió la peor de todas las noticias.

Parecía una pesadilla de locura, pero era verdad: los agresores habían sido militantes del Movimiento Todos por la Patria (MTP) y entre los muertos y los detenidos había mujeres y adolescentes.

Los había liderado, a control remoto, nada menos que El Pelado, Gorriarán Merlo, quien por esas horas estaba lejos de la ciudad de Buenos Aires o quizá ya fuera del país.

La primera lista de abatidos y detenidos parecía comprometer a *Página*, aunque no fuera de manera directa.

Figuraba, por ejemplo, Francisco Pancho Provenzano, quien hasta enero de 1988 había distribuido los dólares que llegaban desde Managua para financiar al diario. Al principio Pancho no aparecía ni vivo ni muerto. Días después encontraron sus restos dentro del cuartel, en medio de un amasijo de metal y carne humana. Lo tuvo que ir a reconocer su hermano Sergio. Supo que era él porque era médico y porque tenía en su poder una radiografía de su columna vertebral.

Claudia Lerou, la mujer de Pancho, también había muerto. La habían ultimado de varios disparos, en la puerta del regimiento, después de intentar la retirada.

Jorge Baños, defensor de Gorriarán, exabogado rentado del CELS e integrante de la mesa directiva del MTP, había sido uno de los primeros cadáveres en ser reconocidos.

También había caído "en combate" Quito Burgos. Burgos había sido, junto a su mujer, Martha Fernández, fundador de la revista *Entre Todos* y exintegrante de las Fuerzas Armadas Peronistas (FAP).

Entre los detenidos se encontraban Roberto *El Gato* Felicetti, quien había reemplazado a Provenzano en sus labores de "prestamista" de *Página* durante 1988. También habían capturado a su esposa, Dora Esther Molina de Felicetti, y al hijo de Quito, Juan Manuel Burgos.

La pesadilla incluía un dato todavía más comprometedor: entre los detenidos figuraba Daniel Gobioud Almirón, quien trabajaba en la mesa de noticias de *Página*. Su tarea era editar los cables de las agencias informativas.

No había argumento político ni humano que justificara semejante acto de violencia.

En el intento de copamiento, los miembros del MTP habían acribillado a tres conscriptos, varios suboficiales y oficiales del ejército y a un suboficial de la policía de la provincia.

A la madre de uno de los soldados asesinados, Rubén Tadías, le dieron la noticia irreversible apenas llegó al Hospital Paroissien. Cayó desmayada no bien la oyó. A su hija, que estaba con ella y tenía un embarazo de ocho meses, la tuvieron que dejar internada en observación después de haber sufrido un ataque de nervios. Cuando la mamá del soldado despertó, les gritó a los médicos, con la respiración entrecortada, que su otro hijo había muerto en la Guerra de Malvinas.

Quienes la escucharon no olvidarían jamás los gritos desgarradores de aquella mujer.

Esto fue lo que me dijo Lanata cuando le pedí honestidad absoluta para recordar el 23 E:

—*Fue un verdadero desastre desde todo punto de vista: algunos de los que cayeron eran nuestros amigos, habían puesto guita, había expresos del ERP que militaban ahí y laburaban con nosotros y encima había caído un cadete de la mesa de noticias que laburaba con Margarita. ¿Cómo íbamos a convencer al mundo, al gobierno, a los jueces y a los milicos de que nosotros no teníamos nada que ver?*

Lo primero que hizo Lanata, después de colgar el teléfono, fue garantizar la seguridad de su mujer y de la hija que estaba por nacer. En cuestión de horas Andrea cruzó hacia Uruguay. Fue recibida por el ala política de los extumaparos. Ellos la protegieron y cuidaron hasta que la tormenta amainó.

Lo segundo que hizo fue evaluar, junto con los máximos directivos del diario, hasta dónde podría llegar la caza de brujas una vez que los servicios descubrieran el nexo entre ellos y los atacantes y los quisieran colocar en un mismo plano.

Él y el editor responsable, Fernando Sokolowicz, aparecían en la primera fila de los sospechosos. Lanata puso las cosas en contexto:

—*Yo había estado poco antes de La Tablada con Gorriarán. La semana previa al ataque, la cúpula del MTP le había pedido la quinta a Fernando para reunirse. Menos mal que no se las prestó. De pedo no les dijo que sí. Como estaban las cosas en ese momento, lo podían haber acusado de instigador, y lo mandaban en cana de una. ¿Te das cuenta en qué situación nos habían puesto? ¡Los tipos eran unos irresponsables!*

El ataque al Regimiento 3 cayó como una bomba en la redacción del diario. Pronto se manifestaron dos líneas: los que sostenían que Gorriarán y sus seguidores eran unos delirantes y los que afirmaban que eran ni más ni menos que unos hijos de puta.

Lanata, con algunos matices, representó la primera postura. Y Horacio Verbitsky, con otros, representó la segunda. El primero escribió varias columnas muy críticas pero su conclusión fue que quizás, a los militantes del MTP, los habían "intoxicado de información". El segundo, en cambio, no les perdonó el hecho de que hubieran vuelto a tomar las armas bajo un gobierno democrático.

A Lanata, pero también a Margarita Perata y a la prestigiosa periodista Susana Viau, entre otros, les dolió mucho que El Perro haya sido tan "extremadamente crítico" y se haya "ensañado" con sus excompañeros. Ni una ni otra habían apoyado el levantamiento, pero sentían que había una historia común y un vínculo que respetar.

Margarita Perata tiene 59 años, está en pareja desde hace 35 años y tiene cuatro hijos. Estudió Filosofía y Letras pero nunca terminó. Con una formación de izquierda, a los 17 años empezó a militar en el PRT y durante los años setenta tuvo que exiliarse en Brasil, donde tuvo a dos de sus hijas.

Trabajó junto a Lanata en *Página/12* donde fue su secretaria y jefa de cierre. También lo acompañó a la aventura de la revista *Veintiuno*. Cuando Lanata fundó *Crítica* se la llevó y la designó jefa de producción del diario.

Margarita es amiga íntima de Lanata. Conoce a sus hijos, su esposa y casi todos sus secretos.

Susana Marta Viau tiene 75 años. Exmilitante del PRT-ERP, trabajó, a partir de 1966, en Editorial Abril, en *Panorama* y *Siete Días*. También fue colaboradora de *Confirmado*. Además escribió en *El Mundo* y *El Cronista* antes del golpe de Estado de 1976. Después se exilió en Madrid. Retornó en abril de 1989 para trabajar en *Página/12*, donde permaneció hasta 2007. En 2001 publicó *El banquero. Raúl Moneta, un amigo del poder en la ruta del lavado.* En 2008 fue parte de la sección El País del diario *Crítica de la Argentina*. Hoy es columnista del diario *Clarín*.

Horas después del ataque Verbitsky definió a Puigjané como un "sacerdote lumpen". Margarita lo invitó a tomar un café y le dijo de todo, menos bonito.

—*Horacio, quiero que sepas que nunca te voy a perdonar lo que escribiste sobre nuestros compañeros.*

Verbitsky le dio sus razones, pero Margarita no las escuchó. A partir de ese momento no se saludaron ni se hablaron más.

Casi al mismo tiempo y apenas se conocieron las primeras informaciones, Viau se cruzó a El Perro en los pasillos del diario y le comentó:

—*Horacio, parece que tienen a Quito.*

Verbitsky le habría respondido:

—*Si no lo tuvieran ellos, me gustaría tenerlo yo.*

En la redacción de *Página*, se podía percibir la desconfianza y el miedo.

Los más optimistas consideraban seriamente la posibilidad de ser detenidos por complicidad con el hecho. Los más paranoicos temían ser "chupados" por alguna fuerza de seguridad deseosa de vengar a los caídos en cumplimiento del deber.

Eduardo Anguita, por ejemplo, se fue de inmediato de la Argentina. Verbitsky y los periodistas profesionales que habían tenido militancia política, como José Antonio Díaz, estaban enojados e indignados.

José Antonio Díaz nació en Buenos Aires en 1951. Fue colaborador de las revistas *Primera Plana, El Observador* y *Acción*, redactor especializado del semanario *El Periodista* y prosecretario de la sección Política del diario *La Razón*. Antes de ingresar a *Página/12* pasó por *Expreso*. Es autor, junto a Alfredo Leuco, de *Los herederos de Alfonsín* (1987) y *El heredero de Perón* (1989), y editor de Economía en la revista *Noticias*. En 2010 escribió *La Kaja. Kirchner S.A.*

Díaz recordó el copamiento de La Tablada así:

—*El día anterior el MTP había filtrado en el diario un comunicado que después fue interpretado como una señal secreta para iniciar el levantamiento. Además, muchos de nosotros pensamos: "Si un cadete de* Página *atacó La Tablada, ¿qué grado de participación política e ideo-*

lógica podía haber en todos los demás?" Nos mirábamos todos con
desconfianza. No sabíamos quién era quién.

Sobre la conducta de Verbitsky, Lanata me dijo:

—El Perro estuvo muy mal por eso. Porque él recibía guita de ellos,
pero desde antes de Página. Lo que fue terrible para los detenidos y
algunos amigos fue que El Perro escribiera "el lumpen sacerdote Anto-
nio Puigjané". Un hijo de puta. Te veías todos los días con los tipos. Te
daban plata. ¡Y ahora que el tipo está preso escribís semejante cosa!
Una guachada.

—¿Tenés alguna prueba para acusarlo de esa manera?

—Tenía una relación económica con ellos. Y yo se lo dije en la cara
cuando se disolvió Periodistas.

Es verdad que Lanata se lo escribió en la cara. También es verdad
que se lo escribió cuando Periodistas se disolvió, en el medio de fuertes
peleas internas. Y además es cierto que lo hizo con copia a las cuentas
de correo de todos los integrantes de Periodistas para asegurarse de que
todo "el gremio" se diera por enterado.

Sucedió a principios de noviembre 2004. Los ecos de aquella feroz
discusión todavía resuenan en la mayoría de las redacciones.

Periodistas había nacido en 1995, como una respuesta lúcida frente
a los ataques contra la libertad de expresión propinados por el gobierno
del presidente Carlos Menem. Integraron la organización, además de
Lanata y Verbitsky, y entre otros: Magdalena Ruiz Guiñazú, Santo
Biasatti, Nelson Castro, José Ignacio López, Ariel Delgado, Mariano
Grondona, Rogelio García Lupo, Roberto Guareschi, Andrew Graham-
Yooll, Ricardo Kirschbaum, Norma Morandini, Mónica Gutiérrez, Fer-
nán Saguier, Ana Barón, María Moreno, Silvia Naishtat, María Seoane,
Teresa Pacitti, Claudia Acuña, Uki Goñi, Ernesto Tiffenberg y Martín
Granovsky.

Las diferencias entre Lanata y Verbitsky que determinaron el final
de Periodistas no tuvieron que ver con La Tablada sino con un acto de
censura que sufrió el periodista Julio Nudler en *Página/12*, el 23 octubre
de 2004.

El artículo de Nudler afirmaba que el nombramiento de Claudio
Moroni, en el máximo cargo de la Sindicatura General de la Nación,
era una burla a la inteligencia de los argentinos. Que no se podía poner
a combatir la corrupción a un hombre que, desde el Instituto Nacional
de Reaseguros (INdeR) había realizado negociados con las aseguradoras
privadas. En el artículo, al que tituló "De títeres y tiriteros", Nudler criticó
con dureza al entonces presidente Néstor Kirchner, al exjefe de Gabinete

110

Alberto Fernández y al ministro de Planificación Julio De Vido. En suma: los había hecho cómplices de actos de corrupción.

Tiffenberg, director de *Página*, decidió no publicarla. Además le pidió a Nudler que chequeara mejor sus fuentes. Pero Nudler, quien ya padecía un cáncer muy avanzado, en vez de hacer eso envió una cadena de mails a decenas de colegas con la denuncia de censura y el contenido de la nota.

No bien se enteró, Lanata, como miembro de Periodistas, exigió a los colegas publicar un fuerte texto de repudio. El Perro, Tiffenberg y Granovsky, en cambio, intentaron bajarle el tono a la cuestión.

El 3 de noviembre el plenario de Periodistas se reunión en el Hotel Castelar para acordar los términos del comunicado. Al día siguiente, apareció publicado un texto, muy lavado, en el que se dio a entender que lo sucedido en *Página/12* no había sido un hecho de censura, sino parte de la dinámica en la habitual relación entre periodista y editor. Horas después se empezaron a dar a conocer las renuncias en cadena.

Entre las más ruidosas, además de las de Lanata, estuvieron la de Tomás Eloy Martínez, en aquel momento en los Estados Unidos, y la de Claudia Acuña.

El cruce entre Lanata y Verbitsky fue salvaje. Lo pudieron leer todos los integrantes de Periodistas. Permaneció en el ámbito privado hasta que Edi Zunino lo hizo público en su libro *Patria o Medios* (Sudamericana, 2009).

Al presentar su dimisión indeclinable, Lanata escribió un correo, abierto a todos los socios, que terminaba así:

—*Condeno por igual la censura pública y la privada y lamento que esta asociación se haya transformado en una especie de politburó elefantiásico, lento y acomodaticio.*

Entonces, Verbitsky se dio por aludido y lo acusó a la vista de todos los colegas:

—*Jorge, cuando me pediste que levantara una nota sobre (Fernando de) Santibañes porque acababas de pedirle ayuda para conseguir un crédito, ¿fue censura o relación entre editor y columnista?*

Lanata tardó segundos en lanzar un misil con potencia suficiente para destruir toda una carrera profesional:

—*No, Horacio, fue similar al comienzo de Página, cuando vos le pedías plata al mismo (Enrique) Gorriarán Merlo, en el que después te cagaste. O en aquellos momentos en que hiciste campaña pro Menem o con la venta de Página a Clarín con la que, por tu propia voluntad, claro, te callaste la boca.*

Hablé de todo eso con Verbitsky en su casa como parte de la investigación para esta biografía. Tuvo la amabilidad de recibirme, a pesar de nuestras diferencias por cuestiones profesionales y nunca personales. Horacio me respondió de manera fría y cortante. Vale la pena reproducir el diálogo, textual:

—¿Vos sabías que Gorriarán había puesto plata para el proyecto?

—*Nunca lo supe ni lo sé ahora. Nunca lo vi a Gorriarán en mi vida, jamás supe nada.*

—¿No es increíble que un tipo tan informado como vos no supiera cuál era el gran sponsor del proyecto?

—*Yo siempre creí que el patrocinador del diario era Fernando Sokolowicz. Siempre.*

—¿Aun después del ataque al regimiento de La Tablada?

—*¿Qué tiene que ver lo que pasó en La Tablada con Página/12?*

—Vamos, Horacio. Todo el mundo en la redacción estaba preocupado. Algunos salieron del país.

—*¿Sabés lo que hice después de La Tablada? Dejé mi oficina de Lavalle y Talcahuano y me fui a trabajar al diario con mi computadora detrás de la vidriera de avenida Belgrano, para que todo el mundo viera que yo estaba trabajando ahí. Después, los demás... Te puedo dar fe de lo que yo hice.*

—Pero ahora se sabe que Gorriarán fue el primer patrocinador del diario.

—*Yo no lo sé.*

—¿Cómo te hubieras sentido si lo hubieras sabido entonces?

—*No voy a contestar esa pregunta. No me interesa.*

—Hubo compañeros del diario que se enojaron con vos por lo que escribiste después de La Tablada. Ellos mencionaron que les indignó, por ejemplo, que te refirieras a Antonio Puigjané como "un sacerdote lumpen". Calificaron tu actitud de "miserable".

—*Me remito a la nota, opiná vos. Cada uno puede opinar lo que quiera.*

—Pero vos trabajaste en la revista *Entre Todos*.

—*No. Solo firmé una vez una nota.*

—¿Nunca tuviste relación política con nadie del MTP?

—*Sí, con una sola persona, con Francisco Provenzano. Tenía una relación cordial. Siempre fue un tipo que me caía bien. Y con Jorge Baños, que era abogado del CELS. Eran relaciones, al igual que con Fernando Sokolowicz, hecha en los años de la dictadura y los primeros años de la democracia en la lucha por los derechos humanos, y en especial por la libertad de los presos políticos que siguieron detenidos luego del 1983.*

Participamos juntos en reuniones y actividades con Provenzano, Baños, Sokolowicz, presionando por la liberación de los presos, cosa que se consiguió. Mi opinión sobre el MTP y sobre La Tablada es que era un grupo donde algunos venían de las organizaciones armadas de los setenta que habían hecho una autocrítica que parecía sincera e inteligente, pero que a medida que avanzó la democracia en el país y no lograron crear una fuerza política significativa, con representación democrática, empezaron a desandar esos pasos autocríticos, en alguna medida por desesperación personal, por el paso de los años. A mí, por ejemplo, me ofrecieron integrar una lista electoral en 1985, en 1987. Recuerdo que Patricio Echegaray (secretario general del Partido Comunista) había escrito algún artículo en una revista sobre el tema y yo le contesté que no era ni iba a ser candidato. Hablaba de una lista de lujo, que me causaba gracia. Me han ofrecido muchas veces ser parte de listas y siempre lo rechacé, porque no me interesa. Me parece que después de los alzamientos carapintadas, donde había una amenaza real contra la democracia y para muchas de esas personas eso implicaba además una amenaza contra la libertad y la vida de ellos, empezaron a concebir fugas hacia delante y ahí es donde aparece el militarismo de Gorriarán y la propuesta de atacar un cuartel. Siempre fui crítico de esto y todo lo que fuera en esa dirección. Creo que la época histórica de los setenta terminó mucho antes de eso. Siempre escribí que había que empezar una etapa distinta, hacer un balance de aciertos, errores, críticas, autocríticas, y elogios, pero no volver a eso que no tenía ningún espacio en la democracia.

—Me imagino que nadie sospechó, antes de que sucediera, el ataque a La Tablada. Ni siquiera vos.

—*Por supuesto que no. Después del alzamiento de Seineldín nosotros habíamos participado con una serie de personas —Carlos Auyero, Domingo Quarracino— de una reunión donde se planteó crear una organización o movimiento de resistencia civil a la posibilidad de un golpe. Y ahí había gente del MTP. Y me parece que ellos trataron de utilizar esa reacción de defensa de la democracia para involucrarnos en su intento disparatado de La Tablada.*

—¿Tuviste discusiones después de la nota que escribiste? ¿Se produjo un distanciamiento con gente cercana, con Jorge Lanata y otros?

—*Yo tenía una relación mínima con Lanata. Además nunca estuve en la redacción, siempre estuve en mi oficina, como sigo estando. Mi relación en el diario era con Fernando Sokolowicz. No recuerdo discusiones.*

—Cuando ambos estaban en Periodistas vos lo acusaste. Le dijiste que él te había pedido que no denunciaras a Fernando de Santibañes porque el banquero y exjefe de la SIDE lo había favorecido con un crédito. ¿No es así?

—*No lo acusé. Conté los hechos. Yo tenía una investigación sobre Santibañes vinculada con el tema de las coimas del Senado, las coimas del gobierno de Fernando de la Rúa a un grupo de senadores. Llevé el tema a Día D, y él me dijo "No. Me cagás. Porque justo estamos tramitando un crédito y él nos banca, nos ha dado respaldo con el crédito. Nos hacés mierda con esto". Fue en la época en la que él me había invitado a trabajar a la revista (Veintiuno) pero no acepté, me quedé en el diario.*

—¿Y vos qué hiciste?

—*Nada, estaba dentro de las decisiones editoriales del empresario del programa. Eran decisiones de él.*

—¿Estás arrepentido de la disolución de Periodistas?

—*No. Me parece que fue inevitable por la polarización que se produjo. Esa organización no era gremial, era una organización de columnistas, de jefes de redacción, personal calificado de los diarios. Cumplió un rol importante en momentos de la defensa de la libertad de expresión ante la persecución del gobierno de Menem, o el centenar de juicios que había contra periodistas. Me parece que cumplió un rol significativo en ese momento. Las nuevas circunstancias de Argentina después de 2003, con la polarización, no era factible tener reunidas a personas que disienten tanto. Ahí había algunos planteos de tipo ideológicos, como los de Mariano Grondona o Joaquín Morales Solá que cuestionaban al gobierno de Kirchner. Y hubo otros que se prendieron en el resentimiento contra Página/12, algunos exmiembros, entre los cuales el más notorio era Jorge Lanata. Estos temas fueron centrales en la disolución de Periodistas. La nota de Nudler hasta yo la publiqué en mi columna, con mi opinión. Yo estoy a favor de publicar todo. Eso no quiere decir que no comprenda lo que le dijo Tiffenberg: no le dijo que no la iba a publicar, sino que había cuestiones que necesitaban sustento. Y que podían esperar un poco, hablarlo. Nudler no esperó ni una hora y mandó un mail para decir que lo habían censurado. Creo que todo periodista alguna vez en su vida ha tenido ese tipo de diálogo con su editor. Esta cosa de convertir a Nudler en un emblema de la libertad de expresión me parece un poco tomada de los pelos. Además él siguió trabajando en el diario, sin ningún problema. De hecho su mujer, Hilda Cabrera, sigue trabajando. Eso no es común en ningún medio de la Argentina: en otro medio lo hubieran despedido, le hubieran dado una patada en el orto.*

Nudler murió de cáncer, a los 65 años, el 27 de julio de 2005. La necrológica que le dedicó *Página* no incluyó la firma del autor. Contuvo indirectas sobre su amplia cultura. El subtexto, para los entendidos, fue claro: parecían valorarlo más por sus conocimientos sobre tango que como periodista de Economía.

Es verdad que las columnas de Verbitsky sobre el ataque de La Tablada fueron muy críticas. También es comprensible que pudieran resultar hirientes para los excompañeros de los detenidos y muertos que seguían trabajando en el diario aun cuando no compartieran la locura. Sin embargo, también fueron las más precisas, completas y con argumentos más sólidos. En especial si se las compara con las del resto de los periodistas del diario, incluido el propio Lanata.

Una de las más interesantes fue la que Verbitsky escribió el domingo 29 de enero de 1989, cuando todavía no había pasado ni una semana del ataque. La tituló "Jugar con fuego".

Primero separó la paja del trigo. Es decir: dejó en claro de que era demasiado simplista plantear la idea de que los buenos eran los militares que estaban presos por haber convertido la subversión y que el marxismo internacional seguía agazapado detrás de su triunfo en la batalla cultural. Después exigió que los fiscales y jueces de la democracia cuidaran la integridad física de los detenidos. Además cargó contra Bernardo Neustadt, quien se había preguntado de manera irónica si se formaría entonces una asociación de Madres de La Tablada. Y aclaró, para que nadie lo vinculara al hecho, que Baños había trabajado en el Centro de Estudios Legales y Sociales (CELS) del que el propio Verbitsky formaba parte, pero solo en carácter de abogado rentado.

Horacio además contó la historia completa de la revista *Entre Todos*. Recordó que habían colaborado o escrito, entre muchos otros, el entonces candidato a presidente, Carlos Menem, el Premio Nobel de la Paz, Adolfo Pérez Esquivel, el fiscal Ricardo Molinas y los legisladores radicales Ricardo Lafferriere y Luis Alberto "Changui" Cáceres.

También explicó que fue desde *Entre Todos* cuando en mayo de 1986 se lanzó el Movimiento Todos por la Patria.

El Perro aportó tres datos fundamentales. Uno: que una de las agrupaciones que integraron estaba formada por exmilitantes del PRT-ERP. Dos: que, aunque no figuraba en la mesa directiva del MTP, Gorriarán Merlo seguía siendo el jefe de ese núcleo, y que lo comandaba desde Nicaragua o desde Cuba. Y tres: que dentro del MTP fueron bien recibidos porque el propio Gorriarán, junto con los demás, habían hecho, en su momento, una profunda autocrítica sobre su decisión de abrazar la lucha armada bajo un gobierno democrático.

Más adelante Verbitsky reveló que a partir de los levantamientos militares de Semana Santa y Monte Caseros, ese núcleo de militantes empezó a hacer otra caracterización política de la Argentina. Que abandonó la hipótesis de que se estaba consolidando la democracia por la idea de que un nuevo golpe de Estado sería más o menos inminente. Además citó un documento con pronósticos apocalípticos. También precisó que para esa época, varios de sus integrantes, como Manuel Gaggero, y los exsacerdotes Rubén Dri y José Serra, renunciaron a la agrupación, mortificados por la inclusión oficial de Gorriarán y en contra de aquella hipótesis delirante.

—*Ese podría ser el momento en que empezó a gestarse la agresión del lunes pasado* —precisó.

¿Y por qué encabezaron semejante ataque?

Verbitsky planteó su propia hipótesis en aquella compleja y completa nota. Puede resultar tediosa, pero vale la pena leerla hasta el final:

Sin inserción social apreciable ni representación en el sistema político, fracasados en las diversas combinaciones electorales que intentaron, exasperados por la impunidad a los secuestradores, torturadores y asesinos de la guerra sucia, muchos de ellos con antecedentes militantes que en el caso de un nuevo golpe les hubiera podido costar la vida a una edad en el que el tiempo corre más deprisa, se fueron encerrando en un microclima cuya culminación es la criminal acción del lunes y la proclama que la explica.

Después del análisis político, Horacio hizo gala de su buen periodismo al citar los antecedentes de este núcleo de dirigentes del MTP.

Recordó que hostigaron a los rebeldes de Villa Martelli que comandaba Seineldín.

Explicó que empezó a sospechar sobre la posibilidad de un plan delirante cuando poco después se conoció el dato de que Osvaldo Olmedo, hermano del fundador de las Fuerzas Armadas Revolucionarias (FAR), había sido ultimado por un suboficial de la Armada cuando había intentado asaltar una sucursal del Banco Mercantil de Mataderos.

Remarcó que el 13 de diciembre de 1988, alarmado por aquellos indicios, escribió que la lucha armada sería reaccionaria "y solo idónea para apresurar la unificación castrense". Y pareció sincero cuando aclaró que, a pesar de todo, solo imaginaba que podía producirse, a lo sumo, un acto de hostigamiento como el de Villa Martelli, "nunca el copamiento de un cuartel a sangre y fuego".

El implacable Verbitsky también destacó una reunión de la Iniciativa Democrática para la Defensa Civil, celebrada el 4 de diciembre de 1988. De aquel encuentro, además de él, participaron Carlos Auyero, Graciela Fernández Meijide y Pérez Esquivel, entre otros. También había estado allí el sacerdote Puigjané. El Perro criticó que, tres días después, Puigjané, Gorriarán y los otros, tergiversaran la conclusión de la Iniciativa Democrática con otro documento, titulado "Resistamos la amnistía y el golpe".

Verbitsky reportó luego la agenda de algunos hechos conocidos.

La conferencia de prensa en la que Baños denunció el presunto acuerdo de Seineldín con Menem y Lorenzo Miguel para sustituir a través de un golpe al presidente Alfonsín y su vice Víctor Martínez fue el más notable. Pero los encuentros personales de Provenzano y Baños con amigos y periodistas parecían todavía más preocupantes.

Me consta, porque el propio Baños me citó en un café de Corrientes y Callao para anunciarme la inminencia de un golpe de Estado pocos días antes de lo de La Tablada. Entonces yo trabajaba como redactor especial en *El Periodista* y lo escuché con mucha preocupación. No temí tanto por el presunto golpe, porque los datos no cerraban por ningún lado. Me asustó el nivel de paranoia y confusión mental que parecía tener Baños, a quien lo había conocido años atrás, cuando defendía a presos políticos y trabajaba en organizaciones humanitarias.

Verbitsky sintetizó la ignorancia que él y la mayoría tenía sobre lo que estaba por acontecer con una metáfora que no fue feliz, pero sí muy gráfica:

–*¿Cómo hubieran podido saber Susana Giménez o Tito Lectoure que Carlos Monzón iba a matar a golpes a Alicia Muñiz, cuando lo acompañaban en los festejos después de cada pelea por el campeonato mundial de box? Nadie los vincula con el homicidio, por más que hayan compartido el lecho y la mesa con el criminal.*

Lanata, por su parte, se dedicó, junto a Sokolowicz y Tiffenberg, dentro y fuera del diario, a dejar bien en claro que ellos no habían formado parte de aquella locura.

Los intentos por despegarse de La Conspiración tuvieron características cinematográficas.

Horas después del ataque, Alberto Dearriba, uno de los jefes de la sección Política de *Página*, se encontró en el barrio de Recoleta con una de sus fuentes, el operador todoterreno Juan Carlos "Chueco" Mazzón.

Dearriba nació en Buenos Aires en 1946. Fue redactor de *La Razón* y las revistas *Mercado* y *Análisis*. Antes de la dictadura fue secretario de redacción de *El Cronista Comercial*. Entre 1981 y 1983 trabajó en *La Voz*. También fue secretario de redacción de *Página/12* y parte de su grupo fundador. Colaborador de *Clarín*, *El Periodista* y *Trespuntos*, Dearriba fue también columnista de la agencia de noticias Telam y luego su presidente, en 2003. Publicó *El golpe* (Sudamericana, 2001), una crónica del 24 de marzo de 1976. Hoy escribe en *Tiempo Argentino*.

Mazzón nació el 8 de enero de 1944 en San Javier, Santa Fe. Se formó en Guardia de Hierro, una agrupación vinculada a la ortodoxia peronista. Fue viceministro del Interior de José Manzano durante el gobierno de Carlos Menem. Ahora trabaja para el Frente para la Victoria y tiene una oficina a metros de la de la Presidenta en Balcarce 50.

En aquel encuentro Mazzón le transmitió a Dearriba lo que pensaba Inteligencia de Ejército sobre la conducta de Lanata, de Verbitsky, de Sokolowicz con respecto al ataque de La Tablada. Además le hizo una extraña propuesta. Dearriba, ante Lanata y Sokolowicz, la sintetizó así:

—*Dice Mazzón que los tipos creen que ustedes tienen el culo sucio. Y que si lo tuvieran limpio, no tendrían inconvenientes en hablar con ellos y comentarles por qué no tienen nada que ver.*

Tenían que presentarse un día y a una hora determinadas, los dos, solos, en el batallón 601 de Inteligencia en La Plata. El director y el editor responsable de *Página* aceptaron el desafío con muchas dudas y bastante miedo. Antes de salir hacia La Plata, hablaron con Carlos Gandhi González, socio simbólico del diario, y miembros del Servicio de Paz y Justicia. Le pidieron:

—*Gandhi, avisale a Pérez Esquivel que estamos yendo para el Comando de Inteligencia. Si a las dos de la tarde no estamos de vuelta, que nos den por chupados, detenidos y desaparecidos.*

Una conocida periodista del diario que llegó a tener un fuerte vínculo con Mazzón me contó que El Chueco le había dicho que Lanata jamás había acudido a la cita, porque se había descompuesto y estaba muerto de miedo.

Alguien que participó de las tratativas y recuerda el episodio muy bien me aseguró que Lanata sí se hizo presente, pero se descompuso dos o tres veces en el camino, aterrado por lo que le pudiera pasar.

Lanata me contó la experiencia con los sabrosos condimentos que le suele poner a los hechos y a la información:

—*Visto desde aquí y ahora parece una boludez. Pero no lo era. Si no, no hubiera hablado con gente amiga del Movimiento de Liberación Nacional (MLN) de Uruguay para sacar a Andrea fuera del país. ¡Si Fernando todas las noches tomaba champagne porque pensaba que era la última de su vida! Es cierto que Mazzón nos mandó a decir que si teníamos alguna mancha no fuéramos. También es verdad que le avisamos a Pérez Esquivel y a las Madres que si no volvíamos era porque nos habían chupado. Y estaba tan cagado como Fernando, pero estuve ahí.*

Se encontraron con Mazzón en el centro de La Plata. Fueron juntos hasta "una casa vieja" que pertenecía a Inteligencia del Ejército. No bien entraron, los recibió un coronel. Lanata y Sokolowicz quedaron en el medio del coronel y Mazzón, quienes se miraban entre ellos después de cada respuesta ante cada pregunta.

—*Fue tremendo y aterrador. Cada tanto sonaba el teléfono y el coronel decía: "Uy, acabo de colgar con el torturador de la 501" o cosas por el estilo. Se lo pasaron provocando. Nos hacían preguntas cortas y secas. "¿Cuándo y en qué circunstancias conoció al guerrillero Jorge Baños? ¿Cuál es el vínculo que tienen con el MTP?". Cuando terminó, le dio la mano primero a Fernando y después a mí. Antes de despedirse, me la apretó fuerte y me dijo: "No se confunda. No me tome como un cura que lo acaba de absolver. Por otro lado, Lanata, ya que hablamos de Dios, usted debe estar al tanto de que la institución le ha hecho la cruz". Fue un momento de mierda. Después me fui.*

Igual de angustiante pero más simpático fue el encuentro que mantuvieron Lanata, Sokolowicz y Soriani con el embajador de Cuba en la Argentina con motivo del copamiento a La Tablada.

El diplomático parecía sorprendido por la audacia del grupo que había ingresado al cuartel. Repetía, cada tanto:

—*Bueno, chico, ¡hay que tener muchos huevos para hacer una cosa así!*

El embajador quería hablar de política y además pretendía sacarles información. Pero Lanata y Sokolowicz lo que reclamaban era "protección política" y, en especial, más dinero. Y la razón por la que querían más dinero era que el principal sponsor de *Página*, Gorriarán Merlo, había dejado de serlo, para convertirse en el argentino más buscado del mundo.

Lanata recordó que primero le revisaron el paquete de cigarrillos y el encendedor para comprobar que no contuvieran micrófonos. Después los llevaron a una sala a prueba de sonidos y le pidieron que le contaran todo. Hasta el último de los secretos.

Lo relató Lanata, con menos miedo y bastante humor:

—*El tipo nos llevó a una habitación insonora, para que nada se pudiera grabar, con paredes tipo 007. Primeros nos saludó, nos pidió que lo siguiéramos y en un momento dejó de hablar. Después nos hizo una seña, nos marcó la dirección a una habitación y se puso a silbar. Enseguida entró a un ropero y en el ropero había ¡otra habitación! Te lo juro: nunca había estado en un lugar así. Cuando le empezamos a contar el tipo parecía cada vez más entusiasmado. Repetía "¡Pero qué huevos han tenido!" Fernando, al verlo tan eufórico, le preguntó, con elegancia, si podían poner guita. El embajador solo respondió: "Lo tengo que consultar".*

Mientras tanto, desde la redacción, Lanata se defendía como podía de quienes sugerían que habían estado detrás del intento de golpe.

Uno de los dirigentes políticos que más insistió fue Eduardo Bauzá, entonces diputado nacional por Mendoza y luego secretario general de Carlos Menem. Cinco días después del 23 E, Bauzá aseguró que *Página/12*, Jacobo Timerman, *El Ciudadano* y *El Periodista*, entre otros periodistas y publicaciones, formaban parte del complot que terminó con el ataque a La Tablada. Lanata, indignado, llamó a Bauzá por teléfono y prendió el grabador.

—¿Usted es consciente de que nos acusa de complicidad de asesinato?

—*No, no hay que decirlo así. Lo que yo dije es que hubo columnistas de ustedes que habían participado del copamiento.*

—Bauzá, ¿usted tiene asesor periodístico?

—*Sí.*

—¿Por qué no le pregunta la definición de la palabra columnista? Columnista es quien tiene con un periódico una vinculación editorial y de dependencia. Si esto no fuera así, también serían columnistas de este diario Alfonsín y Alsogaray.

—*No. Pero yo le digo la gente que habla mal del peronismo.*

—¿Cuáles son, según usted, nuestros columnistas?

—*Jorge Baños, Pablo Martín Gómez (en realidad quiso decir Pablo Martín Ramos) y Daniel Gabioud Almirón.*

—Bauzá, Jorge Baños, como abogado y exdirigente de las organizaciones, ha escrito cuatro o cinco columnas, mientras que sus propios compañeros peronistas han escrito decenas. No sé quién es Pablo Ramos, y Daniel Gabioud era un cadete que cortaba cables de las agencias de noticias, no un columnista del diario.

—*Mire, no sé. Pero no se preocupe. Vengo de una reunión con nuestra gente y ya combinamos que nos vamos a remitir solamente a la actuación judicial.*

—¿Quién borra ahora lo que dijo, Bauzá? —preguntó al final Lanata. Pero Bauzá no respondió.

Otro que se movió rápido y bien fue Tiffenberg. Lo llamó a José Antonio Díaz, que estaba de vacaciones en Pinamar, y le pidió que viajara urgente a Mar del Plata, donde descansaba el entonces candidato a presidente Menem. No solamente buscaba la exclusiva. Necesitaba que Díaz le hiciera entender al casi seguro próximo jefe de Estado que *Página* no tenía nada que ver con los hechos de La Tablada. Fue por boca de Díaz y de Gabriela Cerruti que Menem se enteró de que los atacantes eran del exPRT-ERP y no montoneros ni carapintadas. Menem recibió la información con euforia. Estaba convencido de que eso perjudicaría mucho más al candidato del radicalismo que a él. Estaban los tres en el Hotel Provincial cuando se lo comentaron. El candidato propuso brindar con champagne. Díaz y Cerruti lo pararon en seco:

—*¿Le parece apropiado brindar en el medio de tantos muertos?*

Menem le dio la razón y les concedió el reportaje. Los periodistas fueron muy hábiles. Le arrancaron un título contra una eventual ley de amnistía. Y publicaron sus declaraciones contra los medios a los que Menem acusó de estar conectados con el ataque. El candidato no mencionó a *Página/12*, pero sí nombró a *El Ciudadano* y *El Periodista*, a los que calificó como voceros del gobierno de Alfonsín.

Después de esos veinte días en el infierno, Lanata tuvo que lidiar con otros sectores considerados aliados. Eduardo Barcesat y Vilma Ibarra, los abogados de los detenidos, querían citarlos como testigo del juicio. Lanata y Vilma se encontraron en el café La Ópera:

—*¿Vos estás en pedo?* —rechazó Lanata la invitación.

—Va a ser bueno para ellos y para vos. Se va a aclarar todo.

—*Yo no voy a salir de testigo en el juicio de La Tablada. La derecha me quiere hacer cómplice y el Partido Comunista me va a llamar como testigo. ¿Ustedes están locos?*

—Yo te voy a citar igual.

—*Y yo me voy a ir a la mierda, así que no voy a declarar un carajo.*

Cumplieron los dos. La abogada lo citó y Lanata viajó a los Estados Unidos. La excusa formal fue su presencia en una serie de charlas en universidades. También en la Biblioteca Pública de Nueva York. Lanata recordó tanto el viaje como el contenido de las charlas:

—*Me fui a la mierda porque declarar en el juicio era un delirio. Y en Estados Unidos anticipé que La Tablada se iba a transformar, tarde o temprano, en el germen del indulto que al final proclamó Menem. Los yanquis no me creían. Al final tuve razón.*

Un mes después del ataque, los responsables del diario respiraron tranquilos: el pacto de confianza con los lectores seguía intacto y la venta aumentaba a medida que se acercaba la fecha de las elecciones presidenciales, el 14 de mayo de 1989.

El problema, ahora, era otro. No solo había "desaparecido" el principal sponsor de *Página*. Además Gorriarán se las arreglaba para presionar, por vía indirecta, a Sokolowicz y otros gerentes, para que le devolvieran el millón de dólares que llevaba invertidos en aquella aventura. (Véase el capítulo "10. Dinero/2".)

¿Cómo hizo *Página* para sobrevivir en el medio de semejante crisis?

En 1988, antes de La Tablada y frente a los primeros problemas financieros, el propio Sokolowicz se había presentado en el medio de una asamblea y les había propuesto a los trabajadores armar una cooperativa. Lo recordó Furman en el texto que escribió para el libro *Grandes Hermanos:*

—Así no podemos seguir. Yo no tengo inconvenientes en conversar para que el diario se convierta en una cooperativa y ustedes lo sigan administrando; acaso les vaya mejor que a mí.

Los trabajadores se asustaron y decidieron bajar un cambio antes de tomar una medida de fuerza. Al mismo tiempo, Provenzano fue reemplazado por Felicetti como correo financiero de Gorriarán. Además, Alberto Manzanita Elizalde Leal fue desplazado como gerente general y se le asignaron otras funciones de menor responsabilidad.

Sin embargo, después del *23 E*, día del asalto a La Tablada, tanto Sokolowicz como Prim y el resto de la administración comprendieron que debían salir a buscar aliados políticos y económicos. En ese contexto se reunieron con Carlos Grosso meses antes de que Menem lo designara intendente de la ciudad de Buenos Aires. El encuentro se hizo en la casa de Stella García, del equipo de prensa del dirigente peronista renovador. Estuvieron Grosso, García, Mario Moldován —quien asumiría más tarde como secretario de Comunicación del intendente—, Sokolowicz, Prim, Soriani y Héctor Calós, socio gerente de Vocación, la agencia de publicidad que trabajó para *Página* hasta que ingresó al diario gente cercana a Héctor Magnetto. En aquel momento Grosso era uno de los jefes de campaña. Después de ese encuentro, el futuro intendente no solo les garantizó cierta protección política frente a los ataques de la derecha peronista. También intercedió ante Menem para que el próximo presidente no les cerrara la puerta en las narices. Y, como si eso hubiese sido poco, acordaron un paquete de publicidad por mes que al diario, en aquella época de sequía, le venía como anillo al dedo.

Me lo explicó Calós, 61 años, dos matrimonios, cuatro hijos, licenciado en relaciones públicas. Ahora Calós vende publicidad para los programas de Lanata en Radio Mitre y Canal 13.

—El acuerdo con Grosso representó, en aquel momento, un 30 por ciento del total de los ingresos publicitarios. No era para tirar manteca al techo, pero era muy importante. Jorge nunca estuvo en desacuerdo, aunque siempre tuvo la fantasía de que alguien, más allá del diario, se quedaba con esa guita. ¿La verdad? Estaba equivocado. Grosso bancó el suplemento Metrópolis, parte de la salida de (la revista) Página 30 y también la inclusión de los libros con derechos vencidos para la edición de los domingos, que dicho sea de paso fue un éxito de ventas.

—¿Pero con Grosso había un acuerdo firme?

—*El acuerdo era más político que de plata* —precisó Calós.

El acuerdo se rompió cuando Grosso renunció el 26 de octubre de 1992.

Lo reveló tiempo después Verbitsky ante una pregunta de un periodista de *Noticias* sobre la supuesta presión que ejercía Grosso para evitar la crítica.

—*Cuando Grosso leyó la nota crítica que yo escribí en* Página/12 *entendió que ese era el fin de su gestión. Llamó al Presidente, le presentó la renuncia y dijo: "Ha empezado a hablar gente que yo pensé que no iba a hablar". Metrópolis no significó nunca una restricción para la información en el diario.*

El otro gran acuerdo, político y económico, de la conducción de *Página* después de Gorriarán fue con el gobernador Eduardo Angeloz, a través de uno de los dirigentes de su máxima confianza, el cura Oreste Gaido.

Me lo recordó Manzanita Elizalde Leal, quien estaba a cargo de la distribución del diario en la mayoría de las provincias. Enviaron, para hacer efectiva la salida de *Córdoba/12*, a José María Pasquini Durán.

—*Fernando (Sokolowicz) le dijo a Gaido que para armar el proyecto necesitaban un millón de dólares. Y Gaido se los dio. Cuando la sociedad empezó a funcionar, Gaido, que no iba a ningún lado, estuvo en el casamiento de Hugo "Biafra" Soriani.*

—¿El acuerdo fue para apoyar la candidatura a presidente del gobernador de Córdoba, Eduardo Angeloz?

—*No. El acuerdo fue después. En 1992 o 1993. Y era la época en que Gorriarán no paraba de reclamar la devolución del millón de dólares que había puesto. Fernando le pedía guita a su hombre en Córdoba y Gaido un buen día le dijo: "¡Pero si ya te di un millón!". Fue entonces cuando Fernando le aclaró: "Claro. Pero este es tu feed de entrada al negocio".*

—¿Y qué hizo Sokolowicz con ese primer millón?

—*Estoy casi seguro de que lo usó para devolverle la plata que había puesto El Pelado* (Enrique Gorriarán Merlo).

Después de la ayuda de Angeloz llegó el auxilio más polémico: el del multimedios más importante de la Argentina. El acuerdo cuyos detalles todavía faltan conocer.

La primera información sobre el ingreso de *Clarín* a *Página* apareció en el diario *La Prensa* en agosto de 1993. En aquel entonces *La Prensa* pertenecía a Amalita Fortabat y respondía al gobierno de Carlos Menem. El dato se conoció después de una reunión reservada que el secretario general de la presidencia, Eduardo Bauzá, había mantenido con Sokolowicz. El editor responsable le dio los detalles de la operación y ambos acordaron mantenerlos en secreto. Pero Bauzá, horas después de despedirse, se lo contó a un periodista de *La Prensa* para afectar el aura de credibilidad que tenía *Página/12*. La primicia contenía datos muy precisos.

—*La operación se cerró por un monto aproximado a los 7 millones de dólares a través de un banco que tiene fuertes vinculaciones con la empresa compradora en la ciudad de Luxemburgo* —escribió el periodista de *La Prensa*.

Pocos días después, Sokolowicz, Lanata y también Verbitsky, en una nota de tapa de *Noticias,* desmintieron de manera pública lo que resultó ser la pura verdad.

—*De todas las versiones de compra de* Página *esta es la más disparatada* —dijo el editor responsable.

Verbitsky dijo que la falsa versión la había lanzado Bauzá para impedir que Sokolowicz se presentara a la licitación del futuro Canal 4.

Y Lanata abonó la teoría de la conspiración.

—*Esa versión provino del gobierno para desprestigiarnos*.

Sin embargo, la versión era cierta.

La plana mayor del diario se había enterado pocos días antes, cuando Sokolowicz los invitó a tomar un café en un bar enfrente de la Manzana de las Luces.

Me lo contó el propio Lanata veinte años después. Yo le pedí los detalles más de una vez. Quería conocer toda la historia y de primera mano. Esta es su versión más completa. La operación, según Lanata. Incluye no solo montos y circunstancias. También el contenido de sus encuentros con Héctor Magnetto.

—¿Cómo entró *Clarín* a *Página*?

—*En el quinto o sexto año de vida se evaluó que si alguien ponía un millón de dólares más el diario podía dar un salto de venta cercano a los cien mil ejemplares. Entonces apareció (José María) Pasquini diciendo que Angeloz quería poner guita. Yo me puse en contra, pero perdí. Pasquini, al final, se fue a Córdoba. Después de un tiempo, hasta donde yo sé, el proyecto editorial fracasó. No tengo idea de qué pasó con la guita. Al tiempo vino Fernando (Sokolowicz) diciendo que Clarín tenía una oferta. Nos encontramos en un bar frente a la Manzana de las Luces. Estábamos Ernesto (Tiffenberg), Fernando, Hugo (Soriani), y Jorge (Prim). Se empezó a discutir. Fernando quería, sí o sí. Todos reaccionaron en contra pero al final todos se quedaron. El único que dijo que se iba fui yo. Y cumplí*.

—¿Cuánta plata puso *Clarín*?

—*En ese momento eran siete palos verdes. Siempre quise saber por qué lo hacían. Yo no hice la transacción. Se hizo en Suiza. Para mí compraron todo. Y sé que hicieron un acuerdo con Fernando para que él se quedara. Y ellos pusieron a un tipo que se llamaba Enrique Díaz en Administración. Lo primero que hice fue ir a ver a (Héctor) Magnetto a Tacuarí. Le dije que no me iba a quedar. Le pedí una transición y duró casi un año.*

—¿Por qué te fuiste?

—*Porque yo ya no quería estar ahí. Y siempre pensé que Magnetto tampoco lo quería.*

—¿Cuánto te llevaste?

—*Nada. Yo nunca fui accionista. Seguí escribiendo contratapas durante un año. Además, hasta donde sé, había deudas. Había guita que le debían a Gorriarán. Era como un palo. Y después no sé qué más pasó.*

—¿Te fuiste por que no estabas conforme con la plata que ganabas?

—*Nunca tuve relación con la guita de* Página. *Ni siquiera la cobraba yo. Era mi secretaria la que me cobraba el sueldo. Me fui a Rock & Pop. Y me fui sin un solo peso. Y en las condiciones que yo quería. Ellos no me echaban. Me iba yo. Fue una decisión mía.*

—¿Los que estuvieron en aquel café hicieron un pacto de silencio?

—*Nunca firmamos un papel, pero estaba implícito. Nunca nos juramentamos pero era obvio que contarlo perjudicaría al diario.*

—¿Cuál era el propósito de tus encuentros con Magnetto? Contame de qué hablaban. Cómo, dónde, cuándo y para qué.

—*No sé para qué. Seguramente querían conocer al director. Los encuentros eran en Alem y Viamonte. Eran un edificio. No sé si era piso 12 o 14. Era en una fundación del niño, o algo así. Había un cartel. Estaba todo el piso vacío, y un pelado en un escritorio. Eran los jueves a las once de la mañana. Magnetto llegaba ahí con un BMW del año del pedo. Te lo cuento porque eso me llamaba la atención. Yo me tomaba un café doble. Magnetto iba a un despacho grande, se sentaba a una mesa. Y después hablábamos de política, de la vida, boludeces. No sé por qué era ahí. Yo iba en carácter de director. Primero había ido a verlo al diario, el cuarto piso de Piedras. Yo no sabía si* Clarín *había comprado el diario o él. Cuando digo los jueves tampoco quiero decir todos los jueves del año. Nunca me pidieron nada. Estando yo no cambiaron para nada la línea editorial, es justo decirlo. Ojo, Magnetto es un tipo muy cordial, muy agradable. Lo volví a ver ahora después de 20 años y hablamos de eso. Me dijo "pero usted se quiso ir...". Yo le dije que no, que él compraba y era lógico que yo me tenía que ir. "¿Por qué?", me dice el tipo. Y yo le respondí porque no estaba de acuerdo con la venta. Hace poco lo vi de nuevo. Le pregunté si él hubiera querido que me quedara. Y me respondió: "Por supuesto".*

La versión de alguien que hoy es accionista de *Página* y estuvo presente en la reunión donde se comunicó que *Clarín* estaba interesado en comprar el diario es distinta de la de Lanata. Nos vimos en dos oportunidades. Una en la oficina de La Cornisa Producciones. Otra en un conocido café de Avenida del Libertador y Las Heras. Él pidió, con insistencia, estricta reserva de su identidad.

—¿Por qué se fue Lanata de *Página/12*?

—*Mi interpretación es que se fue porque sus ingresos no alcanzaban para sostener su nivel de vida. De hecho, nosotros le adelantamos varias veces plata para que se comprara departamentos. O le financiamos aventuras locas que siempre eran saldadas con "imaginación" o con "magia". Porque de eso nos ocupábamos nosotros.*

—¿Qué aventuras locas?

—*Recuerdo ahora una. Un día se le ocurrió que podía transformarse en un experto sobre el conflicto en Oriente Medio. Entonces viajó a Israel, se quedó diez días y al poco tiempo escribió su primer libro. Se llamó* La Guerra de las Piedras. *Nunca me voy a olvidar porque le tuvimos que poner un chofer y un equipo de producción. Editamos miles de ejemplares, pero no se lo pudimos vender a nadie. Solo la audacia de Jorge Prim hizo que la aventura no terminara en un desastre.*

—¿Por qué?

—*Habló con el embajador de Arabia Saudita y le vendió toda la edición.* (Véase la versión de Lanata en el capítulo "16. Privado".)

—¿Por qué nunca le dijeron a los lectores cómo se financió *Página/12*?

—*Para entender cómo nació* Página *y por qué sigue existiendo después de veinticinco años es necesario saber que fue y sigue siendo un proyecto inviable, desde el punto de vista comercial. Por otra parte, Jorge supo desde siempre cómo se financiaba. Decile que te cuente, por ejemplo, por qué razón viajó varias veces a Managua y a Brasil.*

—¿Por qué no me explica usted por qué *Página/12* sigue saliendo todos los días?

—*Una interpretación correcta es porque al principio Gorriarán puso cerca de un millón de dólares a través de Provenzano; porque después Grosso nos ayudó desde la Municipalidad; porque en algún momento el gran sponsor fue Angeloz desde Córdoba; porque más tarde aparecieron Magnetto o* Clarín *hasta que al final el gobierno de Kirchner nos ayudó con mucha pauta oficial.*

—Puesto en esos términos, no parece que haya sido un diario independiente.

—*¿Viste? Y sin embargo lo fue. Y a mi criterio, lo sigue siendo. Es cierto que sin esos apoyos políticos y comerciales no hubiese podido seguir. Pero es más cierto, todavía, que aquellos "socios" siempre fueron pasivos. Es decir: nunca nos dijeron lo que teníamos que escribir.*

—Pero hoy, *Página/12*, como diría Lanata, parece el Boletín Oficial.

—*No comparto esa opinión.* Página *nunca fue una organización que se caracterizó por bajarle línea a sus empleados. No somos como Daniel Hadad. No les decimos: "hoy estamos con este, mañana con el otro". Hoy la abrumadora mayoría de los periodistas de* Página/12 *escriben a favor del gobierno porque están convencidos de que hace las cosas bien.*

—¿Por qué, en su momento, le vendieron el diario a *Clarín*?

—*Eso tampoco es verdad.* Clarín *jamás compró el diario. Lo que nos dio Magneto fue un préstamo en caución. Y lo hizo porque estábamos casi fundidos. Y de otra manera no podíamos seguir. Nos prestó plata y nosotros se la fuimos devolviendo, de a poco, año tras año. A* Clarín *le terminamos de pagar con la última fase de la operación Córdoba. Y el auxilio financiero que nos dio* Clarín *nos sirvió para pagar, entre otras cosas, la deuda que teníamos con Gorriarán Merlo. Además del préstamo en caución, nos elevaron el estatus a clientes habituales de Papel Prensa. No nos rebajaron un peso, pero por lo menos nunca nos dejaron sin papel.*

—¿Con qué propósito Lanata se reunía todos los jueves con Magnetto?

—*Eso se lo tenés que preguntar a él. ¿No te parece contradictorio anunciar, por un lado, que te vas del diario y por el otro, encontrarte durante un año una vez por semana con Magnetto? Mi hipótesis es que Jorge pretendía ingresar o manejar la parte periodística de Canal 13, y que* Clarín *no le dio lo que él quería.*

—¿Siguen Magnetto o *Clarín* siendo parte de *Página*?

—*Ahora* Clarín *no está en* Página/12.

—¿Y quiénes son ahora los dueños de *Página/12*?

—*Los socios siempre nos quedamos con el 50 por ciento de las acciones. Y eso es lo que tenemos hoy. Por otra parte es obvio que vivimos de la publicidad oficial. Somos pauta-dependientes.*

—¿Quién es el dueño de la otra mitad del diario?

—*De un empresario argentino que no está vinculado a los medios de comunicación. El nombre no te lo voy a dar. Solo voy a decirte que este empresario, igual que Gorriarán o que Magnetto en su momento, es un socio pasivo.*

—También podría interpretarse que el socio activo es el gobierno nacional.

—*No lo comparto. En este momento estamos apretados. Somos, entre los que recibimos pauta oficial, los menos beneficiados, comparados con (Sergio) Szpolski y otros. Mi teoría es que no nos perdonan que tengamos cierta independencia ideológica con respecto al plan estratégico del gobierno.*

—Lanata dice que este no es su diario. Que su diario se fue con él, a pesar de que ustedes lo quisieron desaparecer.

—*Jorge siempre le sacó más ventajas a* Página *que* Página *a él. Cuando se fue, después del acuerdo con* Clarín*, cobró, a lo largo de un año, entre 700 mil y un millón de dólares. Más o menos el 10 por ciento de lo que nos facilitó* Clarín *para que el diario no cerrara. Además, mientras estuvo en el diario, le dimos dinero adelantado para que se comprara tres casas. Si no me equivoco, una de ellas estaba en Almagro y otras dos en Libertad y avenida Córdoba, frente al Teatro Cervantes. Y eso, sin contar en nivel de gastos que tenía su tarjeta corporativa.*

Otro que tiene una versión distinta de por qué Lanata se fue de *Página* es su archienemigo Verbitsky. Me la quiso contar sin que se lo preguntara. Es esta:

—*Lo que recuerdo de Lanata en la salida de* Página/12 *es otra cosa. Él había empezado un programa de radio. En ese programa tenía mucha publicidad del gobierno de (Carlos) Menem. Particularmente de un funcionario que se llamaba (Julio César Chiche) Aráoz. Y en el diario él hizo que le efectuaran un reportaje muy grande a Aráoz, que no era un personaje de relevancia ni de la línea del diario. Sé, porque me lo comentaron de la dirección del diario, que hubo una pelotera muy grande. Le plantearon a Lanata que él facturaba propaganda del gobierno en su programa de radio pero la pagaba con espacios del diario. Él se quedaba con la guita de los avisos y el diario se comía el chivo de Aráoz. Tengo entendido que esa pelotera produjo su salida del diario.*

Aráoz era, en aquella época, ministro de Acción Social. Calós me dijo que Lanata lo fue a ver a su despacho, junto con él, para hablar de política y de medios. El ministerio estaba en el mismo lugar que hoy, en el medio de las avenidas Belgrano y 9 de Julio. Calós reconoció que después de aquel encuentro logró la pauta. Y recordó que cuando Aráoz le pidió un tratamiento preferencial, Lanata se dio vuelta y le respondió:

—*Mirá, Aráoz, ¿alcanzás a ver el Obelisco desde acá?*

—Sí. ¿Por?

—*Bueno. Si vos te robás el Obelisco, por más que me pongas pauta yo a la noticia la voy a publicar, ¿me entendés?*

Le pregunté a Lanata sobre la supuesta reacción de la administración de *Página* por el episodio con Aráoz y sobre las intenciones que le adjudicó el accionista del diario a los encuentros que mantuvo con Magnetto.

Lanata me dijo que no recordaba haberse reunido con Aráoz ni el episodio que resaltó Verbitsky. Y aportó más detalles sobre sus encuentros con el CEO del Grupo Clarín y su incorporación a *Página*.

—*¿Así que yo te cuento mi versión, vos no me creés, le preguntás a otros y me la tirás por la cabeza? Todo bien. ¿Vamos de nuevo?*

—Claro.

—*Página/12 fue más o menos viable hasta el quinto o sexto año. Después se fue todo a la mierda. Para mí, lo de Grosso no fue revelante. Más bien fue un curro que tenía Prim con la Municipalidad. Lo de Córdoba fue como te lo conté. Lo de Clarín, desde adentro, no lo sé. Nunca lo supe.*

—¿Cómo que no?

—*Lo que nunca supe es cuál fue la lógica por la que se metieron. Me parece que ellos querían tener algo que sabían que podía crecer. Y siete palos, para ellos, no era nada. Lo habrán comprado porque lo querían usar. O como también compraron Segundamano, para que no les cagaran el negocio de los clasificados. Es obvio que Clarín, en Página, no está más. ¿En qué momento esto cambió? No lo sé. Una respuesta lógica es que el gobierno le dio muchísima publicidad oficial y con eso financió la autocompra.*

—¿Qué te consta del acuerdo?

—*Que los siete palos se pagaron afuera. Que la operación se hizo a través de una empresa de Panamá. Si mal no recuerdo fue en Suiza o España. Un palo se le devolvió a Gorriarán, porque además después de Tablada se quedaron sin un mango.*

—¿En ese momento estabas dentro o fuera de *Página*?

—*Ahí ya no estaba. Yo estuve nueve años en* Página. *Insisto: yo voté en contra de la compra de* Clarín *porque yo no quería trabajar para* Clarín *dentro de* Página/12. *Yo me quedé un año porque era director, nada más. No lo hice para dirigir Canal 13. El que te dijo eso está loco. En esa época yo no sabía tanto de televisión. Nunca se me hubiera ocurrido. Lo que sí me acuerdo es que Magnetto me ofreció trabajar en TN, y yo no quise porque era el cable. En ese año de encuentros con Magnetto hablamos de política, nada más. Sí es verdad que todos nos juramentamos no decir nada sobre la venta a* Clarín.

—¿Y por qué decidiste hacer pública la información cuatro años después de que se produjeran los hechos?

—*Yo hablé por primera vez de la venta a* Clarín *cuando me harté de que* Página/12 *me censurara, me ninguneara, me sacara el nombre, me ignorara y me echara. Sino por qué lo iba a contar, era consciente que no era bueno para el diario. Lo conté cuando los tipos empezaron a contar otra historia. Cuando me empezaron a cortar, a sacar de la foto. Cuando me levantaron, a pesar de que ya se había mandado a taller, el adelanto de mi libro* Cortinas de Humo. *El día en que les mandé aquella carta famosa de lo que habían hecho con el diario. Yo escribí eso en 1997, cuando* Página/12 *dejó de ser* Página/12, *no mi diario. El diario que había hecho yo. Cuando yo armé* Veintitrés *y estaba en mi oficina, miré la redacción y sentí "*Página *ahora está acá".*

—¿Y si la historia es así por qué te enojás tanto?

—*Porque le siguen queriendo vender a la gente pescado podrido. ¿Pero sabés qué? ¡Que se vayan a la concha de su madre!*

La rabia de Lanata volvió a aflorar en el 25 aniversario de su *Querido Diario*. A los festejos asistió la presidenta Cristina Fernández, y no lo mencionó. El domingo 3 de junio, desde su programa en Canal 13, *Periodismo Para Todos*, le leyó una carta muy personal. Muchos la consideraron una falta de respeto. Otros, una genialidad. Ahora Lanata la atesora entre sus recuerdos más preciados, como parte de la historia de su polémica vida.

La carta decía así:

Sra. Presidente:

El miércoles a la tarde me preguntaron en un reportaje de una revista qué tres cosas me gustaban de usted. Dije que me gustaba su audacia, su inteligencia, y el hecho de que usted parecía convencida de lo que estaba haciendo. Aclaré que eso no cambiaba el hecho de que yo pensara que usted se equivocaba.

El miércoles a la noche me di cuenta de que el equivocado era yo. Y me di cuenta después de escucharla en el acto del vigésimo quinto aniversario de Página/12, *celebrado en la exESMA.*

Yo fundé el diario Página/12 *el 26 de mayo de 1987, y lo dirigí durante los primeros diez años de esos veinticinco. Y el miércoles fui testigo de algo que conocía pero que nunca había sufrido en carne propia: fui víctima de cómo el gobierno reescribe la historia como quiere, saca y pone personas de la foto a su antojo, como hacían los soviéticos durante las purgas.*

Me parece, Sra. Presidente, patético y triste que me hayan convertido en el primer desaparecido de Página/12. *Usted se llena la boca hablando de la identidad, el origen, de los derechos humanos. Y no respetó ni mi identidad, ni mi origen, ni mis derechos.*

No estoy sangrando por la herida, señora, ni necesito un diploma. No es la primera vez que censuran mi nombre en Página/12 desde que me fui de ahí, hace muchos años. Soy, para muchos de los que se quedaron en el diario, un testigo molesto. Lo entiendo. Usted estaba, el otro día, rodeada de un exvendedor de camisas y un pequeño abogado. Cada uno elige a sus compañías. Pero lo patético y triste era ver ahí a la Presidente de la Argentina tratando una vez más de reescribir la historia a su medida y a su gusto.

Quiero decirle, señora, que no se puede. Que no es una cuestión de poder o plata, dos cosas de las que usted goza. Señora, nunca lo hace, pero salga a la calle sin el helicóptero o la custodia y pregunte por ahí quién fundó Página/12. Pregúntele a los miles de estudiantes de periodismo de esos años, a otros periodistas, a los políticos, a los que entrevisté, a los que me hicieron demandas, a los que leyeron mis notas, a los que me insultaron y a los que me aplaudieron. Pregunte.

Quiero decirle con respeto que no solo la situación del otro día fue patética. Usted fue patética. Es usted patética cuando trata de tapar el viento con la mano. Cuando cree que su poder va a durar siempre en un edificio que se tambalea de mentiras.

Señora, no voy a permitir que ni usted ni el diario que fundé me desaparezcan. Estas palabras no tienen ningún interés político. Le estoy pidiendo que me respete como persona, que respete mi pasado y mi identidad y que respete mi presente. No es esta una cuestión de egos ni de logros. No necesito Página/12 para ser quien soy, pero Página/12 sí me necesita para haber sido lo que es.

Aunque yo sienta en los últimos años que Página/12 ya no está y se transformó en un boletín oficial servil. Tenía pegado en un corcho de mi escritorio este cartel. Es el primer cartel del diario, que anunciaba su salida hace veinticinco años, cuando lo fundé.

¿Vio? En esa época, cuando empezábamos, salíamos de martes a sábado. Decía "el diario sin desperdicio", porque tratábamos de hacer una virtud de la escasez: no teníamos plata para comprar papel.

Este cartel es uno de los recuerdos físicos más antiguos que tengo de aquel diario que fundé. Voy a romperlo en honor de su mentira. Ahora ya no lo tengo más. Lo que me queda de ahora en más de Página/12 está en mi cabeza y en mi corazón, y en la cabeza y en el corazón de miles de personas.

Ahí, señora, usted no puede entrar, a menos que le demos permiso.
Y yo nunca le voy a permitir que usted entre a mentir también ahí.
Con el respeto que me impone su investidura, pero sin ningún respeto
personal me despido.

JORGE LANATA

Cuando la terminó de leer, rompió el cartel y por un instante sus ojos se llenaron de lágrimas. Entonces volvió a ser el chico genial y más solo del mundo que seguía buscando el amor de su mamá, aunque ella no podía decirle te quiero.

6

ROCK

Jorge Lanata y Charly García irrumpieron en la disco Ruta 66, de Punta del Este, con la velocidad de un rayo. Una nube de adulones que no estaba en las mejores condiciones los siguió hasta el baño de mujeres. Una vez que el periodista y el músico entraron al sanitario junto con una chica, alguien cerró la puerta y nadie más se pudo sumar a aquella fiesta privada y para pocos. Adentro, García, generoso, le dio de esnifar cocaína a una mujercita de minifalda que bien podría haber sido su hija. Ella aspiró bien hondo y, acto seguido, cayó redonda al suelo. Entonces Lanata, desesperado, le empezó a gritar, entre las voces de otros:

—*¡Se murió, boludo, se murió!* ¿*No te das cuenta de que la mina se murió?*

Esta no es una escena de ficción. Sucedió en Manantiales, Punta del Este, República Oriental del Uruguay, cerca de las cuatro de la mañana, durante una madrugada de enero del año 1993, en el baño de Ruta 66. Se la podría presentar como el instante más extremo de una temporada complicada en la que Lanata se tomó todo, se gastó todo, se tiró encima toda la ropa marca Versace que pudo y se "recibió", oficialmente, de rockstar.

Iba ser la última parada de una larga noche de "rotation".

Si creen que estoy exagerando, el propio Lanata lo puede confirmar:

—*Fue el verano de Punta del Este en que Charly volcó. En la misma temporada en la que Charly le metió una mano en la argolla a una mina y se armó un revuelo tremendo. ¿Te acordás? Estábamos tomando algo en el Mango Tatoo Bar, creo, cuando vinieron los fotógrafos y lo acribillaron a flashazos. Y lo de la chica en el baño fue también para la misma época, si no me equivoco, en la que un tipo de Noticias le hizo a Charly unas fotos tomando merca en el auto.*

—Perdón, ¿dijiste tomando merca en el auto?

—*Sí. Tomando merca en el auto. Pero nunca salieron. No sé si se trabó el flash o si un editor sensible se apiadó de García.*

133

—¿Y cómo llegaste a compartir la escena del saque en el baño?

—*Habíamos arrancado el día junto con Charly y el Zorrito (Fabián Von Quintiero). En un momento de la noche nos quedamos solos con Charly. Yo tenía una Vitara y García se subió. ¡Se quería trepar al techo! Te daba la sensación de que se quería tirar. En un momento, pasamos por un boliche, cerca de Manantiales, y nos bajamos. Veníamos desde José Ignacio para la punta y entramos ahí. Imaginate: se armó un quilombo increíble. Charly agarró a una mina de un brazo, se la llevó baño y le dio un saque. La mina aspiró y se desmayó. Yo pensé que la había matado. Estábamos re-en-pedo. Además, la cocaína te hace tener una capacidad alcohólica tremenda.*

Lanata venía entonado hacía varios días.

Acababa de regresar de Nueva York, donde había pasado un año nuevo irrepetible en El Plaza, uno de sus hoteles preferidos. Había compartido la celebración con sus mejores amigos de entonces. Estuvieron allí Rodolfo "Fito" Páez y su pareja, Cecilia Roth; el padre de Cecilia, el empresario Abrasha Rotenberg; la madre, la cantante Dina Roth; y su hermano, el guitarrista y cantante Ariel Roth, quien entonces era parte de la banda de rock española y argentina *Los Rodríguez*. También participaron el escritor Rodrigo Fresán junto a su mujer.

A Lanata lo acompañaba su chica de entonces, la periodista Graciela Mochkofsky. Graciela tiene diez años menos que él y es autora de la biografía *Jacobo Timerman. El periodista que quiso ser parte del poder*, publicada en el año 2003. Se trata de una de las mujeres a las que más quiso.

De aquel multitudinario y chispeante viaje, Lanata todavía se acuerda de una escena "muy loca", cuando Fito, a eso de las siete de la mañana, le tocó la puerta de su habitación para preguntarle:

—*Jorge, ¿te quedó alguna cerveza en el minibar?*

Lanata le alcanzó una hasta la puerta. Pero a los quince minutos Páez volvió a repetir la operación con un par de golpecitos en la puerta.

—¿Sos vos de nuevo? ¿Querés otra cerveza?

—*Mm sé.*

—Acá tenés, Fito. Y dejate de romper un poco las bolas —le dijo Lanata, cariñosamente.

Pero cerca de las 8:15 Páez volvió a llamar para decir que se le había cerrado la puerta de su propia habitación y que no quería o no podía despertar a Cecilia.

Entonces Lanata le abrió la puerta de la suya y vio entrar a Páez completamente borracho.

El pianista se había puesto unas calzas negras de su pareja y se había sentado en un amplio sillón, frente a la cama donde Lanata y Mochkofsky permanecían acostados. Una vez que se acomodó, no paró de decir incoherencias. En un momento, contó Lanata, Fito sentenció:

—*Yo me los voy a coger a los tres.*

Lanata, como buen periodista, lo corrigió:

—Fito, no lo tomes a mal, pero somos solo dos.

Entonces el artista replicó:

—*No importa. Yo me autocojo.*

Lanata me contó el final:

—*En un momento no lo soportamos más. Entonces me puse un traje, lo agarré de un brazo, fui a buscar las llaves y me preparé para llevarlo a su habitación. De la puerta al ascensor, a Fito lo trasladé tambaleando. Cuando llegamos el ascensor, nos encontramos adentro con tres japoneses. Yo sostenía a Fito como si lo llevara detenido. Y uno de los japoneses puso una cara de susto tremenda. No llamaron a la seguridad de pedo. La velada terminó con Fito tirado en su cama, borracho.*

Desde los Estados Unidos, Páez y Roth partieron luego rumbo a las Islas Fiji. Era un viaje secreto y nadie se debía enterar. Por su parte Lanata hizo escala en Buenos Aires, dejó a Graciela y se tomó un avión para Punta del Este, donde días después transcurriría la escena de la chica tirada en el suelo del baño después de haber tomado la merca que Charly le había convidado.

Lanata y Páez se conocieron en la segunda mitad de los años ochenta, un poco antes de que Fito explotara y Jorge mutara de director de *Página* a celebridad o rockstar. El músico todavía compartía casa y comida, aunque de manera intermitente, con Fabiana Cantilo, una de las chicas más inquietas y prolíficas del rock nacional.

A Lanata y Páez los presentó la agente de prensa del músico, Amelia Lafferriere, quien además es la hermana del exsenador y exdiputado nacional por el radicalismo y exembajador en España, Ricardo Lafferriere.

Lanata, apenas lo conoció, lo invitó a escribir en *Página*. Poco después, puso algo de dinero de su bolsillo a través de una sociedad que integraba el diario, para financiar la primera experiencia cinematográfica del músico: *La balada de Donna Helena*.

La balada de Donna Helena es una canción que escribió Fito en 1990 y que iba a ser incluida en su disco *Tercer Mundo*, aunque el mismo Páez la desechó. La agregaría más tarde a *El amor después del amor*. La película, que dura media hora, se estrenó recién el 12 de marzo de 1994. El mediometraje transcurre entre el infierno y la Tierra. Sus protagonistas son un ladrón de autos, interpretado por Alejandro Urdapilleta; su ayudante, representado por Darío Grandinetti, y la dueña de un auto a la que intentan robar y fracasan, con capacidad para hacer desaparecer gente con solo fotografiarla, personificada por Susú Pecoraro. Después del estreno alguien anunció que Lanata escribiría la segunda parte, pero eso nunca sucedió.

Lanata me contó que, de alguna manera, también participó de aquel megaéxito aparecido en 1992, llamado *El amor después del amor*. Lo cito textual, para que nadie piense que se trata de mi imaginación:

—*Yo estuve con Fito en la composición del disco. Nos encontramos varias veces en aquella casa de José Ignacio que Fito alquiló. Allí armó un estudio y compuso gran parte del disco. Habrá sido enero, febrero y marzo del año noventa. Me acuerdo de que por lo menos un mes entero yo anduve bastante por ahí. No viviendo, pero muy cerca. Yendo y viniendo desde otra casa que alquilaba por ahí.*

Lanata y Páez no solo compartieron algo de laburo, sino también algunas travesuras.

En una de ellas participaron, además, el escritor Martín Caparrós, el dibujante Miguel Rep y, de manera involuntaria, también Fresán.

El asunto era que Fresán jamás había salido de putas.

Y una noche, para convencerlo, Lanata le dijo que no sería jamás un escritor completo y respetado si antes no visitaba un cabaré, con putas de verdad. También le explicó que debía ponerse en pedo con sus amigos, sino, tampoco valía.

La reconstrucción de los hechos corrió por cuenta de Lanata:

—*Rodrigo era medio nerd. Nunca había ido de putas. Un día le hice ese cuento del escritor de verdad. Hasta lo convencí de que estaba bien hacerlo. Que era sano. Lo terminamos de organizar con Fito en su casa del Botánico. Él era muy amigo de Fresán. Por otra parte era un cabaretero sabio.*

—¿Consumaron los hechos?

—*La idea no era ir a garcharse minas. La idea era vivir la situación. Terminamos todos en pedo. Me acuerdo de que al otro día Fito tenía un juicio que le había iniciado otro músico y llegó a la audiencia tarde. Es que estaba hecho mierda. Bah. Fito vivía hecho mierda. Y terminaba las noches en cualquier lado. Una vez lo recogieron unos laburantes en un camión de basura. No te miento. Lo encontraron, en pedo, en la calle. Le preguntaron dónde vivía. Se lo llevaron y lo depositaron en su casa.*

—¿Es cierto que en aquella época de descontrol competían con Fito para determinar quién se ganaba más minitas?

—*La cosa era así. En algún momento, con Fito, nos dimos cuenta de que habíamos estado con las mismas tres o cuatro minas. Creo que a ese campeonato lo gané yo, porque me había podido garchar a una que Fito solo se había apretado.*

El periodista y la estrella de rock pasaban mucho tiempo juntos.

En uno de esos encuentros y para su transmutación de periodista a rockstar, Lanata consultó a Fito sobre nuevos negocios. Páez le recomendó nada menos que a su representante, Fernando Moya.

Moya tiene 53 años. Se dedica a producir espectáculos musicales, teatrales y televisivos, representa a artistas y comercializa espacios en medios. Formó parte de Rock & Pop Internacional entre los años 1985 y 1995 y del grupo CIE-RP entre 1995 y 2001. Además de Páez y García, Moya fue mánager y productor de artistas como Divididos, Los Pericos y Mercedes Sosa. Hoy es director de Ozono Producciones y director de Música y Teatro en T4F Entretenimientos Argentina.

Cuando los presentó Fito, Moya estaba produciendo *Hacelo por mí*, con la conducción de Mario Pergolini. Al mismo tiempo Lanata aparecía como socio, dentro de *Página/12*, de parte de la Rock & Pop. El diario tenía el 30 por ciento de la radio y del negocio de los recitales. Lo abandonarían casi de inmediato, porque al matutino no le daba el cuero para sostenerlo.

¿Pero necesitaba, un periodista, a un mánager de músicos como Charly García y Páez?

Se justificó el propio Lanata:

—*No sé si necesitaba un mánager. Yo necesitaba un representante para negociar con América mi debut en televisión. Fito me recomendó a Moya. Él es el que firma todos mis contratos. Yo le tengo tanta confianza que ni siquiera le pregunto lo que firma. Igual, los representantes siempre se llevan mucha guita. Yo siempre le sigo que me chupa la sangre. Yo, por mi diabetes, tengo un aparatito que me saca la sangre para ponerla dentro de un reactivo y medir el nivel de glucosa. A ese aparatito yo lo llamo "Mi Moya". Pero si vos estás tan preocupado por la guita que gasto y mi supuesta categoría de rockstar, lamento desilusionarte. El que gastaba mucha más guita era Fito. Fito era y es una estrella de rock. No yo. Si no me creés, andá y preguntale a Moya.*

Eso fue lo que hice. Y Moya confirmó mis sospechas:

—*Fito, Charly y Lanata son más o menos iguales. Cuando las cosas les empieza a ir bien, aumentan su nivel de gastos en forma despropor-*

cionada. Para eso hay una explicación: los tres son tipos talentosos. Y
no les cuesta mucho generar el dinero. Yo nunca encontré techo para
hacer cosas con ellos. De cualquier manera, para mí Lanata nunca fue
un gran negocio.

—¿Por qué?

—*Porque para hacer buenos negocios tenés que ser más constante y*
más austero. A veces, Lanata o Fito me preguntaban por qué mi patri-
monio es mayor al de ellos. Y yo le decía, especialmente a Fito: "Mirá,
yo no te robo. Mis honorarios no llegan al 30 por ciento de lo que vos
recibís. La razón por la que yo tengo más cosas es que vos gastás más
de lo que tenés".

—¿Vos querés decir que los tres son igual de irresponsables?

—*Te lo planteo de otra manera: con el dinero que ganaron Charly,*
Fito y Lanata deberían tener un patrimonio mucho más importante que
el que tienen ahora.

El pico de admiración mutua entre Lanata y Páez se registró, quizá,
con la salida de *No*, el suplemento de rock de *Página/12*. Me lo dijo su
primer editor responsable, Carlos Polimeni, quien conoce a ambos muy
bien.

Polimeni es periodista, crítico de rock y docente. Además de *Página/12*
trabajó en *Clarín*, *Sur*, Canal 7, América, Canal 9, Radio Nacional, Rock
& Pop, Radio Del Plata y *La Cornisa TV*, entre otros medios. Entre sus
libros publicados están *Luca, un ciego guiando a los ciegos*; *Divididos*;
Borges para principiantes; *Buenos Aires no duerme: memorias del insom-*
nio; *Bailando sobre los escombros: historia crítica del rock latinoame-*
ricano; *Pedro Almodóvar y el kitsch español*; *Ayer nomás: 40 años de*
rock en la Argentina; y *Cortázar para principiantes*.

La voz de Polimeni es fundamental para reconstruir la vida de Lanata
en aquella época. Porque por un lado se siente agradecido por las ofertas
de trabajo que Lanata le hizo. Y por el otro no tiene empacho en decir lo
que piensa de él: lo bueno y lo malo. Además, debe haber pocos colegas
que hayan conocido como él la etapa del Lanata rockstar. El director de
Página lo convocó en diciembre de 1991 para armar un suplemento joven
capaz de competir con el *Sí* de *Clarín*. Fue una invitación vertiginosa:

—*Necesito hablar con vos ya.*

Polimeni se acababa de mudar a cuatro cuadras del diario. Se cambió y se vieron en persona, a los quince minutos. El encuentro no duró
mucho más.

Lanata preguntó:

—¿*Cuántas páginas debería tener?*

Polimeni respondió:

—Ocho.

—*¿Qué día de la semana debería salir?*

—Los jueves, porque el *Sí* de *Clarín* sale los viernes.

—¿Y qué nombre le ponemos?

—*Hay que ponerle* No, *por contraposición al* Sí *de* Clarín —sugirió Polimeni.

Lanata lo entendió enseguida. E igual de rápido le propuso cerrar el acuerdo:

—*Listo. Arreglá con Ernesto (Tiffenberg) las condiciones, traé a la gente que necesitás y empezá a laburar. Tenemos que salir en febrero del año que viene.*

Polimeni me dijo que la idea de ponerle *No* al suplemento joven de *Página* se le ocurrió a él, y no a Lanata. Aventuró que seguramente Lanata sostiene lo contrario porque no se acuerda con precisión de aquella reunión que para él habría sido una entre tantas. La primera edición de *No* apareció, finalmente, el jueves 5 de marzo de 1992. Presentó una doble tapa con una entrevista a García y otra a Páez. El título de la de Charly era: "El otoño de papá".

En cambio, Fito fue calificado como lo más. Además, se publicaron anticipos de las canciones de *El amor después del amor*.

Polimeni recordó que, durante aquellos días, Lanata le empezó a dedicar cada vez menos atención a *Página* para entusiasmarse cada vez más con otros proyectos vinculados con el rock, la literatura y los medios electrónicos.

—*Para Jorge el diario empezó a ser cada vez menos interesante. A otros proyectos, como* Hora 25 *o* Rompecabezas, *los programas de la* Rock & Pop, *le fue dedicando más laburo personal. Un día me dijo que quería ser como Nico Repetto: laburar un año en televisión para dejar de laburar cinco. Ahí me di cuenta de su lógica: meterle mucho y cansarse rápido para enseguida aburrirse y pensar en otra cosa. Ser el gran impulsor y también el gran "desenchufado".*

—¿Cuándo apareció el interés de Lanata por las cosas del rock?

—*A fines de 1989 o principios de 1990 él me pidió que lo acompañara a Prix D'Ami. Creo que cantaba Fabiana Cantilo. Él ya estaba muy cerca de Fito Páez, en una etapa muy rockera. "¿Para qué querés que te acompañe?", le pregunté. Me contó que estaba escribiendo una novela sobre un rockero cansado de la fama y el éxito, que intentaba cambiar de identidad mientras buscaba una chica que lo quiera. La novela terminó siendo* Historia de Teller. *Él me dijo que quería experimentar esa vida. Yo entonces sentí, y ahora también, que estaba escribiendo su autobiografía. Tiempo después no solo estuve obligado a leerla sino que tuve que hacer una producción para No. Me pidió que buscara a rockeros para que leyeran la novela y hablaran bien de ella. Me acuerdo de que se la di a Ciro Pertusi, de Attaque 77. Fue uno de los que escribió. La nota fue editada por Jorge, la corrigió y así se publicó. Cuando le pregunté si le había gustado, él me respondió: "Es lo que hay". Una frase muy Lanata.*

–Leí *Historia de Teller*. Creo que la crítica fue injusta con Lanata. Que si la hubiera firmado Rodrigo Fresán o Martín Caparrós la habrían valorado más.

–A mí también me gustó. Pero yo siempre la vi no tanto como una novela, sino como una autobiografía encubierta. Recuerdo que Fresán hizo una muy buena crítica en el suplemento cultural de Página, Primer Plano, y no salió publicada. Si mal no recuerdo las autoridades del diario ya andaban a las patadas con Lanata. Y eso habría tensado más la relación.

Lanata escribió *Historia de Teller* en Venecia, donde transcurre gran parte de la trama. Los accionistas de *Página* consideraron ese viaje como otra de las excentricidades de su director periodístico estrella. Hasta allí se fue junto a Mochkofsky. Más tarde la incluiría en la dedicatoria, en segundo lugar. El primero fue para su hija Bárbara y el tercero para Fito. En el arcón de los recuerdos de Lanata están sus fotos de aquel viaje a Venecia. Ya usaba sobretodo y sombrero, como lo haría veinte años después durante la grabación de los documentales que hizo para Turner.

Lanata también guardó en una enorme caja de cartón, además de los cuadernos de la primaria y la secundaria, unas cuantas fotos familiares y los boletines de calificaciones, el original de la crítica que su amigo del alma Fito Páez escribió sobre *Historia de Teller*.

Su contenido revela varias cosas. La primera es que el músico la leyó más de una vez. La segunda es que fue honesto con lo que pensaba de Teller y otros Teller, como Diego Armando Maradona. Y la tercera es que, a pesar de reconocer que Lanata era su amigo, no dudó en juzgar y condenar al protagonista de la novela, a sabiendas que, de alguna manera, también lo estaba haciendo con el director de *Página/12*.

Estos son algunos párrafos de la crítica de Fito. Fue publicada el 8 de octubre de 1992. Su título es "La imposibilidad":

Historia de Teller *es una novela sobre la imposibilidad. Tiene un aire de cosa refinada y cara que me atrapa especialmente, más allá, incluso, del personaje de Teller –que no ha sido pensado para agradar, sino para desagradar–, un emblema de lo que no deberíamos ser.*

Teller es casi el chanta perfecto, el tipo que monta un despliegue increíble para salir de un lugar vicioso, que luego encuentra que no puede y que vuelve al lugar donde se juró no volver.

La de Hélène, su novia, es otra imposibilidad. Ella recuerda a una chica de Capote, refinada pero de Lanús, sofisticada y encantadora. Pero ella encara su relación con Teller –en realidad, con Kevin Brian– desde su lugar de groupie: esa relación está muerta al comenzar.

Teller es un chanta: no hace falta ser tan serio, tan presuntuoso y –para intentar otra vida– terminar en una ciudad con un destino de muerte tan seguro.

Kevin Brian está en la cumbre de un modelo de star rocker algo viejo, como Waters o Morrison, un modelo que me provoca curiosidad pero no asocio conmigo: no soy melancólico, y tengo otra clase de humor. Teller se angustia en lugar de reírse, se vuelve cínico y despreciable, en una actitud al pedo que lo hace recaer en lo que desprecia.

Hay ahora mismo, cerca nuestro, personajes que pasaron o pasan por la misma crisis neurótica del estrellato impune. Se me cruza el nombre de Diego Maradona, que por suerte salió y no necesitó ni fingir su muerte ni cambiarse la cara.

Al lado de la crítica de Páez, en la misma caja de la memoria, encontré el texto de contratapa que escribió a propósito de la novela Osvaldo Soriano, el 1° de noviembre de 1992. Lo tituló *Venecia sin ti*. El autor de *Triste, solitario y final* fue generoso. Intentó incluir al autor en el canon de los nuevos narradores. Soriano, casi al final, escribió:

Entre los libros más logrados de la nueva generación de argentinos están, creo, los cuentos de Rodrigo Fresán (Historia Argentina); Juan Forn (Nadar de noche); Edgardo González Amer (El probador de muñecas); Daniel Guebel (La perla del emperador, El ser querido); el sugestivo relato de Pablo De Santis (Lucas Lenz y el Museo del Universo); y esta novela de Jorge Lanata.

Soriano solo le encontró un "defecto": *Historia de Teller* no le hablaba a todos los argentinos sino a una generación en particular. Una generación que estaba consumiendo la vida con demasiada rapidez. La generación que representaban, por ejemplo, Lanata y Fito. Polimeni lo explicó así:

—*Jorge tenía un problema con la edad de los demás y, en especial, con su propia edad. En aquel entonces, me decía: "Vamos a pegarle a Charly porque Fito es lo nuevo. Y va a ser mejor que él". Quería imponer agenda propia también en la música nacional. Pensaba que para darle manija a Fito tenía que atacar a Charly García. Para que te des una idea, Fito fue el primer invitado de su programa* Hora 25. *Si mal no recuerdo fue a presentar "Tema de Piluso". Yo discutía con él. Le decía que no había necesidad de liquidar a García para hacer brillar a Fito. Y a la vez, a Lanata lo notaba preocupado por el paso del tiempo. Cuando cumplió los 30 años se quebró y me dijo: "Carlos: mirá cómo estoy". Y yo le decía: "¿Qué te pasa? ¿Estás en pedo? ¡Tenés apenas 30 años!" Él, junto a Rodrigo (Fresán) y Martín (Caparrós) iban por la vida como si estuvieran por cumplir setenta. Tenía una vida nocturna importante. Y una personalidad atormentada. Se vestía raro, como buscando algo que le devolviera sentido a su propia vida.*

El primer registro público de la manera rara con la que se vestía Lanata apareció en aquel loco verano del 93, cuando *Noticias, Gente* y *Caras* le tomaron varias fotos con unas llamativas camisas de Versace.

Sobre la vertiginosa compra y repentina venta de su primera casa de José Ignacio, Polimeni me dio otra versión. Vale la pena conocerla.

—*Era un momento en el que Jorge estaba pasado de revoluciones y tomaba decisiones rápidas y equivocadas. Lo que (Daniel) Grinbank definió alguna vez como la "cocaine decision". Me acuerdo de cómo y cuándo fue porque sucedió bastante después de la noche que lo acompañé a Prix D'Ami, para hacer el programa sobre Luca Prodan en* Hora 25. *El año en que se empezó a hacer la casa en Punta del Este, Carlos Ulanovsky le hizo un reportaje en* La Maga. *Me acuerdo de que le preguntó cómo podía ser que un representante de la izquierda se construyera una casa en José Ignacio, adonde va a veranear gente de derecha. La respuesta de Lanata fue correcta. Le dijo que él no sentía esa contradicción. Pero esa misma semana vino a la radio y nos contó: "El hijo de puta de Ulanovsky me metió en la cabeza un quilombo del carajo. Vendí la casa, boludo. La vendí". Los que estábamos ahí le preguntamos por qué. Le dijimos que no había necesidad. Que su justificación había sido correcta. "Sí. Pero yo soy de Sarandí y la pregunta me hizo mierda." Me hizo acordar al día en que le pregunté a Grinbank*

142

qué impulso lo llevó a grabar un disco en Ibiza, el paraíso de la joda del mundo occidental, con los Abuelos de la Nada y Charly García. "Fue la cocaine decision", me contestó. Quiso decir que cuando uno toma cocaína suele decidir una serie de cosas que al principio parecen maravillosas hasta que más tarde te das cuenta de que metiste la pata de verdad.

La velocidad de Lanata para tomar decisiones siempre le llamó mucho la atención a Polimeni. No solo la experimentó cuando le ofreció hacerse cargo de *No*. También lo comprobó cuando lo llamó para pedirle que le recomendara una productora para *Hora 25*. Polimeni le recomendó a Eliana Braier por dos razones. Era una de sus mejores alumnas en la facultad de periodismo y la había hecho una exquisita nota a Luca Prodan antes de morir. Lanata la tomó de inmediato.

Lo mismo sucedió a principios de 1994, cuando hacían *Rompecabezas*.

Rompecabezas era un programa de radio que se empezó a escuchar en la Rock & Pop de 6:30 a 9 de la mañana. Lo conducía Lanata y tenía una larga mesa de columnistas. La integraban, además de Polimeni, Román Lejtman, Marcelo Zlotogwiazda, Adolfo Castelo y el "Ruso" Norberto Verea. Lo producían, entre otros, Silvina Chaine y Luciano Galende. A los pocos meses se puso primero y superó, entre otros, a los programas de Magdalena Ruiz Guinazú y Bernardo Neustadt. Las reuniones de producción arrancaban a las 5 de la mañana. Y el sistema de trabajo era muy claro: todos, sin excepción, debían responder a las órdenes de Lanata.

En septiembre de ese año Lanata decidió tomarse un mes completo para terminar de escribir, junto a Joe Goldman, *Cortinas de humo (Una investigación independiente sobre los atentados contra la embajada de Israel y la AMIA)*. Polimeni se enteró de una manera curiosa.

—Me llamó y me pidió que fuera de inmediato a Vocación, la productora de Héctor Calós y Mario Lion, en la calle Perú. Llegué y me dijo: "Rápido, que estoy apurado". Cuando le recordé que me había llamado él, me dijo: "Ah, sí. ¿Podés conducir el programa por un mes o dos? Me tengo que borrar a escribir un libro". Le pregunté por qué no se lo ofreció a Lejtman o a Zloto. Pero no me respondió. Después me enteré por qué. A Zloto no lo consideraba un conductor y a Lejtman le tenía desconfianza política y profesional.

A pesar de que Lanata lo eligió como reemplazo, Polimeni no renovó su contrato para 1995.

—No seguí por varias razones. La primera fue familiar: tenía una hija *chiquita y una familia. La segunda, profesional: Lanata ya había entrado en conflicto con los jefes de* Página *y Tiffenberg me había advertido: o él o el diario. Y a mí siempre me gustó más el diario. La tercera fue la más importante.*

—¿Por qué?

—*Porque para trabajar con Lanata tenés que ser una especie de aplaudidor. Y yo no soy así.*

—¿Es una condición sine qua non?

—*Ahora mismo me estoy acordando cuando Zloto hizo un cumpleaños en su casa. Fue un enorme asado y nos invitó a todos. Sin embargo, Lanata nunca fue, a pesar de que todos lo esperamos hasta las 12 de la noche, con el chorizo y la carne pasados y fríos. No había mucha devolución de su parte.*

—¿Y cómo se portaba en el aire?

—*Más allá de su carisma y su manera de hablar, hubo cosas que Lanata nunca me terminó de explicar. Una fue un viernes, cuando Alberto Kohan vino al piso del programa como único invitado. Después de que el tipo dijo lo suyo, le hice señas a Lanata para poder preguntar. Le pregunté entonces qué pensaba sobre el indulto. Me respondió que no estaba tan de acuerdo en lo personal, pero que como era una decisión política la tenía que apoyar. Enseguida le pregunté cómo le explicó esa decisión a sus hijos. Entonces Lanata me pegó una patada por debajo de la mesa que jamás olvidaré.*

—¿Después de eso no le dijiste nada?

—*No hacía falta. Me alcanzó para darme cuenta de que entre ellos había una relación especial. Y por otra parte no me quería pelear. En esa época era muy violento.*

—¿Dijiste violento?

—*Un día lo llamó Calós, el tipo que nos garpaba el sueldo, para decirle que no criticara a tal o cual anunciante. Lanata primero lo reputeó y después tiró el celular contra la pared. A Silvina Chaine, que era su productora ejecutiva, la trataba en forma humillante. Daba vergüenza ajena. A Jorge Repiso, hermano de Miguel Rep, hoy periodista de* Veintitrés, *lo tenía contratado como su asistente personal. Lo despertaba, le servía el café, le acercaba los diarios, le manejaba el auto y lo esperaba en cualquier lugar. Por otra parte, todo el mundo sabe que la puerta del despacho de director de* Página, *en la avenida Belgrano, estaba toda marcada por las cosas que le tiraba por la cabeza a su secretaria, Margarita Perata. A mí siempre me desconcertó un poco la diferencia entre aquella violencia explícita y el personaje público.*

El personaje público era ya muy conocido cuando apareció junto a García en el baño de la disco en Manantiales, donde la chica cayó redonda después del saque de merca que el músico le propinó.

Eran los días en que Charly y Fito se peleaban por el cetro de máxima estrella. Uno acababa de romper el mercado discográfico con *El amor después del amor*. (De hecho, todavía es el disco más vendido en toda la historia del rock nacional.) El otro, después de su *Piano Bar*, andaba a los tumbos, tocando donde podía y tratando de tomarse la vida a grandes tragos. Al primero, los críticos los estaban empezando a considerar una especie de Prince argentino. Al segundo, los paparazzi lo perseguían para confirmar cómo quemaba el cheque al portador de un millón de dólares que había terminado de recibir por el regreso de Serú Girán. Por entonces, Páez no había querido responder a declaraciones agresivas que García había realizado contra él nada menos que en Rosario. Y Charly desconfiaba a todo lo que oliera a Fito, incluido uno de sus amigos de entonces, el periodista Jorge Lanata.

Todos se comportaban como estrellas. Todos firmaban autógrafos sin dejar de tomar.

En un texto incluido en su libro *Hora 25* y titulado "Dos mil teorías, cinco mil leyendas y varios encuentros con Charly García", Lanata describió el aroma del perfume embriagante de aquellos días de rock.

—*Ya hacía mucho que, con Fito, habíamos dejado de ir al cine. El ¡¡¡Grande Páez!!! por metro cuadrado había pasado de simpático a insoportable.*

—*¡¡¡Grande Páez!!! —bromeábamos.*

A ese texto de título interminable también pertenece la reconstrucción de sus locas aventuras con Charly.

Allí Lanata contó que la primera vez que "estuvo" con García fue de "la peor manera": en su propia cama y en el recuerdo de una chica. Explicó que eran las 8 o las 9 de la mañana "demasiado tarde para cualquier cosa" cuando la mujer que estaba en su lecho le confesó que Charly había escrito una canción dedicada especialmente a ella. Lanata enseguida pidió disculpas a los lectores por omitir el nombre de la canción y también de la chica. Explicó que jamás lo haría porque "ambos serían la comidilla de las revistas del corazón".

Más de veinte años después, no encuentro motivos para no contarlo.

La canción se llama *Curitas* y forma parte del disco *Filosofía Barata y Zapatos de Goma*. Y dice así:

Yo te extraño, yo te extraño
me extraño a mí. / Estoy solo, estoy solo
no estás aquí.
La chica que esperaba era infinita
como el bajo que perdí.
Pegaba las canciones con curitas
hay algo sangrando
hay algo que sangra porque
yo te extraño, yo te extraño
Estoy solo, estoy solo
ya no soy mí.
Y si ya no hay más noches estrelladas
ni lugares dónde ir.
La música está ya muy separada
nadie va a grabar, nadie va a grabarme a mí.
Hay veces que no puedo dormir
hay veces que no quiero
hay veces que me gustaría verte aquí.
Todo el mundo tiene penas
pero yo ya extraño hasta tus problemas
quiero eco, vuelve a mí, porque
yo te extraño.
La chica que esperaba era infinita
como el bajo que perdí
pegaba las canciones con curitas
hay algo que sangra
hay algo que sangra por mí.
Hay noches que no puedo dormir
Hay noches que no puedo dormir
Hay noches que no puedo dormir
sin curitas.

La chica a la que Charly le dedicó el tema se llama Laura Casarino, tiene ahora más de cincuenta años y está casada con Ulises Butrón.

Butrón hizo la voz de Tanguito para la película *Tango Feroz, la leyenda de Tanguito*. Todavía se sigue escuchando en las radios argentinas su hit *El amor es más fuerte*. Además de guitarrista y cantante, también es productor. Formó parte de las bandas de Luis Alberto Spinetta, Fito Páez y Miguel Mateos. También participó de la primera formación de Soda Stereo.

146

Laura *Curitas* Casarino fue, durante mucho tiempo, amiga de Fabiana Cantilo y de Fito Páez. Tuvo un pequeño pero intenso papel en *¿De quién es ese portaligas?*, la película que filmó a un costo demasiado alto el mismo Páez. Es la chica vestida de policía que acompaña a Cristina Banegas a declarar ante un juez. También participó en el video de la canción *Llueve sobre Mojado* junto a Páez y Joaquín Sabina. Además formó parte de Los Twist, la banda que lideró Pipo Cipolatti. Ahora da clases de canto y se dedica a interpretar tangos.

El registro de aquel encuentro que tiene Laura Casarino con Lanata es ligeramente distinto a la escena que describió el periodista. Rubia, flaca, de estatura mediana y de muy buen humor, le dio al vínculo con el director de *Página* una importancia relativa. Rememoró:

—*Conocí a Jorge hace muchísimo tiempo. Me lo presentó Fito Páez. No nos vimos más de dos veces. Me parece que en una oportunidad, incluso, fuimos a comer.*

—¿Sabías que habías aparecido en un texto de su libro *Hora 25*?

—*No. Nos conocimos hace mucho tiempo. Salimos un par de veces. Pero no estuvimos juntos. Solo fuimos a comer. En ese momento me pareció divertido. Era Jorge Lanata, ¿no? Pero después no tuvimos ningún contacto ni nos volvimos a ver.*

Lanata escribió que la segunda vez que se topó con García fue en persona, en la casa que Páez tenía frente al Jardín Botánico. Era una situación de festejo. Estaban, entre otros, el artista cubano Pablo Milanés. Charly había llegado con una agrupación de cuatro o cinco personas y entra ellas, su novia brasileña, la enigmática Zoca.

Lanata contó que, de buenas a primeras, Charly y Fito se sentaron juntos a tocar el piano, y que Zoca empezó a *falar* con él —con Lanata— en portugués, sobre Río, sobre Venecia, sobre Visconti y *ainda mais*. Y agregó:

—*Entonces un brazo arrastró a la chica hacia el centro del living.*

Es decir: Lanata dejó bien en claro que hubo, allí, entre él y Zoca, una atmósfera de levante imposible de disimular. Por lo menos hasta que manos anónimas "rescataron" a la novia de García de un tirón.

La tercera vez que se encontraron con Charly fue en La Barra, Punta del Este, a la hora de la siesta, durante aquel agitado verano del 93. Lanata estaba tomando algo. García se le apareció por detrás y le lanzó:

—*¡Lanata! ¿Qué tal las Fiji?*

Después, enseguida desapareció.

Lanata lo tomó como una señal de celos, pero no le dio la más mínima importancia. Se lo volvió a encontrar a la noche, en aquel recordado instante en que García le metió la mano a una chica por debajo de la pollera, sin otras consecuencias que la reacción indignada de los lectores de la revista *Noticias*. El periodista se alegró por el músico después de haberse enterado de que las fotos de Charly tomando merca esa misma noche nunca aparecerían en ninguna revista de actualidad. Pasaron varios días hasta que se encontraron de nuevo.

Para tomar semejante riesgo, ante la amenaza cierta de cualquier paparazzi detrás de la foto que podía acabar con su carrera, había que estar de la cabeza o a punto de volcar.

Y Lanata empezó "a volcar" en 1991, después de su separación con Silvina Chediek.

—*Con Silvina nos separamos en una época en que me estaba haciendo cada vez más conocido. Entonces empecé a salir con un montón de minas. Y un día no lo pude manejar más. Te lo juro: a veces sabía con quién me acostaba pero no me enteraba de con quién me levantaba* —me explicó.

—Eso es un cliché —dudé.

—*No es un cliché. La época de aquel departamento en Las Heras fue un desastre. Salía con una mina distinta día por medio. De la mayoría ni me acuerdo de los nombres, y si por casualidad me los acuerdo nunca te los voy a decir.*

—¿Para qué lo hiciste?

—*Para probarme. Y también porque me gustaba. Pero un día me asusté porque me levanté, miré debajo de la sábana y no sabía con quién estaba. No te lo cuento para hacerme el canchero. Lo recuerdo como una gran cagada. Ahora que estoy más grande me doy cuenta de que nada es gratis. Que, aunque creas que es gratuito, siempre, algo, terminás pagando.*

—¿Qué hacías, entonces, además de *Página*?

—*Estaba haciendo* Hora 25 *y era todo una locura. Me mandaban cartas cuarenta millones de minas. Algunas de ellas estaban recontrabuenas. Me había tomado la costumbre de llevar gente al estudio. Lo hacía a propósito, obvio. Para ver a las minas que venían. Fue un desastre.*

Hora 25 fue una de las mejores cosas que hizo Lanata en su toda carrera profesional, junto con *Página/12*.

Hora 25 se escuchaba por la Rock & Pop, a las 12 de la noche.

Salió al aire por primera vez en marzo de 1990 hasta que, al poco tiempo, Lanata cayó en cama con mononucleosis.

Regresó entre julio y diciembre de aquel año, todos los días, de 24 a una de la mañana. En 1991, estuvo en el aire solo entre julio y diciembre, una vez por semana, los domingos, en una emisión de dos horas. En 1992 no se emitió. En 1993 se pudo escuchar, desde marzo hasta diciembre, una hora por día, siempre a las 12 de la noche.

En el prólogo del libro *Hora 25*, Lanata contó exactamente de qué se trataba:

—En Hora 25, *aquel programa que hacíamos a oscuras, estaba prohibido hablar de política o leer gacetillas o dar siquiera una puta noticia: para eso yo era, en las mañanas, "el joven y polémico director de* Página/12". *En* Hora 25 *se leían cuentos, cartas de amor, poemas, atendíamos el teléfono en vivo y manteníamos una biblioteca circulante de programas viejos que era consultada por cientos de personas cada semana.*

Además de entrevistarse a sí mismo; a Alberto Migré; a su propio psicoanalista, José Töpf; a Alejandro Urdapilleta mientras se emborrachaba; a Fito y a Verbitsky, entre otros; Lanata emitió por primera vez una nota realizada por Eliana Braier a Luca Prodan. Los casetes con los programas se pasaban de mano en mano y se vendían y compraban en el Parque Rivadavia, porque escuchar *Hora 25* era una señal distintiva de qué era lo que pensabas y qué cosas te gustaban.

Hora 25 era una mezcla de *El Perro Verde*, de Jesús Quintero, con *Reencuentro,* el programa que hizo el "Negro" Hugo Guerrero Marthineitz por Radio Continental y terminó en 1982.

En *Hora 25* trabajaban, junto a Lanata, además de Braier, la periodista Adriana Schettini; su productora de toda la vida, Silvina Chaine; el operador sensible, Chino Chinen; y una productora que más adelante se transformaría en su pareja, Florencia Scarpatti.

Silvina Chaine, cuando entró a *Hora 25*, solo tenía experiencia como productora de cine. Había trabajado como secretaria de producción con el director Eliseo Subiela en las películas *Hombre mirando al sudeste, Últimas imágenes del naufragio* y *El lado oscuro del corazón.* Chaine necesitaba un poco más de dinero y su amiga, la periodista Schettini, le dijo:

—Si podés cortar cinco calles para filmar un domingo a la mañana podés invitar a cualquier actriz, actor o director al piso de una radio a las 12 de la noche sin ningún problema.

Chaine estaba estudiando Artes Combinadas en Filosofía y a Lanata, eso le encantó. Cuando la recibió en su casa de Las Heras para contratarla, le dijo:

—Para ser periodista no hay que estudiar comunicación social. Es mejor tener cultura general y mucha actitud. Lo demás viene solo.

Trabajaron más de quince años juntos. Ella, a pesar de lo que dijo Polimeni, no parece arrepentida.

—Hora 25 *fue un programa de culto. Potente, íntimo, y que le dejó una marca a mucha gente. Hacíamos programas memorables. Quizás uno de los más recordados haya sido* Egotrip *porque, en esa época, había que ser muy creativo y muy audaz como para hacerse una entrevista a uno mismo.*

—¿Te trataba con violencia?

—*No. Pero era muy arbitrario, como todos los tipos talentosos que saben lo que quieren. Y no era un periodista convencional.*

—¿Cuándo y por qué dejaste de trabajar con él?

—*Fue en 2005, cuando estábamos haciendo la mañana de Del Plata. Me había enamorado y quería dejar de trabajar full life. Sabía que con él no tenía alternativa. Le sugerí que me reemplazara por gente más joven, que viniera con más ganas. Le dije que nuestra relación de laburo no merecía ingresar en la etapa de la decadencia. Creo que no le gustó mucho, pero la vida es así.*

Eliana Braier entró a *Hora 25* durante el último año, a principios de 1993, por recomendación de Polimeni, cuando tenía 23 años. Lo que determinó su ingreso fue la entrevista que le hizo a Luca, cuando estaba en quinto año del colegio. Dejó de trabajar en el programa en septiembre, porque tenía fecha de casamiento. Eliana es productora especialista en estrellas. Soportó durante varios años a Mirtha Legrand, hasta que decidió bajar un cambio y elegir un trabajo menos estresante. Lo que más recuerda de *Hora 25* es, otra vez, *Egotrip*.

—*Era una locura hacerse un reportaje a él mismo. Sin embargo, Lanata lo produjo como si fuera para otro. A mí no me había gustado la decisión: me parecía un formato demasiado vanidoso. Igual le escribí una serie de preguntas. Con una se quebró, mal.*

—¿Qué le preguntaste?

—*Le dije que si a los 27 años ya había fundado un diario, que es lo máximo donde puede llegar un periodista, qué le quedaba para la próxima década. Alguna cosa íntima le habré tocado, porque Lanata me respondió: "¡Qué hija de puta sos, Braier!".*

—¿Qué tenía *Hora 25* que generaba tanta complicidad entre los oyentes?

—*Generaba climas impresionantes. Cuando Lanata estaba solo en el estudio, apagaba la luz y dejaba prendido solo un velador en el control. Hablaba y al mismo tiempo buscaba desesperadamente la mirada de alguien. Además hacía muy buenas entrevistas. Y a mí, por lo menos, me escuchaba. Yo le comenté la existencia de una banda muy buena y en ese entonces no tan conocida. Le propuse entrevistar a su líder porque la nota iba a ser muy buena. Él no los conocía y aceptó. La banda era La Bersuit Vergarabat. Su líder era Gustavo Cordera. ¡Qué loco! Quince años después Lanata terminó dirigiendo un videoclip: La argentinidad al palo.*

–¿Cómo te trataba?

–*Bien. Siempre fue muy generoso. Antes del programa íbamos a comer a un barcito en la esquina de Belgrano y Paseo Colón. Estábamos Chaine, Florencia Scarpatti y yo. Él nunca nos dejaba pagar. Además cuando salía el aviso del programa en* Página, *se ocupaba que estuviera el nombre de todos, junto con el dibujito de Rep. Se podría decir que en esa época tenía debilidad por las chicas lindas: invitaba al piso a chicas lindas que en esa época eran figuras, como Marisa Mondino y Lara Zimmerman. Esos programas eran los peores, porque él sucumbía ante su belleza y se las quedaba mirando, sin decir una palabra. Pero volviendo a su generosidad: cuando terminaba el programa, siempre nos llevaba a nuestras casas con su auto, un Suzuki Swift rojo.*

Por la información que pude obtener, Lanata dejaba primero en su casa a Chaine, después a Braier y última a Scarpatti.

Como se verá más tarde, al itinerario no lo eligió por pura casualidad.

Pero Lanata estaba solo –quiero decir, sin ninguna acompañante– cuando ingresó con Charly García, de madrugada, al baño de la disco de Punta del Este donde el músico agarró del brazo a una chica de minifalda y le dio de tomar de la buena hasta que ella se desvaneció y todos allí creyeron que se moría.

A Lanata le quedó impregnada en la memoria no solo la sensación de tragedia inminente. También se le grabó a fuego la pasmosa tranquilidad con la que reaccionó el creador de Sui Generis y Serú Girán, cuando después de darle a la chica suaves golpecitos en la cara, diagnosticó:

–*Tranquilos, está todo bien. Parece que le bajó la presión. Ahora no tiene nada.*

Después de aquello, Charly le hizo un guiño a Lanata y se lo llevó a la velocidad de un rayo, con el mismo ímpetu con el que habían entrado. Ambos terminaron la jornada a las nueve de la mañana. En realidad se engancharon mal en una feroz discusión sobre la carrera artística de García. A pesar del estado en que ambos estaban, el músico no se lo olvidaría jamás.

Al recordar los flashazos del verano de 1993, Lanata escribió:

–*Fue García, durante todos estos años, quien me hizo asombrar una y otra vez del umbral de resistencia del cuerpo humano. Asusta saber que somos capaces de soportar mucho, muchísimo más de lo que somos capaces de imaginar. El tipo estaba vivo y seguía teniendo doscientos veinte voltios en la punta de los dedos.*

Aquella crónica de Lanata tiene una historia dentro de la historia. Fue redactada horas después del inolvidable reportaje que el periodista le hizo al músico en *Día D (ajustado)*. Ambos se enredaron en una discusión de egos. Sucedió en el estudio 3 de América, un jueves de 1999. Charly se había agenciado dos botellas de JB.

Empezaron a hablar de las invitaciones de Carlos Menem a la Casa Rosada. Entonces García explicó que el Presidente era su fan. Y sentenció que el arte, siempre, estaba por encima de la política. En ese contexto el artista le preguntó al periodista:

—¿*Sabés lo que es el arte?*

Y Lanata, desafiante, le devolvió la pregunta.

—No. ¿Vos?

Charly pasó al ataque:

—*Sí, cagarte de frío.*

—No, no es sólo eso. Hay gente que se caga de frío y no hace arte.

El músico lo desafió con una pregunta.

—¿*A vos te parece que yo soy artista?*

Y Lanata no fue generoso:

—No lo sé. En serio, no lo sé. Yo creo que hiciste grandes cosas y que después te empezaste a copiar a vos mismo y creo que te das cuenta.

Entonces, el mejor de todos los tiempos le disparó:

—*Yo creo que sos un pelotudo.*

Fue una de las pocas veces en las que Lanata se quedó sin palabras.

Y pareció el precio justo que tuvo que pagar alguien que, como él, entró en cuerpo y alma al mundo del rock y lo quiso trasladar a la tele, sin anestesia y sin filtro.

Además de quienes vieron el programa en vivo, ese breve diálogo fue observado en YouTube por casi cuatrocientas mil personas. Sin embargo, pocos recuerdan que el tiroteo verbal continuó de la siguiente manera:

—*Yo creo que vos sos un pelotudo.*

Risas en el estudio. El ataque de García había desconcertado a Lanata y se produjo un larguísimo silencio. El periodista solo atinó a decir.

—Gracias.

—*De nada...*

De nuevo risas y silencio. Charly bajó entonces medio cambio.

—*... Pero bien.*

Lanata quiso saber y se la dejó picando:
—¿Y cómo es un "bien pelotudo"?
García le mojó otra vez la oreja.
—*No sé, sale por televisión.*
Lanata intentó encauzar la conversación:
—¿Estás muy en desacuerdo con lo que dije?
—*Sí. Claro.*
—Bueno, entonces sos mucho mejor. Sos-el-mejor.
—*Claro, porque si yo no soy un artista Mercedes Sosa tampoco lo es.*
—Claro.
—*¿Entonces? Uno a cero.*
—¿Qué? No es así.
—*Sí. O es así o Mercedes Sosa no es un artista.*
—Sos un artista.
—*Sí. Y además soy un artista muy bueno.*
Más risas. Lanata las quiso aprovechar para gastarlo un poco.
—Y aparte sos alto.
Entonces García le tiró con un cañón:
—*Y aparte no me traicioné.*
Y Lanata saltó como leche hervida.
—¡Y este pelotudo tampoco, nunca, se traicionó!
Pero el músico lo desconcertó otra vez.
—*¿De quién hablás?*
—De mí.
Se produjo un nuevo e interminable silencio, hasta que Charly dijo:
—*¡Ahhhh!… Me hacés acordar a Fito… Un poco, me hacés acordar.*
Otra vez silencio y desconcierto. Charly después continuó:
—*Yo lo quiero mucho a Fito.*
—Él también a vos.
—*Claro. Podemos hacer un trío.*
—Sí.
—*Sí. Los tres pelotudos.*
El ego de García, el de Lanata y el de Páez también quedaron expuestos, durante varios minutos, a la vista del gran público.

Esta vez, el entrevistador no había puesto al entrevistado frente a un espejo. Pero García, esa noche, y hecho mierda como estaba, sintió que le había dado al amigo de su enemigo algo de su propia medicina.

Nada más y nada menos que un poco de *rock and roll*.

Ahora Lanata reconoce que está en otra parte. O mejor dicho: que la vida lo puso en otra parte.

—*Charly estaba enojado conmigo porque tenía celos de Fito. Pero Charly es mucho mejor que Fito. Y ahora sé que lo fue siempre. Con Fito nos dejamos de ver. Estamos distanciados. Es un buen pibe, pero a veces dice boludeces. Ahora está muy "K" y no entiende razones. ¿Para qué lo voy a llamar si a los cinco minutos nos vamos a poner a discutir?*

7

TELE/1

Lanata probó por primera vez la droga de la tele en enero de 1996, cuando debutó con *Día D* por la pantalla de América. Parecía un boxeador de peso pesado sin estilo: iba para adelante, tiraba trompadas, pero cada tanto le embocaban una y le hacían besar la lona. En diciembre de 1997 experimentó el primer síndrome de abstinencia televisiva. Fue cuando, según Lanata, el entonces presidente Carlos Menem y el empresario Eduardo Eurnekian lo sacaron del aire por cuestiones políticas y lo presentaron como un hombre ambicioso y desesperado por el dinero. *La Bestia*, tiempo después, transó con el hombre que lo había despedido y regresó a la pantalla en julio de 1999. Más tarde, otro empresario, Carlos Ávila, lo volvió a dejar sin aire en la temporada 2004. Lanata se tomaría revancha recién nueve años después, en abril de 2012. Lo haría de la mano del Grupo Clarín, el multimedios en el que —según él mismo sentenció, el 23 de noviembre de 1996— jamás trabajaría.

—*No hay nada peor en la humanidad que la televisión. Es peor que la guerra y las enfermedades. Te peleás a muerte por espacios de poder como si en ellos te fuera la vida* —explicó Lanata el 25 de mayo de 2002. Fue justo cuando se acababa de pelear, a muerte, con Adrián Paenza, uno de sus mejores amigos, porque él quería volver a conducir su programa y el otro pretendía que regresara como columnista.

La historia secreta de esa pelea sin retorno incluye discusiones por dinero, enamoramientos súbitos y una competencia de egos que haría las delicias de cualquier terapeuta vocacional. Será contada a su debido tiempo.

Cuando Lanata empezó a conducir su propio programa de tele tenía 35 años y atravesaba una de las etapas más complicadas de su vida. Tomaba demasiada cocaína. Ingería grandes dosis de alcohol para bajar de la subida que le producía la droga. Creía que era inmortal.

Quizá por eso, además del contrato con la tele, negoció, como hacen

155

los jugadores de fútbol de primera, una *prima* de cien mil dólares para pasar de la Rock & Pop a Radio City.

Fue aquella, como diría el empresario del rock Daniel Grinbank, una *cocaine decision*.

El propio Lanata lo reconoció:

—*Quise hacer todo a la vez y no me lo banqué. Era un delirio. Una época de malambo completo. Estaba pasado de todo. De minas, de alcohol, de merca y de laburo. Me acostaba a cualquier hora. Mi estado natural era de locura y de presión. Era un verdadero quilombo. Nunca llegaba a la radio a horario. La gente me esperaba a las 7 y yo caía 8 y media. Los oyentes me reputeaban, con toda la razón del mundo. Tuve que dejar la radio porque no me lo banqué más.*

Una semana después del estreno, un Lanata ya desencantado con la tele, escribió el poema titulado, precisamente, *Día D: Primera semana*.

> *Era esto.*
> *¿Era esto?*
> *¿Puedo ser tan menor?*
> *Mi alma se está cansando de escuchar excusas*
> *Y todo el mundo sabe*
> *lo que pasa*
> *cuando las almas*
> *se cansan.*
> *Acá no hay idiotas.*
> *Acá no hay ingenuos.*
> *Hay cerdos melancólicos*
> *de haber sido palomas*
> *y ni siquiera barro.*
> *Acá hay metal.*
> *Aluminio frío*
> *con bordes de seca esponja gris.*
> *Sigo sin entender*
> *cómo llegué.*

Parecía incómodo. Y antes de terminar la primera temporada, aturdido por la fama, escribió, una vez más, que de verdad pensaba mudarse hacia el otro barrio. A esta nueva confesión le puso de título, *Relojes*. Estas fueron las primeras líneas del texto:

*Soy, a los 36, un tipo encerrado en una casa de Belgrano, tomando
merca para soportar la vida, buscando donde no hay nada. Pienso
sinceramente en matarme y un segundo después pienso un proyecto,
y las dos cosas son verdaderas.*

Y estas fueron las últimas:

¿Quiero detenerme? No.
¿Quiero fracasar? No.
Quiero.
No sé,
todo lo que se pueda decir
es mentira.

Lanata me explicó su debut en televisión como un paso natural luego
de su dolorosa despedida de *Página/12* y de su exitosa incursión en la
radio, con *Hora 25* primero y *Rompecabezas* después. Incluso me dijo
que, antes de firmar su contrato con América, lo había llamado Alejandro Romay para hacer algo en Canal 9. Aquel encuentro es muy poco
conocido:

–*Yo todavía estaba en* Página/12. *Romay me ofreció que empezara a
hacer televisión con (Mariano) Grondona y no quise. Fue muy loco. Porque yo quería hacer un programa los domingos pero pretendían que fuera
un lunes. Entonces dije que no. Romay se sorprendió. Me dijo: "Usted no
puede decir que no. Acá hay una enorme cola de gente que quiere hacer
televisión". Yo le respondí: "Prefiero esperar". Entonces él me ofreció ser
columnista de* Nuevediario. *Llegamos, incluso, a hacer pruebas de cámara.
Estuve un mes y medio, una vez por semana, grabando una columna, en un
estudio vacío, con una sola mesa como escenografía. Antes de ensayar, me
sentaba en el Open Plaza a preparar lo que iba a decir. Me acuerdo de que
escribía un gran sumario. Después tachaba, tachaba y tachaba, hasta llegar
a una o dos ideas centrales. Entonces lo grababa. Y después mirábamos el
tape, juntos, con Romay. Ahí empezaron las diferencias. En aquel momento
yo usaba barba entera y Romay quería que me afeitara. Yo iba con saco de
colores y él me los quería hacer cambiar. Yo ni me movía y Romay me pedía
que golpeara más la mesa. En una de esas discusiones él me dijo: "Mire,
Lanata: el programa es el conductor". Y yo, soberbio, retruqué. "No, Romay:
lo importante es el equipo". Pero él tenía razón: lo comprobé durante un
programa en el que invité a Maradona y Ben Johnson. Ese bloque midió
menos que el siguiente en el que estuve yo, hablando dos boludeces.*

El recuerdo que tiene Fernando Moya, su mánager, de cómo Lanata logró debutar en televisión, es bastante distinto:

—*Cuando quisimos empezar a hacer televisión nadie lo quería contratar. Ni Canal 13. Ni Gustavo González de Canal 9. Él dudó entre nosotros y Gerardo Sofovich y al final se quedó con* La Noche del domingo. *(Gustavo) Yankelevich (de Telefé) me dijo que le gustaba pero que no estaba seguro. Eurnekian me advirtió: "Yo me animo a traerlo. Pero no te doy nada, excepto el estudio".*

—¿Qué lo convenció?

—*Supongo que la manera en que se lo "vendí". Había sido el creador de* Página/12. *Le iba bien en la radio, tenía llegada a la gente. También supongo que América lo "compró" porque Adolfo Castelo iba a ser la producción ejecutiva y él era un hombre de televisión. Recuerdo que las reuniones con Eurnekian eran breves y productivas. América ponía el estudio y yo me tenía que hacer cargo de todo lo demás: la artística, la comercialización del programa y los sponsors.*

—¿Ganaron mucha plata?

—*El primer año, 1996, casi nada. Pusimos guita durante los primeros meses y a fin de año terminamos empatados. Además, habíamos firmado otro acuerdo con Radio City que era un delirio: teníamos un montón de gente contratada y Jorge no podía con él mismo. En el segundo año, sí, ganamos muchísimo. Para entonces, facturábamos unos 300 mil dólares/pesos por mes. Pagábamos pocos sueldos, gastábamos un poco de guita y nos quedaba una torta. Fue un negocio fabuloso.*

—¿Y qué pasó con el dinero de la prima para pasar de Rock & Pop a FM City, la radio de Eurnekian?

—*Esa fue para el conductor* (risas). *Después nos anticipó un dinero para el movimiento de toda la mañana, porque era de 7 a 13 horas. Como Lanata no pudo cumplir, esa plata se la devolvimos a Eurnekian.*

Para asegurarme de cómo habían sido los términos de la negociación global, se lo pregunté a Eurnekian dieciséis años después. Él quiso aclarar:

—*Yo no le pagué una fortuna. Él pidió una fortuna, que es distinto. Y pidió una fortuna de puro desconfiado. Para mí, en suma, la de Lanata no fue una negociación inteligente.*

Otro que tiene un recuerdo agridulce del polémico contrato radial entre Lanata y Eurnekian es Héctor Calós, socio gerente de Vocación, la consultora que se sigue ocupando de la parte comercial del conductor. Y es porque Lanata lo dejó afuera.

—*Vocación empezó a producir a Lanata en radio en 1993, el último año de* Hora 25. *Era una hora a las 12 de la noche y la pagábamos 5 mil dólares. En 1994, durante la primera temporada de* Rompecabezas, *Lanata llegó a cobrar 20 mil dólares por mes. El programa andaba muy bien. La mesa era importante. Estaban (Adolfo) Castelo, (Norberto) Verea, (Román) Lejtman, María O'Donnell, (Ernesto) Tenembaum, (Martín) Caparrós, y (Carlos) Polimeni. Hasta Miguel Ángel Solá, venía a hablar a la radio. En la producción estaban Silvina Chaine, Luciano Galende y Florencia Scarpatti. Usaban tres despachos completos de las oficinas de Vocación en la calle Perú. Hicimos dos temporadas muy buenas. En diciembre de 1995 Lanata, como siempre, nos pidió dinero adelantado. Lo consulté con los productores asociados, la familia Suez y también con la Rock & Pop. Después le expliqué que no podíamos. Que ya le habíamos anticipado 20 mil dólares y que había que esperar la cobranza de la publicidad. Entonces él me dijo que se iba a Radio City porque Eurnekian sí tenía dinero para adelantarle. Por supuesto que no nos cayó nada simpática su decisión. Pero ¿qué íbamos a hacer? Lanata es así.*

Día D arrancó en la tele el domingo 7 de enero de 1996, a las 21. Lo producían Adolfo Castelo y Alfredo Pocino.

La única experiencia anterior de Lanata en televisión –más allá del curioso entrenamiento que practicó junto a Romay y su papel de invitado en *Hora Clave*, de Mariano Grondona– había sido como productor y conductor de su programa de cable *Viaje al fin de la noche*. Se emitió por Much Music algunos viernes y sábados del año 1995, a las diez y media de la noche. Era, en esencia, bastante parecido a *El otro lado*, el programa que produjo y condujo Fabián Polosecki entre 1992 y 1993 por Argentina Televisora Color (ATC). ¿Qué hacía Lanata en *Viaje al fin de la noche*? Salía con una camarita y le hablaba a las chicas al oído en alguna disco. O se metía en el cementerio o en el zoológico y leía sus propios textos en off con un tono íntimo y personal.

Pero *Día D* fue, desde el comienzo, un programa distinto.

Abandonó la clásica mesita y el helecho de los programas de cable.

Innovó con una escenografía de letras y números gigantes que funcionaban, a la vez, como un calendario y como soportes para que el conductor se moviera por el piso del estudio y se pudiera apoyar en ellos.

Se introdujo en los temas de la semana por medio de "interferencias" en las que tomaba material de todos los noticiarios.

Grabó los copetes y las entrevistas íntimas y a solas, muy parecidas, en su concepción y desarrollo, a las que había realizado Jesús Quintero en su programa *El Perro Verde*, algunos años atrás.

Sin embargo, su principal novedad era el propio conductor.

Para empezar, Lanata era gordo, algo que parecía por lo menos raro para le televisión de entonces.

Tuteaba a sus entrevistados y compañeros en el piso.

Miraba directamente a la cámara con ojos de niño triste.

Se vestía con unos chalequitos que lo hacían parecer más joven de lo que era.

Ya empezaba a usar marcas de ropa consideradas menemistas, como George y Kenzo. George es una sastrería donde se vistieron Bernardo Neustadt, Jacobo Timerman, Fernando de la Rúa y Carlos Menem, entre otros.

Lanata, como si esto fuera poco, fumaba en el aire.

La autorización para que lo hiciera fue uno de los últimos puntos del contrato que firmaron con el empresario Eurnekian. Aquel toma y daca fue recordado por el propio Lanata. Además sirvió para discutir, mano a mano, la relación entre su costumbre de fumar, el marketing y la conducta ética de los periodistas que prestan su figura para hacer publicidad. Lanata explicó:

—*La historia del cigarrillo empezó con Eurnekian en América, porque nadie antes había fumado en un estudio del canal. Eurnekian quería negociarme la cantidad de cigarrillos que podía fumar. Me decía "fumá solo en los cortes". Yo le respondía: "¿Cómo solo en los cortes? Yo fumo, qué le voy a hacer". Después me pidió "fumá no más de cinco". Entonces en un momento lo paré a él y a otras dos de personas que estaban con él. Les pregunté la edad y después les planteé: "¿No somos todos demasiado grandes como para estar discutiendo estas bolucedes?" Llegamos a una decisión salomónica. América alquiló Estrellas, el estudio que era de Héctor Ricardo García, para que yo pudiera fumar. Me acuerdo de que pagaron un alquiler de 30 lucas verdes por mes.*

—Es decir: El "niño Lanata" se encaprichó y se salió con la suya.

—*¡Yo fumo, boludo, no es marketing! Quiero decir: fumo en la vida. No saco ventaja de eso. Mil veces me ofrecieron hacer PNT (Publicidad No Tradicional) y lo rechacé. Un día vinieron los de Jockey a ofrecerme un negocio. Yo les dije: "No, gracias. Fumo Benson americanos". Me doblaron la apuesta. Me dijeron: "¿Qué importa? Te ponemos los cigarrillos y el tabaco de Benson adentro de un paquete de Jockey". Les respondí: "No quiero, porque eso es mentira". Yo fumo lo que fumo. Y me perdí bastante guita por no salir a vender cigarrillos.*

—Pero al mismo tiempo hiciste publicidad para Sprite. Y supongo que no habrá sido gratis.

—*¿Qué tiene de malo haber hecho la locución de Sprite, boludo? Era* *divertido. Spike Lee hizo publicidad. Spielberg hace publicidad. A mí no me pareció mal hacerlo. Es más, yo tomo Sprite Light. Yo soy periodista de toda la vida pero también conduzco radio y televisión. Ahí los bordes son más difusos. Sí me rompería las bolas decirle a la gente que uso o hago algo cuando en verdad no lo hago. Y claro: gratis no fue.*

—¿Cómo hiciste para convencer a la gente de Turner con el tema del cigarrillo? ¿Tuviste que firmar una cláusula especial para hacer *Bric* o *26 personas para salvar al mundo* y que te dejaran fumar?

—Tuve que ir a Atlanta a discutirlo. Atlanta es Atlanta. Atlanta es como Dios. Con el cigarrillo primero me dijeron que no. Después que sí, pero solo en exteriores. Y acepté porque casi todos los programas los realizamos en exteriores. Pero un capricho no es. Con (radio) Mitre, por ejemplo, llegamos a un acuerdo justo: me pusieron en un estudio para cancerosos y con gradas, para que pueda venir público. Entonces: por un lado fumo, por el otro la Asociación Mutual del Personal de la radio me cobra una multa por hacerlo y Mitre la paga. ¿Cómo? Con tres mil pesos por semana que obtiene de la comercialización de la página web que muestra cómo se hace el programa.

El rating de los primeros programas de la primera temporada de *Día D* no fue espectacular.

Lanata alcanzó un promedio de 5 puntos. Fue superado por el *Cine de Canal 9* con un poco más de 6 puntos. El 13 logró 7 con *Los mejor del Mago David Copperfield* y Juan Alberto Mateyko, con su *Movida del verano*, superó los 8. La medidora que lo audió no fue IBOPE sino Mercados y Tendencias.

Un mes después del estreno de *Día D*, Pablo Sirvén, uno de los pocos periodistas especializados de televisión, escribió la primera crítica para la revista *Noticias*.

El impacto que tuvieron esas pocas líneas sobre el ánimo de Lanata fue enorme.

Sirvén tituló a su crítica "Una panzada de periodismo". Fue, en términos generales, muy elogiosa. Le puso cuatro estrellas sobre cinco. Colocó a Lanata por encima de "los aprendices de Bernardo Neustadt". Lo llenó de adjetivos que al periodista le encantaron. Veleidoso, creativo, posmoderno, provocador nato y buen preguntador fueron algunos de ellos.

Sirvén le pegó duro tanto al columnista de Economía, Marcelo Zlotogwiazda, como a Castelo, explicó que le aportaban poco y nada al programa. Sin embargo, destacó el trabajo de edición de Daniel y Josi García, los hermanos de Charly García.

Cuando Lanata la terminó de leer llamó a Sirvén y... ¡le ofreció trabajo!

Me lo dijo el propio Sirvén:

—*Sí, me ofreció trabajo como su crítico privado.*

—No entiendo.

—*Claro. Me pidió que fuera a ver el programa cada vez que lo grababa y que le hiciera las críticas ahí, para poder mejorarlo. Una especie de crítico o asesor rentado. Un asesor periodístico. Que lo mirara y le hiciera sugerencias.*

—¿Y vos qué le respondiste?

—*No acepté. Porque sabía que eso me hubiera impedido criticarlo con independencia después.*

Sirvén hizo bien.

Porque años más tarde sucedió lo que el periodista tanto temía: ante una crítica adversa, Lanata reaccionó de la peor manera. ¿Qué hizo? Grabó una apertura en la que mostró distintos niveles de lo que parecía ser el infierno y en el último incluyó un busto de yeso del propio Sirvén. Al explicarlo en el aire Lanata comparó a los críticos con los eunucos.

En realidad, el vínculo de Lanata con Sirvén no es muy diferente del que el exdirector de *Página* mantiene con muchos de sus colegas. Pero las reflexiones del periodista de *La Nación* muestran que nunca soportó la más mínima crítica.

—Si tuvieras que escribir una biografía profesional sobre Lanata, ¿por dónde empezarías?

—*Lanata está en la galería de Natalio Botana y de Jacobo Timerman. Es uno de los grandes editores de la Argentina, con todo lo que ello implica. Es decir, su narcisismo, su genialidad, su talento y su arbitrariedad. Por otra parte se edita a sí mismo: en la radio, la tele, los libros y hasta el teatro de revistas.*

—¿Es el mejor de nuestra generación?

—*No sé si Lanata es el mejor de todos nosotros. Sí es el más notable. Un gran showman que no renuncia ni a la información ni al entretenimiento. También el más creativo. Yo diría el que hizo más ruido. Y su carisma es tan importante que te hace olvidar, por ejemplo, el hecho de que toma un enorme manojo de papeles y los empieza a leer. Por otra parte es un tipo muy agresivo, que no se banca la crítica. También es verdad que la bronca se le pasa con el tiempo.*

Después de ofrecerle laburo y de haberlo mandado al infierno, Lanata le regaló a Sirvén su propio busto de telgopor, envuelto en papel celofán. Fue porque le cayó simpático el hecho de que Sirvén tomara con humor la presentación de su busto trucho. Años más tarde se volvió a enojar por una nueva crítica que Sirvén escribió en *La Nación*. Se lo hizo saber al negarse a concederle una entrevista que Pablo le pidió para Canal (á). El enojo se disipó luego de que Sirvén le enviara un mail simpático en el que le escribió que no le podía hacer semejante "mariconada". Un día de 2011 el autor de *Días de Radio* lo fue visitar a su casa y le dio en la mano la edición actualizada de su libro *Perón y los medios de comunicación*. Relató Sirvén:

–*Fue la mejor inversión que hice. Porque desde que se lo di no dejó de hablar del libro, no solo en su programa de Canal 26, sino en cuanto programa fue de invitado.*

Poco tiempo después, sucedió algo curioso: Lanata reprodujo en su columna del diario *Perfil* varios párrafos idénticos a los que Sirvén había escrito en su libro. Y el periodista de *La Nación* escribió un tweet con el registro del hecho. (Véase el capítulo "13. Periodistas".)

Concluyó Sirvén:

–*Los twitteros k se hicieron una panzada comparando el texto original con el artículo de Jorge. "Plagiador" fue lo más suave que le escribieron. Yo no me sumé a la polémica porque no le quise hacer daño. Él me escribió un mail pidiéndome disculpas. Me dijo que se "había olvidado de citarme". A mí me pareció un poco raro. Pero Lanata es Lanata, ¿no?*

"Lanata es Lanata" es lo mismo que me dijo María O'Donnell, la conductora de *La Vuelta*, por Radio Continental, y autora de *Propaganda K*, el primer libro que investigó la distribución discrecional de publicidad del expresidente Néstor Kirchner y su sucesora, Cristina Fernández.

Lo conoció a fines de 1991 o principios de 1992, cuando rendía las últimas materias de Ciencias Políticas. María empezaba a leer *La novela de Perón*, de Tomás Eloy Martínez cuando se encontró con una dedicatoria a su papá, el sociólogo Guillermo O'Donnell. Como ella quería ser periodista, le pidió a su padre que la conectara con Eloy Martínez, quien dirigía *Primer Plano*, el suplemento de cultura de *Página*, o con el propio director del diario.

Lanata la tomó, la incorporó al suplemento y le empezó a pedir informes para las notas que después escribió él mismo.

–*Lanata ya era Lanata. Estaba intentando ser autor de ficción, en tránsito entre su figura de director de diario de izquierda y rockstar. Andaba todo el día con Juan Forn (entonces editor de Planeta), Rodrigo Fresán, Gabriela Esquivada y Charlie Feiling. Me encargó, entre otras cosas, un informe sobre la vida de (Jerome David) Salinger y otro sobre*

Julio Cortázar. Jamás me preguntó si sentía que podía hacerlo o no. Siempre me mandó al toro, como hacía con todos.

O'Donnell después se empezó a ocupar de política. Cubrió la interna del Movimiento al Socialismo; el MODIN, de Aldo Rico; y del FREPASO. La periodista terminó reemplazando a Tenembaum en *Rompecabezas* cuando Ernesto viajó a los Estados Unidos para hacer uso de la beca de Stanford.

–*¿Sabés lo que hizo entonces el guacho? Me dijo que lo fuera a visitar a la Rock & Pop, donde hacía* Rompecabezas. *Era el año 1995. Yo tenía 23 o 24 años. ¡Y me hizo hablar al aire sin que yo supiera que lo estaba haciendo! Un verdadero inconsciente. Me mandó a los bifes sin preguntarme ni siquiera si tenía ganas.*

–Bien podía tomarse como un juego.

–*No fue un juego. Él es así. No le importa nada. Y en la tele era peor. Yo estaba en la producción del programa junto a Castelo y Chaine, entre otros. Nos había pedido una nota con el (entonces jefe del Ejército) general (Martín) Balza. Era un reportaje muy difícil de conseguir. Después de meses nos confirmó. Fuimos a verlo con Chaine, todas emocionadas a avisarle. ¿Sabés que nos dijo? "Ahora Balza me la pela". ¿Cómo "Balza me la pela"? ¡No lo podíamos creer! Lo queríamos matar. Y eso no fue lo más loco que me hizo. Lo peor fue cuando se cumplieron veinte años del golpe de marzo de 1976. Me mandó a hacer un móvil a Plaza de Mayo. Me dijo que no me preocupara. Que seguro no saldría al aire porque no pasaría nada. Al final no solo me mandó al aire, sino que me subieron arriba de un banquito para que no quedara tan bajita. En cuanto se enteró, se empezó a cagar de risa y le pidió al camarógrafo que abriera el plano. Me hizo sufrir. Tartamudeé. Lo odié. Igual nunca me voy a olvidar de lo que me dijo cuando me contrató: "Si sabés escribir sujeto, verbo y predicado podés hacer periodismo; lo demás depende de vos".*

En aquel día en que hizo sufrir a María O'Donnell, Lanata también hizo emocionar a una buena parte de la audiencia, cuando leyó en pantalla la carta que le escribió a su hija Barbarita, a propósito del 24 de marzo de 1976.

Entonces la llamaba Burbu. O Burbita. Y le empezó a escribir partiendo del hecho de que su hija le había preguntado a su mamá, Andrea Rodríguez, mientras ambas miraban el programa *Siglo XX Cambalache*, si aquel país en el que se quemaban libros era el país de ella o el de su abuela María Luisa.

Lanata terminó la carta así:

–*No, Burbita, era el nuestro. Era el país de mamá y el mío, y, aunque los dos éramos chicos, fue una lástima que no alcanzáramos a juntar todos los libros para que no los quemaran. Te quiero mucho, mucho.*

Fue un gesto de alto impacto. Mezcló información, memoria y ternura de papá en un solo movimiento.

Hacía solo tres meses que había ingresado a la industria. Ningún periodista de la televisión argentina se había atrevido a tanto.

No fue el único llamado de atención de la primera temporada.

También hizo un ruido considerable al anunciar que revelaría la declaración jurada de impuestos del polémico ministro de Economía, Domingo Cavallo.

El ministro cometió el error de presentar un recurso de amparo para evitarlo. Entonces Lanata se encargó de amplificar el tema. Para eso llamó al juez a cargo, Gabriel Cavallo, cuando todavía no había tomado la decisión de fallar en un sentido o en el otro. Era la primera vez que hablaba con él.

—*Usted va a convalidar un acto de censura* —fue lo primero que le gritó.

—Y usted es un maleducado que me está acusando de cualquier cosa cuando todavía no tomé ninguna decisión —le respondió el magistrado.

Horas después, a pesar de la presión del entonces miembro de la Corte Suprema, Rodolfo Barra, el juez autorizó a Lanata a publicar la declaración jurada del ministro de Economía.

—*Así nos conocimos con el cabrón de Jorge. Hoy lo considero uno de mis mejores amigo*s —me dijo Gabriel Cavallo, el hombre al que le hicieron siete stents después de haber compartido con Lanata la aventura del fracaso de *Crítica*. (Véase el capítulo "15. Decepción".)

El 27 de abril de 1996 *Noticias* le dedicó a Lanata la primera tapa de su vida. Aparecía apoyado sobre unos monitores donde se encontraban apilados, de arriba hacia abajo: Neustadt, Grondona, Longobardi y a la vez lo pisaba a Daniel Hadad. Es decir: los pasaba a todos por encima. El título: *Transgresor exitoso*. La bajada: *En menos de cuatro meses, Jorge Lanata se convirtió en la nueva estrella de los programas periodísticos. Alcanzó los 10 puntos de rating y ahora saldrá al aire todas las noches. Fuma, tutea y pregunta lo que otros no se animan. El secreto de un estilo directo, irreverente y discutido que está dando vuelta la televisión.*

A la nota la escribió y la firmó Sirvén.

Ya era un Lanata auténtico. Las respuestas a las preguntas que respondió aquella tarde, mientras conversaba con Pablo en Clásica y Moderna, todavía mantienen cierta vigencia. Vale la pena reproducir algunas:

—¿Qué es lo primero que ve cuando mira al espejo?

—Veo a alguien que está peleando.

—¿Contra quién?

—Contra sí mismo y contra los demás.

—¿Le tiene miedo a los espejos?

—Les tengo fobia. Te muestran que no sos tan lindo como creés, sino más bien un escracho.

—Antes tenía barbita y usaba campera.

—Tenía cara de bebé. Por eso me dejaba la barba. Un día dije: "Ya estoy viejo", y me afeité. Tiene que ver con una cuestión íntima, no política.

—Antes mantenía un discurso más de izquierda.

—Yo en ese momento votaba a la izquierda y ahora también. En este país todo está muy corrido a la derecha. Hoy me interesan más los temas humanos que políticos. Porque el hambre es un problema político pero el egoísmo es un problema humano.

—¿Su formación de izquierda lo hace sentir culposo por tener un mejor estándar de vida?

—Yo no siento culpa. Gano buena plata y tengo una relación extraña con ella: me la patino apenas la tengo.

—¿Qué lo atrapa de la televisión?

—La curiosidad por algo que desconozco.

En las fotos de la tapa y del interior de la revista, Lanata aparecía con el cigarrillo en la mano, y con cierto aire de despreocupación. Sin embargo, durante las horas previas a la salida de la revista, Lanata llamó decenas de veces a Sirvén para saber si en verdad iba a aparecer en la tapa o le iban a dedicar solo una solapita en la portada.

—Estaba súper ansioso. Me parece que sentía que se estaba jugando parte de su carrera —interpretó Sirvén.

Pronto Lanata se instaló como tema de polémica entre los argentinos más o menos politizados, igual que Bernardo Neustadt lo había sido tiempo atrás.

Un día de ese mismo año, el periodista Daniel Guebel le preguntó si no estaba arrepentido por la entrevista tan complaciente que le había realizado a Diego Maradona. Lanata le devolvió un enorme misil.

—¿Complaciente? Lo único que no le pregunté es quién era su dealer. Y no se lo pregunté porque ya se lo habían preguntado y él dijo que no era buchón.

En el mismo año de su debut una telespectadora lo llamó por teléfono y lo acusó de no hablar de PAMI por haber recibido dinero de su entonces interventor, Ángel Perversi.

166

Lanata le preguntó:

—*Señora, ¿me podría decir qué edad tiene?*

La mujer le dijo que tenía 36.

—*Entonces hágame un favor: váyase a la mierda.*

Muchos argentinos que vieron la escena y otros que se enteraron después se enojaron con Lanata. Lo calificaron de maleducado. Pero Lanata, en vez de pedir perdón, siguió haciendo marketing con el episodio del escándalo.

—*Le pregunté antes la edad porque no le quería faltar el respeto a una persona mayor. Y la mandé a la mierda porque no me siento un payaso o un demagogo de la televisión que tiene que soportar que le digan cualquier cosa y agradece los llamados. Si a mí me insultan, insulto.*

Cuatro meses después de su debut, Lanata estaba tocando el cielo con las manos: había duplicado el rating y cuadruplicado la facturación inicial. Y no solo había recogido elogios de la oposición. También había logrado profundizar la interna en el propio gobierno de Menem. Mientras el amigo del presidente Gerardo Sofovich y su ministro Eduardo Bauzá trabajaban para neutralizarlo, el secretario general de la presidencia, Alberto Kohan, declaraba en público y sin ponerse colorado:

—*Lanata es un excelente profesional. Uno de los mejores periodistas de la Argentina.*

Para el final de la primera temporada su ego se había inflado de manera considerable. Sin embargo, su vida privada parecía complicarse cada vez más.

Ya se había separado, hacía tiempo, de Andrea Rodríguez, la madre de su primera hija. Sin embargo, la mantenía siempre cerca y le daba trabajo en todos sus proyectos.

Ya se había divorciado de Silvina Chediek, y para entonces solo era un simpático recuerdo.

Hacía dos años que había visto por última vez a Graciela Mochkofsky, aunque todavía la recordaba con tristeza y melancolía.

Se estaba a punto de separar de manera definitiva de Florencia Scarpatti, quien trabajaba con él en la radio pero no había querido hacerlo en el loco mundo de la tevé.

Y había aparecido, en septiembre de ese mismo año, como caída del cielo, una chica completamente pelada, con un gorrito en la cabeza, que le había escrito para su cumpleaños una cartita de amor. Él, al principio, supuso que tenía cáncer. Más adelante revelaremos de quién se trata.

Lanata, una vez que salía de la tele, se pasaba horas, encerrado, junto a Adolfo Castelo, en su casa de Belgrano de estilo inglés, reciclada, tomando cocaína y pensando alternativamente en matarse o en inventar un nuevo laburo.

Solo tomaba su Peugeot 306, último modelo, para ir de su casa al Soul Café, donde analizaba, otra vez con Castelo, qué pasaría si de un día para el otro abandonara la potente droga de la televisión.

Terminó la temporada agotado de la tele y de sí mismo.

El 5 de enero de 1997 llegó a Glens Falls, un pueblo muy cercano a Nueva Jersey, con su chica de entonces, la productora de cine Mariana Erijimovich, donde intentó por primera vez dejar de tomar cocaína de manera definitiva, pero fracasó. (Véase el capítulo "3. Cocaína".)

Regresó de aquel viaje para iniciar la segunda temporada de *Día D*, pero ya nada parecía lo mismo.

Lanata empezó con todas las ganas. Sin embargo, pronto comprobó que había dejado de ser una novedad y que los grandes medios iban a ignorarlo cada vez más, porque ya estaba instalado y era parte del sistema.

A mediados de febrero recibió una noticia que lo dejó descolocado: el dueño del canal donde trabajaba había decidido levantar un programa periodístico que no era el suyo, recién estrenado. Y lo había decidido a pedido del presidente Carlos Menem, para evitar que se mostrara la pista de aterrizaje que se había construido en Anillaco, La Rioja, justo al lado de su residencia privada.

Conozco la historia desde adentro porque fui uno de los periodistas que ayudó a producir y conducir aquel programa.

Se llamó *Sin Límites* y duró solo una emisión: la del miércoles 19 de febrero de 1996. Lo conducíamos junto a Marcelo Longobardi, Alfredo Leuco y Román Lejtman. El productor ejecutivo era Santiago Pont Lezica. El rating del único programa que se emitió llegó a los 10 puntos, una de las mediciones más altas del canal. El vocero del Presidente, Raúl Delgado, siempre negó que Menem hubiera presionado a Eurnekian y, una vez que se conoció el caso de censura previa, ofreció a los medios públicos para emitir el informe que realizó Lejtman sobre la construcción de la pista de Anillaco. Pobre Delgado: mintió a sabiendas. Años después me dijo que solo estaba haciendo su trabajo. Mientras tanto, Eurnekian nos citó a su despacho junto a Longobardi y nos anunció que *Sin Límites* no regresaría más. Cuando me cedieron la palabra, tuve la oportunidad de decirle a Eurnekian todo lo que pensaba sobre la decisión que acababa de tomar. Primero me insultó:

—¿*Quién sos para decirme todo esto? ¡Vos sos un hijo de puta!*

Le respondí de una manera parecida, aunque un poco menos brutal. Él enseguida se disculpó y dio por terminada la discusión.

Volví a hablar con Eurnekian sobre el asunto quince años después, en su despacho de Aeropuertos Argentina 2000. Esta es su versión de los hechos:

—*Armaron un quilombo terrible solo porque el Presidente de la República se hizo una pista (de aterrizaje) en su pueblo. Y se la hizo porque si no debía hacer 150 kilómetros desde la ciudad de La Rioja hasta Anillaco. ¿Y por qué tanto quilombo? Solo porque a dos periodistas no le gustaba que Menem tuviera una pista. Cuando el señor (expresidente Raúl) Alfonsín se hizo una en Chascomús para los (aviones) 747 nadie le dijo nada.*

—Solo dimos una información que era de interés público.

—*No. Ustedes actuaron de esa manera porque estaban en contra del individuo y no con el objetivo de informar. En otro país del mundo, el Presidente tiene derecho a resguardar su seguridad. Entonces lo que hicieron hablaba mal de ustedes.*

La conversación fue textual.

Ahora Eurnekian está alejado de los medios y casi todos los que hicimos *Sin Límites* seguimos trabajando de periodistas. En cierta forma le estoy agradecido: aquella abrupta interrupción del contrato me sirvió para fundar una productora de contenidos audiovisuales y negociar con más fuerza ante los dueños de los medios donde trabajé y trabajo.

Lanata, ante al suceso, hizo lo correcto. No se puso al frente de la protesta. Tampoco se lo pedimos. Sin embargo, el domingo posterior, en *Día D*, invitó a Juan Carlos Baglietto a interpretar su canción *La Censura no existe*. Su participación no fue en vivo.

Es un tema breve y muy simpático que empieza con las estrofas completas:

> *La censura no existe mi amor*
> *Ohhhhh/ Ahhhh*

A medida que avanza la canción, las estrofas van siendo censuradas:

> *La censura no existe*
> *La censura no*
> *La censura*
> *La*

Y termina con un acorde de guitarra, de manera abrupta y cortante.

Recuerdo que en aquellos días me lo crucé a Lanata en la puerta del canal. Él estaba más apurado que yo. Le comenté, como al pasar.

169

—Si es como yo creo que es, tarde o temprano van a ir también por vos.

Él me dijo que creía que no. Agregó que tenía la información de que había, en la decisión de Eurnekian, más componentes personales que políticos.

¿Quién podría saberlo?

Ocho meses después, su mánager, Fernando Moya, le confirmó a Lanata la peor de las noticias: América había decidido prescindir de sus servicios y estaba a punto de enviarle una carta documento para hacer oficial la decisión.

Lanata se defendió como pudo.

Primero instruyó a sus colaboradores para que instalaran la sospecha de que Eurnekian había tomado la decisión porque el gobierno de Menem le había cedido la explotación del negocio de los aeropuertos.

Parecía un argumento lógico.

¿Por qué otra razón de peso el empresario podía haber rescindido el contrato?

En aquel momento, *Día D* era el programa más visto de América después de *Caiga Quien Caiga*. Había facturado, durante 1997, casi cuatro millones y medio de dólares y no era una cifra para despreciar. Competía con dignidad contra *Hora Clave*. A veces ganaba y otras perdía. Lo superaban *Sorpresa y Media* y *Fútbol de Primera* pero eso no tenía que ver con la calidad de su programa, sino con la pantalla donde se emitía cada uno.

Como Lanata se había enterado de la pésima noticia antes del final de la temporada, hizo un editorial de trece minutos. Allí lanzó su teoría de la presión del gobierno sobre el dueño del canal. Entonces suplicó a sus televidentes:

—Quiero pedirles que nos defiendan. Que se conviertan en más. Que nos vean. Que comenten esto con otra gente. Que se interesen por este asunto.

Pero las cartas estaban echadas. El cuñado de Menem, Emir Yoma, se lo había anticipado a Tenembaum, entonces columnista de *Día D,* en su curtiembre de La Rioja, días antes del comunicado oficial. Según la particular versión de Yoma, el Presidente había matado dos pájaros de un tiro: le había pedido a Eurnekian que le entregara a su amigo Sofovich la noche del domingo y que de paso se quitara de encima al molesto periodista llamado Jorge Ernesto Lanata.

Tenembaum se lo contó a Lanata. Lanata le pidió a su mánager que hablara con la "línea" de América. Moya se comunicó al instante con Daniel Simonutti, gerente general del canal. Y este le leyó al productor la carta documento de rescisión del contrato. Una hora más tarde,

Lanata llamó a Eurnekian, quien se encontraba en Nueva York. Le preguntó:

—¿Qué significa esto?

Y Eurnekian le respondió:

—Te estamos rescindiendo el contrato solo para negociar. Sos demasiado caro.

Lanata necesitaba más explicaciones. Pero el empresario interrumpió el diálogo. Estaba preparando las valijas para viajar a Italia, donde la comitiva presidencial de Menem llegaría en misión oficial.

Lanata habló con sus colegas para dar su versión de los hechos.

Y el miércoles 3 de diciembre de 1997, Eurnekian publicó una solicitada en todos los diarios.

Escribió: "Lanata es un experto en promover la solidaridad con el dinero y el prestigio ajenos".

Eurnekian además explicó que los motivos de la rescisión habían sido comerciales. También hizo reproducir una carta en la que Moya le pedía 50 mil dólares durante enero y febrero de 1998 "para mantener la estructura de producción, que son quince personas". A propósito de eso, Daniel Balmaceda, de Noticias detalló:

—América gastó 97.374 pesos en solicitadas para explicar que no querían adelantarle a Lanata 100 mil pesos.

Al mismo tiempo, Simonutti declaró:

—No queríamos prescindir de Lanata. Solo pretendíamos cambiar las condiciones, negociar un programa diario en el canal. Pero después de lo que dijo Lanata el domingo, nos vimos en la obligación de responderle.

—¿Qué pasó en realidad?

Esta es la versión 2012 de Lanata:

—Eurnekian hizo, en esa oportunidad, lo que hacen todos los medios con periodistas como vos o como yo: nos entregó. Y nos entregó a cambio de que le bajaran el canon de los aeropuertos. Son relaciones donde a vos te usan y vos también los usás un poco. Cuando vos medís en la tele o vendés muchas revistas, muchos diarios o muchos libros, tenés durante un tiempo relativo, un pequeño poder. Los dueños te necesitan, hasta que un día descubren que le conviene más entregarte y lo hacen. Se trata de un problema que vamos a solucionar el día que compremos o tengamos un canal de televisión. O sea: nunca.

Y esta es la versión 2012 de Eurnekian:

—Lo del canon de los aeropuertos es un disparate total. Eso demuestra que, a pesar de ser uno de los mejores periodistas de investigación, en ese caso no investigó nada. Él presupuso. Y pensar que Menem *estaba preocupado en Lanata es otro disparate. Él estaba más preocupado por los temas de la economía que por el contrato de cualquier periodista.*

—¿Y por qué le rescindió el contrato?

—*No se lo rescindimos. Lo que hicimos fue no renovarlo de inmediato. Y la razón fue que él pedía demasiado. Fue parte de una negociación económica. De hecho, en 1999 se lo renovamos. Para mí el problema de Lanata fue otro.*

—¿Cuál?

—*Fue el de creer que por tener mucha libertad en un medio masivo, el medio era de él. Él se equivocó en eso.*

El 31 de diciembre de 1997, quince minutos antes del nuevo año, Lanata puso un papel de cocaína y un arma sobre la mesa ratona ubicada en el balcón terraza de su flamante departamento del piso 26 de la calle Teodoro García y pensó, una vez más, en quitarse la vida. (Véase el capítulo "1. Suicidio".)

En marzo de 1998 Lanata inició una compleja negociación que incluyó conversaciones con Telefé, con América y también con el nuevo Azul Tevé.

El 23 de marzo de 1998, Mirtha Legrand, quien entonces estaba contratada en ese último canal, había acordado con Lanata que sería el único invitado de sus almuerzos.

Pero Lanata se excusó. En cambio le escribió una carta. Y la señora la leyó en el aire:

—*Cuando estamos por firmar todos se olvidan la lapicera. Y eso que nunca, nunca, se discutió de plata. ¿Cuál será el otro problema? Me hubiera encantado estar ahí para anunciar que vamos a compartir la misma pantalla. Espero poder hacerlo.*

La verdad era que Carlos Ávila, dueño de Torneos y Competencias y uno de los socios del CEI, el grupo que había comprado Azul TV, le había asegurado a Lanata que en cuestión de horas finiquitarían la negociación para empezar un programa diario, a la noche.

Durante aquella conversación, Ávila le extendió la mano y Lanata dio el negocio por hecho. El encuentro había sido durante la segunda semana de marzo.

Días después, el jueves 19 de marzo, Lanata cenó con Eurnekian y Moya en la casa del empresario. El anfitrión dijo:

—*Tengo para ofrecerte los lunes y los miércoles de 22 a 24. Ya sabés que la noche del domingo se la di a Sofovich.*

Lanata le agradeció, pero rechazó la oferta:

—*Ya cerré con el 9. Además, cuando vuelva a América, quiero que sea el domingo. En todo caso volvamos a conversar para 1999.*

Sin embargo, al otro día, cuando Lanata debía firmar el contrato con Azul, Ávila lo llamó para avisarle que la operación se postergaba hasta nuevo aviso.

—*Los australianos no quieren que toquemos la programación hasta que los socios nos pongamos de acuerdo* —le aclaró.

Lanata se quería morir.

¿Qué había pasado en esta oportunidad?

Su teoría es que Eurnekian presionó a Ávila para que Azul no le quitara un hombre al que consideraba suyo.

La de su mánager, Moya, es, otra vez, diferente:

—*¿Era mejor, en diciembre de 1997, negociar para quedarse en América o salir como salimos? Para mí era mejor quedarse. Ahora, si vos para defenderte te peleás con Eurnekian y le tirás por la cabeza lo de los aeropuertos... listo. Fuiste. Te pegaste la piña.*

—*¿Pero no era la verdad?*

—*La verdad es que Jorge es muy frontal. Yo soy más negociador. Cuando Menem salió a patear el tablero y el canal nos dijo "va Sofovich, los domingos, a las 22", yo les hubiera dicho: "Ok, poneme a las 9 de la noche". Porque ese, el del horario, era parte del quilombo. ¿Qué hizo, en cambio, Jorge? Prefirió decir que Eurnekian lo estaba sacando del aire por el asunto de los aeropuertos. Ojo, quizá fue así. Pero ¿no hubiese sido mejor, incluso, para confirmar si esto era así, empezar a negociar un cambio de horario? Si vos me preguntás ahora qué fue de verdad lo que pasó, yo no lo sé. Siempre me quedé con la duda.*

En mayo de 1998, dos meses después de aquella extraña negociación, y durante la entrega de los premios Martín Fierro, Lanata levantó el premio y dijo:

—*Lo dedico a Menem, Moneta, Eurnekian y Al Kassar.*

Sin embargo, siguió desocupado. O mejor dicho: ocupado en algunas "changas" para sostener su nivel de gastos y su ritmo de vida.

Una fue su participación en Radio Colonia. La elección tuvo sus motivos. Quería dar la idea de que estaba proscripto, o desterrado para hacer periodismo en su propio país. La otra fue un extraño asesoramiento que le prestó al empresario Samuel Liberman, quien entonces era dueño de Video Cable Comunicaciones (VCC).

—*Liberman le dio un toco de guita durante un buen tiempo, pero nunca me quedó claro en concepto de qué* —me dijo un directivo de *Página/12*, en un intento de poner en duda su integridad profesional.

Se lo pregunté a Lanata y me dijo:

—*Los tipos pretendían armar un grupo de medios y me querían poner como coordinador. Nos reunimos varias veces pero nunca llegamos a nada. No recuerdo que haya cobrado ni un mango.*

Moya lo corrigió:

—*Eran tareas de asesoramiento. Pero fue hace mucho tiempo. Habrán sido, qué sé yo, ponele unos diez mil dólares por mes.*

También la llamé a Adela Katz. Ella fue la asistente personal de Liberman durante aquellos años. Además es la mamá del periodista Juan Pablo Varsky. Amable pero cortante, me respondió como los consultados de las encuestas: no sabe/no contesta.

En julio de 1998, *La Bestia* salió de su laberinto y presentó en sociedad el primer número de la revista *Veintiuno*. La nueva experiencia terminaría tres años después, con su quiebra personal. Fue el peor desastre económico y financiero que haya protagonizado en toda su vida. (Véase el capítulo "11. Quiebra".)

En febrero de 1999 Lanata estuvo por volver a América, pero Eurnekian mantuvo la decisión en suspenso.

El 25 de marzo de 1999, por medio de su revista *Veintiuno*, Lanata anunció la ruptura de las negociaciones con América: explicó que no podía volver a la tele porque Eurnekian había acordado su no presencia a cambio de muchísimo dinero.

Escribió:

—*Aeropuertos 2000 logró una insólita rebaja en su canon: de sesenta a treinta y dos millones.*

Pero los directivos de América explicaron:

—*Lanata siempre cuenta todo a medias. ¿Por qué no dice que la negociación se cayó porque pidió una prima de medio millón de dólares para él?*

A los tres meses las dos partes se volvieron a juntar, como si no hubiese sucedido nada.

Y Lanata regresó a *Día D* el 9 de agosto de 1999, con un programa diario, de lunes a viernes, de 21 a 22.

Se lo anunció, en persona, el mismo Eurnekian, el jueves 22 de julio. Firmaron el contrato una semana después. Lanata lo anunció en su revista *Veintiuno*. Alfredo Odorisio, el hombre de Eurnekian en América, aclaró que se dividirían en partes iguales lo que ingresara de publicidad.

La producción comercial del programa quedó a cargo de Grinbank y Moya. A los periodistas les pagaría Comunicación Grupo 3. Es decir: Lanata y el socio mayoritario de la revista, Gabriel Yelín.

¿Qué había cambiado?

La situación política.

Eurnekian ya sabía que Menem no podía ser reelecto y ya no lo podía presionar tanto. A la vez Rodolfo Barra, titular del Organismo Regulador de Aeropuertos, le estaba exigiendo al empresario pagar el precio justo por los aeropuertos que había comprado. ¿Eurnekian contrató otra vez al periodista como una amenaza el gobierno que ahora lo estaba presionando?

Me dijo Lanata:

—*Cuando Eurnekian consiguió los aeropuertos, no necesitaba seguir usando el fantasma de* Día D *como elemento de presión.*

—¿Y vos regresaste como si nada hubiera pasado?

—*No. Yo volví, pero no transé.*

El 14 de agosto de 1999 Sirvén escribió que Lanata sufría síndrome de abstinencia de la tele, y de paso criticó su aspecto frívolo y sus "pendejadas".

En noviembre de 1999 salió la tapa de *Noticias* "Lanata contra Lanata" y el conductor de *Día D* se brotó.

Había faltado a siete de los últimos diez programas. Lo presentaban acosado por el estrés, el dinero que perdía la revista, las decenas de juicios penales y civiles por calumnias e injurias, y una gripe que no se le terminaba de curar.

En realidad estuvo a punto de morir por un coma diabético no diagnosticado. Le salvaron la vida Adrián Paenza y su mujer, Sara Stewart Brown, quienes decidieron cambiar de médico y de tratamiento. El sobrepeso, el exagerado consumo de cocaína y el cóctel de porquerías que estaba tomando para su supuesta gripe casi lo mandaron al otro lado. (Véase el capítulo "3. Cocaína".)

El año 2000 lo sorprendió aturdido y pasado de revoluciones.

El 12 de septiembre cumplió 40 años y leyó en pantalla su texto "Los cuarenta".

Allí escribió, por ejemplo:

—*Odio los cumpleaños. No recuerdo haber festejado ninguno; cuando era chico, con mamá así, no estábamos para hacer ninguna fiesta. Cuando era grande, ya era tarde para volver a ser chico.*

Y también fantaseó:

—*No tengo cuarenta años: tengo diecisiete y a veces noventa y cinco, otras tengo diez, otras veinticinco. O quizá sea más exacto decir: tengo cuarenta años por afuera, y adentro un despelote de almanaques.*

Además explicó a su público y a lo que él denomina "el microclima":

—Creo que también aprendí —mal y tarde— que las ideas son importantes, pero más importante es poder llevarlas a cabo. Conocí y conozco gente que vive embarazada de ideas brillantes, pero nunca las da a luz.

Despotricó contra aquella tapa de *Noticias* que lo había mostrado enfermo y desesperado:

—Hace un tiempo una revista me puso en la tapa y solo una semana después advertí que no había leído la nota: no la había leído. Había llegado a lo que soñé durante años como una situación ideal. Desde entonces decidí que soy todo lo que dicen. Todo lo que dicen de mí es cierto. ¿Y?

Minimizó la importancia de la tele, por tele:

—Nada es tan importante, o vital, o urgente o indispensable, y que en el fondo la mayor parte de las veces solo es televisión, o diarios, o revistas con los que la gente se limpia el culo a la semana siguiente, y que a veces dejamos la vida acá como si todo esto fuera tan importante, o vital, o urgente.

En el fondo se estaba hablando a sí mismo.

Porque dos semanas después de aquel editorial se ausentó del programa para iniciar un tratamiento de desintoxicación en Boston. (Véase, otra vez, el capítulo "3: Cocaína".)

Lanata hizo una síntesis rápida y superficial de aquella licencia médica:

—Ahí fue cuando se armó quilombo con el programa. Le blanqueé el tema a Horacio (Verbitsky). Le dije que se hiciera cargo y él aceptó.

En abril de 2001, en el medio de una crisis económica sin precedentes y con la revista que dirigía en una situación casi terminal, Lanata inauguró un nuevo ciclo televisivo al que llamó *Detrás de las Noticias*. Incluyó en el equipo a Adrián Paenza, Zlotogwiazda y Tenembaum. Sin embargo, no volvió a llamar a Verbitsky. El columnista de *Página/12*, mucho tiempo después, entendió que no lo hizo porque Lanata había cedido a una presión de uno de los accionistas de América, José Luis Manzano. Me lo dijo cuando le pregunté cuál era el verdadero motivo de su pelea con Lanata.

El diálogo es textual:

—¿Por qué te peleaste con Lanata?

—Yo no estoy peleado con Lanata. Diferencias sí. Él me invitó a participar de su programa, Día D, y fue un poco azaroso. Yo había tenido una operación muy grave después de un accidente, en junio del 99, perdí mucha sangre, casi me desangro, y en la revista Noticias pusieron un título disparatado: "Me estaba muriendo y no pensé en Dios". En esa tapa también había una nota sobre Lanata. A él le había causado gracia

que estuviéramos los dos en la tapa y me llamó para contarme que iba a hacer un programa, si quería participar. Me convocó, al final terminamos una temporada, firmamos un acuerdo para reiniciar la temporada siguiente donde él declaraba su voluntad de continuar y yo declaraba que él no me debía nada.

—¿Y por qué firmaron ese acuerdo tan particular?

—*Preguntáselo a él. Lo que me acuerdo es que después entró Manzano al canal. Le hicieron un reportaje y él declaró: "Mientras yo esté ahí, Verbitsky no vuelve". Así fue cómo me enteré. Porque Lanata no me había dicho nada. Teníamos ese compromiso firmado y no me llamó. En marzo (de 2001) empezó el programa y nadie me avisó. Yo hablé con gente comercial del canal. Me dijeron que era una condición que le había puesto Manzano. Que si yo seguía no seguía el programa. Lanata decidió no contratarme y seguir el programa él.*

—Él me explicó que la decisión de no contratarte la había tomado antes porque eras "aburrido".

—*Yo te estoy contando que tenía ese contrato y está ese reportaje de Manzano. Lo mismo le hicieron después a Tenembaum y Zlotogwiazda cuando condujeron el programa junto a Paenza. Les avisaron que no lo querían a Adrián. La diferencia es que Tenembaum y Zloto se lo dijeron a Paenza. Y Lanata nunca me lo dijo a mí. A mi entender, eso debilitó su posición, porque un par de años después lo limpiaron a él.*

—No siempre una decisión artística implica un acto de censura.

—*Frente a episodios de censura yo siempre defiendo a los censurados. Lo defendí a él como hice con otros colegas. Él, en cambio, decidió la cosa personal. Y es una opción. Como él no va a admitir eso, porque evidentemente su imagen no resulta muy favorecida con este tipo de actitudes, dice que yo soy aburrido. Qué curioso: justo descubrió que yo no era divertido cuando Manzano llegó al canal. Y al año siguiente que le gané el Martín Fierro en competencia con él.*

—¿Es verdad que, cuando todavía trabajabas en el programa, Lanata te pidió que no dieras en el aire una información vinculada con el entonces jefe de la SIDE, Fernando de Santibañes?

—*Sí. Yo tenía una investigación sobre Santibañes vinculada con el tema de las coimas del Senado, las coimas del gobierno de Fernando de la Rúa a un grupo de senadores. Llevé el tema a Día D, y él me dijo: "No, me cagás porque justo estamos tramitando un crédito y él nos banca. Nos ha dado respaldo con el crédito, nos hacés mierda con esto". Era un crédito para la revista. En esa época también me había invitado a trabajar en la revista. Pero no acepté, me quedé en el diario.*

177

–¿Y por qué vos no aceptaste dar la información?

–*Lo que me pidió estaba dentro de las decisiones editoriales del empresario del programa. Eran decisiones de él.*

Una vez que le conté lo que había declarado Verbitsky, Lanata bufó durante varios segundos, y después me dio su explicación:

–*La no presencia de Verbitsky en* Detrás de las Noticias *durante 2001 fue una decisión artística. Y fue, entre otras cosas, porque pasamos de estar todos los días a una vez por semana. Fue mucho después cuando Manzano respondió ante una pregunta de* Noticias *que no se bancaba "a Verbitsky". El Perro nunca se pudo sacar de la cabeza que fue Manzano el que dio la orden. Pero la verdad es que no fue así. Yo lo saqué, mucho antes, porque era aburrido. No daba tener a un tipo leyendo durante veinte minutos. El problema fue que yo le dije la verdad años más tarde porque no quería lastimarlo.*

–¿Y lo de De Santibañes?

–*Es verdad. Yo le dije que no le pegara. Que era uno de los pocos tipos que nos ponía avisos. Es una discusión muy larga. ¿Vos pagarías un auspicio a alguien que te putea? A veces depende de las circunstancias.*

–¿Te ponía avisos o te ayudaba con dinero?

–*Nosotros teníamos un quilombo de guita con el banco que manejaba De Santibañes. No me acuerdo qué banco era. Pero ya no era dueño del banco. Pero sí, le pedí a Verbitsky que no le diéramos. Le dije que si no era grave nos hiciéramos los boludos. Pero no era una información sobre las coimas en el Senado. No era grave, porque si lo era lo poníamos igual. Mil veces nos pasó eso: de hacer una cosa y perder un aviso. También nos pasó de no sacar algo para no perderlo. Porque además de alguna forma había que bancarse. Acá hay un problema que es irresoluble: los medios viven de los avisos. No hay otra manera. Tengo la libertad de conciencia de que ante un hecho grave no le tapé la boca a ninguno.*

Tanto Lanata como Verbitsky no fueron muy precisos sobre las fechas y los hechos. Es comprensible: pasó demasiado tiempo y el resentimiento entre ambos se acrecentó.

Daniel Vila y Manzano se incorporaron a América recién en agosto de 2002. Es decir: por lo menos un año y medio después de la salida de Verbitsky del programa de Lanata.

El reportaje de *Noticias* a Manzano se publicó en febrero de 2003, cuando Lanata se disponía a iniciar la que sería su última temporada en la pantalla de América.

Ya hacía más de un año que Lanata se había peleado con Paenza, Zloto y Tenembaum y más de dos que había decidido no contar con

Verbitsky como columnista de su programa de televisión. En aquella entrevista, José Antonio Díaz y Darío Gallo le preguntaron a Manzano:

—¿Horacio Verbitsky podría trabajar en América?

Y el empresario respondió:

—*No, porque trabaja en un diario que pertenece a un grupo de la competencia. Y tiene una línea editorial demasiado sesgada. Pero es mi opinión. Si el resto piensa lo contrario podría trabajar perfectamente por más que a mí no me gustara. La respuesta fáctica es "sí, podría ser". Mi respuesta personal es "no, es demasiado sesgado".*

Sobre la no publicación de una información que lo perjudicaría a De Santibañes hay un dato que es incontrastable.

Por aquellos días, Lanata tenía serios problemas económicos y financieros.

Durante la segunda semana de julio de 2001 anunció "la venta" del setenta por ciento de su paquete accionario al presidente de Grupo Tres, Gabriel Yelín. Fue otra *cocaine decision* que tiempo después culminaría con su propia quiebra.

En agosto de 2001 América puso en el aire otro programa con la conducción de Lanata. Se llamó *La Luna*. Se emitió los sábados, a las diez de la noche. Lanata entrevistó, entre otros, con un tono íntimo e informal, a Susana Giménez, Charly García, Diego Maradona y Estela de Carlotto. Moya y Claudio Martínez aparecieron como sus productores generales. Silvina Chaine, como su productora ejecutiva. Marcelo Stiletano, otro crítico no complaciente, lo calificó como "bueno".

Ni el rating ni la facturación colmaron las expectativas de Lanata.

A principios de diciembre de 2001, Lanata se fue con su pareja de vacaciones a Madrid y París. Dejó, para cuidarle las espaldas, a "El equipo del verano": Paenza, Zlotogwiazda, Tenembaum y Martín Caparrós.

El 2 diciembre, el superministro de Economía Domingo Felipe Cavallo anunció la creación del denominado "corralito".

A partir de ese momento, el gobierno de De la Rúa puso un tope máximo a los ahorristas para sacar su propio dinero de las cuentas corrientes y las cajas de ahorro. En ese momento, la desocupación superaba el 18 por ciento. El riesgo país había trepado a los 5.000 puntos.

El 20 de diciembre, el presidente Fernando De la Rúa renunció y se fue de la Casa de Gobierno en helicóptero. Las protestas dejaron como saldo veintisiete muertos y más de cien heridos.

Al otro día, el Congreso nombró presidente provisional a Ramón Puerta, el titular del Senado. El 23 de diciembre asumió como presidente interino Adolfo Rodríguez Saá. En su primer discurso anunció que no pagaría la deuda externa, que no devaluaría el peso ni dolarizaría la economía.

El 24 de diciembre dispuso feriado cambiario hasta el 2 de enero, y anunció la aparición del *Argentino*, una tercera moneda paralela al peso y al dólar.

El 30 de diciembre Rodríguez Saá viajó a su provincia para comunicar su renuncia desde allí.

El último día del año Puerta anunció su dimisión como presidente provisional, dejó el cargo en manos del presidente del bloque de Diputados, Eduardo Camaño, quien llamó a una asamblea legislativa para elegir a un jefe de Estado.

El 1° de enero de 2002 Eduardo Duhalde fue elegido por el Parlamento para terminar el mandato de De la Rúa, quien lo había derrotado en las elecciones de 1999.

Había pasado la semana de los cinco presidentes y Lanata sentía que tenía que volver.

La crisis social y política más importante de la historia de la Argentina lo había sorprendido de vacaciones en Europa, mientras que el programa registraba picos de rating que nunca había logrado.

Cuando regresó a la Argentina, Lanata se encontró con dos enormes problemas. Uno: le tenía que devolver unos sesenta mil dólares a Adrián Paenza, quien se los había girado desde su cuenta en los Estados Unidos a Europa, para saltar las restricciones del corralito. Y dos: debía poner a sus colegas de *Detrás de las Noticias* otra vez en su lugar, incluido a su amigo del alma, quien le había terminado de prestar una enorme cantidad de dinero.

La ira que embargó a Lanata después de la tensa conversación que mantuvo con Paenza fue tan grande que todavía le dura.

Fue la última vez que se vieron en su vida, cara a cara.

8

TELE/2

Lanata le lanzó a Paenza una mirada fulminante y le ordenó:
—*Te vas de mi casa.*

El invitado intentó bajar el nivel de tensión y retomar el diálogo, pero el anfitrión no se lo permitió:

—*¡Andate de mi casa: no te quiero ver más!*

Así terminó para siempre una amistad apasionada que parecía indestructible, forjada entre problemas de matemáticas y largas noches de insomnio.

Sucedió durante los primeros días de la presidencia de Eduardo Duhalde, a mediados de enero del año 2002. La discusión tuvo lugar en el enorme cuarto que Lanata usaba de escritorio de su departamento del piso 26 de la calle Teodoro García 1990, en el barrio de Belgrano.

Lanata acababa de interrumpir sus vacaciones en Madrid y París, junto al amigo de toda su vida, Luis Rigou, más conocido como Diego Módena, un músico argentino que, en Francia, llegó a vender tantos discos como Michael Jackson. Pretendía retomar con urgencia la conducción del que hasta noviembre de 2001 había sido su programa, *Detrás de las Noticias*. Paenza, en cambio, había ido a proponerle en su nombre, el de Zloto, el de Tenembaum y también el del productor ejecutivo, Claudio Martínez, una cosa bien distinta. Se lo dijo en voz baja, para no agrandar su herida narcisista:

—*Al programa no podés volver, porque ya está armado. Pero te ofrecemos que vengas cada vez que tengas ganas a presentar tu editorial.*

Lanata no lo dejó terminar.

—*¿Escuché bien? ¿Dijiste al programa? Porque el lugar donde están ustedes es miiii programa. Quiero saber si no te entendí mal, ¿vos me estás ofreciendo una columna en miiii programa?*

—Jorge, es lo que habíamos arreglado antes de que te fueras de viaje. Y es lo que queremos todos.

Entonces Lanata se puso de pie y le gritó:

—Te vas de mi casa.

En cuanto Paenza se fue, lo empezó a putear como si se tratara de su peor enemigo.

Cada uno tenía razones atendibles para defender la posición.

Paenza y el equipo habían logrado, durante diciembre de 2001 y enero de 2002, un promedio de rating superior al alcanzado por *Detrás de las Noticias* con la presencia del mismísimo Lanata. El hecho de que hubiera sido uno de los pocos programas periodísticos que se mantuvieron en el aire en el medio de los cacerolazos, el corralito, la semana de los cinco presidentes y la asunción de Duhalde los había posicionado como una alternativa fuerte. Ellos no querían perder la oportunidad de seguir con el programa sin Lanata.

Antes de irse de vacaciones, Lanata había conversado con América para dejar de conducir el programa todos los días y empezar a hacerlo solo una o dos veces por semana. También había considerado la posibilidad de que Paenza, Zloto y Tenembaum se "independizaran" para compartir la conducción de su propio programa. Iba a ser un negocio que manejaría Flipper, la misma productora de *Detrás de las Noticias* que presidía el mánager de Lanata, Fernando Moya.

Al malentendido entre "mi programa" o "nuestro programa" se le agregó otro más personal y afectivo.

Algo determinante.

Un hecho sobre el que solo Lanata y Paenza conocen la verdad completa.

Paenza le había prestado a Lanata sesenta mil dólares para que disfrutara de sus vacaciones en Europa. Le había transferido ese monto desde una cuenta suya en los Estados Unidos a otra de la que Lanata disponía en alguna ciudad de Europa como Madrid o París. Paenza le había ofrecido hacerlo así para poder sortear el corralito que el superministro Domingo Cavallo había instaurado el 20 de diciembre del año 2000.

No puedo dar fe que el asunto de la deuda haya sido incluido en aquella tensa conversación. Tampoco puedo afirmar si fue durante aquel tenso diálogo cuando Lanata le ofreció a Paenza cancelar la deuda, pero pesificada.

Sí puedo asegurar que la pretensión de Paenza y los demás de que Lanata no volviera a la conducción de *Detrás de las Noticias*, y la diferente interpretación sobre cómo pagar la deuda que contrajo el conductor con el columnista, se juntaron y mezclaron en un cóctel explosivo.

Vamos por partes.

Así recordó Lanata el comienzo de su simbiótica relación con Paenza. Su versión es textual y está grabada:

—*Adrián estaba muy enganchado conmigo. Me llamaba y me decía que me quería. Y no me llamaba a una hora normal. A veces lo hacía a las tres de la mañana.*

—¿Qué querés decir con eso?

—*Que se trató de una historia con una gran carga emotiva. Adrián no era una persona cualquiera. Era mi amigo. Y no era cualquier amigo. Pasaba mucho tiempo conmigo, con Sara y con Bárbara. Comíamos juntos dos o tres veces por semana.*

—¿Cómo se conocieron?

—*Una de las veces en que levantaron* Día D *vino al estudio y me dio su solidaridad. Yo no sabía quién era. Porque yo de deportes nunca entendí nada. Pero todo bien. Después, como hacía todos los años, se fue dos meses a Nueva York. Y me llamó desde allí todos los domingos a las nueve de la noche para decirme que no podía ser que ese gran programa no estuviera en el aire. Nos hicimos amigos. Le ofrecí laburar conmigo cuando arrancamos con la revista. Y también decidí llevarlo cuando volvimos a la tele (en agosto de 1999).*

—¿Por qué interpretás que Paenza, Zloto y Tenembaum pretendieron quedarse con tu programa?

—*Pasó que, haciendo* Detrás de las Noticias, *hacia fines del año 2001, en un momento me harté. Entonces le planteé a la gente del equipo que yo me iba de vacaciones. Que no aguantaba más. Y que si querían seguir en el aire que lo hicieran. También les dije que el año siguiente yo vería qué era lo que iba a hacer. En aquel momento medíamos entre 6 y 7 puntos. Y me fui. Me fui de vacaciones. Me fui a ver a un amigo. Cuando estábamos en Francia, el quilombo en la Argentina empezó a crecer. Sentí que no podía estar más de vacaciones. Y me volví.*

—¿Y por qué no querían que volvieras a conducir Detrás de las Noticias?

—*Pasó que la convulsión social los hizo medir un poquito más de ocho puntos. Y se la creyeron. Es decir: no se dieron cuenta de que no medían más por ellos, sino por la situación. Entonces me empezaron a decir: "¿En serio que volvés al programa? ¿Cómo que volvés?" Y yo les decía, un poco desconcertado: "¡Ey, chicos! No sé si se dan cuenta: ¡Este es mi programa!" Iban apareciendo, de a uno o de a dos, Zloto, Paenza, Tenembaum y Martínez. Querían quedarse con mi programa porque les había agarrado un ataque de importancia.*

—¿Es verdad que a Paenza lo echaste de tu casa?

–Sí. Fue cuando me dijo: *"Bueno, si querés vení a hacer un editorial cada tanto".* Es que no lo podía creer. No me podía decir eso a mí. Le dije que se fuera y nunca más lo vi.

A Lanata todavía parece dolerle aquella situación:

–*Fue todo una locura. Además el canal fogoneaba estas diferencias. Claro: ellos eran más baratos que yo. Después terminaron haciendo un programa que duró un año. Con el tiempo recompuse la relación más con Ernesto que con los demás. No importa: me sirvió para aprender a no subestimar a nadie. Para comprender que cuando alguien quiere irse se tiene que ir. Y no hay que intentar convencerlo.*

Fui a consultar a Tenembaum. Ernesto reconstruyó las peleas de otra manera. Además lo definió como una discusión biológica.

–*Típica de cuando los hijos quieren independizarse de los padres y no encuentran bien la manera de hacerlo.*

Tenembaum recordó que todo empezó mucho antes. Más precisamente a fines del año 2000, cuando Telefé le ofreció a Lanata hacer un programa de entretenimientos. Se iba a llamar *Destino*.

Destino iba a debutar en abril de 2001. Ya estaba pautado que iría de 21 a 23:30. Lo había anunciado el entonces gerente de programación de Telefé, Claudio Villarruel, durante la fiesta de fin de año de su canal. Villarruel también había anticipado que Lanata conduciría un programa de entrevistas, a la medianoche, con el estilo de *La Luna*.

Un poco antes, a mediados de diciembre de 2000, el propio Lanata había revelado, desde su programa en América, parte de las negociaciones que estaba manteniendo tanto con ese canal como con Telefé. También Carlos Ávila, accionista de América, después de muchas idas y vueltas, había confirmado que interrumpiría el contrato de Lanata para que pudiera ingresar a Telefé, pero que se quedaría con los periodistas del equipo de *Detrás de las Noticias*.

El razonamiento de Ávila y "los chicos de Lanata" había sido lógico: si en octubre, noviembre y diciembre del año 2000 el programa había medido más sin el conductor original que con él, "el equipo" podría soportar su partida definitiva y ocupar un espacio que el televidente seguía demandando.

Parecía que todo se iba a confirmar cuando Telefé dio marcha atrás y las fichas de dominó se fueron derrumbando, una a una. El motivo del "arrepentimiento" nunca quedó claro. Ante sus íntimos, Villarruel explicó que fue una "decisión política" de Telefónica, uno de los accionistas del canal. Nunca aclaró si en aquella decisión había influido el gobierno de De la Rúa.

El resultado final: Lanata volvería, con *Detrás de las Noticias*, junto con sus columnistas, en abril de 2001. Sin embargo, algo muy profundo se había roto entre ellos.

Me lo dijo Tenembaum:

—*Jorge ya estaba molesto con la oferta que América nos había hecho a Adrián, a Marcelo y a mí cuando él estuvo a punto de firmar con Telefé. Entonces, lo primero que hice yo cuando supe que se había caído lo de Telefé fue preguntarle: "Jorge, ¿qué querés que hagamos?". Y él nos respondió: "Hagan lo que quieran". ¿Qué hicimos entonces? Le dijimos al canal que sin Lanata no haríamos nada. Y fue así como, a pesar de que habíamos acordado empezar solos, arrancamos en abril (de 2001) con* Detrás de las Noticias *con la conducción de Jorge. Fuimos de lunes a viernes, de nueve a diez de la noche. Hasta que en noviembre de ese año el canal le hizo a Jorge un planteo de guita. Entonces él se fue de vacaciones con dos contratos. Uno decía que Jorge haría un programa dos veces por semana. Otro que nosotros seguiríamos, de lunes a viernes. Así arrancamos en enero de 2002, mientras él estaba de vacaciones.*

—¿Eso estaba acordado?

—*Claro. Por eso nosotros empezamos en enero de 2002. El problema fue que, cuando él se dio cuenta de lo bien que nos iba, quiso volver. Ahí se armó todo el quilombo.*

—¿Y por qué definís a esto como una discusión biológica?

—*Porque en un momento los hijos quieren hacer su propia vida. El problema fue que nosotros éramos muy amigos. También hubo cuestiones particulares, porque a Jorge no le había gustado que Marcelo hubiera empezado, ese mismo año, en la Rock & Pop. Tampoco ellos habían quedado bien después de la ruptura de Jorge con Yelín, en la revista. (Yelín era amigo de Zlotogwiazda.) Me acuerdo de que, antes de romper e irnos cada uno por su lado, yo fui a la casa de Jorge y le regalé un revólver de juguete, para joder y distender el clima. Pero estaba demasiado enojado y ofendido. No le divirtió.*

Las diferencias se zanjaron así.

Lanata siguió con *Detrás de las Noticias*, pero una vez a la semana: los miércoles a las diez de la noche.

Por su parte, Paenza, Tenembaum y Zloto fueron corridos a los domingos a las 21 horas. Al programa le pusieron *Periodistas*. La marca *Periodistas* pertenecía a un libro que publiqué en abril de 1999 junto a Viviana Gorbato y un equipo de estudiantes de la materia Habilitación Profesional I de la carrera de Periodismo en la Universidad de Belgrano, que dirigió Miguel Wiñazki. Se trató de una experiencia única: fue la primera vez que lo alumnos cobraron derecho de autor por el trabajo de investigación correspondiente al examen final de la materia. Paenza, Tenembaum y Zloto me lo pidieron prestado. Tardé un minuto en firmar la autorización.

La distancia entre Lanata y "sus chicos" se profundizó.

Para ningunearlos, Lanata aceptó una nota de tapa, en *Noticias*, junto a Mariano Grondona, con quien hacía tiempo que no se hablaba. Incluso hizo el esfuerzo de trasladarse hasta la residencia del conductor de *Hora Clave* en Barrio Parque. No bien traspasó la puerta, ironizó:

—*Venir a esta casa me hace dar cuenta de lo pobre que soy.*

Después les clavó a sus excompañeros un puñal marca Lanata:

—*Yo volví a ver el programa de Grondona. Antes, por estar compitiendo en horarios similares, no podía. Pero ahora que volví a ver* Hora Clave *hay cosas que me interesan. El último bloque me parece un hallazgo. ¡Buenísimo! Me quedo con ganas de seguir viendo.*

Era un mensaje por elevación a Paenza, Tenembaum y Zloto. E iba dirigido a los lectores y televidentes. El mensaje decía:

—*Los domingos a la noche no vean a los chicos que pretendieron quedarse con mi programa. Vean* Hora Clave, *que la van a pasar mejor.*

Por su parte, los exLanata le enviaron otro disparo por elevación: festejaron en el piso de *Periodistas* el aniversario número quince de *Página/12* sin la presencia de su exdirector periodístico. Paenza, siempre políticamente correcto, explicó desde la pantalla.

—*Queremos decir que* Página/12 *no sería lo que es sin Lanata. Lo invitamos, pero nos avisó que no podía ve*nir.

Lanata les respondió enseguida, sin nombrarlos:

—*Ellos mintieron. No me invitaron nunca a ningún lado.*

Le pregunté a Tenembaum por la supuesta deuda de sesenta mil dólares de Lanata a Paenza. Quise saber si él sabía que el exdirector de *Página* se los había querido devolver, pero pesificados.

—*Jorge siempre fue muy enquilombado con la guita. Sobre esa cuestión se escucharon rumores de todo tipo. A mí no me consta: se lo tendrías que preguntar a él.*

Eso hice. La respuesta de Lanata me dejó la sensación de que no pudo o no quiso recordar muy bien la historia. Es textual:

—*¿Lo de la plata de Paenza? Dejame que recuerde. Sí, en un momento él me dio plata. Fue cuando no se podía sacar de las cuentas de acá. Él me la dio. Yo la saqué de una cuenta de afuera. No recuerdo bien la historia. Pero después se la devolví. No es que él me prestó. Eran sesenta lucas. Pero no le debo nada. Fue en 2001. Lo que pudo haber pasado es que haya habido alguna diferencia con el tipo de cambio.*

Horacio El Perro Verbitsky, en cambio, pareció tener para este asunto en particular mejor memoria que Lanata:

—*Paenza es una persona de una generosidad y de una nobleza como pocos. Recuerdo que en algún momento de su enfermedad Lanata tuvo problemas de plata y que Paenza —que tiene una buena posición económica porque heredó negocios de su padre— le prestó mucho dinero. Y sé que cuando llegó el momento de devolverlo, después de la convertibilidad, Lanata se la quiso pesificar. Y también sé que Paenza, entonces, no aceptó. Y nunca le cobró ni los pesos ni los dólares. El mecanismo que Lanata usó con Paenza es el mismo que usó conmigo. Él lo quiere hacer aparecer como desleal. Como alguien que se quiso quedar con su programa. Y a mí me quiere hacer aparecer como alguien aburrido, en vez de admitir que me sacó de su programa por presión de los accionistas. No intento decir que soy divertido. Divertido es Lanata. Yo me río mucho cada vez que lo escucho.*

El escritor Martín Caparrós, quien formaba parte de *El Equipo*, siempre estuvo del lado de Lanata. Por eso caracterizó a Paenza, Tenembaum y Zloto como "los pibes".

—*Es cierto, el quilombo se armó porque Jorge quiso retomar el programa. Los pibes le plantearon que no podía. Que él se había tomado vacaciones y que el programa funcionaba bien. Un día me llamó Adrián. Nos juntamos cerca de mi casa. Me contó, muy afectado, por qué dejaba el programa. Lo hizo para que yo se lo contara a Jorge. Porque sabía que yo también era muy amigo de él. El final de la película ya lo conocemos: Jorge se sintió muy traicionado con Adrián, a Ernesto lo indultó y a Marcelo nunca lo terminó de comprender.*

Pero quizá la mirada más interesante sea la de Sara Stewart Brown, quien fue una testigo privilegiada de la fortísima relación y la pelea sin retorno entre Lanata y Paenza.

—*Lanata casi siempre lleva las peleas muy al extremo. Con Adrián no fue la excepción. Cuando se pelearon, todos lo extrañamos mucho. Es que la pasábamos muy bien. Estaba mucho tiempo en casa. Nos reíamos mucho. Nos quedábamos hasta las cuatro de la mañana hablando y resolviendo problemas matemáticos. El día que discutieron yo estaba ahí con ellos. Fue horrible. Nos habíamos ido a Madrid y París a pasar el año nuevo de 2001. Ellos habían querido continuar con el programa en el verano. Sin embargo, en ese momento, Adrián no lo quería hacer. No estaba convencido. Y Lanata no quería seguir haciendo el programa todos los días porque estaba muy cansado. Su deseo era que, al volver, lo hiciera solo dos veces por semana.*

—Entonces fue Lanata el que les pidió que siguieran haciendo el programa diario.

—*Claro. Él los convenció. Eso hay que decirlo. Lo que sucedió después es que cambió la situación. Vino la semana de los cinco presidentes, el país se transformó en un quilombo y Jorge decidió volver. Volvimos la primera semana de enero, o la segunda. Llegamos a casa un viernes. Paenza lo vino a ver el domingo. Yo estaba ahí cuando empezó la discusión.*

—¿Cómo fue?

—*El tono era sí. Adrián decía: "Vos no podés volver al programa". Y Lanata le contestaba: "No solo puedo volver. Voy a volver. Y voy a volver mañana". Paenza insistía: "No podés". Y Jorge se ponía peor: "Puedo y lo voy a hacer". Se pudrió todo cuando Adrián le dijo: "Bueno, quizá puedas volver mañana a hacer un editorial". Lanata se calentó y lo mandó a la mierda. Ellos decían que el programa ya había encontrado un lugar, que estaba armado, que estaba bien así.*

—¿Es verdad que Paenza les prestó a ustedes sesenta mil dólares y que Jorge se los quiso devolver pesificados, o que no se los devolvió?

—*Sé que el préstamo existió. Sé que la plata se la ofreció Adrián. También recuerdo que hubo una transacción de cambio. En el caso que fuera como dicen sus amigos no creo que Lanata lo haya hecho a conciencia.*

Lanata continuó con su programa, *Detrás de las Noticias,* durante 2002 y también durante 2003.

Durante ese último año, La Cornisa Producciones lo contrató para hacer *Por qué,* una serie de trece programas donde Lanata aparecía con una camarita e intentaba dar respuestas a preguntas sobre los grandes temas de la Argentina. Cuando le propuse, junto al productor ejecutivo Diego Kolankowsky, incorporar a la serie el copamiento de La Tablada, Lanata me dijo:

—*Ni en pedo. Olvidate.*

—¿Por qué? —le pregunté.

—*Porque la derecha quiere usar a La Tablada y a Gorriarán para desprestigiarnos a mí y a quienes en este momento trabajamos en* Página/12.

—Pero a La Tablada no la copaste vos, sino exmilitantes de una fracción del ERP.

—*Sí. Pero no lo voy a hacer. No le quiero dar pasto a la derecha.*

La negativa de Lanata se produjo casi al mismo tiempo en que Gorriarán publicó sus memorias, en las que confirmó que había sido el primer y principal sponsor de *Página/12.*

Cuando le recordé ese diálogo, Lanata aceptó:

—*No era momento de contar todas esas cosas. Por un lado creo que no le interesaban a nadie. Por el otro había una campaña de la derecha para perjudicarnos. No tenía que ver con el acuerdo que yo tenía con* Página. *Tampoco había algo firmado, eh. No hablé porque no tuve ganas. Tampoco dije nada en su momento de la entrada de* Clarín *porque no quería perjudicar al que todavía sentía como mi diario.*

Por qué no fue una experiencia traumática.

De hecho, Lanata tomó el capítulo de la deuda externa como base para *Deuda*, la película que presentó en el año 2004 sobre la base del testimonio de Barbarita Flores, la chica de Tucumán que en abril de 2002 había dicho en su programa que lloraba porque tenía hambre.

A principios de 2004, América decidió no renovarle a Lanata su contrato. Enseguida se verá cómo el exdirector de *Página*, irritado, agarró un ventilador, lo puso cerca de una montaña de estiércol y embadurnó a medio mundo sin haber chequeado antes las verdaderas causas de semejante decisión.

Supuse que algo no andaba bien entre Lanata y el canal en diciembre de 2003, cuando el responsable de la programación, Juan Cruz Ávila, me preguntó:

—*¿Estás dispuesto a ir con* La Cornisa *los domingos?*

—Yo estoy muy cómodo los martes. Y además nos está yendo muy bien.

—*No importa. Quiero que empieces a hacerte la idea de que vas a ir con* La Cornisa *los domingos al prime time de la noche.*

—Pero ese es el horario de Lanata —le respondí.

—*Vos ocupate de hacer un buen programa, que de la programación me ocupo yo* —me cortó Juan Cruz Ávila y no me dijo una palabra más.

El hijo de Carlos Ávila era el que me había convocado para hacer *La Cornisa* en el año 2001. Nunca me había preguntado mi opinión sobre el resto de la programación y siempre había estado atento a los cambios que pudieran mejorar el programa. Aquella no fue la excepción.

Dos días después fui a tomar un café al departamento de Lanata. Recuerdo ese encuentro muy bien porque Lanata me recibió en calzoncillos y tenía las piernas, los brazos y la cara repletos de cortes y lastimaduras.

—¿Qué te pasó? —le pregunté.

—*Me quedé dormido mientras me duchaba. Me caí sobre la mampara de vidrio y me corté todo. De pedo no estoy muerto. Si me agarraba la femoral no contaba más el cuento.*

Esa tarde me enteré de que padecía de apnea, que tenía problemas de insomnio y que, de hecho, se quedaba dormido durante el día y en cualquier lado.

Me convidó un café negro con edulcorante. Me lo trajeron con un vaso de agua marca Perrier, helada. Primero le pedí reserva. Después le dije:

—Me están ofreciendo los domingos.

Pero él no le dio la más mínima importancia a la información.

—*No puede ser. Tengo un contrato firmado que dice que en mayo vuelvo los domingos, a la hora de siempre. Y con el canal está todo bien.*

—Ah.

—*Capaz te están usando. Capaz te quieren sacar de los martes para dárselo a otro.*

—Puede ser. Yo solo vengo a avisarte ahora, para que sepas que esto no es una cuestión mía, sino del canal.

En mayo de 2004, Gustavo González y Darío Gallo le preguntaron cómo había quedado la relación entre ambos. Y Lanata respondió:

—*La última vez que hablé con Luis Majul me juró que no iba a ir los domingos. La relación con él no quedó bien. Ni siquiera me llamó.*

En este caso, Lanata intentó forzar la realidad. Tanto él como cualquiera que conozca la industria de la tele sabe que los horarios los deciden los responsables de la programación, y no los conductores. ¿Cómo podría haberle jurado algo que no estaba en mi campo de decisión?

Su mánager, Fernando Moya, lo recordó así:

—*Con el canal hubo un quiebre. Y vos tuviste que ver con eso. Porque cuando quisimos volver, en mayo, el canal nos dijo: "Los domingos no. En ese horario está Majul".*

—Tanto él como vos lo supieron desde diciembre de 2003. El problema es que no lo creyeron posible.

—*Claro. Nosotros firmamos un contrato que era chino. Me acuerdo de que tenía dos opciones: empezar en febrero o empezar en mayo.*

—¿Y por qué no empezaron en febrero?

—*Porque Jorge había empezado a filmar* Deuda. *Pero yo se lo advertí. Le dije que él debía priorizar el negocio de la pantalla. Que el cine era un negocio de mierda. Que se iba a pegar una piña. Le dije que empezara a filmar en mayo o en junio, que no pasaba nada. Él subestimó lo que yo le dije.*

La última semana de abril de 2004, Moya llamó a los gerentes de América. Uno de ellos le dijo:

—*Lo mejor para destrabar la situación es que vayan a hablar con el gobierno.*

El lunes 26 de abril Lanata fue recibido por el presidente Néstor Kirchner, el jefe de Gabinete Alberto Fernández y el vocero presidencial, Miguel Núñez.

Así lo rememoró Lanata:

—A mí, de entrada, me pareció demasiado raro que nos sugirieran ir a hablar a la Casa de Gobierno. Nosotros, en 2003, habíamos hecho la primera nota de corrupción contra este gobierno. Habíamos denunciado a (Juan José) González Gaviola por gastos excesivos en el PAMI. El gobierno salió a desmentirlo pero al tiempo lo echó. Fue cuando asumió Graciela Ocaña.

—¿Y para qué fuiste a hablar con el Presidente?

—Porque yo no tenía ningún problema. No me escondí. No entré por la puerta de atrás. Me acuerdo de que Kirchner estaba con (Aníbal) Ibarra. Salió él y entré yo. Le dije al Presidente que Ávila me había dicho que hablara con ellos. Kirchner saltó y dijo: "Ávila es un hijo de puta. Nos quiere dejar pegados a nosotros". Alberto me dijo que estaba todo bien, que no había ningún quilombo. No era tarde, y pensé "Ávila está en el canal todavía". Le dije a Alberto "debe estar en el canal, ¿por qué no lo llamás?". Así terminábamos con ese absurdo. Alberto me dijo "No. Lo hablo mañana y te llamo". Al otro día me levantaron el contrato. Alberto me dijo: "América está caliente, te ofrezco que vengas a Canal 7". Yo le agradecí, pero le dije que no. Que yo no trabajo para el Estado.

La versión de Alberto Fernández fue parecida a la de Lanata excepto en un "pequeño" detalle: deslindó cualquier responsabilidad del presidente Kirchner en la decisión de discontinuar *Día D*. Se lo pregunté de manera concreta. Me dijo:

—El que decidió sacarlo del aire fue Ávila, no el gobierno. Y yo mandé a llamar a Lanata cuando empezó a decir que Ávila le había dicho que había un pedido del gobierno para no renovarle el contrato. Cuando lo planteó como un caso de censura. Le dije a Miguel Núñez: "Llamá a Lanata ya". Me pasó el teléfono y le dije: "Mirá, Jorge, lo que estás diciendo es un disparate". "Es lo que me dijo Ávila", me respondió. "Te espero mañana en mi despacho", le dije. Vino. Se lo expliqué de nuevo. Le propuse, incluso, llevar su programa a Canal 7, donde podría decir y hacer lo que quisiera. Me agradeció. Me explicó que si aceptaba iba a perder independencia. Le dije que si era necesario lo invitaba a hablar con el Presidente para que se aclarara el tema. Pasamos la puerta. Lo recibió Kirchner y le repitió lo mismo. Él agradeció y nos dimos la mano. Así terminó todo.

—Lanata me dijo que el detonante de la decisión fue la denuncia contra González Gaviola.

—No es verdad. Ni González Gaviola tenía tanto peso ni las imputaciones contra él eran gravísimas. Fue exagerado hablar de corrupción por un par de vales de comida. No digo que no hayan sido ciertas. Por otra parte Kirchner no tenía un problema personal con Lanata. Quizá no le gustaba cómo planteaba algunas cosas, pero no había nada particular contra él.

—¿No fue un alivio que dejara de tener aire?

—No. Lanata no era un problema. Tenía un rating relativamente bajo y no nos hacía daño. Un problema hubiese sido Marcelo Tinelli maltratándonos todos los días con 30 puntos de rating, pero Lanata no.

Más de ocho años después, Carlos Ávila me contó por qué no le renovó el contrato a Lanata:

—A Lanata no se le renovó el contrato porque cometió un error muy grande: fue desleal con América. Y participó de una operación que en ese momento fue generada por (Raúl) Moneta contra los propios accionistas del canal.

—¿Qué operación?

—Si buscan el video lo van a encontrar. Acusó a dos fondos de inversión, el grupo Hicks y el grupo Liberty, de actuar como fondos buitres en Cablevisión. Yo era, entonces, presidente del canal América y de Torneos y Competencias. Y tanto Hicks como Liberty eran accionistas junto conmigo en Torneos y Competencias. Por eso Lanata se tuvo que ir de América: porque participó de una operación y yo les prometí a mis accionistas que iba a corregir ese error.

—¿Pero eran o no fondos buitres?

—Por favor. Liberty es el dueño de DirectTV en los Estados Unidos. Tiene un dueño que se llama John Malone. Es el mismo que le compró el cable a (Eduardo) Eurnekian por más de 350 millones de dólares. Hicks vino a la Argentina y entró en Cablevisión y creó una señal. Es un fondo de inversión muy importante en los Estados Unidos. En su momento fue dueño de Seven Up.

—¿Usted le informó a sus socios que no le iba a renovar el contrato?

—Ellos me dijeron que no podían permitir ser ofendidos y difamados por un periodista de un canal con cuyo dueño tenían negocios en común. Yo les dije que Lanata era inmanejable. Les comenté, también, que si lo echaba al otro día se iba a generar un escándalo. Entonces les prometí que no le renovaría el contrato del año siguiente. Y cumplí mi promesa.

—¿Y qué tuvo que ver el gobierno en la decisión?

—Nada. No fue el gobierno nacional el que lo echó. El contrato no se le renovó porque ofendió a un accionista directo y un socio.

192

—¿Y por qué cree que, según usted, Lanata compró pescado podrido?

—*Bueno: el Gordo es un buen tipo pero su gran problema siempre fue el dinero.*

—¿Qué quiere decir?

—*Fundió Veintitrés, perdió su departamento de Belgrano. Siempre andaba escaso de dinero. Siempre metía presión con el dinero.*

—¿Lo presionaba a usted?

—*Claro. Siempre me presionaba. Siempre pedían más dinero. Él y Moya. Tenía un contrato por tantos pesos y quería que la pagara por abajo otro dinero. En ese momento tenía serios problemas económicos. Se ve que le fue bien, porque se hizo su casita en Punta del Este. Y además se vende bien. Tiene una imagen de periodista súper honesto.*

Le conté a Lanata la versión de Ávila. Se defendió así:

—*¿Ávila dice que yo operé para Moneta? ¡Qué raro! Yo tengo cinco juicios de Moneta en mi contra. Además, uno de los que me presentó a Moneta fue Ávila. "¿Querés hablar con el Gaucho?", me preguntó un día. Yo le dije que no tenía problemas en hablar con nadie. Es más: le dije que lo trajeran acá.* (N. del A.: al departamento que alquilaba en el Palacio Estrugamou). *El tipo vino. ¿Qué me pareció? Muy seco. Lo vi después de la quiebra también. Y nos vimos después en Tribunales, cuando nos propusieron una especie de conciliación. Ninguno de los dos quisimos conciliar. La pelea con Ávila la tuve después. Y el motivo fue una cosa que saqué sobre el fondo Hicks. Dije que era un fondo buitre. Él tenía un negocio con Hicks y yo no lo sabía. También le dije: si lo saqué es porque es cierto. Cuando él me dijo que había sido una operación de Moneta, yo le dije: "Pero, Ávila, ¿qué me estás diciendo, si el que me presentaste a Moneta fuiste vos?*

Lanata tardaría más de ocho años en volver a la televisión de aire. Pero lo haría con una estridencia mayor a la de su salida. Cuando ya sabía que era inminente su regreso a la pantalla de Canal 13 y empezaba a paladear por anticipado el dulce sabor de la revancha, Lanata me dijo:

—*Es muy difícil hacer periodismo independiente en Argentina. Vos lo sabés tan bien como yo. La única oportunidad que tenés de hacerlo es medir, de la forma que sea: vendiendo ejemplares, consiguiendo rating o muchos oyentes en la radio. Eso te da un pequeño y relativo poder. Un poder que puede durar un tiempo. Y ese pequeño poder hace que te necesiten para la propia lógica de los dueños, que es hacer plata y tener influencia. Son relaciones donde a vos te usan y vos usás. Ya te di un ejemplo: Eurnekian nos entregó a cambio del pago del canon en los aeropuertos. Nos sacaron cuando quisieron sacarnos. Sostenernos a partir del rating nos vuelve un poco menos vulnerables. Pero tampoco es garantía de nada. Porque si te tienen que sacar, te sacan. El poder, de última, no lo tenés vos. Ahora dicen que me vendí a* Clarín. *En definitiva* Clarín *no hace ni más ni menos que lo que hacen todos los medios. Pero* Clarín *es la industria, (Daniel) Hadad es la mafia. Hay canales y medios que han crecido gracias a la extorsión, y hay otros que han crecido por la debilidad del Estado en ponerles controles. El Gobierno ha instalado esa cuestión de que los periodistas somos una manga de pelotudos y que acatamos órdenes. Es una boludez: a mí no me llama (Héctor) Magnetto y me dice lo que tengo que decir. Yo he escrito sobre Papel Prensa en* Clarín, *y dije que fui víctima. Y no voy a dejar de decirlo porque es cierto. Ahora trabajo en Radio Mitre y ellos no tienen idea de lo que voy a decir. Y en Canal 13 tampoco. No me bajan línea. ¿Por qué no voy a laburar ahí? Además hay cada vez menos medios para laburar. Y tampoco descarto que mañana o pasado me den una patada en el culo. ¿Qué te pretendo decir con esto? Que mientras me dé la salud, voy a laburar donde pueda para seguir diciendo las cosas que quiero.*

9

DINERO/1

Lanata gasta por mes lo mismo que vale un departamento de un ambiente en Sarandí, el barrio donde nació. Es uno de los periodistas mejores pagos de la Argentina. Sin embargo, sus ingresos casi nunca llegan a cubrir sus erogaciones.

Me lo dijo Alejandra Mendoza, la mujer que maneja sus cuentas, a las seis y media de la tarde del 17 de abril de 2012. El dólar cotizaba entonces 4,20 pesos.

Mendoza es una fuente de información imprescindible, porque posee datos sensibles sobre la situación patrimonial y personal del periodista.

Fue contratada por Lanata en julio de 1999, cuando se iniciaba el segundo año de la aventura de la revista que durante 1998 se llamó *Veintiuno*, un año después pasó a denominarse *Veintidós* y a partir del año 2000 tomó el nombre definitivo de *Veintitrés*.

Antes de transformarse en la persona de máxima confianza de Lanata, Mendoza había sido la secretaria de Eduardo Eurnekian durante dieciocho años. Ella trabajó con el empresario "a vida completa" hasta que su hija pequeña, a la que no veía casi nunca, le preguntó:

—*Mamá, ¿cuándo me vas a llevar a tu casa?*

La niña pensaba que la verdadera casa de la mamá era la oficina donde trabajaba.

Alejandra estuvo seis meses sin actividad laboral hasta que la tomó Daniel Hadad para que se ocupara de las tareas administrativas en Radio 10. Duró allí solo noventa días. En realidad renunció cuando Sandra, la actual secretaria de Eurnekian, le preguntó si no quería trabajar para Jorge Lanata. Ella aceptó de inmediato.

Alejandra Mendoza siente devoción por su "jefe". Igual, admitió que el periodista es "un desastre" con el manejo del dinero, reveló que "gasta siempre más de lo que gana" y calculó que hasta abril de 2012, consumió, "como mínimo, ciento sesenta mil pesos por mes".

No fue la declaración de una persona despechada. Me lo comentó con cariño. Sin ánimo de perjudicarlo. Como si estuviera hablando de un artista para quien el dinero no significa nada.

—*Gasta siempre más de lo que cobra. Es un verdadero descontrol. Él no le presta la más mínima atención a la plata. Casi nunca lleva encima. No le importa. No guarda. Opera con el Banco Francés pero no tiene la menor idea de cuánto tiene en su cuenta.*

Hay decenas de anécdotas que demuestran los serios problemas que siempre tuvo Lanata con el manejo del dinero. Su mujer, Sara Stewart Brown, se percató de cómo funcionaba al principio de la convivencia, en diciembre de 1998:

—*No me di cuenta enseguida. Recién entendí con claridad cómo era cuando empezamos a vivir juntos, en diciembre de 1998; se compraba todo, sin ningún control. Además, durante la época de mayor encierro, pedía todo por Internet. Desde paquetes de películas hasta los gatos. Me acuerdo de que andábamos cortos de guita por el tema de la revista. Había mucho quilombo. Se tenían que pagar los sueldos. Entonces me hizo viajar a Boston para vender unos relojes. Fui con una bolsa enorme. Había algunos muy buenos. Rolex, un montón. También había Omega, Tiffany's y Hermès. Tuve que negociar con un iraní que tenía su local en una calle paqueta.*

El regateo entre Lanata y el relojero iraní fue, para Sara, demasiado estresante. El director de la revista hablaba con su mujer, desde Buenos Aires, en español. Y ella, que es traductora de inglés, le transmitía al comerciante las pretensiones de su marido. La discusión por el precio de cada reloj fue intensa. Lanata pretendía, por todo el paquete, más de trescientos mil dólares. Su mujer creyó recordar que no pudieron obtener todo lo que pretendieron.

Cuando le pregunté a Lanata si era verdad que había mandado a "reventar" los relojes a los Estados Unidos (igual que cuando tenía 14 años y le había vendido a su papá un Omega para hacerle un regalo de cumpleaños a su primera novia, de más de 30) me lo contó rápido y sencillo, como si se tratara de una travesura infantil.

—*Sí. Mandé a Sara a vender treinta relojes a Boston para pagar los sueldos de* Veintitrés. *Se vino con doscientas lucas. ¿Por qué, acaso es un delito?*

Alejandra Mendoza confirmó el hecho, con una sonrisa. Y agregó:

—*No fue ni la primera ni la última vez. No vendió relojes solamente afuera, también los vendió acá. Lo hace cuando no tiene plata, agarra parte de su colección y la vende. Después la vuelve a comprar. Pero no lo hace de malo o ambicioso. También es capaz de sacárselo de la muñeca y regalártelo a vos, si te gustó mucho. Él es así. Si está a punto de cambiar su computadora y vos se la elogiás, la agarra y te dice: "Tomá: feliz cumpleaños". A mí, por ejemplo, ya me regaló tres celulares. Y no de los más baratos.*

Mendoza no es Sara, pero desde siempre se ocupó de los asuntos más triviales hasta los más complejos.

*—Desde recordarle la clave de seguridad del estéreo del auto hasta evitar que le cierren alguna cuenta por falta de pago. Desde comprar comida a los gatos hasta llevar a la tía Nélida al Hospital Británico, cuando vivía, para sacarse sangre una vez por mes —*especificó.

La mujer también protagonizó alguna que otra misión imposible que bien podría ser utilizada como argumento de una película de Disney:

—Tan cierto como que la plata no le importa, es que tanto a Bárbara como a Lola les da todo, y un poco más también. Cuando Bárbara cumplió 11, me mandó a comprar, a las nueve de la noche, una pata con diez patitos de peluche.

—¿Once patos?

—No. Una pata con diez patitos, que no es igual. Jorge tenía un juego secreto con Bárbara, vinculado con eso. Y la cuestión era que se lo tenía que dar a las doce de la noche, en el primer segundo de su cumple. El destino quiso que yo tuviera una cuñada con una juguetería y que esa cuñada aceptara abrirme el negocio y que encontrara a la bendita pata con los diez patitos de peluche. Pero siempre es así; el año pasado, para Lola, tuve que armar un Arca de Noé, completa.

La asistente todoterreno relató que, con su mujer, Lanata se comporta de la misma manera que con sus hijas. Que no tiene problemas en comprarle, ante el mínimo deseo, una joya, un viaje o la ropa que más le gusta. Recordó que no hace mucho Sara le comentó a Jorge, como al pasar, que le había gustado un tapado rojo que habían visto en una vidriera del Patio Bullrich. Lanata se las arregló para que le llegara a su casa en cuestión de horas.

Una sola vez Alejandra Mendoza se atrevió a echarle en cara su conducta despilfarradora. Fue a principios de este siglo, cuando las cuentas de la revista estaban demasiado ajustadas y él se compraba un traje nuevo todos los días, para no repetir vestuario mientras hacía *Detrás de las Noticias*. Terminaban de decretarle la quiebra personal. Ya sabía que tenía que entregar su departamento de Teodoro García. Se preparaba para mudarse al Palacio Estrugamou, donde empezaría a pagar un altísimo alquiler. Además, los trajes eran carísimos. Entonces Alejandra no aguantó más y le enrostró:

—¿No nos alcanza la plata y vos te la gastás en trajes nuevos?

—*Primero: yo con mi plata hago lo que quiero. Segundo: me encanta comprarme ropa. Y tercero: no me vuelvas a hablar así; es mi problema, no el tuyo* —le respondió Lanata, a quien no le gusta que le hagan preguntas incómodas.

Fue suficiente para que Mendoza no dijera una palabra más.

Sara, en julio de 2012, también intentó ponerle un límite. Parece que tuvo un poco más de éxito. Es necesario, antes de contar la escena, aclarar que ellos se tratan de usted. Y que lo hacen desde hace mucho, y en forma muy amorosa. Además, él la llama *Kiwi*. Más tarde se sabrá por qué. Me contó *Kiwi*:

—*Le dije: "Usted está gastando mucho en ropa". Pero como es muy hábil me dio vuelta la discusión. "Piénselo de esta manera. Si no me puedo comprar el saco que quiero, ¿para qué laburo?". Y, yo, como un poco lo conozco, le respondí. "Tiene razón. Pero después no llore cuando llega la cuenta. Porque eso quiere decir que es plata que usted decidió gastar." El problema es que los que le venden cosas saben cómo es. El tipo de los relojes lo llama y le dice: "Esta semana te mando el último modelo de tal marca que acaba de salir". El de George lo llama para preguntarle cómo quedó el pantalón y de paso le manda otra camisa. Y él es incapaz de regatear un precio. Solo ahorra un poco con los de Bolivia. Los chicos de Bolivia le mandan ropa gratis. Además, se la hacen a medida. Fue una especie de canje; él, en su momento, prestó su imagen para la publicidad y no les cobró un peso.*

Lanata es uno de los clientes más fieles de George, la misma casa en la que se hicieron y se hacen ropa a medida Bernardo Neustadt, David Graiver, Carlos Menem y Fernando de la Rúa, entre otras celebridades.

George fue inaugurado el 5 de noviembre de 1963 por Jorge Mazzola, quien murió en el año 2007. Posee un único local en la calle Alvear 1872. Su hijo, Marcelo Mazzola, se hizo cargo de la empresa en octubre de 1978. Se trata de una de las pocas firmas que todavía hace ropa a medida. Tiene cuatro sastres de la vieja escuela cuyo promedio de edad es de 80 años.

Jorge Mazzola era de origen italiano, pero nació en Villa Mercedes, San Luis. Fue vendedor de la firma Roberts hasta que se independizó para fundar George. Su contacto con el mundo de los ricos y famosos fue lo que hizo a su negocio tan próspero, pero también le generó serios inconvenientes. El más grave se originó el día en que Graiver le abrió, gratis, una cuenta en su banco, como agradecimiento a su exquisita atención. Por esa razón la dictadura consideró a Jorge Mazzola casi un tesorero de los Montoneros y lo mantuvo desaparecido veinticinco días. Apareció en una comisaría de Quilmes y purgó un año y medio de prisión, en Caseros y Magdalena, donde conoció a Menem. Cuando el riojano salió de prisión, lo tomó como su sastre exclusivo.

Lanata, igual que Menem, eligió a George por iniciativa propia.

Lo hizo en 1996, el año del debut en televisión, porque necesitaba que alguien le diseñara sus chalecos a medida. Jorge Mazzola lo puso en manos de su hijo, Marcelo. Ahora Marcelo Mazzola es quien maneja la firma.

La relación entre Lanata y Marcelo Mazzola es buena y armoniosa, como desde el primer día.

Marcelo recordó que lo conoció en su casa de la calle Libertad 844, cuando Bárbara era chiquita y todavía dormía en un moisés.

Definió a Lanata como un tipo clásico, pero exquisito y exigente a la hora de ponerse un traje. Además reconoció que es "completamente informal" cuando usa ropa de calle.

—*Jorge casi nunca sale del negro, el azul y el gris. Lo máximo que me pide es un verde. Los sacos cuadriculados son de Bolivia y se los arreglo yo, porque en otro no confía. Lo que selló nuestro vínculo fue la idea de los chalecos. Todavía hay gente que se acuerda de los chalecos de Lanata en* Día D.

Los talles de Lanata fueron cambiando al mismo ritmo que los asuntos de su vida.

Lanata midió siempre un metro noventa, pero engordó y adelgazó como si fuera varias personas distintas. Informó Mazzola:

—*Tengo, para él, cinco moldes diferentes. Ahora, para el programa de Canal 13, volvió al talle que tenía hace diez o doce años: cincuenta y siete de cuello de la camisa y ciento veinticuatro para la cintura del pantalón. Debería estar contento, llegó a tener de cuello sesenta y dos y de cintura ciento cuarenta.*

La supuesta despreocupación de Lanata por el dinero contrastaría con su dedicación para cuidar por su aspecto. Mazzola reveló que el periodista lo llamó varias veces desde Madrid, París y Londres para consultarle sobre la clase y la medida de telas que había visto para comprar.

—*La última vez se trajo de Europa unas telas espectaculares de bebé de vicuña. Las pagó cuatro mil dólares el metro. La usé para hacerle unos cuantos pantalones y también varios sacos sport.*

Mazzola reconoció a Lanata como un verdadero profesional. Y explicó que, durante su temporada en el Maipo lo vinculó con los vestuaristas de Lino Patalano para ponerse de acuerdo en la ropa que tenía que usar.

Mazzola fue entrevistado el jueves 5 de abril, en un café cerca de su negocio, a metros del Hotel Alvear. La fecha es pertinente para hacer el cálculo del dinero que Lanata gasta en su ropa.

—*Jamás hice un canje con Jorge, pero casi siempre le hago entre un veinte y un veinticinco por ciento de descuento. A un ambo que hoy cuesta entre ocho mil quinientos y nueve mil pesos se lo dejo en mil trescientos dólares. Después de que él elige cinco ambos yo le regalo otro. Una camisa está en mil setecientos pesos y yo se la dejo a mil. El chaleco no baja de dos mil doscientos pesos y yo le cobro mil seiscientos. Tampoco le cobro mis visitas a la casa. Pero eso sí, quisiera aclarar que no lo hago con ningún cliente.*

Lanata no solo es un comprador compulsivo de ropa. También lo es de relojes y de zapatos.

En realidad, a los relojes los colecciona. Hasta hace poco, tenía decenas. Uno más caro que el otro. Hay pocas cosas que a Lanata lo hagan más feliz que recibir de regalo un reloj que le guste mucho. Puede sacarlo de momentos de angustia y de depresión. Un colega que lo conoce mucho me contó que, cuando el proyecto del diario *Crítica* entró en crisis, uno de los socios, el exjuez federal y camarista Gabriel Cavallo, le regaló uno muy especial para levantarle el ánimo. Cavallo es su amigo e hizo todo lo posible para sostenerlo un poco. Después él mismo se vino abajo y tuvieron que ponerle siete stents. Le pregunté por la anécdota del reloj. Me la confirmó:

—*Es cierto, le regalé un reloj que había tenido que vender, el mismo modelo que le gustaba tanto. Es un IWC Portuguese (International Watch Co.). Vale unos siete mil dólares. También es verdad que compartimos la misma locura por los relojes, aunque es justo aclarar que él tiene algunos más que yo.*

También adora los zapatos de marca.

Una vez envió a su asistente a Ezeiza para retirar tres pares de zapatos Prada que había mandado a pedir a Italia, vía Internet. Me lo contó Alejandra Mendoza:

—*Costaron, en total, más de seis mil dólares. Estuve dos horas en el aeropuerto hasta que al final me los pude llevar. Se los llevé hasta su casa. Se los probó delante de mí. Se miró los pies y dijo: "Qué lástima, me quedan chicos". Después los dejó a un costado. La verdad es que yo sufro como si fuera plata mía. Pero no lo puedo modificar. Él es así.*

Estos son algunos de los gastos que Lanata registró, según la información proporcionada por Mendoza y otros, hasta abril del año 2012:

- Cuatro mil quinientos dólares de alquiler del departamento de cuatrocientos metros cuadrados en Esmeralda 1319, piso primero, sector tres, dentro del Palacio Estrugamou.
- Cinco mil trescientos pesos de expensas para el mismo inmueble.
- Tres mil seiscientos sesenta y siete pesos de expensas de su nuevo departamento que se compró en el piso 19, departamento A de Avenida del Libertador 336.

La propiedad fue adquirida en junio de 2012 y le costó cerca de 800 mil dólares. El periodista lo pagó con el dinero de la venta de su casa de José Ignacio, en Punta del Este, por la que obtuvo un millón doscientos mil dólares "menos los gastos". La excelente cotización que logró por su propiedad de Uruguay fue porque Sara evitó "reventarla" y supo esperar el momento justo. Con parte de ese dinero, además de su nuevo departamento, le compró otro a su hija Bárbara, en Colegiales, por el que pagó ciento diez mil dólares. Tiene un ambiente y medio con entrepiso.

- Setenta mil pesos en gastos de tarjetas. Tiene una MasterCard negra, dos Amex y una Visa. Tanto Lanata como su mujer y su hija usan la tarjeta para cualquier tipo de gastos. Desde el supermercado hasta la ropa que a veces compran fuera del país. Como recordó Sara, en una época Lanata contrajo el "berretín" de comprar casi todo a través de Internet, incluso gatos.

Los gatos de Lanata son un capítulo aparte.

Él dice que su amor por ellos es algo que le transmitió su amigo, el escritor Osvaldo Soriano. Antes de terminar esta biografía, todavía conservaba tres.

Uno se llama *Coco*, es un persa y lo adquirió en 2007, en una veterinaria. Vale, por lo menos, tres mil quinientos pesos. Lo compró después de verlo en una jaula, al realizar un control de rutina sobre sus otros gatos. *"¡Qué cara más rara y horrible tiene!"*, exclamó, y se lo llevó en el acto.

Otro se llama *Blue* y pertenece a la raza Azul de Rusia. Lo adquirió por Internet junto a otra a la que le puso *Sara*, el mismo nombre que su mujer.

Blue y *Sara* le costaron, en su momento, mil dólares cada uno.

La cuarta responde al nombre de *Cuca*. La gata pertenece a la raza exótica y era del fallecido artista Fernando Peña, uno de los mejores amigos de Lanata y su esposa.

Lanata también tuvo a *Fantasma*, un siamés marrón y negro que, después de la mudanza del Estrugamou a Libertador 336, fue entregado, en mano, a Nicolás Wiñazki, uno de los periodistas de su equipo.

- Cinco mil pesos de cuota por el colegio de su hija Lola.

Se trata del Saint George's College, uno de los mejores y más caros de la Argentina. Kiwi es una exalumna de la institución.

Bilingüe, mixto, con jardín, primario y secundario, fue fundado en 1898 y tiene más de ochocientos alumnos. Es uno de los pocos colegios del país que sigue teniendo, como régimen optativo, el de alumnos pupilos. Su página web afirma que tiene "más de quince docentes internacionales, más que cualquier otra escuela de estilo británico en la Argentina". El establecimiento posee cinco canchas de rugby, cinco de hockey sobre césped, cinco canchas de fútbol, dos canchas de críquet, cuatro canchas de tenis, cuatro canchas de handball, tres canchas de básquet, dos gimnasios, una sala de aerobic, una sala de pesas, dos áreas de lanzamiento de bala, un área de lanzamiento de disco, tres colchones de salto en alto, dos zonas de salto en largo, una zona de salto con garrocha y dos piletas de natación.

La periodista Nancy Pazos también manda a sus hijos al Saint George's. Casada con Diego Santilli, ministro de Espacio Público del gobierno de la Ciudad, tiene buena información sobre el colegio y también sobre Lola Lanata, la hija de su colega. Contó:

—*Es muy inteligente, buena compañera y medio líder. Y el colegio es de lo mejor. Tiene un sistema híper inglés, de mucha corrección. Entran al primer grado sabiendo leer y escribir y sabiendo atarse los cordones de los zapatos. Y les toman el tiempo para saber cuánto tardan. Son colegios parecidos a los que íbamos nosotros cuando éramos chicos: la maestra es la maestra y el director es el director. Yo creo que debo estar pagando tres mil quinientos pesos por chico. Los alumnos se bañan en el colegio. Te los devuelven bañados y cambiados. Y a la ropa la recibís lavada y planchada. El sistema se llama "medio pupilo". Porque no solo almuerzan. Tienen varias comidas durante el día. La primera vez que entré al colegio me dio la sensación de que en cualquier momento me encontraría con Harry Potter. Si vas y lo ves, te dan ganas de quedarte a vivir.*

- Dos mil setecientos pesos de cuota de su prepaga Galeno, para él, su mujer y sus dos hijas.
- Tres mil ochocientos pesos de sueldo para Petrona, la empleada principal y de la casa, y dos mil para Francisca, quien atiende a la

familia durante los fines de semana. A Petrona también le paga la prepaga. Tiene el plan Galeno plata.

Además del detalle de sus principales gastos fijos, Mendoza también informó que Lanata vuela casi siempre en clase ejecutiva o en primera:

—Por su contextura física no puede viajar de otro modo. Con Turner arregló, por contrato, que todos sus viajes fueran en ejecutiva o primera. Pero también cuando se va de vacaciones vuela en primera y se hospeda en los mejores hoteles.

Lanata empezó a ganar dinero de verdad cuando fue designado director periodístico de *Página/12*, cinco meses antes de la salida del diario, a fines de 1986. Los encargados de pagarles calcularon que durante aquellos años nunca se llevó menos del equivalente a unos diez mil dólares por mes.

Por su trabajo en el programa de radio *Hora 25*, cobró, desde 1990 hasta 1993, el equivalente a cinco mil dólares mensuales. Pero cuando pasó a conducir la primera mañana de la Rock & Pop, con *Rompecabezas*, la productora Vocación le liquidaba cerca de 20 mil dólares cada treinta días.

Lanata nunca me aclaró si tenía una participación en *Página* por ejemplares vendidos o publicidad facturada. Por la manera en que se fue del diario cuando le confirmaron el ingreso de *Clarín*, se podría concluir que no.

—Y a mí no me dieron nada. Ni siquiera cuando entró Clarín *con siete palos verdes. De todos los que fundamos el diario, el único que dijo que si entraba* Clarín *se iría y cumplió fui yo. Y no me llevé un mango. Ellos pusieron en la administración a un tipo que se llama Enrique Díaz. Y cuando fui a ver a (Héctor) Magnetto para iniciar la transición le dije lo mismo. Que no me iba a quedar. Y que no quería un mango. Como la transición duró casi un año, yo seguí cobrando, hasta que me fui de manera definitiva. Mientras tanto continué escribiendo contratapas.*

—¿No recibiste premios, bonus o indemnización?

—Nada. La excusa era que había muchas deudas. Que se le debía un palo verde a Gorriarán. Por otra parte nunca me puse a investigar. ¡Si hasta el sueldo me lo cobraba mi secretaria! Repito, para que te quede claro: me fui del diario a Rock & Pop; me fui sin un solo peso. Quería que quedara claro que era una decisión mía. Que ellos no me echaban, sino que me iba yo.

Héctor Calós, uno de los encargados de publicidad de *Página* desde sus inicios, me recordó que el primer gran salto en la facturación por publicidad del matutino sucedió en el año 1990. Y me contó que el motivo no fue un abrupto cambio de la línea editorial o una actitud complaciente con los anunciantes, sino dos asuntos vinculados con la vida privada de Lanata. Calós primero les colocó el título:

—*Una razón se llamó Silvina Chediek. La otra es que adelgazó un montón.*

Después lo explicó mejor:

—*No bien salimos, los anunciantes no querían poner un mango porque lo percibían como un "tirabombas". Entonces lo convencí de aceptar una invitación de Manliba a Chicago, para ver una planta procesadora de basura. Él no quería saber nada. Al final aflojó. Y nosotros pudimos matar dos pájaros de un tiro. Porque ahí la conoció a Chediek. Y de tirabombas comenzó a ser percibido como alguien normal que además sale con una chica linda y refinada. De hecho, ese año hicimos la fiesta aniversario en el Hotel Alvear. A muchos le podrá parecer una tontería, pero Jorge flaco, en pareja con Silvina y la fiesta en el Alvear fueron los motivos que cambiaron la ecuación publicitaria de* Página/12.

Chediek es la segunda mujer con la que Lanata contrajo matrimonio. En ese momento trabajaba junto con Juan Alberto Badía y Adolfo Castelo en *Imagen de Radio*, un excelente programa de televisión que se emitía todas las medianoches por ATC. (Véase el capítulo "14. Chicas".) Manliba era una de las principales empresas del Grupo SOCMA (Sociedades Macri), el conglomerado que manejaba Francisco Macri, uno de los *Dueños de la Argentina* de los años noventa.

Hubo un tiempo en que Lanata, envalentonado por el éxito editorial de *Página/12*, jugó a transformarse en empresario. Él jamás hizo mención de aquella primera experiencia. Me la contó su mánager, Fernando Moya, porque estuvo allí:

—*Jorge fue socio de Rock & Pop con* Página/12. *Era cuando el diario intentaba expandirse y adquirió el treinta por ciento del negocio de radio y recitales de Rock & Pop. Fue socio hasta que vino la hiperinflación, entre 1989 y 1990. Ahí dijo: "No muchachos. Yo me salgo de la radio. Me parece que nos vamos a fundir".*

—Sabía que *Página* se había asociado a Grinbank en la radio y el negocio de los recitales. Lo que no sabía es que Lanata participaba de aquella sociedad.

—*Sí. Pusimos un dinero como inversionistas, pero él decidió salir no bien empezó la hiperinflación.*

Moya me dio un excelente pie para hablar del acuerdo que tiene con Lanata, de los contratos que asumió con Canal 13 y Radio Mitre y del valor que el periodista le asigna al dinero. Lo entrevisté cuando transcurría el primer mes de su revancha de la mano del Grupo Clarín.

—¿Cómo es el acuerdo entre ustedes?

—*Fue cambiando. Al principio planteamos un cincuenta por ciento para cada uno. Después acordamos un sesenta por ciento para él y el resto para mí. Más adelante le pusimos un valor al trabajo. Era así: él ganaba un dinero equis, por encima de eso nos repartíamos la mitad. Con el tiempo planteamos otro criterio: un fijo más importante para él y un acuerdo de porcentajes variable. Las variaciones fueron desde setenta por ciento para él y el treinta por ciento para mí hasta ochenta por ciento y el veinte por ciento.*

—¿Cuál es la verdadera dimensión del negocio Lanata?

—*Es imposible dimensionarlo en el tiempo. Él conmigo ganó mucho dinero. Le fue bien. Y le fue bien a pesar de que algunos proyectos no se pudieron sostener o resultaron fracasos económicos. Él siempre tuvo un ritmo de vida alto y con buenos ingresos.*

—¿A qué llamás alto?

—*Cuando lo conocí su nivel de gastos era tranquilo. Después me pasó con él lo mismo que con Fito (Páez) y Charly (García). A medida que empecé a manejarlos mejoraron su situación económica muchísimo pero, a la vez, aumentaron su nivel de gastos de una manera desproporcionada. Es algo que hablé con los tres y parecen tener un libreto común. Son talentosos, no les cuesta generar dinero y se lo gastan... demasiado rápido. Pero a la vez nunca encontré un techo para hacer buenas cosas con ellos.*

—¿Cuál fue el mejor negocio que hiciste con Lanata?

—*Siempre fue la televisión. Y siempre le encontramos la vuelta para volver. El mejor año de Día D fue el segundo, en 1998. Durante el primero gastamos mucho dinero en ponerlo en el aire y a pesar de que acordamos con el canal el cincuenta por ciento en todo, y que ellos se hicieron cargo del estudio, salimos empatados. En el segundo año facturamos muchísimo. Unos trescientos mil dólares por mes. Pagábamos ocho sueldos, gastábamos un poco de guita y nos quedaba una torta. Durante 1998 y 1999 fue lo del desastre de la revista. Volvimos a la tele con* Detrás de las Noticias. *Acordamos un fijo para él y porcentajes. Nos fue más o menos, una parte no se cobró por la quiebra de América y la renegociación no fue muy buena para nosotros.*

—¿Es verdad que Lanata le quedó debiendo a América cerca de setecientos mil pesos en 2004?

—*No fue tan así. Es cierto que ellos nos prestaban dinero adelantado contra lo que después pudiéramos vender. Como no llegamos a vender lo que se previó nos quedamos con dinero adentro. Pero la plata que nos dieron no fue ni al bolsillo de Lanata ni al mío, sino a pagar los costos de producción. No era para decorar mi casa o la de Jorge. Además el problema era otro: América no quiso que sigamos y nosotros queríamos continuar con el programa en el canal.*

205

–¿El mejor negocio que hizo Lanata fue el de la prima que se hizo pagar por Eurnekian para el contrato de la radio, en 1996?

–*No. Lanata hizo un muy buen negocio con Turner por la producción de los programas que emitió Infinito. Hizo muy buenos negocios editoriales por la venta de sus libros. Y también hizo un muy buen negocio con la venta de su casa en José Ignacio. Con Turner se firmaron para los dos programas* (BRIC *y* 26 personas para salvar el mundo) *contratos similares. Ellos nos pagaron cien mil dólares por capítulo y nosotros nos hicimos cargo de la producción. En el primero la producción la hizo Sergio "Gallego" Ramírez con su empresa Error #170. En el segundo caso la asumí yo porque Turner no quería financiar el arranque y se estaba empezando a complicar todo. Error #170 no quiso empezar a grabar sin el contrato firmado. Se hicieron veinte capítulos para la segunda temporada y diez para la primera.*

–¿Cuánto cobraron en total?

–*El negocio fue de tres millones de dólares. Supongo que Jorge se quedó, aproximadamente, con ochocientos mil dólares. También hicimos un negocio muy piola cuando estuvimos en Del Plata y la manejaba Marcelo Tinelli.*

–¿Y con el Canal 13?

–*Es un buen negocio. Pero será mejor negocio si sigue cuidando dos cosas. Primero su salud. Después, su relación con el Grupo Clarín.* (Véase el capítulo "17: Revancha".)

–¿Por qué decís eso?

–*Porque es bueno para él saber que uno no siempre trabaja donde quiere, sino donde puede. Lo discutimos cuando fuimos al cable, al Canal 26, de (Alberto) Pierri. Él quería volver a la tele, pero los canales de aire no lo querían. C5N era una posibilidad, pero él nunca lo quiso. Cuando apareció el 26 yo le sugerí que lo tomara. Que no iba a ser para nada malo. Por lo menos para él. De hecho recibía un fijo de ochenta mil pesos aunque la facturación por publicidad nunca pasó de los cien mil o los ciento treinta mil pesos. Acá tenés un buen ejemplo: diga lo que diga, Lanata, en mi vida, nunca fue un gran negocio. Pero siempre es así, a la otra parte le cuesta valorar el tiempo que uno entrega y los quilombos que soluciona.*

–Pero vos tenés un patrimonio más importante que el de Lanata.

–*Sin duda. Y más importante que el de Fito y que el de Charly también. Porque mi idea es que para hacer más dinero uno tiene que ser más austero. Y lo puedo decir sin ningún problema porque también se lo dije a Jorge y a Fito. Y lo hice en estos términos: "Vos sabés que yo no te robo.*

Porque mis honorarios deben ser el 30 por ciento de lo que vos cobrás. Si yo tengo más cosas que vos es porque vos gastás de otra manera". Hay que pensarlo al revés. ¿Cuánta plata ganó Charly? ¿Cuánta plata ganó Fito? Porque mirá que ganaron, ¿eh? Y sin embargo, ninguno de ellos tiene un patrimonio tan importante.

Para registrar con precisión el ascenso económico y social de Lanata hablé con un profesional que manejó su contabilidad, pero me pidió encarecidamente que no publicara ni su nombre ni su apellido.

Él trabajó en el pequeño estudio contable que se empezó a ocupar de sus asuntos cuando el periodista ya se estaba yendo de *Página* y empezaba a coquetear con la radio, el cable y la tele de aire. Lanata prescindió de sus servicios en 2005, cuando otros profesionales le sugirieron que su contador no era muy transparente en el pago de los impuestos y el manejo del dinero. Recordó el profesional:

—Lanata, en el diario, trabajaba en relación de dependencia. No tenía CUIT (Clave Única de Identificación Tributaria) ni nada parecido. Cuando se fue de Página, *el diario le liquidó, mientras duró la transición, no más de cinco meses de sueldo. Problemas de dinero no tenía porque ya estaba en la Rock & Pop y Vocación le pagaba religiosamente todos los meses. Es más: le facilitaba dinero adelantado. Además, también había empezado con* Viaje al fin de la noche, *en* Much Music.

El contador me explicó que para 1995, el cincuenta por ciento de los ingresos de Lanata correspondían a la radio y la otra mitad al cable. Y también me contó que la prima que cobró para pasar de la Rock & Pop a la FM City de Eurnekian, junto con su debut en la televisión abierta, en 1996, le permitieron dar el mayor salto en sus ingresos desde que lo había conocido.

—Ya vivía en su departamento de 110 metros cuadrados de la calle Libertad al 800. Un buen día me llamó y me dijo: "Che, mirá que compré el de al lado". Me había avisado tarde y le pregunté por qué justo al lado. "No sé —me dijo—. Estaba en venta y lo compré."

A esos dos departamentos Lanata los vendió en 1996. Con parte del dinero que recibió compró un chalet de dos plantas, estilo inglés, en la calle Tres de Febrero 1271. Allí vivió la mayor parte del tiempo con la periodista Florencia Scarpatti y unos pocos meses con la productora de cine Mariana Erijimovich.

La fuente sin nombre ni apellido, pero con mucha información, reveló que Gabriel Yelín puso dinero en el Grupo Tres y la revista *Veintiuno* casi desde sus inicios.

—*Fueron primero 250 mil dólares y casi enseguida puso otros 250 mil. Los segundos llegaron a través de una empresa llamada Marlwood, con sede en las Islas Caimán. Ingresaron como un "mutuo de préstamos", el equivalente a un pagaré* —detalló. Después interpretó: —*Ese fue el principio de la quiebra de Lanata.*

El contador recordó que cuando Lanata se declaró en quiebra, no tenía un patrimonio considerado alto.

—*Solo un departamento de 250 metros en Teodoro García 1990, hipotecado en segundo grado, el sueldo de la revista y pará de contar* —detalló.

Además esgrimió, como uno de los motivos que contribuyeron a la crisis de la revista, los altos sueldos de la mayoría de los periodistas y los retiros mensuales de Lanata que ascendían a 60 mil pesos/dólares.

El profesional no explicó los motivos de por qué dejó de trabajar para Lanata.

No hizo falta. De eso se encargó Alejandra Mendoza:

—*Este tipo le hizo a Jorge una mala pasada. Le hizo pagar el IVA dos veces y se quedó con la plata él. Se lo cobraba a Jorge y también me lo cobraba a mí, y después me entregaba las boletas pagadas y selladas. Nos lo vino a contar una socia que se terminó peleando con él. Nos dimos cuenta porque ella lo delató. Creemos que lo hizo desde 1999 hasta 2005. Y cuando Jorge lo llamó para preguntarle si era verdad, el tipo lo admitió y argumentó que lo había hecho porque su hija tenía cáncer y tenía que pagar el tratamiento. Más tarde averiguamos que su hija no tenía nada. Que era todo mentira. Jorge se deprimió muchísimo, pero prefirió no denunciarlo. Ahora tiene un contador impecable. Se llama Fernando Álvarez y es del Estudio ARV.*

Las escenas que revelan a Lanata como un gastador compulsivo y una persona que hace todo el tiempo lo que se le antoja son innumerables.

Un par de semanas después de su tratamiento de desintoxicación, en octubre del año 2000, Lanata contrató un vuelo privado desde Nueva York a Miami. Lo hizo solo para llegar a tiempo y así poder tomar el avión de Aerolíneas cuyo piloto, de nombre Gustavo, le permitía fumar durante el vuelo, a pesar de que estaba terminantemente prohibido.

La decisión de alquilar un avión privado fue la última de una larga serie de gastos que incluyeron el tratamiento en Boston para abandonar la cocaína en McLean, casi un mes de vacaciones en los hoteles más caros de Nueva York y también el pago por la piedra de cocaína que le consiguió un dealer, amigo de una amiga del periodista.

Lanata aceptó hablar de dinero en la primera entrevista que tuvimos para este libro. Fue el 17 de diciembre de 2011. Lo hizo en su escritorio del departamento que hasta hace poco alquiló. Aclaración necesaria: Lanata siempre habla en dólares.

—*¿Vos creés que soy millonario? Tengo malas noticias para darte. Casi no tengo plata en el banco. No sé, debo tener veinte lucas. Ahora mismo debo estar ganando veinte mil dólares. No sé, ¿tengo que hacer la cuenta ahora? Mmm... Por lo de la radio en España debo estar ganando cuatro mil euros. ¿Querés una noticia bomba? Vendimos José Ignacio. Me voy a mudar. El alquiler de esto sale como cinco lucas. No sabés cómo me voy a achicar. Me voy a comprar algo más chico. Algo moderno. Voy a donar la biblioteca. Y quiero que tenga seguridad. Fuimos a ver algunos departamentos a Puerto Madero. Están entre ocho y nueve gambas.*

La segunda vez que hablamos le pregunté cuál era su verdadero problema con el asunto del dinero. Me miró con extrañeza:

—*Problema ninguno. Siempre gasté más de lo que gané. Me la gasté viajando y comprando boludeces. Nunca le di importancia. A las casas de Uruguay las compró Sara. La primera casa que construí en Punta del Este, la que me diseñó Alejandro Borensztein, casi nunca la usé. Y perdí guita porque la vendí a ochenta lucas. Estuve años sin ir a José Ignacio porque estaba enojado con el lugar. Después compré en cuotas la casa en Belgrano que el Credicoop me remató, en Teodoro García. Era un departamento de doscientos cincuenta metros. Y tampoco me importó. Fue cuando quebré con Veintitrés e intervino un juzgado. Fue un desastre, pero fue todo en blanco. Quiero decir, no fue una quiebra fraudulenta. Me investigaron como nunca a nadie. Yo recuperé mi firma y seguí adelante.*

—El detalle sería que le quedaste debiendo a Gabriel Yelín tres millones de dólares.

—*No, boludo. Eso no es así. Lo que pasó es que Yelín puso plata a lo largo del tiempo. Yo los firmaba creyendo que eran aportes de capital y en realidad eran préstamos. Creímos que todo iba a ir bien pero cada vez nos endeudábamos más. Un día vino Yelín y me exigió que le devolviera los tres palos que, según él, nos había prestado. Cometí un gran error. Lo reconozco. Mi abogado (Patricio) Carballés me advirtió mil veces que no firmara esos papeles. Pero lo hice de buena fe. No estafé ni engañé a nadie.* (Véase el capítulo "11. Quiebra".)

—Se podría decir que te embarcaste en una aventura, y dejaste a mucha gente patas para arriba. Fue algo parecido a lo de *Crítica, ¿no?*

—*No. Cuando hice* Crítica *puse seiscientas lucas de mi bolsillo y las perdí. Para ponerlas tuve que vender una casa. Menos mal que, gracias a Sara, no vendí la otra porque sino hoy no tendríamos nada. No me rompas las pelotas. No me corras por izquierda.* (Véase el capítulo "15. Decepción".)

—Solo estamos hablando de dinero.

—*Hacer plata no es un mérito, un mérito es hacer un libro o pintar un cuadro.*

—Pero te gusta vivir bien.

—*Vivo bien, podría vivir mucho mejor. Tengo gastos altos. Tengo, por ejemplo, dos autos que no uso: un New Beetle y una Ford Ecosport. Tuve un montón de autos, pero me harté. Ahora tomo taxi. Voy a comer a Oviedo, a Las Lilas, pero son tres o cuatro lugares. Y voy a esos lugares porque me gusta la comida. ¿Cuál es el problema? ¿Querés saber cómo la hice? No tengo nada que ocultar. ¿Te lo cuento de nuevo?*

—Por favor.

—*Cuando me di cuenta de que la plata la podía generar, me dejó de preocupar. No tengo fantasías. Nunca voy a ahorrar. No me interesa hacer un gran negocio. Con los años se me fue esa idea consumista. Una vez que dejé de estar con Silvina (Chediek) y empecé a salir de noche, a distintas fiestas de Punta de Este, me compré unas camisas Versace que eran carísimas. Pero carísimas, mal. Un delirio. Un día me llama Silvina y me dice, textual: "Lanata, aflojá con Versace y comprate un terreno". Y le hice caso. Me compré un terreno en José Ignacio, construí con Alejandro Borensztein y empecé a ir mucho. Fueron los veranos con Charly. Los fotógrafos me rompían las bolas. Yo estaba con Graciela, pero también con distintas minas. Un día uno me hizo una guardia y tuve que llamar a (Jorge) Fontevecchia para que no salieran las fotos. Me rayé con José Ignacio. Vendí la casa en ochenta lucas. Perdí guita con la venta. No volví a José Ignacio por muchos años. Recién lo hice con Sara. Compramos un terreno al lado de donde yo había construido. Me salió cincuenta lucas. Increíble, fue casualidad. Construí al lado de mi excasa. Después hicimos una segunda casa, a cuatro cuadras de la primera que compramos con Sara. A la segunda la perdí porque la puse como garantía en Crítica. Y a la primera nos la quedamos hasta que la pudimos vender a un millón doscientos mil dólares. El terreno nos costó cincuenta lucas, pusimos otras doscientas lucas para hacer la casa. Más tarde hicimos otra ampliación de cien lucas. Entre que la compramos y la arreglamos se triplicó el valor. ¿Satisfecho?*

—¿No sentiste culpa por ir a la quiebra y firmar cheques que fueron rechazados?

—*Cero culpa. Lo que yo hice fue una locura. En vez de cerrar la revista y dejar la gente en la calle, me inmolé. Fui un boludo. Firmé cualquier cosa. No sé si te quedó claro: entre mandar a la quiebra la revista o yo, elegí quebrar yo. Me gustaría ver cuánta gente hace lo mismo. Yelín dice que lo dejé patas para arriba porque quería cobrar tres palos. ¿Y cómo iba a hacer para pagarlos? Por eso fui a la quiebra y no me quedé con nada. Me investigaron durante tres años. Tuve que pedir permiso para salir del país. Me pusieron un síndico. Hablaron con cada uno de mis acreedores. No me fui con guita. No cagué a nadie. No me dio ni me da culpa ni vergüenza. Vergüenza es tener una Ferrari y no poder justificarla.*

—Supongo que tu ingreso al Grupo Clarín te servirá para equilibrar y mejorar tus cuentas.

—*Con la radio estuvimos dos meses negociando, y finalmente acepté un salario que es menos de lo que yo pensaba y dos PNT (Publicidad No Tradicional). Es decir que tengo que salir a buscar publicidad, cosa que nunca me pasó. Y en la TV vamos a estar más o menos en lo que pensábamos. En la radio voy a ganar bastante menos que en Turner, y en la televisión voy a ganar un poco más que en Turner. Y en cualquier caso me van a pagar mucho menos de lo que merezco.*

—Moya dice que tu problema son los gastos.

—*Siempre gasté más de lo que gané, más en la época de la televisión. Después con los golpes que tuve bajé un poco. Me empecé a controlar. No lloré por la quiebra, ni en pedo. Lloro si veo una película o si estoy triste por algo, pero no voy a llorar por una quiebra. No estoy apegado a las cosas y no hay un objeto que me dolería perder. Me estoy por mudar y por mí tiraría todo a la mierda. Todo lo que tenés está adentro tuyo. No está en la cosa en sí, está incorporado en mí. Cuando me tuve que ir de Teodoro García por la quiebra, alquilé acá porque sentí que teníamos que ir a un lindo lugar.*

—¿No hiciste el duelo?

—*No hice el duelo, porque sino eso iba a ser una depresión horrible. Se hizo la mudanza, y dormí una noche en el (Hotel) Sofitel porque queda al lado. Y cuando ya vine acá estaba todo más o menos puesto. Y al departamento de Teodoro García, por suerte, no volví más.*

—¿Es verdad que no tenés idea de la plata que tenés, la que gastás y la que cobrás?

—*Es verdad. Alejandra paga todo lo que hay que pagar. Yo no cobro. Hace años. No sé cuánto cobro. Tengo plata encima porque le pido un poco a ella. Yo cobro un diez por ciento pero lo que hay que pagar es un noventa por ciento. Ahora no gasto tanto. Estoy en una etapa de desprendimiento. Acabo de donar una biblioteca de cuatro mil libros a una radio de los wichis. Me gustaría saber si ellos (el gobierno) serían capaces. Tengo dos autos y no los uso. Hace seis meses que uso un mismo reloj. Es este Rolex que ves acá. Se me pasó un poco eso de comprar boludeces.*

—¿Tenías ideas de que en abril gastaste más de ciento sesenta mil pesos?

—*Debe ser cierto, porque de impuestos pago un montón. Igual en algunas cosas tengo un freno inhibitorio, yo no hago cosas que puedan ofender a los demás. Por ejemplo, tengo un New Beetle, no tengo un BMW.*

(N. del A.: Lanata, en agosto de 2012, vendió el New Beetle y la Ecosport y se compró un Volkswagen CC.)

—¿Vos creés que un BMW puede ofender a los demás?

—*Y, yo creo que en un país como este tener un auto de ochenta lucas es un poco violento. Lo que te quiero decir es que yo no tengo que tener un auto de marca para confirmar nada de lo que tengo. Y la gente lo usa para eso. La gente siente que si tiene un Mercedes Benz es más persona. Yo no. A mí me va bien en la vida y no me hago el boludo: me preocupo por los demás.*

10

Dinero/2

Lanata toma agua mineral Perrier y, hasta hace poco, tenía un timbre para llamar a la empleada que trabaja en su casa. Además, a principios de este siglo, tuvo la fantasía de comprarse un barco. De cualquier manera, si pudiera, preferiría poseer un avión para viajar por el mundo, no tener que esperar en los aeropuertos y poder fumar sin que ningún miembro de ninguna tripulación se lo impida. Al mismo tiempo, Lanata es capaz de enviar dinero de su propio bolsillo a Tucumán, para que Barbarita Flores, la chica que lloró de hambre, en vivo, en uno de sus programas, festeje como corresponde su cumpleaños de 15. O de ayudar a Francisca, la señora que hace las tareas domésticas los fines de semana, para que pueda comprarse su propia casa. Por otra parte, Lanata tiene cocinero, asistente personal, kinesiólogo y usa, ocasionalmente, auto con chofer, cuando las condiciones de su trabajo lo requieren. Además, se sabe, problemas con la plata tuvo casi siempre. Los padeció cuando era director de *Página/12*, y uno de los presos por el ataque a La Tablada lo presionaba todos los meses para que le devolviera a él parte del dinero que Enrique Gorriarán Merlo había puesto en el diario. (Véase el capítulo "5. Página/2".) Los sigue teniendo con la disputa abierta que mantiene con Pablo Jacoby, su abogado penalista de toda la vida, por honorarios profesionales que según Lanata no tendría por qué abonar. (Véase el capítulo "16. Privado".) Y prefirió evitar futuros problemas cuando, ante el ofrecimiento de ser el candidato de la Coalición Cívica como jefe de Gobierno de la Ciudad, concluyó que no podía aceptar, entre otras cosas, porque no le alcanzaría el salario de funcionario público para sostener su altísimo nivel de vida. (Véase el capítulo "17. Revancha".)

Para comprender de manera integral la relación de Lanata con el dinero hay que tener en cuenta dos premisas. Una: él parece estar condenado a pagar siempre un poco más que el precio promedio del mercado. Hasta la cocaína que tomó durante diez años le costó el doble que al resto de los mortales. (Véase el capítulo "3. Cocaína".)

Y dos: él le pone a su trabajo una cotización más alta todavía, porque piensa que sus pagadores le sacan a sus servicios demasiado provecho. El dinero que le abonó Sergio Szpolski, por la publicación en *Veintitrés* de los capítulos del libro *Argentinos* que ya había sido publicado, podría ser considerado uno de los negocios legales más ventajosos de todos los que hizo en su vida, como se verá más adelante.

Lanata se alojó en los mejores hoteles del mundo y quemó, con el cigarrillo, algunas de sus alfombras más caras ante la desesperación de sus amigos y familiares y el gesto de niño travieso que ponía mientras lo contaba. Me lo confió sin malicia, otra vez, la mujer que, entre otras cosas, contabiliza sus gastos, Alejandra Mendoza.

–*The Pierre, en Nueva York, es el hotel más caro en el que estuvo. Allí, si no me equivoco, quemó la alfombra con uno de sus cigarrillos. Pero también quemó la alfombra de una de las habitaciones del Ritz de París. Tuvimos que pagar como dos mil euros. Son hoteles muy caros. Pero él a su familia le da lo mejor.*

Le mencioné a Mendoza lo curioso que me parecía que Lanata no tomara otra agua mineral que no fuera Perrier. Por supuesto, es importada y una de las más caras del mercado. Pero a ella no le sorprendió:

–*Con el café es igual. No compra otro que no sea Lavazza. Lo tengo que ir a buscar a Puerto Madero, a la oficina central, porque no lo venden al público. La última vez no había de la clase de café que a él le gusta. Es fuerte, intenso y tiene un sabor especial. Le dije a la chica que me vendiera uno parecido. Que no se iba a dar cuenta. Pero no hubo manera: lo detectó enseguida. Ahora con Petrona (la mujer que trabaja en su casa de lunes a viernes desde hace años) hacemos inteligencia: le ponemos otro café muy parecido en la lata del que le gusta a él, porque no hay otro. Espero que tarde mucho en enterarse: si se llega a avivar que lo quisimos engañar, me mata.*

A Lanata sí le molestó bastante mi pregunta sobre por qué compra y consume agua mineral marca Perrier.

Elegí profundizar el asunto con Lanata en otro momento. Me sentí más cómodo con Mendoza, quien me contó otros secretos con menos culpa y más naturalidad, convalidando la idea de que no trabaja para una persona común y corriente, sino con una especie de estrella de rock internacional. La conversación está grabada, para que nadie la ponga en duda después. El eje fue el dinero, pero resultaron muy interesantes algunas de las respuestas vinculadas a la vida cotidiana de Lanata.

–Me dijo que si pudiera se compraría un avión. Supongo que estaba jugando –interpreté.

–*Un avión no sé. Sí me acuerdo que una vez anduvo haciendo averiguaciones para comprarse un yate. Incluso me mandó a averiguar en el Yacht Club cuánto le salía asociarse. Me parece que lo hicieron bajar rápido a tierra. Una semana le duró el entusiasmo. Habrá sido en el año 2000* –informó.

–Me contó que no le importan los autos.

–*Creo que el auto más caro que tuvo fue un Volvo. Me parece que lo perdió cuando se metió en Crítica, porque quedó dentro de la sociedad.*

–Igual, berretines tiene.

–*Sus berretines son la tecnología, la ropa, los zapatos, los encendedores y los anteojos. Tiene marcos de anteojos de todas las marcas y los colores que te imagines. Y para el lugar de vacaciones es muy tradicional. No elige destinos exóticos. Los últimos años eligió París y Londres.*

–Debe tener ingresos acordes con sus deseos.

–*Uno de los más importantes lo tuvo en 2010 con* BRIC, *y después con* 26 *personas para salvar al mundo. Debe ser el ingreso más importante de lo que Jorge cobró acá. Fueron seis cuotas de casi trescientos sesenta mil pesos. Lo de (el libro) Argentinos se lo depositaron en España. Es porque su agente Guillermo Schavelzon está (radicado) allá. Y los impuestos sobre esos ingresos se pagan en España.*

–Le pregunté si ayudaba a gente o a instituciones y me dijo que de eso no quería hablar.

–*A veces no me cuenta ni siquiera a mí. Igual me enteré de que va a ayudar a Francisca, una de sus empleadas que trabaja en la casa, a comprar una propiedad. Él es así. Por ejemplo, a Barbarita Flores, la nena que lloró porque tenía hambre, la ayuda hasta el día de hoy. No quiero exagerar pero creo que tuvo su fiesta de 15 gracias a Lanata. Tanto Jorge como Sara le mandan todo el tiempo ropa y comida.*

–¿Cuál es tu rol fundamental?

–*Hago de todo. Le llevo la agenda. Tengo hasta el código del estéreo del auto. Le compro comida a los gatos. Y hasta llevé a la tía Nélida una vez por mes a sacarse sangre mientras estuvo viva.*

–Un personaje, la tía Nélida, ¿no?

–*Él era su vida. Ganaba su plata y se la juntaba para él. Era bravísima. Me llamaba a Veintitrés y me decía: "¿Por qué la revista esta semana tiene menos publicidad que la anterior?". Le prestaba atención a todo. Y si le tocabas a Jorge te mataba.*

–¿Lo viste llorar alguna vez?

–*Sí. Cuando murió su mamá. La velaron solo dos horas en el mismo lugar donde velaron a su papá, en Avellaneda. De ahí fueron al cemen-*

terio. Había muy poca gente. Lo vi quebrado. Hacía fuerza para no demostrar lo que le pasaba, pero lloró.

—¿Dirías que es un tipo triste o que es un tipo feliz?

—*No es amargado. Es alegre. Se la pasa haciendo chistes. Se pone triste o se enoja cuando la plata no le alcanza. O cuando le dicen, como ahora, que tiene que pagarle cuatrocientos mil pesos a la AFIP. Se lo comunicó, con mucha diplomacia, el contador. Es por su contrato con Turner. Un poco se bajoneó.*

—¿Gasta mucho en comer afuera?

—*Y... Antes iba mucho a Tomo I. Era amigo de Ada Cóncaro. A veces ella le mandaba comida a su casa. Desde que se mudó al Estrugamou se acostumbró a ir a comer al Hotel Sofitel. También le manda la comida, en las contadas ocasiones que invita gente a su casa, Beatriz Chomnalez.*

Ada Cóncaro murió el 14 de diciembre de 2010.

Beatriz Chomnalez, argentina, es chef, tiene 82 años y es miembro de la Académie Culinaire de France. Se graduó en la Escuela de Varenne en 1980 y también pasó por la famosa escuela Le Cordon Bleu. Trabajó durante muchos años con varios de los mejores cocineros de Francia, como Bernard Loiseau, Alain Ducasse, Hélène Darroze y Alain Passard. Chomnalez se define como una "investigadora de la cocina" y es la dueña de L'École de Cuisine de Beatriz Chomnalez en Buenos Aires. Ella viaja todos los años a Francia, donde visita a sus amigos que cocinan en los restaurantes de tres estrellas Michelin. Su mejor amigo francés es Gérard Mulot, el mejor pastelero de París.

A uno de los restaurantes que más le gusta, el del Hotel Sofitel, un día Lanata invitó a comer a su colega y amiga Romina Manguel.

Fue, para ella, una velada inolvidable.

Lanata y Manguel ahora están distanciados, pero trabajaron y fueron íntimos durante más de catorce años. Tuvieron un vínculo tan intenso que vale la pena detenerse a contarlo.

Manguel tiene 39 años. Es periodista, licenciada en Relaciones Internacionales y bachiller en Ciencias Políticas de la Universidad Del Salvador. Trabajó como productora ejecutiva de Daniel Hadad y María Laura Santillán en el programa de radio *El primero de la mañana*. Su padre, dueño de una zapatería, le consiguió una entrevista personal con Lanata. Al poco tiempo empezó a trabajar con él en *Rompecabezas*. Fue redactora de la revista *Veintiuno* durante seis años. Más tarde colaboró con Lanata para sus investigaciones en el diario *Perfil*. También trabajó con él en *Cortinas de Humo* y *Argentinos*. En 2004 publicó, junto a Javier Romero, *Vale todo*, la biografía no autorizada de Hadad. Ahora conduce,

216

junto a Reynaldo Sietecase, la primera mañana de *Vorterix*, la radio que maneja Mario Pergolini, y cuyos dueños son Matías Garfunkel y Szpolski.

Esta es la razón por la que se distanciaron, según Manguel:

—*Él te va a decir que porque lo elegí a Reynaldo (Sietecase) o porque le pedí demasiada guita para ir a* Crítica. *La verdad es que yo nunca le perdoné que no haya estado cuando nació mi primera hija, que fue uno de los momentos más lindos de mi vida. Yo creo que él se puso muy loco con mi embarazo porque a partir de ahí se terminó el vínculo laboral tan intenso. Él, que hacía cosas como llamarme "sacado" a las siete de la mañana, para preguntarme qué íbamos a publicar el domingo en* Perfil. *Nos peleamos por la bosta que era* Crítica *y tan equivocada no estaba. De hecho, yo me bajé antes del arranque. Tenía una hija recién nacida y cada vez que me llamaba Lanata, me daba taquicardia. Ese fue el límite. Porque a mí no hay llamado que me altere. Ni el de Pergolini. Ni el de Szpolski. Pero el de Lanata no lo podía soportar. Y eso que teníamos una relación de amigos, ¿eh?*

Desde que se distanciaron, Lanata y Manguel no se vieron nunca más. Solo tuvieron dos contactos a la distancia. Uno fue por teléfono en 2011, cuando se enteró de que su examigo estaba muy mal de salud.

—*Lo llamé y le dije: "Te voy a pedir un favor. Y no es por vos. Es por mí. Si sabés que te estás por morir, si la ves venir, avisame. No me quiero quedar con la culpa eterna de no habernos despedido". Se cagó de risa. Me respondió: "Te prometo que cuando la vea venir te llamo".*

El otro contacto fue un poco antes del 7 de junio de 2012, el día del Periodista, por chat.

—*Reynaldo lo quiso invitar al programa de radio y dijo que no. Me calenté mal. No pude conmigo. Nos agarramos por chat. Le escribí: "¿Qué te pasa? ¿No venís a medios de judíos como Garfunkel y Szpolski? ¿Somos muchos? ¿Somos demasiados para vos?". Él también me dijo de todo. Eran las dos de la mañana. Mi marido me pidió que la cortara porque nos puteábamos sin parar. No volvería a formar parte de su círculo, porque en un punto me terminó haciendo mal. Pero eso no me impide reconocer que es un tipo de una inteligencia superior. Y además, muy generoso y divertido.*

Lanata demostró con creces que puede ser generoso y divertido aquel día inolvidable que la invitó a comer al Sofitel.

Fue para contenerla por el dolor que le estaba produciendo la muerte de su abuela.

—*Tiene pasión por los hoteles divinos, las marcas y algunas cosas de la guita. Lo sé, porque cuando fuimos a Washington, para hacer la película* Deuda, *en 2004, él paró en uno de los mejores y Silvina Chaine y yo fuimos a otro. Y a mí me divierte eso: que le gusten las marcas. Que lo vuelva loco Louis Vuitton. Por eso, cuando murió mi abuela, en vez de hablarme de la muerte y de filosofía, me invitó a comer comida rica en el Sofitel y me regaló una billetera de Louis Vuitton y un DVD con la serie* Sex & The City. *Me encantó. Me enloqueció. Él sabía que quería comer rico y mirar la serie. Y no la careteó. Me regaló todo eso y me hizo feliz.*

Lanata también hizo muy feliz con el mismo recurso, aunque en otras circunstancias, a su asistente personal de 23 años, la simpática y vivaz María Victoria *Mavi* Bourdieu.

Lanata siempre la trató con cariño. Igual, como es bajita, le puso el apodo de Noelia, por Noelia Pompa, la mujer que padece de enanismo y que bailó un par de temporadas en el programa de Marcelo Tinelli.

Mavi es otra de sus asistentes todo terreno. En especial durante los viajes. Le alcanza de tomar, se acuerda de los medicamentos, está pendiente del maquillaje, la ropa y el equipaje y hasta es capaz de interrumpir el sueño en el medio de la noche si Lanata necesita algo, y no dice ni mu. Bourdieu también le abre y le cierra la puerta de los autos y chequea que no le falten camisas, medias, zapatos, el desodorante, el perfume y los puchos antes de subir al próximo avión.

—*Del maletín con las agujas para aplicarse la insulina se ocupa él. No se desprende de la valijita ni un minuto y está muy pendiente de la frecuencia para inyectarse.*

—¿Dónde se la aplica?

—*En la panza, sobre la camisa, y en cualquier lugar donde se encuentre, así sea en los aeropuertos. Tiene un aparato que es como una lapicera. Lo saca, se inyecta y lo vuelve a guardar.*

Lo conoció en 2010, cuando Lanata conducía *Después de Todo (DDT)* por el Canal 26 de Alberto Pierri. Mavi empezó escribiendo los mensajes de los televidentes y sirviéndole Fanta Light. Todavía lo aguanta.

Ella una vez le pasó un mensaje con una falta de ortografía y Lanata gritó frente a la pantalla:

—¿*Quién fue el burro que escribió esto?*

Ella lo odió y pensó:

—*¡Qué hijo de puta, lo dijo al aire!*

Estaba detrás de cámara. Se quería morir. En aquel momento se enojó mucho. Después lo tomó con humor. Al otro día escribió en una hoja de cuaderno, decenas de veces, muerta de risa, la frase:

—*Me equivoqué.*

Lanata le siguió el juego. Tomó la hoja, la dio vuelta y le dijo:

218

—Ahora te falta completar el otro lado.

Mavi, al principio, casi enloqueció en el intento de satisfacer todos sus pedidos.

—Te pedía, en el medio del programa, un entrevistado para llevarlo al piso en cinco minutos.

De hecho fue ella quien le consiguió el chanchito que hizo las veces de Orlando Barone el día que el veterano experiodista se metió con Lanata ante el regocijo de los chicos K.

El primer viaje que hizo Mavi con Lanata fue a Estados Unidos para realizar los programas de Turner. Entonces el periodista estaba muy mal de salud. Tenía dificultades para caminar. Se dormía en cualquier lugar. Transitaba los aeropuertos en silla de ruedas. Lo aquejaban calambres fortísimos que no lo dejaban dormir.

—Una tarde me llamó a la habitación y me pidió que lo llevara al hospital. Casi me muero de un susto. Después me fui acostumbrando. Otro día, en Londres, me llamó para que le llevara McDonald's a su hotel. Estábamos demasiado lejos. El equipo por un lado y él por otro. Pero tuve que ir y llevárselo, porque estaba muy mal.

Mavi odia el cigarrillo. Sin embargo, con Lanata, tragó más humo que durante todo el resto de su vida. Le costó entender que fuma a toda hora: durante las entrevistas, fuera de ellas y en cualquier lugar del mundo donde no esté prohibido. Pero pronto no tuvo más remedio que acostumbrarse. De hecho, una de las obligaciones de Mavi, no bien llega a una ciudad, es averiguar cuáles son los restaurantes con permiso para fumar a los que puede ir a comer Lanata.

—Mi trabajo es buscar uno donde se pueda fumar, pero además tiene que ser más o menos lindo y tener una carta más o menos amplia. Por ejemplo, a él no le gustan las pastas y eso reduce mucho la posibilidad de elegir.

Mavi fue testigo de cómo Lanata quedó solo, en calzoncillos y con las manos levantadas, como si fuera un delincuente, en el aeropuerto de Orly, en París. Fue el día de los diez años del atentado a las Torres Gemelas y los encargados de la seguridad parecían especialmente preocupados.

Lanata se levantó de la silla de ruedas que usaba por su dolor de piernas. Después intentó pasar por el escáner y la chicharra comenzó a sonar. Regresó, dejó la lapicera y el celular y quiso pasar de nuevo, pero una mujer policía le pidió que se quitara los tiradores.

—Si me los saco se me caen los pantalones.

—Agárreselos como pueda —le propuso entonces en su español afrancesado.

Pero Lanata, el niño caprichoso que no acata órdenes, se hizo el sordo, se quitó los tiradores y caminó varios metros en ropa interior y con los pantalones bajos, solo para demostrar a las autoridades lo ridículas que a veces pueden resultar ciertas normas de seguridad.

Lanata y Mavi pasaron, durante los últimos tres años, cierto tiempo a solas. La dinámica de trabajo fue generando intimidad, aunque Jorge siempre vuela en ejecutiva o en primera y Mavi se sienta en clase turista. Ella sabe, por ejemplo, que si no consigue rápido comida sana para sostener su dieta es probable que su jefe ataque el minibar de la habitación del hotel y arrase con las bebidas light pero también con las papas fritas y los chocolates.

También sabe que cuando hacen un reportaje en exteriores todo tiene que estar listo para cuando Lanata llegue. Incluso el propio entrevistado debe estar maquillado y con el micrófono colocado, porque él no puede ni quiere esperar. Pero también Mavi reconoce que un par de veces pudieron hablar de igual a igual. Que tuvieron "charlas fuertes". O, mejor dicho, que la usó, en el buen sentido, de confidente, una vez que el trabajo estuvo terminado.

—*Una vez me contó eso de que cuando se drogaba no sabía muy bien quién era. Que no le había gustado eso de levantarse de la cama y no saber quién era la persona que tenía al lado. Que había probado de todo. Que hubo un momento que no podía estar un minuto sin consumir.*

—¿Y vos qué le dijiste?

—*Le agradecí la confianza. Es bueno trabajar con una persona cuando sabés que confía en vos.*

Lanata confía en ella.

Cuando la manda a comprar algo, nunca le pide los tickets. Cuando ella solicita un aumento, y Lanata lo considera justo, presiona a quienes se lo deben conceder y lo consigue.

Además, con ella también es muy generoso:

—*Un día me animé a pedirle un par de anteojos suyos que no usara. Era porque quería tener algo de él. Algún recuerdo de viaje. A la siguiente vez me trajo cinco.*

Otro día Mavi le confesó que había leído un libro de autoayuda de Jorge Bucay.

—*Se espantó. Me dijo de todo, menos culta. A las pocas horas llegó un auto a mi casa con tres libros. Dos eran de Salinger y uno de Capote. Me los mandó con una notita que decía algo así como: "Para que dejes de leer a Bucay".*

Lanata, durante mucho tiempo, le echó en cara a Bourdieu el hecho de que usara una billetera marca Louis Vuitton, pero trucha.

–*¿Cómo vas a andar con eso? ¿La compraste en Paraguay?* –se burlaba.

Pero en 2011, en el día de su cumpleaños, Lanata le dio en la mano un paquete que contenía una billetera Louis Vuitton original.

–*¡Me sorprendió tanto! ¡Yo no lo podía creer! Después me puse a pensar: cómo puede ser que un tipo al que no le gusta festejar su cumpleaños se acuerde del cumpleaños de los otros. Además se preocupó por buscar el modelo que me gustaba a mí. Me pareció increíble. Súper atento de su parte.*

Pero quizás uno de los mayores gestos de generosidad y desprendimiento lo tuvo con su actual esposa, Sara Stewart Brown.

Sucedió en noviembre de 2000, pocos días después de terminar su desintoxicación en McLean, en Boston, y en la mejor zona de la ciudad de Nueva York.

Hacía tiempo que ambos estaban fuera de casa.

Habían salido de Buenos Aires el lunes 2 de octubre y habían llegado al otro día a Nueva York.

Habían dormido tres o cuatro noches en El Plaza, uno de los hoteles preferidos de Lanata, el mismo en el que había pasado el año nuevo de 1993 junto a Fito Páez, Cecilia Roth, Rodrigo Fresán y otros amigos.

Se habían mudado luego al apart Marmara Manhattan, en la calle Noventa y cuatro y Dos, donde se quedaron hasta el jueves 12, porque al otro día los esperaban en Boston, donde Lanata debía iniciar su tratamiento para abandonar la cocaína.

Llegaron a esa ciudad más tarde de lo previsto, porque supusieron que estaban a una distancia de trescientos kilómetros y resultaron trescientas millas. Pasaron la primera noche en el Hotel Lenox y la siguiente en el Boston Park Plaza.

Cinco días después llegó a Boston su médico clínico, Julio Bruetman. Lanata y Sara se trasladaron desde McLean hasta el Sleep Health Center, donde le realizaron múltiples estudios del sueño, le diagnosticaron apnea y le recetaron la máscara BiPAP que hoy le permite dormir un poco más tranquilo. De allí se mudaron al Hotel Charles, en la misma Boston, desde donde salió al aire para su programa *Día D 2000* y habló de la campaña de las elecciones que poco tiempo después ganaría George Bush hijo. El 27 de octubre Lanata y Sara regresaron a Nueva York y se hospedaron de nuevo en el Marmara Manhattan. Lograron conseguir habitación solo por unos días. Se aproximaba el maratón de la ciudad, el 5 de noviembre, y casi todos los hoteles estaban completos. El plan de la pareja era quedarse a descansar luego de que Lanata consiguiera abandonar la cocaína.

Después de todo, aunque se había "fugado antes" de McLean y habían transcurrido muy pocos días, parecía que lo estaba logrando. Sus empleados de la revista *Veintitrés* y del programa de la tele –que seguía en el aire gracias a Adrián Paenza, Horacio Verbitsky, Ernesto Tenembaum, Marcelo Zlotogwiazda y Claudio Martínez, entre otros– empezaron a buscar cualquier tipo de habitación en la ciudad, sin resultados positivos. Los productores Silvina Chaine y Mariano Scarpatti, de *Veintitrés* y *Data54*, ya habían reservado con tiempo en el apart Marmara, donde también dormiría la secretaria de toda la vida de Lanata, Margarita Perata. Todos ellos tenían pensado grabar, junto a Lanata, documentales exóticos sobre algunas de las cosas que suceden en Nueva York.

Lanata y su mujer recorrieron toda la guía de hoteles. Consiguieron una habitación en el Hilton. Por teléfono, se la habían "vendido" como una suite. Cuando llegaron se encontraron con uno de los cuartos más feos que habían visto en su vida.

Fue entonces cuando Lanata, más bueno y menos paranoico de lo que había sido cuando tomaba, le dijo a Sara:

–*Ya recorrimos toda la puta ciudad. No hay habitaciones en ningún lado, excepto en The Pierre.*

Y Sara le aclaró:

–No. En The Pierre las tomaron a todas. La única que queda es la suite más cara, con dos cuartos, un living comedor y todas las extras que te puedas imaginar. Sale más de tres mil dólares. Me da como demasiado.

Lanata usó entonces su tono más seductor.

–*Kiwi. Yo laburo como un hijo de puta. Vengo de un puto lugar para dejar de tomar, ¿para qué lo hago si no podemos ir juntos a un lindo lugar?*

The Pierre es uno de los pocos hoteles cinco estrellas de Nueva York. Está ubicado entre la Sesenta y uno este y la Quinta Avenida, frente al Central Park. Tiene una altura de ciento sesenta metros y cuenta con cuarenta y dos pisos. Fue inaugurado en 1930. Su construcción costó, en aquella época, una fortuna: más de quince millones de dólares. Su decoración está inspirada en la capilla del Palacio de Versalles. Solo muy pocas de las 189 suites fueron adquiridas por millonarios de distintas nacionalidades.

The Pierre tiene 6 salones, varias tiendas y el restaurant Le Caprice, cuya sede central se encuentra en Londres y es uno de los más caros del mundo.

En The Pierre tenía, hasta fines de 2011, un dúplex de 14 ambientes, 5 habitaciones y 6 baños, la fallecida empresaria Amalia Lacroze de Fortabat. Con 724 metros cuadrados, 566 cubiertos y 158 de balcón terraza, Amalita lo alcanzó a vender, antes de morir, en casi veinte millones de dólares. En aquel piso Amalita posó para Andy Warhol y su retrato fue colgado durante muchos años en la pared del departamento.

Me contó Sara Stewart Brown de Lanata:

—*Fue el lugar más caro que estuve en mi vida. Estuvimos un total de diez días y ni uno solo dejó de valer la pena. Me acuerdo de que se abrió una puerta doble, entramos, me agarró y bailamos un vals. Estaba chocho. ¡Tenía una felicidad!*

Aproveché que Sara se había relajado para hablar de dinero.

—¿Fue The Pierre una excepción o ustedes siempre vivieron bien?

—*Vivimos bien, pero al día. Viviendo con él aprendí a tener la mirada menos conservadora. Me acuerdo de que una vez tenía que cobrar diez mil dólares por un laburo, y en el medio se murió (Fernando) Peña. No sabíamos para qué lo íbamos a usar, y dijimos: "¿Nos vamos a París?". Y nos fuimos al (Hotel) Ritz. Porque después terminás como Peña y dejás la plata en el banco. Varios de los últimos Años Nuevos lo pasamos en París, con su amigo Luis (Rigou). Y varias veces fuimos al Ritz.*

El Hotel Ritz tiene, también, cinco estrellas, es uno de los más prestigiosos y lujosos del mundo, se encuentra ubicado en el corazón de París y es parte del exclusivo círculo de *The Leading Hotels of The World*.

Tiene 159 habitaciones. Fue fundado en 1898 por el hotelero suizo César Ritz, en colaboración con el chef Auguste Escoffier. Fue el primer hotel en Europa que ofreció un cuarto de baño, un teléfono y luz para cada habitación. Varias de sus suites tienen el nombre de quienes fueron huéspedes reconocidos y famosos, como Cocó Chanel y Ernest Hemingway. La suite más grande y más cara, denominada *La Imperial*, fue designada monumento nacional por el gobierno de Francia.

La habitación más económica cuesta 850 euros la noche. Hay de 1.260, 1.480, 2.250 hasta llegar a 13.900 euros la noche. Entre las más caras se encuentran la *Elton John Suite*, por 6.950 euros la noche, y la *Cocó Chanel Suite*, por 9.950 euros. *La Imperial* tiene vista a la Plaza Vendôme. Consta de un living, 3 habitaciones, 3 baños y 3 jacuzzis. El cuarto principal es una reproducción del que tenía María Antonieta en el Palacio de Versalles.

Le pregunté a Sara:

—¿Alguna vez estuvieron mal, o cortos de plata?

–*Mal no. Apretados y con deudas, sí. En especial después de la* quiebra. *La buena venta de* Argentinos *compensó.*

–¿Es verdad que acaban de vender la casa de Punta del Este en 1.200.000 dólares?

–*Sí. Y con parte de eso compramos un departamento en Libertador y Esmeralda, de 250 metros. Sale más o menos setecientos cincuenta mil dólares. Con el resto le vamos a comprar un departamento a Bárbara.*

–No se pueden quejar.

–*No. Pero nosotros llegamos a tener dos casas en Uruguay. Y ahora no tenemos ninguna. El terreno de José Ignacio lo compramos en 2002, a 42.000 dólares. Mucho tiempo tuvimos una camioneta allá: primero una Toyota vieja con caja, después una Tata Sumo, y después una Ford Ranger. Al año siguiente nos compramos otro terreno.* Argentinos II *lo escribió en una de las casas, a la que Jorge le puso La Sarita, en el verano de 2003. La otra casa la terminamos de hacer en 2004. Y fue la que invirtió en* Crítica. *A esa, la que perdimos, la alquilaba la exmujer de (Francisco) De Narváez en los veranos.*

–¿Fue un error poner la casa para invertir en el diario?

–*Él quería poner esa plata para dar confianza a los inversores, y además pensaba que era su último trabajo en prensa. Él tenía la ilusión de que iba a funcionar, que se iba jubilar ahí. Que podía trascenderlo a él. ¿Qué le podía decir yo?... Nosotros laburamos y pensamos todo muy juntos, pero la verdad el que trae la guita es él. Lo que yo genero y aporto a la casa no hace la diferencia económica.*

–¿Pagar impuestos lo pone de mal humor?

–*Sí. Empieza a decir que no llega. Que para qué miércoles labura. Pero cuando se pone peor es cuando se siente presionado. Cuando siente que todos esperan demasiado de él. Ahí sí tiene un humor de mierda.*

–¿Sintieron, alguna vez, la envidia de la gente en la calle?

–*Una vez, en 2001, estábamos por Palermo con el auto. Tenía un Audi 3. Entonces pasó uno y le gritó: "¡Eh! ¡Qué lindo coche tenés!", en un tono de resentimiento. Como si no tuviera derecho, después de todo lo que labura, a tener ese auto.*

–¿Es verdad que tienen cocinero?

–*Sí. Pero lo tenemos, más que nada, por la dieta que debe hacer para no volver a diálisis. Ahora le cocinan las mellizas, las hijas de Margarita (Perata). En realidad quedó solo Lucía, porque la otra, Soledad, se fue con su chico, que es francés y se llama Jonathan. No viven en casa. Laburan part time. Fueron Soledad y Jonathan quienes se entrevistaron con la nutricionista de Jorge y le armaron un menú. Pero no te imagines cosas raras: vienen dos o tres horas por día. Y cobran no más de cuarenta pesos la hora.*

—¿Quién maneja el dinero?

—*Recién ahora, después de la venta de La Sarita, estoy ordenando todo el tema de la plata yo. Porque él es un desastre. Y todo el tema de los impuestos es un quilombo. Ahora tenemos un contador muy bueno.*

La mayoría de las conversaciones que mantuve con Lanata transcurrieron en su último departamento de alquiler. Las últimas, en su nuevo departamento de la Avenida del Libertador 336.

La primera entrevista tuvo una particularidad.

Me citó en su piso el sábado 17 de diciembre de 2011, a las cinco de la tarde. Sin embargo, pudimos empezar a grabar recién a las seis y cuarto. Se había quedado dormido con la máscara que usa para respirar con normalidad y Francisca no tenía manera de despertarlo.

Salí a la calle. Fui a tomar un café, aproveché para revisar mis apuntes y volví, pero seguía dormido. Al mismo tiempo entró Sara junto a su hija Lola. Venían de andar en bicicleta. Simpática y muy educada, Lola se quitó el casco y me dio un beso de bienvenida. Me estaba por despedir sin lograr mi cometido cuando Sara me invitó a esperarlo en el escritorio.

Fue en aquel instante donde empecé a conocer de verdad a Lanata.

Lo primero que hice fue registrar todos los medicamentos que tenía sobre su mesa de trabajo, junto a la enorme computadora iMac de 27 pulgadas, cuyo precio de mercado en aquel entonces era por lo menos cinco mil dólares.

Es una máquina mucho más grande que la Macbook Air de 11 pulgadas que usa en la radio y lleva a todos los viajes y cuyo precio en el mercado es de dos mil dólares.

En la mesa había dos pastilleros. Uno rojo y otro transparente. En cada compartimento se podían leer las iniciales de los siete días de la semana.

Lanata tenía, sobre su escritorio:

- Una caja de *Tranquinal* en dosis de 0,50 gramos. Se trata de un ansiolítico y antidepresivo que contiene alprazolam. La droga actúa sobre los estados de angustia provocados por la agorafobia o el luto. También baja el nivel de excitación del cerebro. Además de sus efectos antidepresivos, tiene propiedades sedantes hipnóticas y anticonvulsivas. En el prospecto se asegura que su efecto más notable es el ansiolítico.

- *Crema de bismuto Chobet con pectina.* Es un antidiarreico y protector de la mucosa intestinal. Se usa para tratar las diarreas infecciosas.
- *Pepto Bismol.* Sirve para aliviar el malestar estomacal, la acidez, la indigestión, las náuseas y la diarrea.
- *Tafirol.* Es un fármaco utilizado para aliviar el dolor de la cabeza, las muelas, los músculos de la espalda y las articulaciones y también para reducir la fiebre.
- Y *Circonyl.* Es un relajante muscular para prevenir la aparición de calambres nocturnos. Tiene sulfato de quinina. La quinina, a su vez, es un compuesto usado de manera frecuente para adulterar la heroína.

También tenía, sobre su escritorio, además de la computadora y los medicamentos:

- Una impresora HP.
- Una lámpara cromada.
- Un teléfono fijo.
- Un equipo de música y dos parlantes.
- Un cenicero con monedas.
- Un cenicero repleto de colillas de cigarrillos.
- Dos atados de Parliament a medio fumar.
- Cuatro estuches de anteojos.
- Un aparato para medir la presión.
- Un billete de un dólar.
- Un aparato para grabar audio y unos auriculares.
- Una pila de libros.
- Una taza de café con colillas de cigarrillos.
- Un adorno que es un canguro y que sirve para poner lápices y lapiceras. Por lo menos cinco tenía de la marca Mont Blanc: una azul, dos negras y dos blancas.
- Una caja de carilinas dentro de una funda de felpa gris.

Una buena parte del mundo de Lanata transcurría en la habitación donde se encontraba su estudio.

No era ni un cuarto ni un mundo pequeño. Tenía una ventana que daba a la calle Juncal, aunque casi siempre permanecía cerrada. Sobre una de las paredes había nueve bibliotecas repletas de libros. Frente a su escritorio, un poco más arriba de la biblioteca, tenía incrustados dos sables de principios de siglo XX.

En su estudio del Estrugamou Lanata también tenía seis relojes de arena distribuidos por las bibliotecas y un perchero de madera oscura con tres gorritos colgados.

En el piso había libros apilados, cajas con revistas viejas y resmas de papel para la impresora. También se podían ver ejemplares antiguos de *El Porteño*, la revista donde Lanata escribió.

Lanata se sentaba en una silla giratoria de cuero blanco estilo Chesterfield. Justo detrás de él apoyaba un maletín de cuero y un cartón de cigarrillos Benson & Hedges.

En las bibliotecas, además, aparecía, suelta, una foto de Lanata con Lola en la radio, otra foto de Bárbara, su hija mayor, y también dos binoculares y dos mapamundis.

Sobre la pared que daba a su espalda Lanata había pegado con chinches:

- Un cartel de *Día D, el regreso*. Dice: "*Vuelve Lanata. Lunes a viernes 21 horas. América*".
- Otro cartel que publicitaba la salida de *Página/12*: "*Despiértese con Página/12. El diario sin desperdicio. De martes a sábado*". Se trata del afiche que rompió durante una emisión de *Periodismo Para Todos*. Fue cuando le dijo a la Presidenta "patética" porque lo ignoró para el aniversario número veinticinco de *Página/12*.
- Una frase escrita en computadora: "Cada uno hace lo que hace. No lo que piensa".
- Un cartel de su novela *Muertos de Amor*.
- Una foto suya, con un cigarrillo en la mano, cuando todavía no había cumplido los treinta años.
- Algunos dibujos realizados por Bárbara cuando era chica.
- Una foto de Sara y Lola.
- Una frase de Bertrand Russell: "*No hay ningún motivo válido para engañar a los niños*".

En las puertas del armario había también:

- Un cartel de su película *Deuda*.
- Dos retratos de Lanata dibujados con lápiz.
- Un cartel que describía la situación de los periodistas en Cuba

según la ONG Reporteros Sin Frontera. Decía: *"¿Dónde están los periodistas? No busques más, están en la cárcel".*

- Un cartel de cuando arrancó su programa de radio *Lanata PM* en Radio Del Plata.
- Una frase de Confucio: *"No se ve pasar el viento, pero a su paso las hierbas se inclinan".*
- Un billete de un austral.
- Un dibujo de *Polaroids,* su primer libro de relatos.
- Un extracto del libro *El cazador oculto,* de Salinger.

De entre la profusa cantidad de elementos se destacaron los dibujos de su hija Lola. Y hubo uno, en especial, que ella le dedicó cuando tenía cinco o seis años. Es un monigote de Lanata vestido de verde con cara de pera. Debajo del dibujo se puede leer:

Mi papá
Famoso
Inteligente
Bueno

En ese orden.

En el primer piso del Estrugamou donde Lanata vivió desde 2003 hasta agosto de 2012 pagando un alquiler mensual de cinco mil dólares, la puerta de entrada es de hierro y de vidrio.

Se trata de un departamento enorme.

Tiene un living comedor unido por una arcada con otro living, 5 habitaciones, 3 baños, 1 playroom, 3 habitaciones de servicios con baño separado y una cocina dividida en dos.

El living comedor tiene un ventanal que da a un patio interno del edificio. En el centro había una mesa de madera para diez personas y una biblioteca repleta de libros. Allí descansaron los biblioratos rojos con la colección del diario *Página/12.* También había un hogar y una mesa repleta de bebidas alcohólicas que nunca nadie tomó.

El living comedor también tiene una puerta que da a la cocina. En la silla ubicada en la cabecera frente al hogar solía sentarse Jorge Lanata. En el piso de madera dejó las marcas de decenas de quemaduras de los cigarrillos que se le cayeron y que aplastó para apagar.

Cruzando una arcada hay otro living. Es el que da a la calle Juncal. Tiene altos ventanales de madera pintada y un balcón francés. También estaba repleto de bibliotecas. Se podía ver un hogar y varios sillones acomodados sin ningún orden aparente. La mayoría estaba agujereado por las garras de los gatos que vivieron en la casa.

Al lado del living está el playroom. Se conecta por una arcada y que también tiene una puerta que da al pasillo que se comunica con todas las habitaciones. El cuarto tiene ventanas y es luminoso. Había, hasta hace poco, un televisor LCD de 42 pulgadas, un DVD y equipo de música. Frente a la tele se encontraba un sillón. Sobre la pared había un mueble repleto de películas en DVD. No faltaba de ningún género. Se destacaban las películas para chicos que todavía consume su hija Lola.

Al salir del playroom hay un largo pasillo que comunica el living con todas las habitaciones. Tiene unos treinta metros. En el pasillo había una biblioteca de madera con libros. También, sobre el margen izquierdo, había unos armarios adosados a la pared. Más adelante estaban pegados cuatro dibujos eróticos de bailarinas de la Belle Époque francesa. Son los que le regaló Sara a Lanata cuando se transformó en capo cómico y se subió a las tablas del teatro Maipo. Frente a los cuadros había una tapa del diario *La Razón:* "El cadáver hallado es el del general Aramburu", es el título principal.

Al lado se podía ver una tapa del diario *Clarín* del 7 de agosto de 1987. Fue la primera vez que el matutino mencionó en su portada una nota de *Página/12.* Decía: "Sancionan al coronel Seineldín por sus declaraciones periodísticas".

La primera habitación del pasillo era el estudio de Jorge Lanata.

Al lado estaba ubicado el estudio de Sara. Fue la habitación de la tía Nélida mientras vivió. Es un cuarto luminoso, de cinco metros por cuatro, con grandes ventanales que dan a la calle Juncal. Tenía un bastidor donde Sara dibujaba y un escritorio ubicado en una de las paredes repleto de pinturas, lápices, hojas y utensilios para dibujar. Frente al escritorio había una plancha de corcho que ocupaba la mitad de la pared. Allí Sara pegaba fotos y dibujos. Sobresalía un póster de Lanata que fue usado para la campaña publicitaria de la marca de ropa Bolivia. En la imagen se lo veía de frente, vestido con un saco y una camisa de la marca. Abajo se leía la inscripción: Bolivia. El póster era rectangular y tenía un metro y medio de ancho por un metro de alto.

Al lado del estudio que usó Sara hay un baño completo y grande. Tiene una bañera, bidé, inodoro, un vanitory antiguo y un espejo con marco de madera.

Al lado del baño estaban ubicados los cuartos de Lola y de Bárbara. Ambos daban a la calle Juncal y tenían un baño compartido. El de Lola estaba lleno de juguetes.

Al final del pasillo a la izquierda estaba la habitación que usaron Jorge y Sara. Es muy grande. Tiene seis metros por cinco. Se acostaban en una cama matrimonial king size con un acolchado de color claro. La mesa de luz de Lanata estaba repleta de medicamentos. Se podía ver, apoyada, la máquina con la máscara para combatir la apnea. Frente a la cama había un mueble con un televisor LCD de 42 pulgadas y varios paquetes de cigarrillos. En la cabecera de la cama se veía un cuadro del artista Mark Rothko. La habitación es luminosa, tiene un ventanal que da al pulmón del edificio y además cuenta con baño en suite y un vestidor. Había dos percheros repletos de ropa de Jorge. Eran los sacos, camisas, pantalones, corbatas y chalecos que usa a diario. En otra parte del vestidor había otra pila de ropa, también de Lanata. Muy cerca se podía ver un estante con todos sus perfumes. La mayoría era de Armani clásico. Muy cerca aparecía un sombrerero Louis Vuitton de viaje.

La cocina está dividida en dos partes y se conecta con las tres habitaciones de servicio que tiene la casa. Una funcionó como la habitación de la empleada y las otras como depósito de cosas inservibles. También hay un lavadero. Es el espacio de la casa que da al pulmón del edificio y se conecta con el living comedor a través de una puerta vaivén.

Cuando Lanata al final apareció, después de su pesada siesta, yo ya tenía un mapa completo del hogar en el que eligió vivir desde 2003 hasta agosto de 2012.

Comparado con semejante propiedad, el nuevo departamento de Avenida del Libertador 336, piso 19, departamento A, parece pequeño y con poco estilo.

Pero no es ni una cosa ni la otra.

Pertenece a una torre de 32 pisos y la ubicación y la vista son inmejorables. Desde el enorme ventanal del semipiso se puede ver el Río de la Plata, la estación Retiro y gran parte de la Villa 31.

El departamento tiene 250 metros cuadrados, tres habitaciones, un living, una cocina y un cuarto de servicio.

Lo primero que se ve cuando se entra por la puerta principal es un pequeño hall que comunica con el living, la cocina y el estudio de Lanata.

Frente a la puerta de entrada está el estudio del periodista. Es una habitación de tres metros por tres. Allí instaló su escritorio y su computadora Mac. Tiene un modular y una biblioteca con libros ubicada frente a él. El espacio es muy luminoso. Tiene una ventana que da a la calle Esmeralda. Desde allí Lanata puede ver parte de la estación Retiro.

El living es grande tiene veinte metros de largo y cinco de ancho. Posee ventanales en todo su largo que dan a un balcón. Está armado en dos sectores. De un lado hay una mesa de madera y detrás una biblioteca blanca con adornos y libros. Del otro hay dos sillones dispuestos frente a un televisor LCD. El living tiene además un pequeño balcón cerrado con vidrios que da a la calle Esmeralda. Allí ubicaron una cinta de correr que Lanata usa para caminar. Es una Sport Art 3108. Sara la pagó cerca de dos mil dólares en el año 2003. En el medio del living hay un caballito similar al de un carrusel. Es el mismo que tenían cuando vivían en el Estrugamou.

La cocina es moderna y más larga que ancha. Tiene una mesada amplia y larga de granito y está decorada en tonos blancos.

A pesar de que mantuvimos varias entrevistas tuve que dar varios rodeos para conseguir que Lanata me respondiera sobre sus costumbres. Reconozco que algunas preguntas fueron antipáticas, pero necesitaba saber hasta dónde estaba dispuesto a hablar.

—¿Tenés o tuviste chofer?

—*No tengo. Tuve. Fue en la época de* Crítica, *porque el diario usaba mi auto. Arreglé que yo ponía el auto pero me garpaban un chofer, ya que para mí era más cómodo. Con Gabriel (Cavallo) tomamos uno retirado de la (Policía) Federal. Lo usábamos los dos.*

—¿Tenés asistente?

—*Tengo una asistente. Se llama Mavi Bourdieu. Se ocupa de todo. En especial durante los rodajes. Se ocupa de los cafés, los viajes, las visas y también de maquillarme en los exteriores.*

—¿Por qué usás el timbre para llamar a tu empleada?

—*Porque la casa es grande y no puedo andar a los gritos.*

—¿Por qué usás camisas con las iniciales de tu nombre y tu apellido?

—*Porque me las mando hacer y me gusta. ¿Y sabés qué? Me las hago en George, como Menem, De la Rúa, Neustadt y varios políticos más. No me corras por izquierda con esto. Me rompe las pelotas. Es una boludez, es menor. ¿Qué importa dónde me hago las camisas? Si yo te respondo en Chemea, ¿soy mejor porque las camisas son más berretas? ¿Querés saber cómo vivo? Vivo bien. Podría vivir mucho mejor. ¿Y sabés qué? Si tuviera mucha plata, me gustaría tener un avión. Porque eso me daría mucha más libertad.*

—¿Es cierto que uno de los detenidos por el copamiento de La Tablada te pedía dinero todo el tiempo?

—*Es cierto. Era Roberto (El Gato) Felicetti. Nos pedía a los responsables de* Página *guita todo el tiempo. Y lo hacía en forma medio extorsiva... Te pedía en nombre de los compañeros presos, para la cárcel... Te recordaba que Gorriarán había puesto guita. Y yo le daba guita mía.*

De mi propio bolsillo. La situación se prolongó por más de un año. No sé si les pedía a otros. Sé que a mí me pidió y yo le di.

—¿Es verdad que no quisiste ser candidato a jefe de Gobierno de la Ciudad porque no te iba a alcanzar el sueldo?

—*Fijate qué boludez, pero, ¿de qué iba a vivir? Porque iba a trabajar de intendente, pero tengo una hija, pago expensas. ¿Cómo mierda hacía para vivir? Alguien sugirió juntar un grupo de gente para que pusiera plata. Pero si hacíamos eso nos íbamos a meter en un quilombo. Depender de alguien no es muy lindo.*

—Hablé con Szpolski. Dice que te contrató para incluir en *Veintitrés*, *Argentinos I* y *II* y que después inventaron algo sobre las *Doscientas Personas más importantes de la Historia*. Que terminó pagándote 30.000 dólares por mes. Que el contrato completo fue de 1.200.000 pesos.

—*No era tanta plata.*

—Dice que mientras te pagó era un empresario de medios ni mejor ni peor que ninguno. Pero en cuanto dejó de hacerlo se transformó en el más hijo de puta de todos.

—*Yo creo que Szpolski...* —Lanata tomó aire: —*... Mirá: si yo hubiera sabido antes que* Veintitrés *se iba a convertir en la porquería que es hoy, la habría cerrado. Me arrepiento mil veces de haber quebrado para mantener esa porquería que sale hoy. El problema fue la ida de Guille (Alfieri). Guille era y es súper profesional. Obedecía hasta ahí. Y nunca fue K. Lo último que hice yo en* Veintitrés *fue mientras estuvo Guille. En esa época con Szpolski todavía se podía hablar. No estaba tan pegado al gobierno. Y además me respetó como fundador de la revista, cosa que no hicieron los de* Página/12. *Y sí. Lo hice por plata. Porque no era ningún esfuerzo para mí. Y también lo hice por Guille. Porque estaba sin laburo y en la lona.*

—¿Por qué tomás Perrier?

—*Tomo Perrier porque me gusta, no sé. Me gusta. Tiene rico gusto. ¿Sabés qué? Me encantaría ser más frívolo. Soy un frívolo con culpa. Soy medio boludo en eso. La discusión no es si tomo Perrier o tengo una casa en Punta del Este. Es cómo me gano la guita y si me importa lo que le pasa a los demás. Y la respuesta es: me gano la guita de una manera decente y me preocupo por quienes menos tienen.*

11

QUIEBRA

Lanata recibió una de las peores noticias de su vida de boca de su último financista, el empresario Gabriel Yelín, a fines del año 2000, poco antes de la crisis económica más grave de la historia Argentina.

Yelín fue directo:

—*Jorge, me debés casi tres palos.*

—¿Qué?

—*Que me debés como tres palos. Y me los tenés que pagar.*

—¿Cómo llegaste a hacer la cuenta?

—*Es el estimado de la plata que puse en la revista hasta ahora. Acá te dejo los papeles.*

—Vos estás en pedo. Vos pusiste plata en un negocio en el que apostaste. Yo no te tengo que devolver nada. Además, esta revista vale más que eso, ¿no?

—*Esta revista no vale nada. ¿Quién la va a comprar, con la economía como está? Y la plata me la tenés que dar. Es lo que hablamos. Y es la que puse hasta aquí.*

—Pero yo no tengo un mango.

—*Entonces la cierro.*

—No podés ser tan hijo de puta.

—*Tampoco puedo ni quiero seguir perdiendo guita.*

—Yo no quiero que cierre la revista.

—*Yo tampoco. Pero de alguna manera lo tenemos que arreglar.*

Veintitrés tenía un déficit operativo de entre cien mil y ciento veinte mil dólares por mes. Lanata suponía que lo podía revertir. A esa altura, Yelín ya se había arrepentido mil veces de haber puesto dinero para la aventura que soñó Lanata.

Fue varias semanas después de aquella tensa conversación cuando Yelín convenció a Lanata de firmar un documento que lo iba a dejar en Pampa y la vía. Un contrato formal en el que el periodista se comprometió

233

a pagar casi tres millones de dólares en treinta y seis cuotas iguales de setenta y cinco mil pesos/dólares por mes.

No llegó a saldar ni la tercera cuota.

En diciembre de 2001 Yelín pidió la quiebra de Lanata.

De inmediato, Lanata, para evitarlo, se presentó a un concurso preventivo de acreedores.

Pero en abril de 2003, la justicia le dio la razón a Yelín y le decretó la quiebra personal.

Es decir: Lanata se fue a pique.

Fue declarado desahuciado e inhabilitado.

Fue borrado del sistema legal y financiero.

No pudo firmar un cheque ni usar su tarjeta de crédito por más de un año.

Parte de sus ingresos fueron capturados por la justicia para pagarle a sus acreedores.

Tuvo que pedirle permiso al juez de la quiebra cada vez que necesitó salir de la Argentina.

Nueve años después de la debacle, Lanata, todavía triste, pero sin culpa, redujo a solo veintiocho palabras la desastrosa aventura editorial de la revista *Veintiuno*, *Veintidós* y *Veintitrés*, a la que le fue cambiando el nombre mientras el proyecto y la ilusión de los trabajadores se iban cayendo a pedazos:

–*Yo no soy chorro. Yo no afané. Yo fui el boludo que quebré. No el empresario rico que hizo quebrar la empresa y se quedó con la guita.*

El de su quiebra personal fue uno de los asuntos que más le costó abordar.

Firmar aquellos pagarés que Yelín le puso sobre la mesa fue otra *cocaine decision*. Un síntoma revelador de la soberbia y la vocación suicida que se habían apropiado de Lanata por aquella época. Lo admitió hasta su médico clínico, Julio Bruetman, un hombre prudente que no suele hablar de asuntos que no pertenecen a su especialidad:

–*El haber dado sus avales personales para la revista fue un delirio. Está bien, estaba pasado de droga y firmaba cualquier cosa, pero ¿a quién con dos dedos de frente se le ocurriría hacer eso? Él debía estar muy mal, porque no es un loco de atar. Es un tipo sensato. Y hasta ordenado. Sabe, por ejemplo, qué medicación tiene que tomar y a qué hora. Y eso que no son pocas. Por eso yo atribuyo esa decisión a un momento de mucha presión y mucha ansiedad.*

Firmar esos papeles significó, además, reconocer, de manera legal, que Yelín no había aportado dinero en carácter de accionista sino que lo había prestado para que se lo devolvieran.

—Todos me pidieron que no firmara un pomo. En especial mis abogados, Pablo Jacoby y Patricio Carballés. Pero yo firmé igual. Me inmolé. No pude pagar y opté por ir a mi quiebra personal antes que dejar a más de ochenta personas en la calle —me dijo, como si no hubiera sido responsable de nada.

El primer número de *Veintiuno, la revista del siglo que viene*, salió el 16 de julio de 1998.

Había nacido de la cabeza de Lanata apenas seis meses antes, en diciembre de 1997, más por necesidad que como sueño.

El exdirector de *Página* necesitaba inventar algo para volver a hacer ruido después de la sorpresiva decisión de Eurnekian de levantar *Día D*. Una vez confirmada la decisión del entonces dueño de América, Lanata había pensado seriamente en suicidarse, con un arma en la mano, cocaína y una botella de champagne francés sobre la mesa. (Véase el capítulo "1. Suicidio".)

Pero no lo hizo.

En cambio decidió poner en marcha lo que imaginaba como el primer eslabón de un multimedio, a través de una empresa denominada Comunicación Grupo Tres Sociedad de Responsabilidad Limitada (SRL). Lo impulsó con el amor propio que lo caracteriza:

—Nos pusimos Grupo Tres. ¿Sabés por qué? El logo es un puntito entre dos cuadrados gigantes. Nosotros somos estos boludos chiquitos metidos entre los dos grandes grupos de medios: Clarín y el CEI. Y nosotros los vamos a joder. Vas a ver, con el tiempo los vamos a joder —me dijo, Lanata, cuando lo fui a ver a su despacho de director, sobre la calle Arroyo, el viernes 16 de octubre de 1998.

En los papeles, Lanata aparecía como el socio mayoritario de Grupo Tres con el 51 por ciento de las acciones. Fernando Moya, su mánager, figuraba con el 49 por ciento. Además, se había anunciado, de manera oficial, que los fondos para financiar la revista se habían obtenido de un crédito cedido por un banco de capital extranjero.

—Un préstamo de un banco extranjero con sede en la Argentina, garantizado con bienes personales de Lanata y Moya —explicaron, en aquel momento, para más información, voceros de la revista a su competidora, *Noticias*.

No era completamente cierto.

Toda la verdad me la contó un exasesor contable de Lanata, a condición de que no revelara ni su nombre ni su apellido. Lo hizo en la jerga que usan los contadores para hablar de igual a igual. El diálogo que mantuvimos es textual:

—*Ni el Gordo ni Moya tenían un peso. Empezaron a pensar en serio no solo en la revista sino en fundar un multimedio cuando apareció Gabriel Yelín, porque era muy amigo de Marcelo Zlotogwiazda.*

—En mayo de 1998, dos meses antes de la salida de la revista, al recibir un Martín Fierro, Lanata ya le había agradecido el "apoyo" a Yelín —le recordé.

—*Sí. Y Yelín, como era un cholulo, en ese momento terminó de "caer". Ahí fue cuando empezó a poner la guita. Llamémosle la inversión inicial.*

—¿De cuánto dinero estamos hablando?

—*De medio palo. Dos cuotas de 250.000 dólares cada una. La primera llegó a la empresa como un mutuo préstamo. Es algo así como un pagaré. La segunda la trajo de una empresa de (las Islas) Caimán, que se llamaba Marlwood.*

—¿Era un préstamo o una compra de acciones?

—*El tipo prestó la guita para que empezara el negocio. Yo nunca tuve dudas de que era "para devolver".*

Cuando Lanata anunció la salida de la revista, no hizo ninguna mención explícita al origen del dinero de sus inversores. Sin embargo, doce años después, me dijo:

—*Yelín era un tipo raro. Lo conocí porque era fuente de Zloto, ¿sabés? Marcelo me lo presentó. Por un lado daba clases de ética en la UBA y por el otro lado la guita que aportaba era proveniente de las Islas Caimán.*

—¿Por qué decidió bancar la revista?

—*Porque lo convencí. Y porque estaba vendiendo Veraz. Pero insisto: siempre fue un tipo raro. Un tipo muy vinculado a la derecha judía ortodoxa.*

Veraz es una empresa dedicada a procesar y provee información sobre el cumplimiento o incumplimiento de las obligaciones comerciales y crediticias de las empresas y las personas físicas.

Casi al mismo tiempo que se metió en la aventura de la revista, Yelín estaba terminando de vender el 66 por ciento de Veraz a la empresa norteamericana Equifax. Fue, para ser exactos, en febrero de 1998. Banelco se quedó con un 16 por ciento. Ahora Equifax Veraz tiene su sede en Atlanta, Estados Unidos. Cuenta con casi siete mil empleados en todo el mundo.

Veintiuno empezó con algo del impulso y de la locura con que arrancó, en su momento, *Página*.

Su estrategia de marketing fue obvia, pero efectiva. Se la presentó como la revista de Lanata, el periodista cuyo programa había sido levantado de la televisión abierta, el exdirector del diario más creativo de la

Argentina, el hombre dispuesto a contarte lo que otros no podían o no querían contar.

Hasta en el conmutador telefónico de la oficina donde funcionaba la redacción aparecía la voz de Lanata para pedir que tuvieras paciencia, que de un momento a otro alguien te iba a atender.

Los canillitas tampoco decían *Veintiuno*.

La vendían como *"la revista de Lanata"*.

Cuando Lanata terminó de armar el equipo y empezó a trabajar en los números cero, se plantó frente a la redacción y sentenció:

—*Página ahora está acá.*

Era, en parte, cierto.

Tenembaum, Zlotogwiazda, Alfieri, Andrea Rodríguez y Margarita Perata, entre otros, se habían mudado con sus sueños y todo.

Pero tampoco era del todo cierto.

Horacio Verbitsky, por ejemplo, había rechazado la insistente invitación de Lanata para sumarse al grupo.

A Carlos Polimeni, otro periodista identificado con el exdirector de *Página*, tampoco le terminaba de cerrar la idea.

Incluso uno de sus mejores amigos, el dibujante Miguel Repiso, más conocido como Rep, le explicó que, a lo sumo, podía trabajar en *Veintiuno*, pero nunca abandonar *Página/12*.

—*Página está acá* —insistió Lanata.

—*Acá está solo una parte de Página* —trató de corregirlo Rep. Fue el principio de un distanciamiento que se terminó de cristalizar cuando el gobierno de Kirchner puso al periodista de un lado y al dibujante del otro.

Me dijo Lanata sobre Miguel:

—*Rep es un tipo talentoso, pero sería mucho más de lo que es si no fuera tan cagón. Yo lo quiero y me da lástima, porque tiene mentalidad de almacenero. No se quedó con nosotros porque necesitaba sentirse seguro. Supongo que* Página/12 *le daba más seguridad.*

Ni Miguel Rep —a quien considero mi amigo, a pesar de que nos vemos poco y nada— ni su hermano, Jorge Repiso, quisieron hablar conmigo sobre Lanata. Rep es el artista que, el 27 de agosto de 2012, inauguró el stand argentino de la Bienal de Venecia. Entonces dialogó en forma breve con la Presidenta, quien se encontraba en Tecnópolis, en la localidad de Villa Martelli.

Se trató de un acto muy particular. Fue cuando Cristina Fernández declaró que hubiera preferido estar en Europa y no donde se encontraba en ese momento. Su hermano Jorge Repiso, por su parte, empezó a trabajar como asistente de Lanata en 1993, integró el staff de la revista desde el principio y ahora lo sigue haciendo como jefe de Investigaciones pero a las órdenes de Sergio Szpolski. Él, su hermano Rep y el actual director Jorge Cicuttín son algunos de los pocos que quedan en la redacción desde que el proyecto se puso en marcha.

La primera tirada de *Veintiuno* fue de ochenta mil ejemplares.

Se vendieron todos, de inmediato.

La revista presentó, como novedad, un souvenir muy curioso: una bolsita con tierra de Anillaco, el lugar donde el presidente Carlos Menem tenía una mansión y había ordenado construir una autopista para aterrizar con el *Tango 01* o con un avión privado. Como prueba de que se trataba de esa y no de otra tierra, se publicaron las fotos de la travesía al lugar que denominaron "Tierra Santa".

Lo rememoró Margarita Perata, su coordinadora y amiga:

—*No le alcanzó con decir que era tierra de Anillaco. Mandó a dos pibes, en una camioneta, a buscar la tierra de la propia localidad de Anillaco, a más de cien kilómetros de la capital de La Rioja, para después mandar a embolsarla, revista por revista. Esto ahora, con el nivel de tecnología y logística que hay, puede parecer una boludez. Yo te aseguro que fue un verdadero quilombo.*

Veintiuno debutó con 132 páginas. Solo 21 contenían publicidad. Tenía el tamaño de *Gente*. Su precio de tapa era de 3 pesos. Claudio Negrete, de *Noticias*, la definió como una mezcla de *Viva* y *Radiolandia*. Entre sus novedades más interesantes presentó un test de inteligencia a los políticos, una sección con información de actualidad llamada "Detalles", una sección de modas con mujeres "comunes" y una doble página dedicada a la farándula y titulada "Fatos y Fotos".

Entre las decisiones más audaces de Lanata, una fue designar jefe de redacción de *Veintiuno* a Tenembaum, quien, además de escribir, hasta ese momento, solo había editado las páginas en blanco y negro del matutino *Página/12*. Es decir: no tenía la menor idea de cómo se hacía una publicación a color ni de cómo se podía manejar una redacción de colegas narcisistas y egocéntricos.

Tenembaum jamás olvidará la experiencia de haber agotado el primer número de la revista. Y tampoco olvidará algunas de las decisiones más polémicas de su director. Es preciso contarlo de una sola vez:

—*Jorge es un genio y un despelote al mismo tiempo. En la revista lo demostró con creces. El primer número, el que venía con la tierra de Anillaco, tiró un montón: ochenta mil ejemplares. Y se vendieron en diez minutos, no te exagero. Salí a chequear con mi Fiat Spazio. Los canillitas decían: "Dame más". Y no podíamos reeditar de inmediato, porque no teníamos más tierra de Anillaco. Al mismo tiempo, traer la tierra desde allá tuvo un costo tremendo. Era algo irracional.*

—Pero se agotó, ¿no?

—*Claro. Y el exitismo que generó fue enorme. La segunda semana fue mejor. O peor, depende de cómo se lo mire.*

—¿Por qué?

—*Salimos con un nuevo DNI, el Documento Nacional del Boludo.* (N. del A.: impreso en el mismo tamaño que el documento original, en la sección de los sellos electorales se agregaron frases históricas como "La casa está en orden" del presidente Raúl Alfonsín, o "el que apuesta al dólar pierde" del ministro de Economía Lorenzo Sigaut). *Tiramos ciento cincuenta mil ejemplares. A las pocas horas no había más revistas. Fue entonces cuando Jorge dio la orden de tirar ciento veinte mil más.*

—Se emocionó. Mandó a quemar las naves.

—*Sí. Pero de esas ciento veinte mil vendimos solo cuarenta mil. Queríamos protagonizar un hecho editorial histórico y nos terminaron sobrando ochenta mil revistas, a un dólar por ejemplar. ¿Entendés lo que pasó? Perdimos un montón de plata.*

—¿No lo vio venir?

—*Se lo dije después de que mandó aquel famoso aviso a* Clarín *con el título de "Gracias" en el que dijo que habíamos vendido doscientos setenta mil ejemplares, sin haber esperado el resultado final. Pero él no me dio bola. Al contrario. Decidió hacer, para el tercer número, una tirada de trescientos mil ejemplares. Yo le dije que no tirara tanto. Que íbamos a perder guita. Que había pilones en los quioscos del número anterior.*

—¿Y cómo resultó aquella tirada?

—*Vendimos casi ciento cuarenta mil, que igual era una enormidad. El impacto de esos primeros tres números en el mercado editorial fue tremendamente positivo. Pero el resultado económico fue desastroso. La revista, en vez de ganar dos palos, perdió uno.*

—Increíble.

—*Y el futuro de la revista hubiera sido distinto si, en vez de haber perdido un millón de dólares, hubiese ganado dos. Porque la cantidad de ejemplares que una revista tira no le importa a nadie, más allá del mundillo. Le importa al dueño por el resultado económico y al director, para medir quién la tiene más larga. Vos me pediste que te contara quién es Lanata. Y para mí es eso. El genio que vende muchísimo y también el que pierde en un pleno todo lo que acaba de ganar.*

—¿Esos primeros tres números cambiaron la ecuación?

—Y no solo eso. También fueron minando la relación con Yelín. Porque trajo problemas económicos y financieros que de otra manera no hubiéramos tenido. Pero es una discusión inútil.

—¿Por qué?

—Porque sin la mente caótica, alocada y valiente de Lanata la revista no hubiera sido posible.

Perata y Tenembaum jamás se olvidarán, tampoco, del momento en que Lanata decidió agujerear la revista por el medio para denunciar cómo se malgastaba el dinero del presupuesto nacional.

Contó Perata:

—La revista perforada vendió muchísimo. Reventó. Explotó. Pero hacerla fue mucho más quilombo que lo de la tierra de Anillaco. Tuvimos que calcular el tiempo en el que se tardaba en perforar una revista de lado a lado. Lo hicimos una por una, porque de otra manera no se podía. A la tapa había primero que abrocharla y después llevarla a otro lugar para hacer el puto agujero. Me acuerdo de que ese día, en el taller, un tipo se lastimó, mal. No me acuerdo si perdió uno, dos dedos o parte de la mano. Cuando terminamos con el proceso estábamos todos destruidos. Pero Lanata, al otro día, ya estaba pensando otra cosa igual o mejor que esa. No se cansaba nunca. No se cansa jamás.

Tenembaum fue uno de los que se opuso a la idea de agujerear la revista.

—No era tanto por el impacto. Yo estaba preocupado por el contenido. Discutíamos. Yo le planteaba que la revista tenía poca novedad. Y él me ponía como ejemplo la idea del agujero. Él estaba chocho con el tema del agujero. En el fondo, eran dos maneras de discutir sobre lo mismo.

Las estéticas o formales no fueron las únicas discusiones que mantuvo Tenembaum con Lanata. Le pregunté a Ernesto:

—¿Vos participaste de la supuesta decisión de quitar de la tapa la foto de Ernestina Herrera de Noble? Eso es algo que me contó Szpolski.

—De eso no me acuerdo. Sí me acuerdo de un quilombo que se armó a raíz de un informe de la SIDE (Secretaría de Inteligencia de Estado) sobre Clarín. Yo quería publicarlo. Y quería denunciar cómo la SIDE perseguía a periodistas. Pero no podíamos publicarlo sin poner, al mismo tiempo, lo que la SIDE decía sobre Clarín. La decisión de Jorge fue no hacerlo, porque en aquel momento no parecía ético publicar un informe de la SIDE. Ni sobre Clarín ni sobre nadie.

—¿Fue por presión de Clarín?

—Lo dudo. Porque un poco antes o un poco después hubo un conflicto gremial en Clarín. Fue en noviembre de 2000. Despidieron a cien tipos. Jorge *estaba muy mal. Había ido a Estados Unidos para un tratamiento médico. Me había pedido: "Llamame solamente si hay un muerto".* (N. del A.: había viajado a Boston para iniciar su tratamiento para abandonar la cocaína.) *Entonces le conté lo de* Clarín. *Le aclaré que nadie lo había publicado. Le di las opciones: podía ser un pirulito, un texto adentro o la nota de tapa. Me dijo: "Pasalos por encima". Salimos con una tapa negra. El título decía: "La historia que nadie se atrevió a contar".*

−¿Y nunca te informó sobre su acuerdo con el exresponsable de la SIDE, Fernando de Santibañes?

−*Lo único que te puedo decir es que cuando se difundió el anónimo de quiénes habían pagado y recibido coimas en el Senado la única revista que salió con todos los nombres fue la nuestra. Y entre ellos estuvo el de De Santibañes. Y Jorge no dijo nada. Yo era el responsable de los contenidos y Jorge nunca me pidió ni por De Santibañes ni por (Alberto) Kohan. Después, cómo es Jorge en su vida, yo no tengo idea.*

¿En qué momento se empezó a desbarrancar la revista hasta producir la quiebra de Lanata?

El primer síntoma claro de que las cosas no estaban nada bien se produjo seis meses después de su lanzamiento, en diciembre de 1998, cuando Moya abandonó la sociedad y se informó, de manera oficial, el ingreso de Yelín con el 33 por ciento de las acciones.

Lanata no dijo ni mu.

En cambio pidió a los periodistas que lo consultaron para saber sobre el futuro de la revista que hablaran con Yelín.

Yelín informó entonces que se había hecho cargo del management de *Veintiuno* desde el principio. Y que lo que había decidido en ese momento era comprar parte de las acciones de Moya a través de Preceptos, una sociedad que compartía con Uriel Leifferman y Jorge Etkin, con quienes daba clases de administración de empresas en la Universidad de Buenos Aires. Un periodista de *Noticias* le preguntó quién se quedaría con la mayoría de las acciones. Y el empresario respondió, de manera enigmática y premonitoria:

−*No importa quién tenga la mayoría. La revista es de Lanata. El día que Lanata se vaya, la revista no existirá más.*

El segundo síntoma del principio del fin fue que Lanata decidió aumentar el precio de tapa de 3 a 4 pesos y al mismo tiempo confesar a sus lectores que el verdadero problema de fondo era que las empresas privadas no ponían publicidad.

La versión de Moya sobre su entrada y su salida del proyecto es digna de ser reproducida. De hecho, es parecida pero distinta de todas. De la oficial, de la que suministró Lanata y también de la que ofreció su asesor contable sin nombre ni apellido. Informó Moya:

—*La sociedad se conformó con 3 partes iguales: 33 para Lanata, 33 para Yelín y el otro 33 para mí. Se puso un capital para el funcionamiento de la revista y se hizo un plan de negocios. Un business plan que no bien empezó se dejó de cumplir.*

—¿Por qué?

—*Porque no compartíamos los objetivos. Ellos, Lanata y Yelín, hablaban de fundar un multimedios y decían que yo había pifiado la manera de ver el negocio. Yo les explicaba que con la revista y la posible vuelta a la televisión ya era demasiado. La revista vendía muy bien, pero gastaba más de lo que debía. Costaba un montón hacerla. Mucho más de lo que habíamos presupuestado.*

—¿Era por el sueldo que se había fijado Lanata?

—*Lanata tenía un muy buen ingreso. Y yo también. La diferencia era que no me sentía muy cómodo. Yo me había terminado de separar de Fito (Páez) y había acordado con Daniel Grinbank que cada uno hiciera sus negocios. Sin embargo, no bien empecé con la revista sentí que estaba en otro palo. Que me quitaban mucho tiempo y mucha energía tipos que no me entendían. Los mismos tipos que fogoneaban a Jorge hacia un éxito inexistente. Cuando llegó el momento de empezar a poner plata en serio, y aunque la revista valía más que al principio, les dije que estaba dispuesto a retirarme. Que con que me pagaran lo que yo había puesto al principio me daba por satisfecho. Me dieron la plata, les pareció bien y firmé. Eran 500.000 dólares. Porque en total habíamos puesto 1.500.000. Volví a trabajar con Jorge un año y medio después, cuando regresó a la tele.*

De la reunión cumbre que determinó la salida de Moya y el ingreso efectivo de Yelín participó el profesional que manejaba las cuentas personales de Lanata. Lo recordó así:

—*Fue en la oficina que tenía Yelín en la calle Tacuarí. Todos los que estuvimos ahí sabíamos cuál era el panorama. La revista vendía bien, pero los sueldos eran altísimos y los gastos, insostenibles. Primero se juntaron, a solas, Lanata, Yelín y Moya. En ese encuentro acordaron la salida de Moya y el ingreso de Yelín. Nos quedamos esperando afuera Marcelo (Zloto); su primo, el contador (Eduardo Cukierkorn) y yo. Después nos hicieron pasar. Al mismo tiempo, Yelín invitó a entrar a un experto en publicidad. El tipo dijo lo obvio: que a esa altura del año las campañas estaban cerradas y que las empresas no querían quedar pegadas con Lanata. Jorge lo gastó un poco. Le preguntó cuánto había cobrado para llegar a ese "descubrimiento". Yelín anunció entonces que iba a poner 250.000 mil dólares más a cambio del 33 por ciento de las acciones. Explicó también que, como el titular de las acciones, iba a figurar Zloto.*

—¿Zloto fue accionista de la revista?

—*Había tenido una sola acción, pero en ese encuentro pidió salir. Explicó que solo había ingresado para dar una mano y nada más.*

(N. del A.: la nueva conformación de la sociedad se publicó en el Boletín Oficial el 25 de enero de 1999.)

—¿La revista ya andaba mal?

—*La revista era un desconche. Lanata llegó a retirar hasta sesenta lucas (60.000 dólares) por mes. Pero los sueldos y las colaboraciones las autorizaba redacción. El director, Claudio Martínez o Ernesto Tenembaum. Todos tenían firma y todos autorizaban. Y en el medio de ese despelote Yelín empezó a manejar todo. Desde la administración, donde puso a un contador de su confianza, Román González, hasta la publicidad. Yelín creyó, por un momento, que tenía la gallina de los huevos de oro. Por eso le prestó a Jorge la plata para comprar su departamento de Teodoro García. Mejor dicho: le levantó la hipoteca con la que había comprado su casa en la calle Tres de Febrero y encima le prestó plata para adquirir el departamento de 250 metros de Teodoro García. Por eso, cuando vio que la cosa se ponía cada vez peor, Yelín intentó llevarse toda la plata que había puesto, incluso la que le sirvió a Lanata para comprar esa propiedad.*

—¿Y no estaba en su derecho?

—*En mi opinión, no. Yelín había puesto plata en un negocio que resultó ruinoso. No podía pretender, de un día para el otro, llevarse lo mismo que puso. Es más: para mí eso no valía tres palos seiscientos, como se lo cotizó a Lanata.*

—Pero las entradas de dinero estaban documentadas.

—*Estaban documentadas, es cierto. Pero Yelín no era su prestamista. Era su socio. Un socio no puede primero poner dinero y después, cuando la cosa se pone mal, decir "pido gancho: ahora no juego más". Yo le dije al Gordo: "vos no podés asumir el pago de esa guita".*

—¿Por qué?

—*Porque no tenía con qué. ¿Qué tenía? Un departamento hipotecado en primer y segundo grado; una deuda millonaria, por fuera de la que acababa de asumir; el sueldo de la revista y... pará de contar.*

La desesperación de Lanata y de Yelín por fundar un multimedios y por hacer nuevos negocios chocó de frente contra la recesión económica.

En julio de 2000 lanzaron *Data54*. El propio Lanata lo contabilizó como un fracaso tan o más estrepitoso que la revista madre del grupo. Me dijo:

—*Perdí como un palo verde, boludo. No me pudo haber ido peor.*

Uno de los abogados de los trabajadores que quedaron en la calle cree, en cambio, que la peor parte se la llevaron sus clientes. Él pidió y obtuvo la quiebra de *Data54*. Logró que alguno de los empleados cobrara parte de lo que les correspondía, pero a la mayoría no se le pagó nada. Quedaron entrampados en la quiebra de la empresa. Se trata de un abogado muy conocido en el medio. Pero no quiere ser incluido con nombre y apellido:

—*Lanata pagó las deudas del concurso, los honorarios del síndico y pidió el cierre de la quiebra. De los cuatro clientes que tenía yo, solo una, Luciana Vázquez, aceptó un acuerdo avalado por el Ministerio de Trabajo. Del resto, no la pagó a nadie. Tampoco a los proveedores. Y menos los impuestos. De hecho, Moya me pagó parte de mis honorarios con un cheque sin fondos y se lo tuve que ir a reclamar.*

—¿Cuánto duró la aventura de *Data54*?

—*Nada. Arrancó en julio de 2000 y el 18 de octubre de 2001 ya nombraron al síndico. El activo era cero y el pasivo, casi 186.000 pesos. Y Lanata no pagó nada.*

—Porque entró en quiebra.

—*¡Pero no hizo una sola oferta! Y eso que no parecía tanto dinero para él. Nosotros manejamos la información que en la tele, durante ese año, cobró como cien mil pesos por mes. Pedí después la quiebra del Grupo Tres, pero nunca pude saber si era o no de él. Quise embargar las marcas* Veintidós *y* Veintitrés, *pero tampoco pude. Figuraban con dirección en Uruguay y no hubo manera de determinar quién era el dueño.*

En marzo de 2001 Lanata insistió y presentó *Ego*, una revista mensual para lectores ABC1 que contó con el padrinazgo de Miguel Brascó. Fue una jugada desesperada y una idea malísima. La crisis era demasiado grave como para que a alguien se le ocurriera comprar una revista de súper lujo. Reconstruyó aquellos días del demonio el contador sin nombre ni apellido:

—*La revista madre ya era inviable. Lo que ahorrábamos por un lado lo gastábamos por el otro. Igual que* Data54. *Para que pudiera funcionar tuvimos que alquilar otro piso y contratar a más gente. Encima no entraba un mango. Era una locura. A principios de 2001 no podíamos ni pagar el teléfono. Solo recibíamos llamadas entrantes. Cada tanto nos cortaban una línea. Me acuerdo de que en aquellos meses, el mismo día en que terminé de pagar el último sueldo, Tenembaum me llamó para putearme: "No tenemos teléfono, la puta que los parió". Y yo le respondí: "¿Por qué no te acordaste antes, y no una vez que terminaste de cobrar?" Un tiempo después, Eduardo Lerner, el dueño de la imprenta donde se hacía* Veintitrés, *tomó la deuda. La revista vendía, por ese entonces, unos treinta mil ejemplares.*

Fue uno de los peores momentos del proceso. Lo recordó Tenembaum, con cierta tristeza:

—*En marzo de 2001 la crisis era tremenda y la revista se caía a pedazos. Jorge hacía solo al programa de televisión y ya no iba a la redacción. Eso ya era, de hecho, una cooperativa. Laburábamos casi gratis. A mí me presionaba mucho el cargo de jefe de redacción y ya le había anunciado a Jorge que solo lo iba a mantener un año más. En un momento me dijo: "Esto no da para más: o vendemos o cerramos".*

—¿Y qué le respondiste?

—*Empecé a buscar compradores. Hablé con (Jorge) Fontevecchia, con (Carlos) Ávila y también con Lerner. Lerner fue el único que me mostró un fuerte interés. Quería hacerse cargo por la deuda que teníamos con su imprenta.*

—¿Y qué te dijo Lanata?

—*Él quería que además nos diera dinero para pagarle la deuda a Yelín, otro tanto por la revista y que encima le diera plata para él. Yo le dije, textualmente: "¿Quién se va a meter en semejante quilombo con la crisis que hay en este país?". Volví a hablar con Lerner y me hizo la propuesta concreta. Se la transmití a Jorge y me dijo: "Me estás entregando". Yo le respondí: "Jorge: te vas a la concha de tu madre". Después hablé con Moya. Le conté: "Es increíble. Le estoy resolviendo gratis un problema que es de él y el boludo me dice que lo estoy entregando".*

Antes de vender la revista a un precio que consideraba irrisorio, Lanata intentó lo que antes había tratado de hacer Fernando Sokolowicz con *Página/12*, después del copamiento de La Tablada. Lo mismo que hizo Gabriel Levinas con *El Porteño*, cuando se dio cuenta de que para mantener el mensuario iba a tener que vender todas sus obras de arte. Es decir: armar una cooperativa y que los trabajadores se quedaran con la revista.

Me lo contó Alejandra Mendoza, quien entonces trabajaba en *Veintitrés* como secretaria de Lanata y ahora hace las veces de asistente todoterreno, incluido el manejo de sus cuentas personales. Es una fuente interesada. Siente devoción por su jefe:

—*Él quebró porque no quiso dejar a la gente sin trabajo. Yo participé*

245

de la reunión donde ofreció dejar a todos los empleados de la revista en una cooperativa. Su intención era que nadie quedara en la calle. Ahí se armó un lío infernal. Parte de la gente con la que más trato tenía fue la peor. La cuestión es que la mayoría dijo que no. Yo laburaba en la revista. No me iba a quedar, pero no estaba en desacuerdo con que los demás se quedaran con la revista. Después de esa reunión, bajamos juntos, en el ascensor. Jorge estaba muy amargado. Sentía que no le habían entendido el mensaje. Lanata no quería que nadie se quedara sin laburo. Se fue deprimido. Al final asumió la quiebra, la revista se la quedó Lerner. De inmediato Jorge quedó inhibido. No lo dejaron en paz hasta que pagó el último peso. Porque pagó todo.

—¿Y por qué todavía circulan por Internet unos cheques rechazados de los extrabajadores de *Data54*?

—*Pero no son de Lanata. Son de IPESA, la empresa de Lerner. El problema fue que ellos tardaron en cambiar la razón social y usaron Comunicación Grupo Tres (SRL) durante un tiempo. Los cheques rechazados corresponden a esa época. Además no solo figura Jorge, sino todos los socios. Con su abogado, Patricio Carballés, iniciamos el trámite para que los levanten hace dos años. Jorge no tiene nada que ver. Tiene todos sus ingresos en blanco. Siempre pagó todo. Incluso, en su última declaración jurada (correspondiente al año 2012) tuvo que pagar cuatrocientos mil pesos de ganancias.*

En julio de 2001 Lanata anunció la venta del 70 por ciento del paquete accionario de Comunicación Grupo Tres Sociedad de Responsabilidad Limitada (SRL) a PubliExpress, la organización editorial de Eduardo Lerner y Abel Nahón. Un poco antes había firmado los malditos pagarés que le puso sobre la mesa Yelín y así asumió la deuda en forma personal. A pesar de la ruptura inicial, Moya defendió a Lanata y acusó a Yelín de extorsionarlo para cobrar la deuda.

—*La quiebra de Jorge fue una decisión fraudulenta de Yelín. Porque él, al final del proceso, se quedó con el 66 por ciento de las acciones y la responsabilidad de financiar la empresa, mientras que Lanata, con el 33, debía llevar adelante el proyecto editorial. Yelín obró mal cuando, al mismo tiempo que aumentaba el capital para sostener a la empresa, fue transformando ese dinero en deuda de Lanata hacia él. Yo entiendo que hubo una estafa.*

—El problema es que Lanata firmó los pagarés.

—*Sí. Y es posible que Yelín le dijera que, si no firmaba, cerraba la revista. En ese caso habría una extorsión, directa.*

—¿Y por qué entonces Lanata no le inició un juicio por estafa en vez de asumir la quiebra?

—*Porque le pareció más fácil asumir la quiebra que iniciar un juicio por estafa, que podía ser interminable. No tenía tantas propiedades a su nombre. La única que tenía estaba hipotecada por el Banco Credicoop. Le importó un carajo perderla. Le pareció lo más fácil y rápido. Yo lo acompañé. No me pareció una mala decisión.*

—Él me dijo que vos le sugeriste que no firmara.

—*Sí. Pero al mismo tiempo, si bien temíamos que la quiebra dejara una marca en su nombre, sabíamos que el tipo (Yelín) no iba a tener forma de cobrar la deuda. Y fue lo que pasó.*

En mayo de 2003 Lanata anunció su propia quiebra. En realidad, transformó un drama personal en una buena noticia. Le dijo, por ejemplo, a *La Nación*:

—*Da orgullo quebrar así.*

Casi al mismo tiempo aceptó una oferta de trabajo de La Cornisa Producciones, para conducir *Por qué*, un documental de dieciséis capítulos que se emitió por América TV y se repitió en ISAT. "Por qué cayó De la Rúa", "Las manos de Perón", "Los atentados contra la embajada de Israel y la AMIA" y la "Historia secreta de la Maldita Policía" y el "Suicidio de Yabrán", fueron algunos de los capítulos que lograron más impacto. Uno de ellos, "Deuda", se transformó en la base de la película que Lanata estrenó un año después. *Por qué* no tenía escenografía. Solo exteriores. Lanata salió a la calle él mismo, con una camarita, para registrar, como si fuera una libreta de apuntes, los datos de los informes especiales. Diego Kolankosvsky fue quien sugirió el nombre y el formato. A la cortina musical de la apertura la elegí yo. Fue la versión en español de *O Tempo näo pára*, del intérprete brasileño Cazuza. La que que canta el Pelado Gustavo Cordera, de la Bersuit Vergarabat. La banda argentina cedió los derechos de manera gratuita. A mí me pareció que una parte de la canción le caía como anillo al dedo al personaje que construyó Lanata desde que se hizo público. La letra:

> *Disparo contra el sol*
> *con la fuerza del ocaso*
> *Mi ametralladora*
> *está llena de magia.*
> *Pero soy solo un hombre más.*
> *Cansado de correr*
> *en la dirección contraria,*
> *sin podio de llegada*
> *y mi amor me corta la cara,*

porque soy solo un hombre más.
Pero si pensás que estoy derrotado,
quiero que sepas que me la sigo jugando
porque el tiempo, el tiempo no para.

Unos días sí, otros no,
estoy sobreviviendo sin un rasguñón,
por la caridad de quien me detesta.

Y tu cabeza está llena de ratas.
Te compraste las acciones de esta farsa
y el tiempo no para.
Yo veo el futuro repetir el pasado,
veo un museo de grandes novedades
y el tiempo no para, no para.

Yo no tengo fechas para recordar
mis días se gastan de par en par
buscando un sentido a todo esto.

Las noches de frío es mejor ni nacer,
las de calor se escoje matar o morir
y así nos hacemos Argentinos!!
Nos tildan de ladrones, maricas, faloperos,
y ellos destruyeron un país entero,
pues así se roba más dinero.

En octubre de 2004, después de su salida de la revista y de la quiebra, Lanata aceptó una tentadora oferta del nuevo dueño de *Veintitrés*, Sergio Szpolski, para seguir siendo parte del staff.

La de Lanata y Szpolski es una relación difícil de encasillar. Ahora mismo se odian, pero no hay dudas de que entonces se usaron mutuamente. Entrevisté a Szpolski para que me contara los detalles del vínculo.

—¿Cómo lo conociste?

—*Fue después del atentado contra la AMIA, después de leer* Cortinas de humo. *Yo era tesorero de la AMIA y quería saber de dónde había sacado la teoría de que la Trafic iba sin conductor. Su teoría no cerraba por ningún lado. No me convenció. La segunda vez que lo vi fue cuando compré el 70 por ciento de* Veintitrés. *Como el 30 por ciento restante, durante algún tiempo, le perteneció a la quiebra, de alguna manera terminamos siendo socios.*

248

–¿Cuánto pagaste por la revista?

–*Pagamos 200.000 mil dólares. Estaba fundida. Había decenas de juicios de los cuarenta empleados que Lanata había despedido cuando cerró* Data54. *Estaba en un edifico que no era de (Alberto) Kohan, como habían sugerido algunas fuentes. Me enteré porque hasta el dueño del edifico había iniciado juicio ya que le habían dejado de pagar. Y cuando tomé la revista me encontré con que tenía el 70 por ciento de sus trabajadores en negro. Tardamos un año y medio en blanquearlos a todos después de un acuerdo que hicimos con la comisión gremial interna.*

–Pero vos se la compraste a Eduardo Lerner, no a Lanata.

–*Yo recibí la revista en octubre de 2004. Pero Lerner ya la había recibido con la gente en negro. Y también heredamos más de veinte juicios laborales. A la mayoría los perdimos.*

–¿Por qué no contaste esto antes?

–*Porque con Lanata tuvimos, en ese momento, una relación amigable. Incluso fuimos varias veces a su casa. ¡Si hasta se convenció y me convenció para trabajar con nosotros! Fijate en las notas que hizo para* Noticias. *Hablaba muy bien de mí. Fue en la época que firmamos los contratos.*

–¿Qué contratos?

–*Firmamos dos. Uno para publicar, en fascículos,* Argentinos. *Eso se prolongó durante un año y medio. Después me propuso hacer un libro y un documental sobre Cuba. Le adelantamos el dinero pero un día vino y me dijo que no lo podía hacer porque le habían negado la visa a Cuba. Tuvimos que cambiar ese contrato por otro para publicar* Argentinos II. *Más tarde, en 2010, firmamos otro donde hizo las veces de editor y compilador del libro* Doscientos Argentinos. *Solo escribió el prólogo y embolsó 30.000 dólares por mes, durante un año.*

–Buen negocio para él.

–*Depende de cómo se mire. En ese momento era bueno para la revista. Le daba prestigio. Cuando terminó ese último contrato empezaron a aparecer sus reportajes críticos. Nosotros evaluamos que Lanata era demasiado costoso para la revista. Y él empezó a decir: "Szpolski debería explicar lo del Banco Patricios". Sus críticas excedían el asunto de la pauta oficial. Aunque, justo es aclararlo, él trabajaba para* Veintitrés *mientras a la revista entraba la pauta oficial.*

–Pero vos lo contrataste para sacar chapa de revista pluralista.

–*No para sacar chapa.* Veintitrés *siempre fue pluralista.*

–Una revista de apariencia pluralista pero muy cercana al gobierno y repleta de publicidad oficial.

—No estoy de acuerdo. Es una revista con los mismos principios que defendió Lanata. La pelea contra Clarín *no la inventó Szpolski. Lanata se cansó de publicar cosas contra* Clarín. *La pelea a favor de los pueblos originarios la empezó Lanata, se cansó de escribir de eso. La postura a favor de la Asignación Universal por Hijo figura en los editoriales de Lanata, desde hace mucho tiempo. El que dijo que le daba un voto de confianza a Kirchner fue Lanata.* Veintitrés *se mantuvo en la línea editorial marcada por Lanata. No sé qué le pasó a él después.*

—¿Vos decís que te empezó a pegar cuando le dejaste de pagar?

—Creo que Lanata me empezó a pegar porque, como todos los conversos, necesita exagerar. Necesita quedar bien con Clarín, *cuyos dueños, igual que Fontevecchia, de* Perfil, *recibieron pauta oficial durante la dictadura. Él antes pensaba que* Clarín *era un monstruo. Y ahora trabaja para ese monstruo. Tiene todo el derecho a cambiar. Pero no tiene por qué acusarnos de nada a quienes no cambiamos. Y menos de hacerlo por plata. Debería explicar, por ejemplo, cómo negoció la tapa que le había hecho a Ernestina cuando todavía estaba en* Veintitrés.

—¿Qué tapa?

—Hicieron una tapa con Ernestina y sobre la salida recibieron un llamado de Clarín. *Lograron levantarla para el mercado local. Pero las que salieron hacia el exterior, un poco antes, lo hicieron con la tapa original.*

—¿Qué pruebas tenés?

—Lo publicó, en su momento, Ámbito Financiero. *Si mal no recuerdo, en la tapa se veía a Ernestina con unos colmillos. La nota no se levantó. Solo cambiaron la tapa.*

—¿Qué querés decir con todo esto?

—Que hay una gran diferencia entre el Lanata periodista y el empresario. El periodista es muy creativo, pero el empresario Lanata dejó a doscientas personas en la calle cuando cerró Crítica, *mediante una salida anticipada. Como no lo quiso cerrar él, mandó un testaferro para lavar guita. Y encima puso de socio a un empresario absolutamente desprestigiado.*

El supuesto testaferro, según Szpolski, sería el empresario Marcelo Figueiras, dueño de Laboratorios Richmond. Y el socio desprestigiado, Antonio Mata, exsocio de Marsans en Aerolíneas Argentinas.

Le transmití a Lanata la entrevista que mantuve con Szpolski. Lo primero que hizo fue descalificar a la fuente de información.

—¡Es muy gracioso que me ponga en el rol de empresario un tipo que robó a la AMIA! No es una fuente seria. Y lo que yo digo no es mentira. ¡Szpolski fue expulsado de la comunidad judía por chorro!

—Supongo que ya lo sabías cuando te contrató para trabajar en la revista.

—*No. Eso lo supe después. Lo que sí sabía era lo del Banco Patricios.*

(N. del A.: Sergio Szpolski no fue procesado por el cierre del Banco Patricios. Sí su tío. Parte de su familia era dueña del banco. En el año 2000 la AMIA realizó una profunda y exhaustiva investigación sobre una inversión de la entidad. Sus directivos querían saber si la decisión de hacerlo fue dispuesta solo por el extesorero Sergio Szpolski o con el apoyo de otros miembros. El Tribunal de la AMIA, por unanimidad, consideró que Szpolski había incurrido en una grave falta ética vinculada al manejo de los fondos de AMIA. Lo consideraron responsable de retirar dinero que la AMIA había colocado en Socimer International Bank para invertirlo, de manera inconsulta, en obligaciones negociables del Banco Patricios. Fueron 3.000.000 de dólares. En aquel momento, el Patricios estaba siendo investigado por el Banco Central. Tenía urgente necesidad de fondos frescos. La AMIA también.)

Lanata insistió:

—*Pero no me puede hacer un juicio moral un tipo que robó la AMIA. No es serio.*

—Szpolski dice que cuando compró la revista el 70 por ciento de sus trabajadores estaban en negro.

—*Eso no es así. Mirá que yo hablo mal de Yelín, pero no creo que haya permitido eso en la revista. De cualquier manera, en mi defensa puedo decir que a Yelín lo conocí por Zloto, que era su fuente. Yelín es otro: puso medio palo que trajo de Bahamas mientras dio clases de ética en Económicas de la UBA.*

—Szpolski dijo que padecés como una especie de "Síndrome de Estocolmo": que fuiste vencido por *Clarín*, quien te hizo cerrar el diario y después te tomó de empleado.

—*El ataque del gobierno a* Crítica *fue sesenta veces superior al de* Clarín. *Imaginate que en el número cuatro vino Artemio López y me dijo que el Presidente de la Nación me quería fundir. Yo no lo podía decir en ese momento, porque aumentaba su debilidad. ¿Pero qué diario podría durar así?*

—¿Admitís que *Clarín* te usa?

—*De la misma manera que a vos te usaría América. Y eso va a dejar de suceder cuando alguien como la Madre Teresa se compre un diario. Vamos, no existen dentro de los medios tipos cándidos, ingenuos y buenos. Por lo general hay hijos de puta. Y las circunstancias políticas hacen que los intereses cambien. Sigo pensando, sobre* Clarín, *lo que dije toda*

251

mi vida. Por eso me dan bola. Y por eso mismo pasado mañana me van
a pasar a degüello sin contemplación.

—¿Qué dijiste antes y qué decís ahora?

—*Dije que* Clarín *era un medio concentrador y que el gobierno había*
autorizado a que lo sea. Hoy estoy laburando con una libertad completa
en Clarín. *Digo lo que se me canta en la tele. Digo lo que se me canta en*
la radio. Nadie me baja línea de nada. No lo aceptaría, cuando deje de
pasar me voy a ir. A esta altura no tengo que demostrar que me puedo ir
de algún lugar; si hay algo que yo hice fue irme. Me fui hasta de lugares
que yo mismo armé.

—Pero a *Veintitrés* volviste con Szpolski.

—*Si yo hubiera sabido en lo que se convertiría* Veintitrés *hoy, la*
habría cerrado. Te lo voy a decir más claro. Hay pocas cosas en mi vida
de las que me arrepiento. Ahora me arrepiento de haber quebrado para
mantener abierta esta porquería que sale hoy. Yo le vendí la revista a
Lerner, que era un imprentero y no un editor. ¿Qué fue lo primero que
hizo? Cerró Ego, *achicó* Veintitrés *y cambió el papel. Hizo una berretada.*
Después la agarró Szpolski, la levantó y me respetó como fundador de
la revista. Hasta entonces trabajaba con (Enrique) "El Coti" Nosiglia.
Más tarde se pegó al gobierno. Y ahora es un desastre. Por eso digo que
me arrepiento.

Como Lanata utilizó la palabra arrepentimiento, le pregunté una y mil
veces si se arrepentía de haber sido protagonista de su quiebra personal.

—*No. No me arrepentí ni me arrepiento. Quebré yo. Intervino un*
juzgado. No fue una quiebra fraudulenta. Me investigaron. Me revisaron
hasta los calzoncillos. Y al final recuperé mi firma. No lo hice a propósito.

—Pero fuiste negligente.

—*Eso es una forma de verlo. Hay otras. Los primeros meses la revista*
anduvo muy bien. Llegamos a vender doscientos mil ejemplares. Yelín
puso plata a lo largo del tiempo. Y yo firmaba aportes de capital que
en realidad eran préstamos. Creía que todo iba ir bien, pero cada vez
nos endeudábamos más. Un día vino Yelín y me dijo que quería los tres
millones que había prestado. Mi abogado, Patricio Carballés, me dijo mil
veces que no firmara, y yo firmaba. Algo cobró Yelín, pero no cobró todo.
Pero esa plata se fue gastando a lo largo del tiempo.

—¿Tampoco sentís culpa por los cheques rechazados?

—*Culpa no. Cero culpa. Lo que yo hice fue una locura. O fue lo mejor*
que podía hacer. Me inmolé. Fui un boludo. Firmé cualquier cosa.

—¿No pensaste en el desprestigio que te podía generar?

—*Cuando tomaba cocaína tuve miedo de que me desprestigien. Pero después me di cuenta de que mi relación con la gente es sana. Ahí me tranquilicé. Yo me jodía. No era un narco. Yo era el boludo que quebraba. No el hijo de puta que afanaba. Por eso ahora no tengo vergüenza de contar lo que me pasó. Ni con la cocaína ni con la quiebra.*

—No deja de parecerme una situación muy grave.

—*Obvio que la situación fue una mierda, pero era la única manera de que la revista siguiera. Además el que más perdió ahí fui yo. ¿Qué querés que haga? Con Data54 perdí un palo verde. No funcionó. Teníamos mucha gente y pagábamos muy bien. Se cayó Internet. Se cayeron empresas más grandes que Data54. Tampoco me gustó que se vendiera Página/12, ni Veintitrés, que se convirtió en esta basura oficialista. Está bien si se cuestiona quién financia los medios, pero entonces no se puede hacer un medio en Argentina. Fontevecchia es más o menos independiente porque heredó una imprenta del padre. Yo soy apenas Jorge Lanata. Tampoco soy Bartolomé Mitre.*

—A Yelín lo dejaste patas para arriba.

—*Él quería cobrar 3.000.000 de dólares. ¿Y cómo hacía yo para pagarlos? Podía haber elegido que quebrara la revista. Pero elegí quebrar yo. Quisiera saber cuánta gente hace eso. Yo no le pude pagar todo lo que le debía a Yelín, pero no me quedé con nada. Vergüenza es tener una Ferrari y no poder justificarla. Y tampoco lo pasé bien. ¡Me investigaron tres años! No pude salir del país. No fueron complacientes conmigo. Y todo el mundo sabe que no me fui por ahí con guita que no es mía.*

12

MUERTE

Lanata no tiene pensado morirse por ahora. Sin embargo, podría dejar este mundo en cualquier momento. Quiero decir: no dentro de veinte o treinta años, sino mientras escribo. No es una fantasía o una exageración. Me lo dijo y me lo repitió su médico, Julio Bruetman, jefe de Clínica Médica del Hospital Británico. No existe voz más autorizada para hablar sobre la salud de Lanata. Le salvó la vida por lo menos en tres oportunidades. Su palabra, por lo tanto, vale más que la del propio paciente, quien me confesó, por ejemplo, que dejó de sentirse inmortal hace relativamente poco, después de cumplir los cincuenta años.

Que Bruetman lo diga de una vez:

—*Jorge se puede morir en cualquier momento.*

—¿En cualquier momento?

—*Sí. Se puede morir en cinco minutos.*

—¿Por qué?

—*Porque tiene apneas severas, pero usa la máscara cuando quiere. Porque además padece insuficiencia renal. Y esto quiere decir que en cualquier momento podría subirle el potasio y producirle una arritmia cardíaca. El año pasado (en 2010) lo salvé dos veces de la muerte de casualidad.*

Apnea es el cese completo de la respiración durante por lo menos diez segundos. Según su médico, Lanata tiene un síndrome de apnea obstructivo muy severo. Por eso pasa mucho tiempo sin respirar. Su vía superior se colapsa por la debilidad de los músculos de la zona del cuello. El tipo de apnea que padece está vinculado a su obesidad y con el enorme tamaño de su cuello. La falta de aire provoca, a su vez, ausencia de oxigenación e irrigación del cerebro. Eso le altera el sueño y le ocasiona fuertes ronquidos. Lanata no solo no duerme bien. A veces se asfixia. Es decir: tiene una saturación de oxígeno tan fuerte que solo puede ser detenida con una máscara de presión aérea positiva que le proporciona aire y le permite respirar.

La insuficiencia renal se produce cuando los riñones son incapaces de filtrar las toxinas y el exceso de agua de la sangre. Los médicos la definen como una baja del índice de filtrado glomerular que se manifiesta con una elevada presencia de creatinina en el suero. El glomérulo es la unidad anatómica del riñón que filtra el plasma sanguíneo. La creatinina es un compuesto orgánico creado a partir de la secretación de la creatina, un nutriente útil para los músculos. A la creatinina, casi siempre, la filtran los riñones. Por eso medir su nivel es la manera más simple de averiguar si los riñones funcionan de manera adecuada. La insuficiencia renal de Lanata se produjo por la diabetes y la hipertensión que padece desde hace muchos años. Hay dos maneras de neutralizarla: con diálisis o un trasplante de riñón.

Lanata padece diabetes de tipo dos. La que se da, en especial, entre personas obesas. La diabetes es un problema que tiene el organismo para procesar la insulina. La insulina es necesaria para mover el azúcar desde la sangre hasta las células, donde se almacena y se transforma en fuente de energía. La diabetes tipo dos que tiene Lanata hace que el hígado, la grasa y las células de los músculos no respondan a la acción de la insulina. Esto, a su vez, determina que el azúcar no pueda ingresar a las células y se acumule en la sangre. Eso se llama hipoglucemia. Los síntomas típicos de la diabetes son la fatiga, la sed, la visión borrosa, la disfunción sexual y el entumecimiento en los pies y las manos. Lanata, según su médico, tenía un poco de casi todo.

La muerte súbita es una forma de muerte natural debido a causas cardíacas. Viene precedida por una repentina pérdida de conciencia. La arritmia producida por exceso de potasio es uno de los trastornos que Lanata podría sufrir en cualquier momento. Y le podría generar, entonces, una muerte súbita.

Le pedí a Bruetman precisiones, y le pregunté:

—¿Por qué dice "lo salvé de la muerte de casualidad"?

—*Porque estuve ahí.*

—¿Lo dice en sentido figurado?

—*No. Lo salvé de la muerte varias veces. La última fue cuando volvió de México, en noviembre de 2010. No sé cómo no murió. Se salvó de pedo. Fui corriendo hasta su casa porque Sara me llamó, muy asustada. Tenía de todo: gastroenterocolitis, diarrea, se dormía parado y estaba profundamente deshidratado. Sufría deterioro de la función renal y su nivel de potasio estaba por las nubes. Esto le podría haber provocado una arritmia seguida por una muerte súbita. Tuvo que iniciar la diálisis de urgencia. Repito: no sé cómo no se murió.*

–¿Hubo otro momento crítico como el de México?

–*Cuando viajó a Bariloche, en febrero de 2010. Yo le había advertido que no fuera. Le diagnosticaron una neumonía pero tenía una pericarditis. Lo operamos de urgencia en el Hospital Británico.*

Lanata viajó a México en octubre de 2010. Lo hizo para promocionar BRIC (*Brasil, Rusia, India y China*) el programa que emitió la señal Infinito. Fueron diez capítulos basados en la teoría del economista Jim O'Neill, quien sostiene que Brasil, Rusia, India y China serán las nuevas superpotencias hacia la mitad de este siglo.

A Lanata lo acompañó en ese viaje inolvidable la directora de programación de Infinito, Alicia Dayan, y la encargada de ventas y publicidad de Turner México, Sharon Zyman.

En México Lanata se descompuso, se intoxicó, se deshidrató y regresó a Buenos Aires al borde de la muerte, porque le dejó de funcionar el riñón.

Sara, su mujer, fue testigo presencial. Le pedí que reviviera aquel momento:

–*¿Cómo no me voy a acordar? Él había dudado de viajar porque su ida coincidió con el cumpleaños de Lola (la hija de ambos). Era la presentación de BRIC para la prensa y ya tenía pautadas notas con CNN y una charla en la universidad. Ya lo había postergado una vez y no daba volver a hacerlo. Tuve un mal presentimiento el día del cumpleaños de Lola. Él ya se había ido. No había llamado. Me parecía muy raro. Lo empecé a llamar yo y no lo podía encontrar. No sabés la angustia que tenía. Me lo imaginé muerto en el cuarto del hotel. Estaba desesperada. No aguanté más y llamé a la mina de Turner que lo había acompañado. Me dijo que lo vería enseguida. Al rato me llamó y tenía una voz rara. De ultratumba. Solo me alcanzó a decir: "Estoy descompuesto". ¡Ni quisiera se acordó del cumpleaños de Lola! Llegó al otro día. Entró sin saludar. Fue derecho al escritorio. No me dio ni cinco de bola. Cuando entré para putearlo… ¡Se había quedado dormido! Intenté despertarlo porque lo esperaban en su programa de televisión (de Canal 26): "¿Usted está bien?", le pregunté. Me respondió de mala manera "¿Y qué quiere, que esté mal"? Lo llamé primero a Patricio Carballés. Le conté que lo notaba demasiado raro. Le expliqué que no podía ir al programa así. Después lo llamé a Bruetman. Vino muy rápido. Tardó nada en darse cuenta de que estaba muy mal. Estaba deshidratado y contaminado. Sí, contaminado. El riñón le había dejado de funcionar. Tenía todas las toxinas adentro. Era como si hubiese estado borracho. Lo tuvieron que enchufar a un suero. Le tomaron el nivel de creatinina. Fue la primera vez que escuché* la palabra creatinina. Lo terminaron internando en el Británico. En ese momento se enteró de que tarde o temprano se tendría que dializar o hacerse un trasplante de riñón. Y claro: la vida le pasó factura. El alcohol, la droga y las comidas le terminaron de dañar seriamente el riñón, además de la insulina.

El recuerdo de Lanata es "lanatiano". Tiene el mismo tono aventurero de *Vida*, las memorias de Keith Richards, el guitarrista y líder de los Rolling Stones.

—Lo de México fue un desastre. Fue tan malo o peor que lo del casi coma diabético que tuve en 1999. Estuve deshidratado. Aluciné. Le dije barbaridades a gente que no conocía. Y también a la gente que me quiere. Para colmo, viajé con una mina de Turner a la que conocía poco y nada. Ahora que lo pienso eso también fue una cagada. Tendría que haber ido con alguien de mi producción. Pasó de todo. Fui a dar una charla a la UNAM (Universidad Nacional de México) y empecé a agredir a la gente que me fue a escuchar. La nota con la mina de la CNN, Carmen Aristegui, salió bien de pedo. Lo que casi termina en un escándalo fue la reunión con los vendedores y ejecutivos de Turner México. Me preguntaron qué me parecía Infinito. Yo les respondí: "Yo no veo Infinito. Me parece una porquería". Los tipos, al principio, se rieron. Pensaron que les estaba haciendo una broma. Pero yo se los repetí con más energía. Se armó un quilombo infernal. Después, Alicia, la mina de Turner con la que viajé, los convenció de que yo soy así. Y es cierto que yo soy así. Solo que, en general, trato de utilizar un tono menos agresivo. Recién cuando me atendió mi médico me di cuenta de que era una cuestión química. Que estaba contaminado y que me dormía en cualquier lado. Por eso tenía semejante malhumor.

—¿Te dormías en cualquier lado?

—Me dormí en la habitación del hotel (Doble W) con el cigarrillo prendido. Terminé pagando dos mil dólares por quemar una mesa. Me descompuse. Me deshidraté. Cuando llegué a Buenos Aires me vine directamente para acá. A esta misma mesa. Me contó Sara que llamaron al médico y me internaron. ¿Qué me pasó? Una combinación explosiva de varias cosas: una mierda que comí en México, más la deshidratación, más la insuficiencia renal. Y cuando te digo que aluciné es porque aluciné de verdad, boludo. Estuve dos o tres días así. Al tipo que me venía a sacar la sangre le gritaba: "¡Andate, hijo de puta! ¡Vos me querés hacer doler!". A la mañana venía una enfermera con una asistente y yo las veía disfrazadas. Fue rarísimo. Fue un delirio total. Y si Bruetman te dijo que me estuve por morir es porque me estuve por morir.

257

Lanata también estuvo a punto de morir por una afección que se inició en Bariloche, a principios de febrero del año 2010.

Lanata, Sara y Lola viajaron el 1° a San Carlos de Bariloche y de inmediato se alojaron en el Llao Llao, el mejor hotel de la ciudad. El plan era que su mujer fuera a correr el maratón de la Cordillera de los Andes y Lanata se quedara en el hotel con Lola hasta que la mamá regresara.

Pero todo se fue al diablo durante la madrugada del miércoles 3, cuando Lanata comenzó a sentirse muy mal y lo trasladaron de urgencia al Sanatorio San Carlos de Bariloche. A las veinticuatro horas le diagnosticaron "síndrome febril asociado a un cuadro de infección respiratoria". Los periodistas se arremolinaron en la puerta del nosocomio cuando escucharon las últimas palabras del parte médico:

—*Lanata tiene una neumonía en la base pulmonar derecha por lo que se inició oxigenoterapia y tratamiento antibiótico.*

Cuando todavía no sabían cómo evolucionaría, Mariano Trevisán, director del sanatorio, se acercó a Lanata con sigilo y le preguntó:

—*Los periodistas me están preguntando sobre su estado de salud. ¿Qué quiere que les diga?*

Lanata estaba muy mal. Pero conservaba intacto su sentido del humor:

—*Dígame, ¿ya me morí?*

El médico intentó sonreír pero Lanata le dijo:

—*Entonces dígales la verdad. ¿O también tengo que tener vergüenza por estar enfermo?*

El viernes 5 de febrero le dieron el alta médica. Varios días después Lanata volvió a su casa y llamó de urgencia otra vez a Bruetman, porque se empezó a sentir peor de lo que estaba en Bariloche.

De nuevo Bruetman lo revisó, hasta que rápidamente dio en la tecla. El asunto era más serio de lo que parecía: Lanata tenía una pericarditis y necesitaba ser operado, una vez más, sin esperar un minuto.

Lo intervinieron en el Hospital Británico.

Hasta Bruetman pensó que esta vez no lo contaba:

—*Se operó de urgencia. Estuvo con respirador casi cuarenta y ocho horas. Tuvo pericarditis aguda. Es una inflamación pericárdica producida por un cuadro viral. Es una hinchazón de las membranas del pericardio que recubren el corazón. Se produce una inflamación y se acumula líquido en la membrana. Suele provocar dolor y fiebre. Cuando no se las diagnostica a tiempo, algunas pericarditis siguen acumulando líquido, el corazón no se llena y se produce un cuadro llamado taponamiento pericárdico. Pasan dos cosas. Una es que al no poderse llenar, el corazón tampoco expulsa sangre y disminuye la irrigación. La otra es que además se acumula sangre en los pulmones y las venas.*

—¿Cómo llegó a semejante estado?

—*Se supone que por un virus que contrajo en Rusia, donde había estado tiempo atrás, o en Bariloche. En Bariloche le diagnosticaron neumonía, pero creo que no alcanzaron a detectar la pericarditis que yo le encontré dos meses después. Cuando lo revisé estaba muy grave. En una situación muy crítica. Había acumulado líquido hasta llegar al taponamiento. Tuvimos que hacerle un drenaje, abrirle el pericardio y extraerle líquido. La intervención llegó hasta la membrana del corazón. Se la abrieron y le pusieron un tubito para drenar el líquido. Recuerdo haberle dicho a Jorge, después de aquello: "Ojalá que siempre pueda estar cerca en casos tan urgentes como este".*

Sara recordó aquel episodio cuando le pregunté en qué circunstancias lo había visto llorar:

—*La más reciente fue cuando se despertó después de estar un día inconsciente, en el posoperatorio de la pericarditis. Estaba lleno de tubos. Conectado a mil aparatos. No se acordaba de lo que le había pasado. Se despertó llorando, muy angustiado. Pidió ver a Bárbara y a Lola. También estábamos (su exmujer) Andrea (Rodríguez) y yo. Lloraba como un chico. Nunca lo había visto así de desarmado. Nos repetía te quiero, te quiero. Fue muy fuerte para todos. Para nosotros y para él.*

—¿Sintió que se moría de verdad?

—*Él te va a decir que no, pero yo creo que sí. Tuvo conciencia de que se pudo haber muerto ahí. Fue el episodio de mayor impacto, junto con la operación que tuvo que hacerse de urgencia para empezar con las sesiones de diálisis.*

—Hay teorías que sostienen que el "sentir que volviste de la muerte" te puede "hacer" un poco más bueno.

—*Mi teoría es que él se volvió más bueno desde que dejó de tomar merca. Lo que repite de vez en cuando y que me irrita es: "¿Cuál es el problema? Total, yo voy a vivir, a lo sumo, diez años más".*

Un año después de su operación de pericarditis, el 3 de marzo de 2011, un joven periodista filo K llamado Federico Falduto, quien además se presenta como escritor, fotógrafo y redactor de *Perfil.com*, escribió un artículo titulado "Réquiem para Lanata". Me pareció relevante reproducirlo, más allá de su calidad. El exdirector de *Página* la podría definir como una opinión típica del microclima. En todo caso representa la mirada de una parte de la prensa a la que Lanata desencantó:

Hubo tres grandes periodistas en Argentina: Botana, Timerman y Lanata. Hagamos una selección, un sesgo, simple, parcial, generalizadora. Hubo tres grandes periodistas o editores –que no es lo mismo– en el siglo XX: Botana, Timerman y Lanata. Los tres tienen en común que fundaron un diario y están muertos.

Lanata nació en Sarandí, Avellaneda, en 1960. Era lo que científicamente se conoce como "un gordito pícaro del conurbano". Empezó a trabajar pateando la calle a los 14, porque creía que el periodismo no era una "carrera" que se estudiaba sino un oficio que se ejerce, y por eso lo queríamos. Lanata quiso ser como Timerman y como Botana. Y estuvo cerca. Después de 10 años de patear redacciones, hizo lo más satisfactorio que –dicen– puede hacer un periodista: fundar un diario. Como Timerman, no inventó nada: copió un modelo que ya existía. O dos: Le Monde (que ya había inspirado a La Opinión en 1973) y Le Canard enchaîné, un diario satírico francés, más parecido a lo que hoy es Barcelona. La Barcelona que tampoco existiría de no ser por Lanata, pero esa es otra historia.

Como Timerman y Botana, Lanata se llevó a los mejores de su generación. E hizo un diario de la puta madre, un diario que valía la pena comprar, el único diario moderno, porque para entonces todos los jefes de redacción de los otros diarios estaban estancados en Rond Point pero de 1972. Página/12 fue, a fines de los 80 y principios de los 90, el diario de un fin de época, la crónica de cómo todo lo viejo moría para dar paso a lo nuevo. Y Lanata era lo nuevo. Y por eso también lo queríamos. Después vinieron los problemas financieros, la venta –mil veces desmentida y confirmada– del diario a Clarín, y otros quilombos. Lanata había fundado tal vez el mejor diario argentino, pero la guita es la guita, y no era fácil competirle a Clarín a mediados de los 90, cuando facturaba como nunca y tiraba un millón y medio de ejemplares los domingos. Y cuando se pone difícil, el gordo huye.

Huyó hacia adelante y cayó en la televisión. Para los que, como yo, eran muy chicos en 1996, entiendan que lo mejor que había hasta entonces en programas periodísticos eran Grondona y Neustadt (que 10 años antes de morirse ya pedía que no lo dejen solo porque ya sabía que estaba muerto). Y Lanata también revivió al género, juntó a los mejores y se cogió a todos. Lanata fumaba en pantalla como un Don Draper con obesidad mórbida y te contaba a vos, boludo (decía "boludo" en pantalla, increíble), cómo los políticos eran todos chorros y las empresas eran todas coimeras, pero por culpa de los

políticos que se dejaban coimear. Lanata nunca te decía que era
culpa tuya, o al menos no directamente, porque conocía bien a su
público: la clase media progresista metropolitana ilustrada y culposa
que existía a fin de siglo. Lanata te aseguraba a vos, que lo mirabas a
él, que eras bueno y el resto unos hijos de puta. Lanata fue el sound-
track punk del fin de la historia para los que crecimos en los 90.
Lanata murió de una profecía autocumplida. Porque de tanto jun-
tarse con La Bersuit para hacer videoclips (ya en su delirio del hybris,
creía que podía hacer cualquier cosa) a cantar que se venía el esta-
llido, el estallido se vino nomás. El Gordo lo había anunciado, y se
regodeaba en cantar las loas a la razón que había tenido. El caos
había llegado, no por culpa de los negros de mierda que odiaban
Feinmann y Hadad (que en esa época eran la contracara de Lanata,
con igual cantidad de audiencia), sino por los políticos hijos de puta
que denunciaba él. Día D, Veintiuno/Veintidós/Veintitrés, el Lanata
de 1998 a 2002 fue el mejor Lanata. Pero cuando el apocalipsis que
había pronosticado llegó, no le quedó nada por hacer.
Lanata, decíamos, empezó a diversificar: escribió un libro de historia
pésimo y muy exitoso, dirigió videoclips, hizo documentales. Aban-
donó la TV por supuestas presiones del kirchnerismo. Abandonó la
gráfica por presuntos problemas financieros. Se volcó a la radio. Pasó a
ser columnista de un diario ajeno, algo que para un periodista es como
volver a vivir a la casa de tus viejos cuando no podés pagar el dúplex.
Digamos que estaba un poco perdido. De la edad no se salva nadie.
Pasada la crisis de los 40, Lanata quiso volver a sentirse joven, a
sentir la adrenalina de ver un diario propio saliendo de la prensa.
Y fundó Crítica, un diario que nunca debió haber nacido en un
principio, que pretendía ser popular pero no hablaba de fútbol, que
ponía a profesores universitarios a debatir sobre los culos de Tinelli.
Un diario que apuntaba a un lector que ya no existía: la clase media
progresista, metropolitana y ilustrada, si seguía viva, ya no tenía
interés en escucharlo anunciar el apocalipsis; solo quería comprar
un plasma en cuotas para ver los mismos culos sobre los que diser-
taba Alabarces.
Los post adolescentes palermitanos a los que Crítica les hablaba ya
no leían ni compraban diarios, pero entraban a la web y esperaban
que al Gordo le vaya bien, de onda, posta, si ellos casi se criaron
con él. Y porque escribían todos sus amigos, los mejores —otra vez—
de su generación. Que ya no era la generación de Lanata: parte de
las tensiones entre el Gordo y sus empleados pueden leerse en los

excelentes apuntes sobre el fin del periodismo de Esteban Schmidt.
Pero eso ni siquiera era relevante: el diario no existía. Y el Gordo,
como siempre, cuando empezó a haber quilombo, se fue.
La muerte le llegó a Lanata cuando no se dio cuenta de que la era
argentina de la antipolítica (1976-2001) había terminado. Que si
bien sigue habiendo un sentimiento contra los políticos muy difun-
dido, son pocos los que odian como él odia, los que piden "que se
vayan todos", los que creen que Kirchner y Menem fueron lo mismo.
Timerman decía que para ser periodista había que ser parte del poder,
había que estar cerca. Y Lanata no pudo, no supo, no quiso, por-
que construyó su carrera tirando cascotazos al Ferrocarril Roca (el
diésel que va a La Plata, con parada en Sarandí) desde la vereda de
enfrente. Justo él, que quiso ser Botana y Timerman, terminó siendo
Carrió y Legrand y ahora vaga como un alma en pena, a la espera
de que alguien lo entierre.

Bruetman no solo evitó que a Lanata lo enterraran después de su
viaje a México y a Bariloche. También lo salvó de pasar para el otro lado
mucho antes, en noviembre de 1999, cuando estuvo a punto de entrar
en un coma diabético, en su departamento de la calle Teodoro García
1990, piso 26.

Lanata lo recordó así:

–*Yo tenía un médico que vivía de mí. Se llama Alejandro Carrá.*
Lo conocí después de una entrevista que le hice en Rompecabezas *por*
el tema de la merca. Lo llamé y le conté que tomaba. Le pedí que se
quedara cerca mientras hacía el programa de televisión. Tenía miedo de
que me pasara algo en el aire. Era una época en la que estaba un poco
paranoico. Temía que la cocaína me hiciera mal físicamente. El tipo me
dijo que, en efecto, necesitaba estar un poco más controlado. Encontró
un negocio. Me empezó a cobrar por mes. Es más: llegó a acompañarme
a Uruguay y Miami. La cuestión es que (en noviembre de 1999) me agarré
algo parecido a una gripe y el tipo me empezó a medicar con diuréticos
sin saber que era diabético. ¿Cómo podía ignorar que era diabético un
médico supuestamente experto en adicciones? Darle diuréticos a un dia-
bético es terrible. Es una combinación explosiva. Casi me muero. Estuve
a punto de tener un coma diabético. Estaba tan mal que un día me quedé
dormido mientras estaba meando. Ahí fue cómo, por recomendación de
Adrián Paenza, vino Bruetman. Es su médico. Fue la primera vez que lo
vi. Me dio dos noticias. La mala fue que hacía tiempo que era diabético,
aunque no lo sabía. La buena, que me salvó la vida.

Hablé con Carrá por teléfono. El exmédico de Lanata vive unos meses en Paraná, Entre Ríos, y unos meses en España. Me explicó que no hablaría si antes no recibía un llamado de Lanata. Parecía no tener idea de la mala impresión que dejó en su expaciente y en su mujer. Carrá trabajó como médico clínico en el Hospital Ramos Mejía y como especialista en toxicología en el Hospital de Clínicas. También fue médico aeronáutico, lo que, hacia el final del vínculo, a Lanata le hizo pensar que podía pertenecer a "los servicios". En realidad el periodista temía que el médico hablara con los medios para filtrar datos sobre su adicción a la cocaína. Carrá me dijo que tenía el mejor de los recuerdos de Lanata. Me dio a entender que se alejó de Buenos Aires no porque Lanata prescindió de sus servicios sino por la inseguridad.

—*Me robaron doce veces. Y en uno de esos asaltos me quitaron algo que quería mucho: un Rolex que me había regalado Jorge como una muestra de cariño.*

Bruetman no quiso hablar de Carrá pero aportó más detalles médicos sobre aquel suceso:

—*Vi a Jorge por primera vez en su departamento de Teodoro García, porque me lo pidió Adrián Paenza, a quien atiendo hace ya muchos años y de quien me considero su amigo. Era en el piso 26. Había estado con mucha fiebre durante varios días. Sufría fuertes dolores en la garganta. Apenas lo revisé me di cuenta de que tenía una faringitis, producto de un hongo llamado cándida. La afección se llama candidiasis. Le pregunté qué estaba tomando. Me respondió corticoides y antibióticos. Le expliqué que eso era adecuado para atacar una faringitis bacteriana. Que lo que tenía él era una candidiasis bucal secundaria, propia de las personas que tenían diabetes o altos niveles de azúcar en sangre. Le empecé a preguntar por los síntomas. Y resultó que orinaba como dieciséis litros por día. Era grosero e insólito que él no supiera, que nadie le dijera que tenía diabetes. Le pedí que me contara todo sobre su salud.*

—¿Y fue sincero?

—*Sí. Desde el principio me informó sobre su altísimo consumo de cocaína. No tuvo problemas en reconocerlo. Pero era evidente que tenía un pésimo control médico. Le tuve que decir que tenía diabetes tipo dos. La que está vinculada con la obesidad. Me sorprendió que no se le detectara antes la diabetes porque tenía un nivel de sequedad en la boca que la hacía evidente. Le encontramos un nivel de glucemia de cuatrocientos, cuando lo normal no supera los cien.*

En aquella época Lanata llegó a su peso máximo: ciento cincuenta kilogramos. Entonces Bruetman lo sometió a una serie de estudios para saber cuál era su verdadero estado de salud. El diagnóstico fue brutal. Bruetman se lo comunicó de un tirón. Me lo recordó como parte de su historia clínica:

—*Tenía sobrepeso porque comía mucho y en forma desordenada. Fumaba más de dos atados por día y eso aumentaba el riesgo de contraer una enfermedad cardiovascular. Obesidad mórbida, hipertensión arterial, colesterol del malo, muy alto, triglicéridos altísimos, tabaquismo y fuerte consumo de cocaína. No podía estar peor. Le dije que si quería seguir viviendo no podía mantenerse mucho tiempo así.*

—¿Usted le pidió que dejara de tomar?

—*Le expliqué que corría un alto riesgo con un consumo de cocaína tan elevado. Fue cuando me comentó su deseo de dejar de consumir. Yo lo informé sobre los riesgos y él decidió qué hacer. Si alguien lee la historia clínica de Lanata puede llegar a creer que soy el peor médico del planeta. El tipo hoy está con diálisis, tiene sobrepeso masivo, insuficiencia renal crónica y apnea de sueño vinculada a la obesidad que le provocan somnolencia diurna y falta de descanso e insomnio de noche. Todo mal. Pero yo le fui avisando todo lo que le iba a pasar. Yo solo lo acompaño. Él, después, toma sus decisiones. Nuestra relación es de muchos años y de mucha confianza.*

—¿Fue complicado el proceso de desintoxicación?

—*Le ofrecí ayudarlo con su tratamiento para dejar la cocaína. Le pedí que me avisara cuando estuviera preparado para hacerlo. Le sugerí que era más conveniente hacerlo afuera para evitar la repercusión pública. Le expliqué que ya era demasiado evidente su irritabilidad y su falta de concentración. Le advertí que podía terminal mal.*

—¿Eso activó la decisión?

—*Más allá de todo eso, él se sentía mal. Y tenía demasiado trabajo: la tele, la revista y no me acuerdo si la radio también. Por eso nos contactamos con una institución que depende de la Universidad de Harvard. Se llama McLean Hospital, queda en las afueras de Boston.*

—¿Por qué McLean y no otro?

—*Porque consideramos que era el mejor. Y porque tiene un departamento de adicciones muy bueno. Imaginate: cuesta veinticinco mil dólares las dos semanas. El tratamiento constó de una fase inicial con suspensión total de la cocaína en la primera semana y un control durante las dos semanas siguientes. El control se hizo con psicólogos, psiquiatras y con chequeos médicos permanentes. Es un buen lugar. Se comparte una zona común con cuatro o cinco personas. El paciente tiene habitaciones con tevé, una cocina compartida y afuera hay linda vegetación.*

—¿Cómo lo desintoxicaron?

—*Lo mantuvieron muy activo y le dieron antidepresivos y tranquilizantes.*

—¿Nada más?

—*La dependencia que genera la cocaína es más psíquica que química o física. La interpretación de los expertos de McLean fue que Lanata tenía una fuerte depresión. Que el consumo de cocaína mostraba una fuerte depresión encubierta. Le dieron un antidepresivo convencional. Le suministraron nefazodona.*

—¿Qué es la nefazodona?

—*Pertenece a la familia de los antidepresivos duales. Es por un lado, un inhibidor de la recaptación de serotonina y por el otro un inhibidor de la degradación de la noradrenalina. Me explico: tiene una fuerte acción sedante. Después se cambió por sertralina. Y todavía la toma.*

—¿Quiere decir que sigue con depresión?

—*Él está mejor. No podría decir que está deprimido. Él me dijo que cuando se la suspendimos no se sintió tan bien. Toma cincuenta miligramos por día. Eso, sin contar la cantidad de medicación que toma por su insuficiencia renal.*

—¿Es cierto que viajó a Boston con él?

—*Sí. No estuve los quince días pero lo acompañé en la fase inicial.*

—¿Cómo explica que Lanata dejó de tomar de un día para el otro?

—*Él dejó de tomar de un día para el otro porque lo quiso así. No fue porque viajamos hasta Boston. Hubiera dejado de tomar en cualquier parte del mundo, incluida la Argentina. Y se bancó las consecuencias posteriores.*

—¿Qué consecuencias?

—*Aumentó groseramente de peso. También la cantidad de cigarrillos que venía fumando.*

—¿Por qué no se acuerda de nada de lo que vivió en *The Pavilion* de McLean?

—*Sobre el tratamiento en Harvard no se acuerda absolutamente nada porque estuvo sedado y dormido la mayor parte del tiempo.*

—¿Por qué se fue de manera repentina?

—*Porque no aguantó más el régimen que debía cumplir. No toleró las reglas. No soportó que lo hicieran orinar todos los días (para chequear si no había consumido a escondidas). No aguantó que no lo dejaran fumar. Interrumpió el tratamiento por la mitad. Había programado dos semanas y se quedó siete u ocho días. Le dieron la mano y le devolvieron el dinero por los días que no usó.*

—¿No sufrió, Lanata, algo parecido al síndrome de abstinencia?

—*La suspensión del consumo de cocaína tuvo en Lanata muy pocos síntomas de abstinencia, te diría casi nulos. Lo que ocurrió es que cambió esa adicción por la comida, ya que fue aumentando de peso de manera desproporcionada. Esto se da también en los que dejan de fumar. Y te repito: la abstinencia a la cocaína en algunas personas es más psicológica que orgánica.*

—Él me dijo que llegó a tomar ocho gramos de cocaína por día. Semejante nivel de consumo, ¿no le pudo haber dañado el cerebro?

—*Jorge tiene cero grado de deterioro cognitivo. En ese sentido es un privilegiado. Es difícil de comprender cómo con semejante consumo de cocaína, tabaquismo, diabetes de muy difícil control por sus ciento cincuenta kilos, hipertensión, el colesterol por las nubes y una pericarditis que casi lo mata, el tipo esté vivo, sin problemas coronarios y sin problemas vasculares en las piernas. De cualquier manera, si sigue fumando así, el pronóstico a mediano y largo plazo es malo.*

—¿Fue en McLean donde descubrió que padecía de apnea?

—*No. Para eso fuimos a otra clínica. Estaba muy cerca. Es un lugar donde te monitorean y te miden el grado de apnea, la saturación del oxígeno en sangre y los movimientos de las piernas. El neumonólogo me llamó por teléfono a las seis de la mañana para decirme: "O el paciente está muy grave o se trata de un anfibio". Tenía un nivel de saturación que le estaba ocasionando hipertensión nocturna y arritmia. Es decir: una de las causas de muerte súbita. Me dijo, medio en serio, medio en broma: "Su paciente vive debajo del agua. Es un anfibio. Es una de las apneas más graves que vi en mi vida. Tiene una saturación masiva severa. No entiendo cómo todavía está vivo".*

Le pregunté a Bruetman cómo había llegado su paciente a una situación tan crítica. Lo hice durante la primera de las tres entrevistas que mantuvimos, el 3 de febrero de 2012, antes de que Lanata empezara a trabajar en Canal 13 y Radio Mitre. Me explicó:

—*Hace mucho que le advertí que tenía que bajar cuarenta kilos. Que si no lo hacía cuanto antes iba a tener un serio deterioro de la función renal. Bueno: esto ya sucedió, y ahora es irreversible. Pero yo se lo avisé. Le propuse que se internara. Le expliqué mil veces que si se hacía un anillo gástrico podía mejorar su calidad de vida. Pero no quiso. Me dijo que le tenía mucho miedo al bisturí y al dolor que le podía provocar.*

—¿Hubiera evitado las sesiones de diálisis que tanto lo atormentan?

—*En su momento, sí. Pero ahora su disfunción renal es irreversible. Tarde o temprano deberá volver a diálisis. Y es posible que las tenga que* hacer durante muchísimos años. Por lo menos tres veces por semana. También le advertí que se preparara para eso. Pero tampoco me hizo caso.

—¿Qué se preparara para qué?

—*Para empezar a filtrar la sangre de manera ordenada. Le propuse que se hiciera una fístula, una unión de la vena con la arteria para que filtre la sangre, con el objeto de que la tuviera lista en el momento que hiciera falta. Se lo sugerí a comienzos de 2011, cuando los niveles de urea y creatinina ya aparecían como muy elevados. Pero no me prestó atención. La cuestión es que cuando empezó el deterioro del funciona-miento renal para dializarlo hubo que ponerle, de urgencia, un catéter. Días después el catéter se infectó, se tapó y hubo que quitárselo de urgencia. Recién ahí aceptó que le hagan una fístula. Y lo hizo porque no le quedaba otra alternativa.*

—¿Va a necesitar un trasplante de riñón?

—*Para que sea digno de recibirlo, va a tener que bajar muchísimo de peso. Y también va a tener que dejar de fumar. Ahora hace una dieta ajustada a su diabetes y a su insuficiencia renal. Una dieta sin potasio, cítricos ni proteínas. Pero con la dieta no alcanza. Tiene que dejar de fumar.*

—Lanata dice que el cigarrillo no lo afecta tanto.

—*Que diga que el cigarrillo no tiene que ver con sus problemas es un disparate. Con la diabetes y el riesgo cardiovascular que tiene seguir fumando implica un riesgo muy alto.*

—A veces se cree Superman, ¿no? Me preguntaba, por ejemplo, si con su situación clínica podía tener, por ejemplo, relaciones sexuales.

—*Debería poder. Aunque también es cierto que la medicación contra la hipertensión y la diabetes afecta la potencia de la erección.*

—Todos nos vamos a morir. Pero la de Lanata es…

—*… ¿Crónica de una muerte anunciada, querés decir? Y sí. Parece eso. Y si creés que estoy exagerando, andá y preguntale a Sara. Cuando Jorge entró a diálisis, ella me dijo: "Vos le dijiste qué iba a pasar y creyó que era mentira". Pero él es grande. Yo no puedo obligarlo a nada. A veces le digo solo lo que quiere escuchar. Otras, cosas muy duras y concretas. Él decide. Y a veces decide mal.*

Bruetman tiene razón. Y, aunque no lo incluye en su diagnóstico, está claro que Lanata, además de todos sus achaques, padece lo que en psicoanálisis se llama negación. El síntoma más claro es que habla de su grave problema de salud como si se tratara de otro. O como si fuera una clase de anatomía. Pasen y lean:

—*Acá te traje la máscara que uso para dormir* —me dijo la primera vez

267

que nos vimos. Aproveché para filmarlo con mi pequeña cámara, como hice con todas las entrevistas que mantuvimos. Se puso la máscara de inmediato y empezó a hablar con ella. Es enorme e incómoda. Se trata de un artefacto parecido a los que usan los pilotos en la película *Top Gun*.

—¿Cómo funciona? —le pregunté. Y Lanata me dio una clase magistral:

—*Está conectada a una máquina. Esa máquina le hace presión y me obliga a respirar. Porque la apnea es eso: la imposibilidad de poder respirar con naturalidad. Me detectaron la apnea en Boston, en el año 2000. Los médicos me dijeron que parecía un anfibio por la cantidad de tiempo que me mantenía vivo sin respirar. Si no fuera por esta máscara me despertaría, asfixiado, cada cuarenta minutos. El aparato se llama BiPAP.*

—¿Y cómo hacías para dormir antes que te diagnosticaran la apnea?

—*No dormía. Dormía mal. Me dormía en cualquier lado. Una vez me dormí parado, mientras me estaba duchando. Rompí la mampara. Se me clavaron los vidrios por todos lados. Me saqué un vidrio de la pierna derecha, justo al lado de la arteria femoral.*

Me acuerdo de aquel día de memoria. Fue en diciembre de 2003, cuando lo fui a ver a su casa para avisarle que me habían ofrecido el horario de los domingos que hasta entonces ocupaba su programa. Tenía cicatrices por todas partes. Parecía que había vuelto de la guerra. No tuvimos más remedio que hablar sobre el asunto.

—*Unos centímetros más y me muero, boludo* —me dijo entonces, como si estuviera hablando de la vida de otro.

Unos meses después entendí que Lanata no exageraba. De una manera parecida había fallecido Milagros, la hija de Ricardo Alfonsín. El 7 de septiembre de 2004. Fue en el colegio. El pedazo de un vidrio que estalló se le clavó en la ingle y le cortó la arteria femoral, una de las que irrigan el corazón.

Le pregunté ocho años después de aquel encuentro:

—¿Tenés conciencia de tu verdadero estado de salud?

—*Tengo. Hasta hace poco tuve que hacer diálisis porque mi riñón no funciona bien. Está desajustado. Tiene muchas sustancias perjudiciales. Algunas son tóxicas y otras no. Está lleno de sodio, de fósforo y de creatinina. Mi riñón está mal producto de la diabetes y de la vida que llevé.*

Su mujer, Sara, estaba al lado de él. Y fue más clara todavía.

—*El mayor daño a su riñón se lo hizo la insulina. Durante los últimos años se inyectó mucha insulina. Eso es algo muy fuerte. Muy difícil de*

268

tolerar. Tenemos que estar muy atentos. Lo peor que le puede pasar es la muerte súbita.

Lanata agregó:

—Es culpa de la diabetes, el sobrepeso y, en menor medida, el cigarrillo. Bruetman tiene razón. En mayo (de 2011) me dijo que esto me iba a pasar. Que me tenía que empezar a dializar de manera no traumática antes que lo debieran hacer de urgencia. Yo no me quería dializar. Y me lo tuvieron que hacer de urgencia.

—¿Cuántas veces te dializaste?

—Habré hecho veinte sesiones de diálisis, de cuatro horas cada una. Primero fue en el Hospital Británico. Compartí la habitación con más gente. Ahora en la (Fundación) Favaloro estoy solo. Llevé la máscara para dormir un poco mejor. No te da para hacer otra cosa. Miro el techo, nada más. No pienso en nada. A veces hablo con las enfermeras. Las sesiones de diálisis son como un no-tiempo. Afortunadamente no duele. A veces te cansás más que otras. Pero no estoy muerto, si es lo que querés saber. La única vez que me sentí muerto fue cuando lo dijeron en Twitter. Primero me reí y después me enojé. Porque estaba en China, trabajando para Turner, y Sara se asustó mucho hasta que me encontró. Me pareció muy miserable de la gente que lo hizo, yo nunca le deseé la muerte a nadie.

—¿Por qué hablás de tu salud como si estuvieras haciendo una nota?

—Porque no deja de ser información. Sigo, si vos te dializás mucho, el riñón deja de funcionar. Y ahí no te queda otro remedio que el trasplante. Por suerte, lo que me pasó a mí es que, no bien me empezaron a dializar, el riñón comenzó a funcionar de nuevo. No me gustaría operarme. Las operaciones duelen. Molestan. Para no operarme estoy bajando de peso. Y en la muerte no pienso.

—¿Por qué? ¿Te creés inmortal?

—Uno piensa toda la vida que es inmortal. Pero a partir de los cincuenta sentí que pasaba a ser mortal. Hasta entonces no lo había pensado como una posibilidad real. Pero en el fondo me vino bien. Me dio más libertad para pensar y para hablar.

— "Lanata sin filtro."

—Eso. Me hizo liberar de prejuicios. Me hizo dejar de pensar si lo que digo o lo que hago está bien o está mal antes de decirlo o hacerlo. Dejar de estar pendiente si caigo bien o caigo mal. ¿Sabés? Yo sería, todavía, mucho peor de lo que soy. Lo que pasa es que no me termino de animar.

—Es contradictorio que un tipo que se cree tan inteligente fume como lo hacés vos.

—*No me rompas las bolas. Sé que fumar hace mal. Pero también sé que haber dejado las drogas me dio la tranquilidad de saber que puedo dejar de hacerlo si me lo propongo. Es decir: si no lo hice hasta ahora es solo porque no quise. Acepto que tengo contradicciones. Pero, en todo caso, me hago mal a mí. Pero ¿quién no lo hace? Por ejemplo, ¿vos tomás vino?*

—*A veces.*

—*Bueno. Yo no tomo alcohol. Y tampoco entiendo por qué vos lo hacés. Lo que si sé es que hasta ahora el cigarrillo no llegó a hacerme tan mal como para matarme, o poner en riesgo mi vida. Por lo tanto fumo. No sé hasta cuándo.*

—¿*Con la comida te pasa lo mismo?*

—*No. El problema con mi peso es que la insulina no te deja bajar tanto, aunque comas menos. Y el otro problema es que soy sedentario. Y no soporto la idea de correr arriba de una cinta. Me viene la imagen de un conejillo de Indias corriendo alrededor de la ruedita. Me parece patética la gente que va a los gimnasios y corre a la vida de atrás tratando de bajar un gramo más.*

—¿*Sos consciente que tarde o temprano te vas a tener que trasplantar?*

—*Sí. Me lo dijo mi médico. Me voy a tener que trasplantar el riñón y también el páncreas. Los médicos me recomendaron que me trasplante los dos órganos para curarme de la diabetes. Las alternativas son anotarme en el* INCUCAI *o traerlo de Bolivia en forma ilegal. Pero yo no voy a ir a Santa Cruz de la Sierra a pagar guita por un riñón de manera trucha. Voy a hacer la cola en el* INCUCAI. *Y voy a someterme no al trasplante solo de riñón sino al de riñón y páncreas. Para hacerte solo el primero hay una cola de cuatro mil. Para hacerte el de ambos solo de sesenta. Entonces, si yo me cuido del fósforo, del sodio, del potasio y de la concha de su madre, podré dializarme cada vez menos. Pero me tienen que controlar más.*

Lanata se hizo casi un especialista en diabetes y diálisis. Me dijo, por ejemplo, que de los sesenta millones de personas que se hacen diálisis en el mundo, unas veintiséis mil están en Argentina. Pero quizá la información más brutal y cruda la recibió de su colega Nancy Pazos.

Ella lo fue a ver para sugerirle que no esperara sentado en la lista del INCUCAI. Le explicó que tenía mucha y buena información y que la había obtenido porque su hijo, Nicanor, sufría de serios problemas renales al haber contraído el síndrome urémico hemolítico por una hamburguesa que comió en una casa de comidas rápidas. Que lo aclare Pazos con sus propias palabras:

270

–No bien me enteré de que "el gordo" empezó con diálisis, lo llamé y le dije que lo tenía que ver. Le expliqué el problema de mi hijo. Le expliqué que tenía que dejar de fumar, adelgazar y fijarse si se podía ir a trasplantar a otro país. Se lo dije clarito: "Jorge, en este país vas a hacer cola siempre. Sos diabético y sos famoso. ¡Olvidate! El sistema no te va a dar la chance de darle un riñón a un tipo como vos. Tenés todas las de perder". También le dije que se olvidara de vivir bien con diálisis. Le aconsejé: "No des más vueltas, conseguite un donante vivo". Fue una larga charla. Sara la escuchó completa. Espero, por su bien, que Lanata también me haya escuchado de verdad.

Pero a Lanata, más que escuchar, le gusta hablar. Para ilustrarme sobre su estado de salud, me siguió dando clases de medicina básica. E incluyó todos los detalles que pudo:

–¿Ves lo que tengo acá, en el brazo izquierdo?

–Sí.

–Tocá. No tengas miedo.

Lo toqué. Percibí el paso de la sangre por las arterias con una intensidad y una velocidad desusadas.

–¿Lo sentís?

–Lo siento.

–Es el lugar donde me unieron una arteria con una vena. Se llama fístula. Te suben la arteria casi al nivel de la piel. A las venas las pueden pinchar más que las arterias. Se "rompen" menos. Al mismo tiempo, por la arteria pasa más sangre que por las venas. Con la fístula, la vena se transforma en arteria, ¿entendés? Se ensancha. Y por ahí puede pasar más cantidad de sangre. Por eso sentís cómo pasa el torrente sanguíneo. Es el flujo de la sangre. Cuando te dializás te conectan a una máquina que filtra toda la sangre de tu cuerpo en tres horas. Igual, yo trataré de evitar las sesiones de diálisis mientras pueda. Y si no, me haré el trasplante. Y para hacerme el trasplante tengo que dejar de fumar. Así que si tu preocupación es el cigarrillo te informo que cuando tenga que dejar de fumar lo voy a hacer. Si pude dejar de tomar merca, ¿cómo no voy a ser capaz de dejar de fumar? Me clavaré unas cuantas pastillas de esas que se llaman Chámpix y chau.

Con menos humor y más preocupación, Sara reconstruyó la escena en que lo tuvieron que dializar a través de un catéter, y de urgencia:

–En mayo de 2011 Bruetman ya le había dicho que el riñón estaba mal. Que lo mejor era que se pusiera una fístula. Él no le dio la más mínima bola. Se tuvo que dializar, de urgencia, en octubre. La semana anterior al episodio se empezó a quedar dormido. "Vaya al médico", le *pedí. "Solo estoy un poco cansado", me dijo. Volvimos a discutir y él se fue sin saludar. En el camino la llamé a Tamara Florín. Como se había ido a grabar una promo a Chascomús traté de asegurarme de que estuviera bien. Tamara me dijo que estaba peor. Que se cansaba demasiado. Que habían tenido que parar la grabación. Eso fue un miércoles. El jueves volvió. Ya había sacado pasajes para viajar el lunes siguiente a Uruguay. Ahí me puse firme y le dije: "No nos vamos si antes no se hace ver por Bruetman". Jorge lo llamó en este tono: "Julio, acá la hinchapelotas de Sara dice que estoy remal y que no viaja conmigo a Uruguay antes de que vos me veas". Julio vino, lo vio y lo mandó a operarse para ponerse un catéter y empezar a dializarlo de urgencia.*

El 22 de octubre de 2011 Lanata fue internado porque sus riñones dejaron de funcionar.

El 23 lo operaron para ponerle el catéter.

El 26 de octubre un colega que no lo soporta lo dio por muerto desde su cuenta de Twitter.

Lanata lo relató así en su columna de *Perfil*:

A las 18:38, el usuario Patricioerb, periodista, militante ultraK, disparó el primer twitt con mi muerte (ver captura de la pantalla del teléfono con el twitt). Desde entonces, la noticia se multiplicó y quizá por ese efecto, o por miedo, Patricioerb se borró como usuario y cambió su nick por "Erbbbbbb". Pero mi asesino estaba más asustado que yo; en el apuro, olvidó cambiar sus fotos y datos del perfil para que no lo hallaran, si lo que quería era esconderse.
El twitt inicial fue retwitteado por NestorVive, y después por muchos más.
Patricio Erb tiene treinta años y una carrera bastante gris: kirchnerista confeso, trabajó en Educ.Ar, CN 23, Télam, FM El Faro, de Radio Nacional, y en la encuestadora Equis. Trabajó también en Perfil.com y –sorpresa– en la producción de DDT (Después de Todo), mi programa periodístico del Canal 26 durante poco más de un mes: sinceramente, no lo reconocería al cruzármelo en la calle. Toda esta historia me hizo volver a pensar sobre aquello de la piedra tirada desde la multitud: la riqueza de la Red es, también, su condena.

Los que no quieren a Lanata insistieron en vincular su muerte real con su supuesta decadencia profesional.

El 21 de mayo de 2012, un día después de que *Periodismo Para Todos*, su programa de Canal 13, obtuviera casi veinte puntos de rating con la visita de Lanata a Angola, el trending topic #muriojorgelanata se transformó en el primero del día. Los ciberk hipercristinistas fueron los más activos. Necesitaban contrarrestar la fuerte imagen negativa de la presidenta Cristina Fernández convalidando acuerdos con el gobierno del presidente autocrático José Eduardo dos Santos, acusado de múltiples violaciones a los derechos humanos.

Estos fueron algunos de los comentarios más ácidos e ingeniosos que recibió la etiqueta #muriojorgelanata:

@pocoPITO: *"Se tragó sus principios."*
@juanfrahoms: *"Le explotó la papada."*
@asalomito: *"Su restos serán velados en la embajada británica."*
@DIAZARKY: *"Murió intentando hacer un informe creíble y serio."*
@FRANCOBOCK: *"Se tragó todo el humo que vendía y estalló."*
@JulietaDolores: *"Se mordió la lengua y se tragó su propio veneno."*
@hernan_F1: *"Murió hace mucho, cuando dejó sus ideales y los cambió por el vil dinero."*

Hablé con Lanata sobre su propia muerte una y mil veces.

Le pregunte si tenía miedo de morirse ya:

—*¿Por qué me lo preguntás? ¿Te asustó Bruetman? Mirá que Bruetman intenta asustarme a mí desde hace años y no lo logra. Cualquiera se puede morir en cualquier momento. Pero sí tengo incorporado que me tengo que cuidar. De hecho estoy haciendo dieta y estoy bajando de peso. Estoy haciendo un poco de cinta. Tampoco me quiero obligar a hacer cosas. Sería falso que yo me ponga a hacer gimnasia. Mi objetivo hoy es mantenerme un año sin dializar, por eso la dieta. No tengo miedo a trasplantarme. Hoy ese miedo se me fue.*

Le pregunté si se reconocía como autodestructivo. Y lo aceptó:

—*Claro. Porque soy creativo. El tipo que crea, destruye. Es parte de mi ser. Viene conmigo. Aunque suene pretencioso, yo tengo un don. Me acordé lo del don porque lo escribe (Truman) Capote en un prólogo. El don es todo. Tu beneficio y tu látigo. Es lo que te ayuda y lo que te condena. Uno no se puede escapar de eso. Si yo hubiera sido prudente, si me hubiese callado la boca estaría en* Página/12. *Pero no sería yo.*

Le pregunté si tuvo un viaje parecido al de Víctor Sueiro cuando volvió de la muerte. Me explicó:

—*Nunca sentí que me moría de verdad. Pero si querés te puedo decir qué creo que le pasa a la gente, o qué me va a pasar a mí cuando me muera.*

—Adelante.

—*Yo creo que todos somos estrellas. Cuando se hizo el universo, se formó a través de algunos procesos químicos. Y está demostrado por la ciencia que el mismo material que formó a las estrellas también formó a las personas. Además, ¿viste que hay miles de millones de estrellas? Bueno: yo creo que esas son las personas. No hay "eternamente", porque el tiempo no existe. Es lo único que no se puede definir. El tiempo tiene mucho de subjetividad. El tiempo es relativo a la posición del espectador. Eso descubrió Einstein. Bueno, a mí me parece que cuando muramos vamos a transformarnos en estrellas. Y también me parece que el alma es azul.*

—¿Azul?

—*Sí. Pero no cualquier azul. Parecido al color azul que lograron los artistas rusos zaristas. ¿Viste que hay teorías que hablan del soplo vital? ¿Qué Dios sopló al hombre y que ese soplo es azul? Bueno. Yo creo que el mundo tiene ese color azul. Y que el alma también.*

Nunca sentí tan real la muerte de Lanata como cuando terminé de leer su poema "El ángel azul", que aparece en su libro *Hora 25*. Al recurso de la cuerda color madera lo utilizó en otros textos. El coqueteo con la idea de su propia muerte aparece una y otra vez. Estos son los párrafos más impactantes del texto:

> *Me siento un ángel, y un idiota.*
> *Algo suena en mí:*
> *una melancólica cuerda*
> *se tensa.*
> *Siempre es la misma cuerda.*
> *Siempre es del mismo modo.*
> *Si el alma es azul, esta cuerda tiene*
> *el color de la madera.*
> *Hay algo que no voy a ser.*
> *Hay algo que no voy a ser.*
> *Lo que no voy a hacer está en mí como una llaga*
> *como una mancha azul*
> *en la superficie de la cuerda.*
> *Temo que se rompa:*
> *Es casi lo único que tengo.*
> *Quiero jugar en paz.*
> *Mi juego no tiene costados:*
> *juego adelante,*

salto adelante,
retrocedo adelante.
Soy el mismo chico de siempre
saltando azul
con una cuerda en la mano.
En el otro extremo de la cuerda
    a veces
      hay un ángel;
Otras veces tiro
    y no hay nada
     y mi cuerda se desarma
      como una serpiente de cascabel.
Otra vez tiré.
Y era la muerte
     que no es terrible, sino lo más parecido a la tristeza.
Por favor, permitan
que las plumas de mi ángel
Sigan haciéndome cosquillas.

13

PERIODISTAS

Una sola vez Lanata amenazó de muerte a una persona. Y no fue una amenaza virtual, sino una muy concreta. Una advertencia que incluyó la posibilidad de tomar un arma y pegarle un tiro. Sucedió dentro de un estudio de televisión del canal América. La persona a la que Lanata amenazó fue nada más y nada menos que Daniel Hadad.

Antes del anuncio, Lanata le preguntó:

–*¿En serio me querés pegar?*

–Sí. ¡Te quiero cagar a trompadas! –le gritó Hadad.

Entonces Lanata le aclaró:

–*Mirá. Yo nunca me voy a pelear con vos, porque no tengo ningún motivo. Pero si lo tuviera, te buscaría y te cagaría a tiros.*

–¿Me estás amenazando? –quiso saber Hadad.

–*Claro. Te estoy diciendo que agarraría un arma y te mataría* –le dejó claro, otra vez, el exdirector de *Página*.

Esta es la versión completa de Jorge Lanata.

La de Hadad, proveniente de una fuente muy cercana al exdueño de Radio 10 y C5N, contiene una pequeña diferencia:

–*Es cierto que Lanata le dijo que iba a tomar un arma y lo iba a matar. Lo que el Gordo se olvidó de contar es que Daniel lo tuvo agarrado del cuello, y que Lanata, al final arrugó.*

–¿Qué significa arrugó?

–*Que se fue al mazo. Pero no tiene importancia. No es algo de lo que Hadad se sienta muy orgulloso.*

Al recordar el episodio, Lanata explicó que el detonante de la pelea había sido uno, y la fuente muy cercana a Hadad afirmó que había sido otro.

Lanata sostuvo que todo comenzó la noche del 27 de agosto de 2001 cuando él, desde su programa, *Detrás de las Noticias,* criticó con dureza a Hadad por haberse comido en cámara, el día anterior, una hamburguesa de McDonald's.

Hadad la había engullido para demostrar que las normas de higiene y seguridad de la empresa eran las apropiadas. Horas antes, un consumidor de McPollo en aparente mal estado había denunciado a la casa de comidas rápidas ante la Dirección de Higiene y Seguridad. Y el gobierno porteño no había tardado casi nada en cerrar tres locales donde había encontrado hamburguesas contaminadas con la bacteria *Escherichia coli*. Se trata de una enterobacteria que se encuentra en los intestinos de los animales. Puede provocar infecciones que terminen en la muerte.

La fuente cercana a Hadad explicó que su amigo no se peleó con Lanata por la polémica de la hamburguesa. Afirmó que lo fue a buscar después de ver, en vivo, por América, cómo El Gordo, en diálogo con la jueza federal María Servini de Cubría, intentó desprestigiarlo con la siguiente frase:

—*Y bueno, doctora. Qué podemos esperar de Hadad, el hombre que más operaciones periodísticas ha hecho en la Argentina.*

Servini de Cubría se había quejado ante Lanata porque Hadad había difundido las escuchas del diálogo entre la propia jueza y el jefe de la Policía Federal cuando sucedieron los incidentes de diciembre de 2001, que dejaron como saldo 39 muertos y la renuncia del presidente De la Rúa.

Lanata, en cambió, reconstruyó su pelea con Hadad así. Lo reproduzco de manera textual, porque incluye un supuesto arreglo entre el exconductor de *Después de Hora* y la multinacional de las hamburguesas:

—*Nunca en mi vida me peleé con nadie. Solo una vez amenacé de muerte a Hadad. Y lo hice en serio. Estaba en América, era la época del quilombo de las hamburguesas de McDonald's. En ese momento la empresa le había garpado a Hadad para comerse una hamburguesa en cámara. Cuando mi programa terminó, yo salí y Hadad estaba ahí. Le pedí que me esperara porque estaba meando. Cuando volví le dije que pasara a un estudio que estaba vacío. El tipo se me hacía el peleador de barrio. Le pregunté: "¿Querés pegarme?". Él me respondió: "¡Sí, te voy a cagar a trompadas!". Entonces le dije: "Mirá, yo no voy a pelearme con vos, no tengo ningún motivo para hacerlo. Pero si lo tuviera, te buscaría y te pegaría un tiro".*

—¿Y él qué te dijo?

—*Se dio vuelta y se fue. Yo no tenía un arma encima, pero ese tipo representaba todo lo que yo no era. Y era un verdadero cerdo.*

En cambio, la persona que habló en nombre de Hadad, lo reconstruyó así:

—*Fue el mejor momento de América. El canal tenía un ABC1 increíble. La Argentina entraba en la crisis más grave de su historia y todos los periodísticos medían un montón. El Gordo estaba de 21 a 22 y Daniel a partir de las 23. Eran enemigos íntimos. Es verdad que Lanata se hizo eco de la denuncia contra McDonald's. Y también es cierto que esa misma noche Daniel se comió una hamburguesa en cámara. Es algo de lo que tampoco está orgulloso. Fue una provocación innecesaria. Pero el motivo de la pelea no fue ese.*

—*¿Cuál fue?*

—*Cuando El Gordo sacó al aire, por teléfono, a Servini, diciendo que las grabaciones sobre lo que había pasado en Plaza de Mayo eran una operación de Daniel. Al término de su conversación con la jueza, Lanata lo acusó de ser el periodista que más operaciones políticas había hecho. Por desgracia él estaba comiendo con su familia, y su hija, Camila, le preguntó "¿Qué quiso decir Lanata con eso?". Entonces Daniel se subió al auto, llegó justo cuando estaba terminando el programa, lo desafió a pelear, lo agarró del cuello y le dijo: "¿Por qué no me repetís en la cara todas las boludeces que dijiste recién?".*

—*¿Lo agarró del cuello?*

—*Sí. Lo tuvo unos segundos del cuello y esperó su reacción. Pero Lanata no reaccionó. Cuando lo soltó, El Gordo le dijo: "Yo no me voy a pelear con vos, pero te voy a pegar un tiro".*

Le expliqué a Lanata que una fuente cercana a Hadad me había dicho que no fue por la polémica de McDonald's que estuvieron a punto de agarrarse a piñas. También le comenté que Hadad recordó que lo había tomado del cuello. Reafirmó Lanata:

—*No me tocó. No hubo violencia física. Me acuerdo claramente de que antes tuve que ir a mear. También que estábamos en el estudio de adelante y fuimos al último de atrás, para estar solos. Él bailoteaba. Hacía una cosa rara, como si estuviera entrenando. Y ahí le dije que si la cosa se ponía muy grave no me iba a pelear, sino que le iba a pegar un tiro.*

La fuente muy cercana a Hadad lamentó el episodio. E interpretó que si hubiese sido el empresario periodístico quien lo hubiera amenazado de muerte a Lanata se habría armado un escándalo de marca mayor. Además contó un chiste que todavía circula por los pasillos de Radio 10 y C5N. Dice así.

—*¿Qué es lo primero que dirían la mayoría de los periodistas si aparece Hadad tirado en la calle y herido?*

—*Que alguien le robó la billetera, y lo bien merecido que lo tiene.*

—*¿Y qué es lo primero que dirían si el que estuviera en el piso tirado y herido fuese Lanata?*

—*Que es un gravísimo ataque contra la libertad de prensa.*

Para Lanata, Hadad representa el enemigo más conveniente. El que le sirve para explicar, por ejemplo, su propia incorporación al Grupo Clarín.

Me lo planteó así:

—*Yo jamás laburaría para Hadad.*

—¿*Por qué?*

—*Porque es la mafia. Y una cosa es la mafia y otra la industria de los medios. Y la mafia es mafia aunque con el tiempo pase a formar parte del establishment. Te digo más: hasta con Cristóbal López podría laburar.*

—¿*Y cuál sería la diferencia?*

—*Para mí es un empresario. ¿Recibió más favores del Estado que otros? Sí. Pero es un empresario. A mí me vinieron a ver para conversar y yo no tuve ningún problema en hacerlo.*

—López es un empresario del juego.

—*Sí. ¿Y? Lo del juego es una acotación moral que a mí me importa un pomo. El tipo no vende droga, ¿no? ¿Qué quiero decir con esto? Que es muy difícil encontrar un empresario puro de pureza total. Lo que yo siempre me pregunto es si puedo decir lo que quiero. Vos me corrés por izquierda porque ahora trabajo en* Clarín. *¿*Clarín *no se manejó bien con sus negocios? Sí. Pero ahora está pagando los costos. Insisto:* Clarín *es la industria y Hadad es la mafia.*

—¿Cuál es la diferencia?

—*Que uno creció gracias a la debilidad del Estado y el otro lo hizo a través de la extorsión. Pero, más allá de esto, el gobierno ha instalado la falsa idea de que los periodistas somos una manga de pelotudos que acatamos órdenes. Habrá algunos periodistas que sí. Pero yo sé que a periodistas como a vos o a mí no nos llaman todos los días para ordenarnos lo que tenemos que decir.*

Cuando empezamos a hablar sobre periodistas, Lanata me repitió su hipótesis de que la nuestra es la actividad qué "más puterío" presenta por metro cuadrado. Lo que no puso de manifiesto es que él es uno de los profesionales que más ha participado en cada uno de los mencionados puteríos.

Si para Lanata, Hadad es gran ejemplo del empresario de medios que desprecia, su otro archienemigo, Horacio Verbitsky representa todo lo que un periodista no debe ser.

Sus diferencias surgieron desde el mismo momento en que se conocieron para iniciar juntos la aventura editorial llamada *Página/12.*

El primer dato, poco conocido, es que Verbitsky también estaba trabajando en el proyecto de un nuevo diario cuando Lanata irrumpió con su idea. El segundo dato es que, según Lanata, cuando le ofrecieron a El Perro ingresar a *Página*, hubo una ruidosa discusión por dinero.

Sucedió a fines de 1986.

Rememoró Lanata:

—*Yo no lo conocía. Lo fui a ver a su oficina de Tribunales. Tuvimos una discusión por guita. El Perro ya ganaba bien en* El Periodista. *Y* Página *no era un lugar para periodistas estrella. La mayoría eran activistas de otros medios que se habían quedado sin laburo, como Rubén Furman. Creo que terminó arreglando por más de lo que ganaba yo.*

Verbitsky, en cambio, me dijo:

—*Yo nunca hablé con él de dinero con relación a* Página/12. *La negociación económica la hice con Fernando (Sokolowicz), que era mi amigo y compañero de militancia en movimientos de Derechos Humanos. Sí, cuando hicimos televisión juntos, recuerdo que me dijo: "Esta vez sí voy a ganar más que vos". No le contesté, porque realmente la plata no es mi tema.*

Una vez que *Página* comenzó a funcionar el diario se dividió en dos bandos claramente diferenciados: los que siguieron a Lanata y los que se transformaron en los cachorros de El Perro.

Lanata era el hombre de las tapas creativas y las ideas audaces.

Verbitsky siempre soñó con ser considerado el más genuino heredero de Rodolfo Walsh.

El *Amarillo/12,* el *Pelota/12* o la tapa en blanco el día en que Carlos Menem decretó los indultos fueron absoluta responsabilidad de Lanata. El Perro venía de escribir una de las mejores crónicas del juicio contra las juntas militares y era el principal columnista del diario.

Los cachorros de Horacio repetían por lo bajo que Lanata era frívolo, "noventista" y superficial. Lo comparaban con Bernardo Neustadt, a quien despreciaban de manera profunda.

Los lanatistas sostenían que Verbitsky desayunaba con bronce.

A principios de 1991 Lanata hizo algo que Verbitsky nunca le perdonará: lo mandó a investigar por Graciela Mochkofsky.

Me lo contó el propio Lanata:

—*Mandé a Graciela a investigarlo porque no me cerraba su historia. Se lo pedí a ella para no levantar sospechas. Había escuchado que (Verbitsky) había hecho algunos libros durante la dictadura. Nunca entendí cómo, siendo el segundo de Inteligencia de Montoneros, se pudo haber quedado tanto tiempo en Argentina, en un momento en que se escapaba todo el mundo. Un día vino Verbitsky y me preguntó: "Vos mandaste a alguien a preguntar por mí. ¿Por qué lo hiciste?". Yo le dije que quería saber con quién trabajaba.*

—¿Pudiste confirmar algo?

—Sí. Que trabajó con el comodoro (Juan José) Güiraldes. Que lo hizo aparentemente en una oficina de Paraguay y Florida que era de la Fuerza Aérea. Y que escribió un par de libros sobre la historia de la fuerza. También se empezó a correr la bola de que era un ghost writer (escritor fantasma) de (el jefe de la Fuerza Aérea de la dictadura, brigadier Basilio) Lami Dozo. Que le escribía los discursos. Él me explicó que lo de los discursos era mentira y que los libros no eran políticos sino técnicos. También me dijo que conocía a Güiraldes porque era amigo de su padre (Bernardo Verbitsky).

—¿Le creíste?

—En parte. Es verdad que los libros eran técnicos. Por lo menos no hizo como (Eduardo) Aliverti que escribió el libro de Malvinas con (el presidente de facto Leopoldo Fortunato) Galtieri.

—¿Por qué era tan tensa la relación?

—Porque era más político que periodista y pensaba más en él que en el diario. Una vez, en plena competencia, le dio un reportaje a Clarín. *Lo llamé y lo insulté. Porque nosotros competíamos contra* Clarín. *Pero él lo hizo por política. Como cuando apoyó políticamente a (Adolfo) Rodríguez Saá mientras que fue presidente. O escribió notas a favor de (Carlos) Menem en* Página. *O basureó una y mil veces a (Néstor) Kirchner hasta que le convino políticamente empezar a apoyarlo.*

—¿Seguís teniendo la sospecha de que trabajó para la dictadura?

—No es una sospecha. Es un dato: durante la dictadura trabajó para la Fuerza Aérea. No me importa lo que él diga: el hecho objetivo existe. Yo lo conozco mucho, hablé con él miles de veces, pero hoy no te podría decir quién es. Cuando dice "yo estuve en los Montoneros y no maté a nadie", yo no le creo. En el lugar donde él estuvo es muy difícil que no haya participado de acciones armadas. No era un chico que repartía volantes. Él estuvo durante toda la dictadura en Buenos Aires. Él estuvo en Perú durante el (último) gobierno de (Juan) Perón. Es un tipo enigmático en muchas cosas. Muyególatra.

De todo lo que me contó Lanata, lo que más me sorprendió fue el hecho de que lo mandara e investigar por su pareja de entonces, Graciela Mochkofsky. Le pregunté al propio Verbitsky si lo sabía. También lo consulté sobre el contenido de la investigación.

—¿Sabías que te había mandado a investigar por Mochkofsky?

—Sabía que me había mandado a investigar. No sabía por quién.

—Lanata dice que te enteraste y que se lo recriminaste. Que tuvieron una conversación. Y que él, desde ese día, se quedó con la sensación de que eras más un político que un periodista.

–No recuerdo esa conversación, pero me parece legítimo que tenga esa apreciación. Tengo una militancia política muy antigua. Y él, de alguna manera, es un emergente de la antipolítica. Lo que es notable es que a la vuelta de los años él termina comprometido políticamente en su práctica profesional. Porque termina contratado por el Grupo Clarín.

–¿Te parece que eso implica un compromiso político?

–Sí. Una cosa es ser algún redactor del Grupo Clarín. Hacer un trabajo como ese, ganarse el pan de esa manera, no implica ninguna deshonra ni identificación editorial. Pero otra cosa es ser el contratado "estrella" del Grupo Clarín en medio de una política de desestabilización a un gobierno democrático. Y más teniendo en cuenta que él no era un tipo de estar necesitado de trabajo. Por eso sigo que no es otra cosa que una opción política.

–Lanata me dijo que vos trabajaste para la dictadura. Que esa no era una opinión sino un hecho objetivo.

–Eso es mentira. Y fue divulgado en un programa de televisión después de que publiqué Robo para la corona. Fue gente del gobierno de Menem la que me atacó diciendo que yo había sido colaborador de la Fuerza Aérea durante la dictadura. A raíz de ese episodio Lanata ordenó investigarme.

–¿Y a qué conclusión llegó?

–Él tenía una confusión de fechas. Yo se las aclaré. Que me haya mandado investigar no me parece mal. De hecho no encontró nada deshonroso. Sino me lo tendría que haber dicho. Además tengo las cartas que en su momento le envió (el comodoro Juan José) Güiraldes al director de Ámbito Financiero. Son cartas en las que se aclara todo.

–¿Lo podés volver a explicar?

–Tenía una relación con Güiraldes de tipo familiar. Fue heredada de mi padre y de su tío, de Ricardo Güiraldes. No tengo nada que esconder en ese sentido. En el año que él publicó el libro que me atribuyen a mí llevaba veinticinco años retirado de la Fuerza Aérea. Además es un libro sobre transporte aéreo. No es un libro político. Por otra parte, lo escribió él, no lo escribí yo. Lo que me agradeció es que yo le di ánimo para publicarlo, lo cual es cierto. Él fue presidente de Aerolíneas Argentinas y siempre hablaba de ese tema. Ese libro es de él, no mío.

–Lanata dice que no tuvo clara tu participación en Montoneros.

–Lo que yo hice o no hice en Montoneros se supo después. En el momento que lo hice muy poca gente lo supo, porque era un trabajo clandestino. Por otra parte, yo no era tan importante en la organización. Además, casi nadie sabía que yo estaba en el país para esa época. Porque *en 1975 me había ido afuera y había regresado en forma clandestina a la Argentina. La gente conocida mía se encargó de difundir que yo seguía viviendo en Perú. De hecho, me crucé con gente que conocía por la calle y no me reconoció, porque mentalmente me veían fuera del país.*

—¿También es falsa le versión que dice que le ayudaste a escribir un discurso al brigadier Lami Dozo, quien pertenecía a la primera Junta Militar?

—*Totalmente falsa. Fueron todas operaciones que empezaron después del libro, con la intención de desacreditar el trabajo. Fue una campaña muy fuerte. El exfiscal Romero Victorica llegó a decir: "O va preso o se tendrá que ir del país". Recibí decenas de juicios y demandas. La denuncia de (Rodolfo) Galimberti. El careo que me armaron para intentar desprestigiarme. Fue una respuesta frenética del gobierno de Menem cuando tenía todo el poder. Así y todo, no pudieron probar ni una sola de sus mentiras.*

El Perro también acusó a Lanata de varios pecados. Se los trasladé, igual que hice con las consideraciones del exdirector de *Página* sobre Verbitsky.

—Verbitsky dice que, durante 2001, vos lo sacaste de tu programa *Detrás de las Noticias* por orden de los accionistas de América.

—*Eso es mentira. Lo saqué por aburrido. Porque de un año al otro pasamos de estar todos los días a una vez por semana. No lo podía tener veinte minutos hablando. Quizás el error fue no decírselo en ese momento. Me parece que más tarde se lo dije. Después José Luis Manzano le dio una entrevista a* Noticias *y cuando le preguntaron a quién no se bancaba él dijo a Verbitsky. Entonces El Perro no se pudo sacar de la cabeza que lo había sacado por orden de Manzano. Si hubiera sido así, no tendría problema en decirlo.*

—Verbitsky dice que vos le pediste que no diera, en tu programa de televisión, una información que perjudicaba a (Fernando) De Santibañes.

—*Sí. Yo le dije que no le pegara a De Santibañes, que era dueño de un banco. Y que era uno de los pocos tipos que nos ponía avisos. Es una discusión muy larga. ¿Vos pagarías un auspicio a alguien que te putea?*

—Lo que dice Verbitsky es que vos le pediste que no diera la información que lo involucraba con las coimas en el Senado porque estabas recibiendo un crédito de su banco o del banco de un amigo de él.

—*No. Nosotros (el programa y la revista* Veintiuno) *teníamos un quilombo de guita con el banco que manejaba De Santibañes. No me acuerdo de qué banco era. Pero ya no era dueño del banco. Pero sí, le pedí que (a la información) no la diéramos. Le dije que si no era grave nos hiciéramos los boludos.*

—¿Y te parece bien?

—*Pero no era una información sobre las coimas en el Senado. No era grave, porque si lo era lo poníamos igual. Mil veces nos pasó eso, de hacer una cosa y perder un aviso, y por el contrario no sacar algo para no perderlo. Porque además de alguna forma había que bancarse. Acá hay un problema que es irresoluble: los medios viven de los avisos. No hay otra manera. Tengo la libertad de conciencia de que ante un hecho grave no le tapé la boca a ninguno. Además, El Perro no puede hablar.*

—¿Por qué?

—*Porque él recibía guita del MTP (Movimiento Todos por la Patria) desde antes que saliera* Página/12. *Desde antes, incluso, del copamiento de La Tablada. Sin embargo, cuando los metieron presos escribió una guachada. Escribió, por ejemplo, "el lumpen sacerdote Juan Antonio Puigjané". Yo se lo escribí por mail, cuando se disolvió Periodistas. Le dije: "Vos recibías plata del MTP. No me rompas las pelotas". ¿Te lo explico de nuevo? Un hijo de puta, el tipo. Se veía todos los días con ellos, le daban plata… ¡Y cuando fueron todos presos escribió eso! Fue una guachada.*

—Verbitsky me dijo también que vos te fuiste de *Página* no por lo de *Clarín* sino porque la administración del diario se enojó cuando le ofreciste una columna a Julio César "Chiche" Aráoz, ministro de Acción Social de Menem. Y que a cambio de ese columna conseguiste publicidad en tu programa de Rock & Pop.

—*Realmente no lo recuerdo. ¿Querés confirmarlo? Hablá con la agencia, y listo.*

—Ya lo hice. Hablé con Héctor Calós, responsable de Vocación, la agencia que producía tu programa de radio. Me recordó que él te convenció para que vayas a ver a Aráoz al ministerio. Que vos no hablaste de publicidad pero que Aráoz te pidió que lo trataras bien. Y que vos le señalaste el Obelisco y le dijiste: "Mirá, si vos vas y te robás el Obelisco yo no tengo más remedio que ir y contarlo".

—*No me acuerdo de nada. Pero es verosímil que haya dicho eso. Es lo que digo siempre.*

—¿Eso no es correr los límites de acuerdo a tu conveniencia?

—*No. Eso siempre es así. Uno da a conocer las noticias de acuerdo a la importancia que tienen. Cuando decidís que algo no es tan importante no salís a hacer una encuesta para corroborarlo. Lo que me extraña es que El Perro haya estado tan enterado de los supuestos conflictos con la administración. Si él no venía nunca a la redacción. Solo iba los viernes a entregar el material. Después se iba a cenar con los chicos diez, a ver los tapes de su participación en el programa de*

284

(Mariano) Grondona. Funcionaban como un grupo de coach. ¡Eso sí que era muy gracioso!

Aproveché la acusación de Verbitsky para recordarle a Lanata una diferencia profesional que tuvimos cuando trabajamos juntos.

—En 2003, cuando La Cornisa produjo *Por qué*, el programa que vos condujiste, te planteamos, junto a Diego Kolankowsky, hacer un capítulo sobre La Tablada. Y vos me dijiste "ni en pedo".

—*Es verdad. No quise. Y te conté por qué. Había dos razones: en ese momento no le interesaba a nadie. Además había una campaña de la derecha para desprestigiarnos. No hablé porque no tuve ganas.*

—¿Cuándo y cómo hablar o dar información lo decidís vos, de acuerdo a tu criterio?

—*Claro. Igual que en su momento no hablé de* Clarín *porque sentía que si lo hacía le hacía mal al diario* (Página/12). *Para mí* Página *cerró hace tiempo, por eso no me importa hablar ahora. Es una cuestión de tiempos internos, ¿entendés? Por ejemplo, hoy me arrepiento de no haber cerrado* Veintitrés. *Cuando veo hoy la porquería que es la revista, que sirve para que Szpolski se haga más millonario de lo que es, me da vergüenza. Yo por eso perdí un departamento, un auto, perdí todo. Y no sirvió para nada, porque a nadie le importó.*

—Sí. Pero después de irte firmaste un nuevo contrato con Szpolski.

—*Me pagó por reproducir un libro que ya había publicado y por compilar otro, pero que lo hice más que nada para darle una mano a Guille (Alfieri) que estaba sin laburo. En los medios siempre se da una relación que a vos te usan y vos usás. Es inevitable.*

—¿Como ahora te usaría *Clarín*?

—*Y como a vos te usaría América. Cuando digo esto de que la Madre Teresa no tiene un diario, realmente creo en eso. No existen en el poder tipos cándidos, ingenuos y buenos: por lo general hay hijos de puta. Las circunstancias políticas hacen que los intereses cambien. En este momento ellos están diciendo lo mismo que dije yo durante veinte años, por eso me dan bola: pasado mañana me van a pasar a degüello sin ningún complejo. Sigo pensando lo que dije de* Clarín *toda la vida.*

—Ahora que trabajás para *Clarín*, ¿lo podés repetir?

—*Dije que* Clarín *era un medio concentrador y que el gobierno había autorizado a que lo sea. Hoy estoy laburando con una libertad completa en* Clarín, *digo lo que se me canta en la tele, digo lo que se me canta en la radio, y nadie me baja línea de nada. Pero yo no lo aceptaría: cuando no pueda contar lo que pasa me voy a ir. A esta altura no tengo que demostrar que me puedo ir de algún lugar; si hay algo que yo hice fue irme, hasta de lugares que yo mismo armé.*

—¿No hay un código de ética *"marca Lanata"*, que se va corriendo, para justificarse?

—*Sí. Es lógico. Aunque no parezca, soy una persona. Y todas las personas tienden a justificarse.*

Las justificaciones y los reproches mutuos entre Lanata y Verbitsky empezaron hace veintisiete años, pero se renovaron con la aparición de este libro.

El Perro, además de presentar a Lanata como "contratado estrella" de un grupo de medios que "busca destituir a un gobierno democrático", lo acusó de ir a pedir avisos a la embajada de Estados Unidos cuando dirigía *Crítica*.

Y Lanata, además de desconfiar del pasado de Verbitsky, le endilgó estar *sponsoreado* por un conjunto de organizaciones norteamericanas, algunas de las cuales dependen directamente del gobierno de los Estados Unidos.

El 14 de julio de 2008, en medio de la pelea con el campo, Horacio, desde su columna de *Página/12,* contó cómo Kirchner se había reído cuando la "comisión de aforismos de Carta Abierta" le presentó las siguientes frases para ser utilizadas en la marcha frente al Congreso del martes siguiente:

"Llambías al gobierno/ King Kong al poder."

"Cada acto en su lugar: gorilas frente al zoológico/ demócratas frente al Congreso."

"Bernardo tenía mala leche. Quedó La nata."

Dos días después, Lanata, desde su diario *Crítica*, con humor y acidez, presentó a El Perro con el seudónimo de *Horacio Bombita Rodríguez*.

Bombita Rodríguez, el *Palito Ortega Montonero*, es, en realidad, un personaje creado por Diego Capusotto, el humorista quien en su momento definió al kirchnerismo como lo más parecido al menemismo, pero con derechos humanos.

En esa nota, Lanata, además, se atrevió a regalarle a su excompañero otros aforismos parecidos. Fueron estos:

"Si seguís con De Vido, Horacio, estás jodido."

"El Perro con Rudy bien se lame."

"De robo para la Corona, a servir a la Reina."

"Desde Ezeiza a Calafate, Horacio banca el remate."

"De los soldados de Perón, a defender a Felisa fue HV sin cortapisas."

Lanata y Verbitsky se volvieron a cruzar fuerte en agosto de 2011, después de las primarias.

Fue después de que el ministro Florencio Randazzo se quejara de los periodistas de *Clarín* y *La Nación*, quienes habían cuestionado los resultados. Verbitsky escribió en el mismo sentido: *"Con el mismo método obtendrán idénticos resultados, tal vez con una mayor diferencia, dado el hartazgo que producen con su incapacidad crónica de advertir la realidad. Si vienen por más, es muy posible que lo encuentren. Sigan así".*

Al día siguiente, Lanata llevó la fotocopia del editorial de Verbitsky al programa *A Dos Voces* y declaró:

—*Soy de Sarandí. Esto en mi barrio se llama amenaza.*

Y en su columna del diario *Libre* abundó: *"Horacio se ha convertido en un ministro K sin cartera".*

El siguiente domingo, 4 de septiembre, Verbitsky primero aclaró y después atacó a fondo:

—*A pesar de los deseos de Lanata, no soy miembro del gobierno. Tampoco amenacé a nadie ni me referí a él. Convertir ese análisis político en una amenaza personal requiere una sobredosis de interés en sí mismo como la que impresionó al embajador de los Estados Unidos Earl Anthony Wayne en mayo de 2008.*

Se estaba refiriendo a la visita que Lanata y su entonces socio, el exjuez federal Gabriel Cavallo, habían realizado a la embajada para quejarse de la presión del gobierno de Cristina Fernández y también para pedir publicidad a las empresas norteamericanas.

Verbitsky citó la información sobre Lanata contenida en *Argenleaks (Los cables de Wikileaks sobre la Argentina, de la A a la Z)*, el libro de Santiago O'Donnell. El Perro lo contó con sorna:

—*Lanata describió una conspiración oficial para estrangular al diario neonato y Cavallo pidió ayuda de supervivencia para el último bastión de la prensa libre en la Argentina.*

Al otro día, Lanata le respondió desde *Libre*, bajo el título *"Argenleaks, leyeron lo que quisieron".*

Primero reconoció que sí estuvieron allí.

Después aclaró que la visita fue muy breve, porque la embajada es un sitio "libre de humo".

Enseguida explicó que habían ido para comentarle al embajador que Kirchner había amenazado a los accionistas de *Crítica* con la siguiente frase:

—*Los voy a fundir.*

Lanata consideró que Verbitsky no había sido original en suministrar la información porque lo mismo habían hecho Víctor Hugo Morales y otros periodistas/militantes K.

A partir de ese momento lo empezó atacar con fuerza y certeza.

Se preguntó por qué Verbitsky no se detuvo en la letra R, donde aparecía el ministro Randazzo jugando a dos puntas en el conflicto del gobierno con el campo. También se preguntó por qué, en el libro de O'Donnell, no había información sobre El Perro en la letra V. La misma pregunta le hice al autor desde mi programa de radio. Y O'Donnell me explicó:

—*Porque no existía ni datos ni wikileaks sobre Verbitsky.*

Al final de su nota en *Libre* Lanata suministró parte de la lista de empresas y organizaciones no gubernamentales norteamericanas que aparecían como financistas del Centro de Estudios Legales y Sociales (CELS), cuyo presidente es el mismo Verbitsky. Mencionó, entre otras, a:

- *La Fundación Ford*
- *La Inter-American Foundation*
- *La Kellog Foundation*
- *The William Kerby and Robert S. Potter Fund*
- *La American University*
- *El Center for Justice and International Law*

Verbitsky no se quedó quieto.

El siguiente domingo 11 de septiembre de 2011 metió a Lanata dentro de los sectores "tan minoritarios como estridentes" que venían persistiendo en su "fastidio antipolítico" y diagnosticaban que, después de las elecciones, no se había producido la tan ansiada renovación que la sociedad pidió en 2001 al grito de "que se vayan todos".

El Perro ninguneó a Lanata sin nombrarlo:

"Sería injusto atribuir que falsean la realidad, porque es ostensible su incapacidad para percibirla."

Después tomó su calculadora y explicó que en ambas cámaras del Congreso solo permanecía menos del ocho por ciento de los legisladores que también había estado en 2001.

Veinticuatro horas después, Lanata recogió el guante, llamó a *Página Boletín Oficial/12* y empezó a citar a algunos de los miembros del gabinete que fueron parte de los gobiernos de Carlos Menem, Fernando de la Rúa y Eduardo Duhalde. Nombró, entre otros, a Aníbal Fernández, Julián Domínguez y Débora Giorgi. Remató la nota así:

"Son solo algunos de los jóvenes políticos que nos gobiernan y que apuestan ahora a su re-reelección. Está clarísimo que son, como mucho, el 0,6 por ciento del 1,5 elevado a la potencia Pi del coseno de 18, como

dijo Horacio, quien también es nuevito, nuevito, y que debería cambiar
su sobrenombre de Perro por el de Cachorro."

Ambos habíamos dejado de ser cachorros cuando hablamos con Lanata por primera vez a fondo sobre la ética de los periodistas y los medios, incluidos nosotros mismos.

Fue en ocasión de una larga entrevista que le hice durante la tarde del viernes 18 de octubre de 1998 para el libro *Periodistas (Qué piensan y qué hacen los que deciden en los medios)*, de Editorial Sudamericana, abril de 1999. El texto hizo las veces de examen final para los estudiantes de Habilitación Profesional I del tercer año de la Licenciatura de Periodismo de la Universidad de Belgrano. El director de la carrera, Miguel Wiñazki, apoyó con entusiasmo aquel proyecto inédito. Era la primera vez que un grupo de alumnos cobraba regalías por la publicación de un trabajo que se transformó en un libro y cuya primera edición fue de doce mil ejemplares.

Lanata me invitó a su pequeña oficina de director de la revista *Veintiuno*. Algunas de sus respuestas resistieron el paso del tiempo.

—¿Cree que un grupo como Clarín, si se lo propone, puede dañar a un presidente hasta hacerlo renunciar?

—*Muchos periodistas y muchos políticos tienen la fantasía de que los medios tienen poder para exageran tendencias que antes existen en la sociedad. Pero ningún grupo, por más fuerte que sea, puede inventar una tendencia. Para dar un ejemplo: siempre se dijo que Goebbels, a través de la radio, desarrolló el nazismo socialmente en Alemania. Pero los alemanes eran nazis. No es que se hicieron nazis por Goebbels. Los medios no pueden inventar algo que no está. No tienen ese poder. Menos mal.*

—¿Por qué le hizo un agujero a una edición de la revista *Veintiuno*? Unos piensan que fue genial. Pero otro periodista me dijo: "Parece un chiste de secundario".

—*¿Qué?*

Lanata se agarra la cabeza y tira el cuerpo para atrás.

—*¿Un chiste de secundario?*

—Sí.

—*Decile al periodista que te dijo eso, de parte mía, que se vaya a la concha de su madre.*

—¿Cómo?

—*Está todo bien. Yo no puedo estar pensando en ese tipo. No les gustó el agujero, está todo bien. ¿Sabés qué pasa? Yo lo hice porque creía que la mejor manera de hablar del presupuesto era a través de un agujero. ¿Era incómodo de leer? Sí, era incómodo para leer. Porque el presupuesto es lo más incómodo del mundo y porque yo quería que el agujero estuviera presente en toda la revista.*

—Hay una versión interesada que lo muestra como muy amigo del secretario general de la Presidencia, Alberto Kohan.

—*¿Que yo laburo para Kohan? Cuando salió* Página/12, *decían que laburábamos para alguien. Cuando estábamos en la tele también. ¿Ahora laburamos para Kohan? Mirá qué bien, me importa un pito.*

—¿Sabe quién es el verdadero dueño de *Página/12?*

—*Preguntáselo a (Fernando) Sokolowicz. (Es el editor responsable.)*

—¿Por qué no puede responder la pregunta?

—*Yo puedo contestar eso. Pero no lo quiero contestar.*

—¿Le puedo preguntar si *Página/12* es de *Clarín* o de (Héctor) Magnetto?

—*Vos me podés preguntar lo que quieras. Yo te digo que eso vos se lo preguntes a la gente de* Página. *Yo podría contestarte esto pero no quiero perjudicar al diario y no te lo quiero contestar.*

—Existe la idea de que la televisión es impacto pero no calidad informativa.

—*Los que piensan así son unos pelotudos. Vos podés tener impacto y tener calidad informativa y una cosa no va en detrimento de la otra. El impacto es la forma que vos elegís para la noticia. La calidad informativa tiene que estar siempre. Lo que pasa es que acá los noticiarios trabajan con los diarios. Es decir, con un día de atraso. Y si no, hacen lo de* Telenoche Investiga, *que siempre encuentra de subcomisario para abajo.*

—Bueno. Eso es un poco injusto. *Telenoche* denunció a los narcopolicías.

—*Narcopolicías, sí. Pero nunca encuentran un jefe de policía. Nunca encuentran un ministro. Nunca encuentran un secretario de presidente. ¡Qué raro! Yo, cuando salgo a buscar, siempre encuentro, por lo menos, un ministro. A veces me pregunto: ¿Qué estaremos haciendo mal? ¿Estaremos buscando en otro barrio?*

—El código de ética que firman los periodistas de (la revista) *Veintiuno* prohíbe aceptar regalos e invitaciones, ¿cree que eso afecta a la independencia periodística?

—*No tengo dudas de que es así.*

—¿Usted acaso no aceptó una invitación a Nueva York, a cargo de (la empresa de residuos) Manliba?

—*Fue la única vez. Fui a Chicago. Lo pagó Manliba. Yo era direc-*

tor de Página/12. *Pero no publiqué una sola línea sobre el viaje ni sobre la empresa. Y lo hice deliberadamente. Para que nadie me dijera nada.*

(N. del A.: fue en el viaje en que conoció a su segunda esposa, la periodista Silvina Chediek. Véase el capítulo "14. Chicas".)

—Se equivocó, cedió a la tentación.

—*No. No me equivoqué. Porque yo, en ese momento, no creía que estaba mal aceptar esa invitación. Es la verdad. Yo no pensaba lo mismo hace diez años que ahora.*

—Pero cuando viajó a Chicago ya era un adulto.

—*Sí. Y también fui cambiando mi manera de pensar. Y me parece bien, si no sería un tarado.*

—¿Piensa que si pacta un off the record con un entrevistado no se lo debe violar de ninguna manera?

—*El off the record es absolutamente inviolable. Si la pregunta es sobre el caso (Gabriela) Cerruti, la respuesta es que tiene razón (el excapitán de fragata Alfredo) Astiz.* (N. del A.: existe una controversia alrededor del impactante reportaje que le hizo Cerruti a Astiz para la revista *trespuntos*. Allí Astiz se definió como el hombre mejor preparado para matar periodistas.)

—¿Cómo sabe que tenía razón Astiz?

—*Lo sé porque soy periodista. Sé que no existió la grabación. Lo supe en su momento. Y admito que no tuve nunca la valentía de decirlo. ¿Y por qué no tuve la valentía de decirlo? Porque sigo siendo tan corporativo como muchos de nosotros.*

—¿Pero cómo le consta que Cerruti violó el off the record?

—*El tono del reportaje a Astiz era inverosímil. Si yo leo en un reportaje a (el exdictador Jorge) Videla en el que dice: "No sabe cómo me gusta chuparme los huesitos de los nenes y después me los como", pienso: o es mentira, o estaba borracho, o lo dijo con un fierro en la cabeza, o era un off violado. No había muchas posibilidades. El tono del reportaje a Astiz era el tono de una conversación privada...*

—¿El off the record es inviolable aunque haya en esas declaraciones apología del delito?

—*¿Qué tiene que ver? Las reglas son inviolables en tanto reglas. Si no ¿para qué las pactás?*

Aquella declaración de Lanata para el libro *Periodistas* fue el argumento más fuerte que utilizaron los abogados de Astiz para interpretar que su defendido no había cometido apología del delito. Afirmaron que Cerruti se había inventado ese tenebroso diálogo. De hecho, profesionales

291

vinculados a ese estudio me contactaron para que, en mi condición de autor del libro, fuera a declarar como testigo del hombre que torturó y cometió delitos de lesa humanidad durante la dictadura. Les respondí que no sería su testigo y que si alguien me llamaba a declarar lo haría en contra de Astiz.

La postura ética de Lanata frente al off the record que habría violado Cerruti fue también el gran argumento que utilizó la experiodista y ahora legisladora prokirchnerista para atacar con fiereza al exdirector de *Página*, en el marco de una pelea abierta sobre el ejercicio de la profesión.

La pelea abierta explotó en octubre de 2012.

Cerruti trató a Lanata de mentiroso.

Lo hizo al considerar que la denuncia del conductor de *Periodismo Para Todos* de que los Servicios de Inteligencia de Hugo Chávez lo habían mantenido secuestrado a él y su equipo en el aeropuerto de Caracas y habían borrado parte del material fílmico que habían recolectado era, como mínimo, una exageración, y, como máximo, un invento liso y llano.

Lanata le respondió de todo, menos buena persona. Elegí no quitar ni una sola palabra debido a la intensidad del conflicto.

—Me dio tristeza leer lo de Cerruti. Entró a los 19 años (a Página/12), *venía de la agencia de noticias NA (Noticias Argentinas). La tomamos porque nos parecía buena. La pusimos a cubrir menemismo. Era hija del chofer de (Antonio) Cafiero, por eso tenía contactos con políticos del menemismo. Nos decían que conseguía información porque tenía relación cárnica con alguien. Con (Carlos) Menem o Ramón Hernández, o (Alberto) Kohan. Pero tenía buena información. La dejamos cubriendo menemismo. Fue parte del lobby menemista porque se mimetizó con ellos. Escribió el libro* El Jefe. *Y le pasó lo que a muchos: se la empezó a creer. Pensó que era Umberto Eco. Dejó de leer y se convirtió en la analfabeta que es. Tengo que soportar que esta chica, que viene del lobby menemista, ponga en duda que nos detuvieron en el aeropuerto de Caracas.*

Cerruti fue una de las pocas personas que puso excusas para no hablar en esta biografía. Tampoco atendió cuando la llamé para mi programa de radio con el objeto de que respondiera a los calificativos de Lanata. Quizá por el mismo prejuicio que afectó tanto a Néstor Kirchner como a la Presidenta, Cerruti respondió solo ante medios oficiales y paraoficiales. Además, el 14 de octubre, escribió una extensa carta en el matutino *Tiempo Argentino*, propiedad de Matías Garfunkel y Sergio Szpolski. La carta está dirigida a Lanata. Es relevante porque contiene todos los reproches que le vienen haciendo desde los cristinistas más consecuentes hasta el propio Verbitsky, considerado por Gabriela uno de sus referentes más importantes.

Cerruti responsabilizó a Lanata por su alejamiento de la profesión. Lo acusó de haber sido funcional a Astiz. De mentir sobre la trayectoria de ella. Lo amenazó con acusarlo de injurias agravadas por violencia de género. Le endilgó haber dejado a la deriva a trabajadores de la revista *Veintiuno* y del diario *Crítica*. Lo calificó de periodista frívolo, banal, *neustadtiano* y representante de la antipolítica. Lo trató de rehén de Héctor Magnetto. Lo acusó de egocéntrico al considerarse un "desaparecido" solo porque no lo invitaron a la fiesta de los veinticinco años de *Página*. También lo consideró engranaje de un sistema de comunicación cuyo objetivo es minar el sistema democrático.

La carta lleva como título: *"¿Sabés qué? No te creo"*. Vale la pena reproducirla completa:

Era enero de 1997 cuando, con un poco de agudeza y mucho de azar, logré hacerle una entrevista al represor Alfredo Astiz. El reportaje tuvo mucho impacto: allí reconoció públicamente por primera vez su rol en el Terrorismo de Estado y dijo aquella frase que luego se haría famosa: "Soy el mejor preparado para matar a un político o a un periodista". La entrevista publicada por la revista trespuntos *–que dirigíamos junto a Claudia Acuña y Héctor Timerman–, le valió a Astiz ser dado de baja de las Fuerzas Armadas y enjuiciado por apología del delito. Causa por la que fue condenado, después de un juicio oral, en un fallo ratificado por la Cámara Federal y la Corte Suprema.*

Hundido en la hoguera de vanidades y frustrado por no haber sido el autor de esa nota, Jorge Lanata defendió tanto a Astiz que terminó siendo convocado por el asesino como su testigo de defensa en el juicio oral. Mientras Lanata se ocupaba de descalificarme y defender al represor, los marinos amenazaban a mi familia y a mí desde "La Cueva". Varias páginas de los escritos de la defensa del exmarino se llenaron de citas del periodista.

Lo esperé en Tribunales el día del juicio oral en que debía presentarse a sostener sus afirmaciones, convocado por Astiz y su defensa. Pero Lanata a último momento envió un escrito diciendo que no concurriría porque estaba enfermo. No se presentó.

La fiereza con que dos o tres periodistas hicieron valer en aquel momento supuestas reglas de un manual que decía que era más

importante llevarse bien con un asesino que verlo preso me ayu-
daron a pensar que ya había demasiadas cosas de cierta manera
de comprender el periodismo que no tenían que ver conmigo. Que
quería dar el debate público con libertad para comprometerme con
mis ideas. Que quería dejar de ser una cronista de la realidad para
pasar a intentar transformarla.

Los insultos de Lanata de esta semana hablan claramente de quién
es él, y son una muestra concentrada del tipo de periodismo que
representa.

Ninguna de las afirmaciones que enumeró son ciertas; ninguna. Ni la
más nimia: no entré a Página/12 *a los 18 años sino a los 22. Mi papá,*
Amado Ruggero a quien extraño con el alma, fue chofer desde los
14 años pero jamás fue chofer de Antonio Cafiero, y creo que nunca
lo conoció siquiera. Cuando dejé de leer para convertirme –según
él– en analfabeta, me fui a Londres a cursar un doctorado en Cien-
cias Políticas. El Jefe *fue, junto a* Robo *para la Corona de Horacio*
Verbitsky, *uno de los libros clave de la historia del periodismo polí-*
tico. Y yo, la "lobbista del menemismo", hice durante muchos años
la tapa del diario que él dirigía con mis crónicas y mis denuncias.
¿Nos enteramos ahora que su diario era menemista?

Tratar de puta a la mujer que no se puede controlar es el postulado
básico de la violencia de género. Aunque sea moneda corriente en
nuestra sociedad insultarnos cobardemente con cosas que jamás
le dirían a un varón, soy una militante de los derechos de la mujer
y no voy a naturalizarlo. De ese punto, señor Lanata, hablaremos
en Tribunales cuando deba dar cuentas por injurias agravadas por
violencia de género.

No voy a responder en su lenguaje, aunque podría escribir un libro
con anécdotas que todos conocemos y que lo han llevado hoy a que
ninguno de los periodistas, productores o asistentes que formaron
alguna vez parte de sus equipos de trabajo, quiera ya estar a su lado.
Ninguno. Ni los que lo acompañaron en sus espasmódicos éxitos
radiales o televisivos, ni los que abandonó en sus emprendimientos
como Veintiuno *o* Crítica, *a los que desamparó en menos de dos*
años, sin indemnización y después de haberlos hecho renunciar, en
muchos casos, a trabajos de toda la vida.

Ninguno, a pesar de que ahora no solo promete gloria sino también
dinero y fama.

El punto no son las vidas y las frustraciones personales, cada uno a
vivir a su manera y a resolver como pueda sus desafíos. El punto es

que es una manera de hacer periodismo, de concebir el periodismo, y de concebir por lo tanto también la cosa pública en el país.

Durante el último año, amigos, colegas, gente en la calle, me han preguntado reiteradamente "¿Qué le pasó a Lanata? ¿Por qué cambió tanto?" Lamento desilusionarlos. Jorge Lanata no cambió nada. Siempre corrió detrás del dinero, las aventuras fáciles y la fama. Hoy, solamente, consiguió que eso se lo diera el grupo Magnetto y se convirtió así en su rehén. Un rehén inescrupuloso, que hace los deberes hasta la sobreactuación.

Ese Página/12 que él dice haber fundado, era un colectivo en el que nos cruzábamos en los pasillos con Juan Gelman, Horacio Verbitsky, Eduardo Galeano, José María Pasquini Durán, Tomás Eloy Martínez, Osvaldo Soriano, Miguel Briante... tantos más. Fue una escuela de periodismo para mi generación y agradezco la posibilidad de haber podido pertenecer y contribuir.

Pero él no compartía ese periodismo. Por eso se fue.

Nos decía que había que aprender de Bernardo Neustadt si no queríamos quedarnos escribiendo en un diario que solo leyeran los amigos.

Él quería fama, y se fue a hacer un programa de televisión en el que, mientras se derrumbaba la convertibilidad y el país llegaba al 50 por ciento de pobreza extrema, se preocupaban por el profesor de tenis de Graciela Fernández Meijide y si los hijos del presidente comían sushi o tenían nuevas novias. Lo rodeaba un gran equipo periodístico, eximios y honestos investigadores, y eso, una vez más, lo salvaba de quedar tan en evidencia.

El eje de ese periodismo es la banalización de la política; la construcción mediática de la antipolítica no como instrumento de cambio sino sencillamente como fórmula desestabilizadora de los gobiernos elegidos democráticamente. No importa si es desde el Maipo, la casa de Magnetto o el aeropuerto de Caracas: lo que importa es banalizar todo, igualar lo frívolo con lo profundo, indignarse por una cartera como si estuviéramos debatiendo la deuda externa. Según él, había que convencer a María Julia Alsogaray para que viniera a la fiesta de los tres años de Página/12 en el Hotel Alvear porque nos daba glamour y nos ayudaba a vender en Barrio Norte. ¿Qué importaba si mientras tanto entregaba la telefonía nacional? Era un personaje simpático. ¿A quién le importa que Cristina haya estatizado YPF? Lo que importa es cuánto cuesta la suite presidencial del hotel de Nueva York.

A veces, se cruzan límites. Pocas veces como hace unos meses, cuando por no ser invitado a una fiesta él dijo que estaba "desaparecido". Y como todo es un camino de ida en la vida de ciertos personajes, ahora los episodios en el aeropuerto de Caracas son sobredimensionados al punto de compararlos con un secuestro y 30 mil desaparecidos. No importa que a los desaparecidos los desaparecieron. No importa que los secuestraron, los torturaron, parieron en campos de concentración, les apropiaron los hijos, los tiraron al río. "Estuvimos secuestrados en un pozo", dice Lanata. Y la memoria de los chicos de la Noche de los Lápices secuestrados en el Pozo de Banfield clama por decencia y respeto. O vaga por ahí, llena de vergüenza ajena.

Decir mentiras, fabular, insultar, sin derecho a réplica. Los herederos de la escuela del "nunca dejes que la realidad te arruine una buena nota", que curiosamente conviven en el mediodía de Radio Mitre. Es una ideología periodística. Por eso se desmoronan cuando alguien, sencillamente, les dice "No les creo. ¿Por qué debería creerles, si mienten siempre?". Hacen del periodismo una religión, una cuestión de fe: jamás una prueba, un documento. Hay que creerle porque es él, y grita más fuerte.

Por eso le resulta inaceptable algo tan sencillo como "Sabés qué, no te creo". Nada más que eso. Porque se precipita el castillo de naipes armado en base a fábulas.

Esta falta de escrúpulos es mano de obra barata para el grupo que lo utiliza como uno de sus instrumentos en su afán por seguir controlando el sistema de comunicación en la Argentina. Ya que no pueden inventar un candidato, como en otras épocas. Prefieren entonces sencillamente apostar a minar el sistema democrático. Desde allí se cuestiona no solamente un proyecto político en el país sino un clima de época en toda Latinoamérica.

No es toda su responsabilidad. Él es solo parte del engranaje. Lleva adelante un proyecto individual y cada uno con su vida hace lo que quiere.

Yo elijo formar parte de un proyecto colectivo. Sentirme parte de una comunidad transformadora, alegrarme y penar con muchos, con iguales, con otros que sueñan los mismos sueños que hoy se hacen realidad. Por eso, porque cada uno con su vida hace lo que quiere, y yo soy parte de un proyecto colectivo transformador, cuando en medio de la alegría por el triunfo del proyecto popular en Venezuela se intenta tapar el cielo con las manos, tengo derecho a decir, por lo menos: "¿Sabés qué pasa? Yo a vos no te creo nada".

El episodio del aeropuerto de Caracas no solo sirvió para que Lanata criticara e insultara a Cerruti. En el mismo espacio de tiempo, también "atendió" a Víctor Hugo Morales, Reynaldo Sietecase y Aníbal Ibarra, el exjefe de Gobierno de la Ciudad y camarada de Cerruti en Nuevo Encuentro. Los tres habían cometido el mismo pecado: poner en duda las afirmaciones sobre lo que le pasó a Lanata en el aeropuerto del país del comandante Chávez.

Sietecase pasó gran parte de su vida profesional a la sombra de Lanata. Es el típico periodista levemente politizado y con complejo de culpa que prefiere no pelearse con nadie, o que lo hace solo después de una orden firme de sus patrones. Padece de una patología que es epidemia en esta profesión: se considera mucho mejor de lo que realmente es. Cuando trabajamos juntos en *Tres Poderes* parecía demasiado preocupado en no denunciar ningún acto de corrupción del gobierno y en congraciarse con los gerentes de los que él dependía. Después intentó hacerse un lugar dentro del sector que denuncia y critica con fuerza a todo lo que no sea el gobierno nacional. Lanata le dedicó a Sietecase solo un párrafo:

—Dijo a la mañana que dudaba de lo que habíamos contado y, en caso de que sea cierto, era un tema menor. Reynaldo me parece que sos un tipo de mierda. Decir eso es ser un tipo de mierda. Laburaste conmigo durante veinte años. Me parece una mierda que hayas dicho eso.

Tampoco utilizó demasiado tiempo para responder a Morales:

—Dijo que nosotros hacíamos esto por rating. Sos vos el que necesita rating. No nosotros. A mí no me gusta correr a nadie con el tema de rating. Víctor Hugo, hace dos semanas hicimos 22 puntos. Eso no lo hiciste nunca. Ni sumando todos los programas. Vos sos el que hace 2 puntos. Así que no nos corras con esa pelotudez.

A Ibarra primero le enrostró:

—Mejor preocupate por la tira de coimeros que vos bancabas cuando eras intendente, los mismos que provocaron las doscientas muertes de Cromañón.

Después lo remató:

—Es un milagro que vos estés suelto.

Es que Lanata nunca tuvo ningún problema en atacar con violencia verbal a ninguno que se le pusiera enfrente. Tampoco en opinar lo que piensa sobre un colega, aunque supiera que tarde o temprano le darán de tomar su propia medicina.

Su preciso y quirúrgico ataque contra Eduardo Aliverti tuvo varias etapas.

Se conocieron a fines de 1983 cuando Aliverti empezó a formar el equipo de *Sin Anestesia* en Radio Belgrano. Al hombre de la grave voz lo habían dejado sin espacio en Continental. Él pretendió llevar a todo su equipo, pero le dijeron que solo contratara a una parte y que el resto lo tomara del staff de Radio Belgrano. Lanata era movilero y pronto comenzó a presentar investigaciones. La lucha de egos no tardó en aparecer. Más tarde, cuando Lanata lo llevó a *Página/12*, Aliverti se empezó a presentar a sí mismo como uno de los fundadores del matutino, y su director esperó demasiado tiempo para decir a todo el mundo lo que pensaba de él.

Me dijo Lanata sobre el conductor radial:

—*Aliverti siempre fue ególatra, muy cercano al Partido Comunista. Es un tipo orgánico a la izquierda partidaria y con algunas patinadas en la dictadura. En la radio laburábamos mucho y nos pagaban muy poco.*

—¿*Lo considerás un buen periodista?*

—*No. Aliverti escribe muy mal. Es muy pretencioso. No entiende de qué va. Es como (era) Julio Ramos: medio analfabeto.*

—¿*Más político que periodista?*

—*Sí. Es político como Verbitsky, pero no tiene la formación de El Perro. Me calenté con él hace ya muchos años, cuando fue a Rosario a la presentación de* Rosario/12 *y le dijo a todo el mundo que él había armado y fundado* Página *conmigo. Era mentira. Siempre fue un colaborador externo.*

En septiembre de 2010 Aliverti fue invitado a *Televisión Registrada (TVR)*. Cuando le preguntaron por Lanata, lo calificó de ególatra.

Una semana después, Lanata le respondió en una entrevista que concedió a *Noticias*.

—*El otro día lo escuché a Aliverti hablando de egolatría, yo no lo puedo cree... ¡Justo Aliverti! Él se escucha a sí mismo desde hace años. Lo único que hace es pajearse escuchándose a sí mismo. En serio, ¿lo escuchaste alguna vez? ¡Está haciéndose la paja! ¡Se hace la paja mirándose al espejo y habla de egolatría! Yo no lo puedo creer.*

En junio de 2011 Aliverti escribió en *Página/12*, con su habitual lenguaje enrevesado:

—¿*Qué te pasó, Jorge? ¿Qué te pasa? ¿Estás nervioso? ¿Qué hacés mendigando espacios en el territorio de ellos, para decir lo que les conviene contra lo que tanto tiempo soñamos juntos? ¿A vos te parece hacer eso? En TN casi da para que te corran por izquierda, Jorge. Me duele, aun por esta única parrafada, estar entrando en el juego que querés: que te respondan para seguir reconquistando lugar.*

Horas después, el 7 de junio de 2011, Lanata escribió en *Libre* la nota más documentada y más dura que jamás se haya escrito sobre Aliverti. Desde su verdadero nombre hasta sus partes más oscuras. Lo hizo bajo el título: *"Aliverti tiene una gran voz y nada para decir".* Esto es parte de la nota:

Eduardo no se llama así. Se llama, en verdad, Eduardo García. Luego se agregó el apellido materno: Eduardo García Aliverti. De eso me enteré hace ya años, cuando rastreábamos la lista de los que habían sido favorecidos con créditos irregulares del Banco Hipotecario en la época radical. Así figuraba: García Aliverti. Trabajé con Eduardo hace muchos, muchos años, contratado por su productora en la mítica Radio Belgrano, en un programa llamado Sin Anestesia. *Allí me ocupaba de las notas de investigación. Eduardo nos pagaba una miseria, y en negro; él, por su parte, ganaba una suma sideral: de 10.000 a 500 pesos de ahora, para dar un ejemplo.*

En aquellos años Eduardo estuvo brevemente "de moda" y se la pasaba dando –y cobrando– charlas en diversos sitios. Allí supe, por primera vez, que también iba a una cena más o menos numerosa si le pagaban para hacerlo. Siempre fantaseaba con el momento crucial: ¿En qué momento le darían el sobre con la plata? ¿En el postre, o al llegar? Nunca lo supe. Eduardo estaba en aquel tiempo cerca del PC; creo que aún lo sigue estando: el Instituto Movilizador de Fondos Cooperativos y el Credicoop, las empresas de fachada del partido, auspiciaban puntualmente todos sus programas, y él obedecía difundiendo sus gacetillas y candidatos. Lo llevé a Página/12 apenas sacamos el diario, ofreciéndole lo que aún sigue haciendo: una columna semanal en la que incluso hoy, 24 años después, sigue perdiendo la batalla contra la sintaxis. Cuando unos meses más tarde comenzamos a publicar Rosario/12, yo estaba de viaje y le pedí que fuera en mi nombre al lanzamiento:
–Este diario que fundamos con Lanata y Tiffenberg, entre otros...
–comenzó Eduardo, que nunca había trabajado en la redacción y enviaba las columnas.
En aquel tiempo, Eduardo –que ahora se espanta porque asisto a TN o Canal 13– co-conducía un programa de debate con Carlos Varela, un periodista pinochetista de triste renombre. No sé desde cuándo conocía a Varela, pero sus vínculos con la derecha militar eran ambiguos y se perdían en la noche de los tiempos. Eduardo publicó junto a Néstor J. Montenegro en 1982, con Editorial Nemont, un reportaje

299

a Galtieri titulado Los nombres de la derrota. *Puede conseguirse en Mercado Libre a un precio módico. La presencia de Galtieri en el libro es anónima; se lo identifica como "una alta fuente militar", y en las 112 páginas se justifica su conducción de la guerra. El libro se publicó poco después de la derrota, y era el descargo del general alcohólico ante un locutor y un periodista.*
Es lo que se dice un tipo versátil. Tiene una gran voz y nada, absolutamente nada para decir.

Las peleas de Lanata con Hadad, Verbitsky, Cerruti, Morales y Aliverti no parecen tener retorno.

Pero las que mantuvo con otros profesionales, como el crítico Pablo Sirvén, merecen un espacio para ser contadas.

Sirvén fue el primero que escribió una crítica para su programa de televisión, *Día D*. Fue días después del estreno, en enero de 1996. Como a Lanata le gustó tanto, quiso contratarlo como su asesor. Una especie de *personal critic*. Un cargo para que le sugiriera qué era lo que no le gustaba del programa y qué era lo que se podía cambiar.

Sirvén rechazó la propuesta, y no parece arrepentido.

A fines de 1996, Lanata lo llamó de nuevo. Quería que escribiera en *Página/12*. En esa época, Sirvén trabajaba en la revista *Redacción* y le gustó el desafío. Empezó a hacerlo en la sección Cultura, bajo la órbita de Ricardo Ibarlucía. Duró 24 horas. Lo que tardó en irse después de que despidieran a su jefe inmediato.

A partir de ese momento le relación tuvo bajas y altas.

Las altas se producían cada vez que Sirvén lo elogiaba. Las bajas, cuando lo criticaba. El crítico lo recuerda así:

—*Él nunca asimiló la crítica muy bien. Sobre todo las que escribí para* Noticias.

—¿Te llamaba para insultarte?

—*Peor. Una vez hizo un busto mío de telgopor y lo instaló en una de las aperturas de* Día D. *Era como un juego. Él bajaba al infierno, en uno de los pisos estaban los críticos y entre ellos aparecía un busto mío. Demasiado agresivo.*

—¿Y qué hiciste?

—*Escribí una columna sobre eso, en tono irónico. Le gustó tanto que me mandó al busto de telgopor envuelto en papel celofán. Todavía lo tengo en mi casa.*

—¿Entonces se amigaron?

—*Sí. Hasta 2009, cuando escribí en* La Nación *otra columna que tampoco le gustó. Lo supe cuando rechazó una invitación para un ciclo de grandes periodistas de televisión que hice para Canal (á). Me dijo que sí recién cuando le mandé un mail diciéndole que no fuera tan maricón. Que era solo una crítica.*

En 2011 Sirvén fue a la casa de Lanata con un doble propósito: hacer un off the record para *Entrelíneas*, su columna de *La Nación*, y entregarle en mano la reedición de su libro *Perón y los medios de comunicación*.

—*A Lanata, el libro le encantó. A partir de ese momento se transformó en una especie de jefe de prensa. Lo nombraba todo el tiempo. En su programa de cable o en cualquier entrevista. Darle el libro en la mano fue la mejor inversión que hice en mi vida.*

Pero el vínculo entre ambos se puso a prueba el 17 de diciembre de 2011, cuando el crítico comprobó, entre sorprendido e indignado, que Lanata había escrito en *Perfil* una columna en la que aparecían párrafos completos de su libro sin la correspondiente cita de la fuente.

Me lo contó Sirvén:

—*La columna de Lanata era interesante. El problema era que las dos terceras partes eran mías. Párrafos textuales del libro que a su vez yo había reproducido en una nota publicada en* La Nación *un año y medio atrás (el 27 de agosto de 2010) y titulada "El Papel del peronismo". Al otro día mandé un tuit. Los de 6, 7, 8 se hicieron un repaso línea por línea. Las redes sociales explotaron. Lo acusaron de gran plagiador. Los tuiteros k me empezaron a incitar para que dijera barbaridades de Lanata.*

—¿Y vos qué hiciste?

—*Me quedé sorprendido. Pero no quería hacerlo mierda. Además él enseguida me escribió un mail pidiéndome disculpas. Lanata es Lanata, ¿no?*

Le pregunté a Lanata por qué había plagiado a Sirvén.

Me dijo:

—*Lo del plagio a Sirvén ya lo aclaré con él. Me pasé todo el año recomendando su libro en cuarenta millones de notas distintas. Lo hice porque los parecidos que hay entre los años cincuenta y lo que está pasando hoy es increíble. Cuando escribí la nota lo iba a poner, y después no lo puse. Usé el libro porque lo tengo en mi archivo. Eso fue todo.*

—No está bien no citarlo.

—*Pasa siempre con la historia. Alguien en algún momento la escribe por primera vez. Después todo el mundo la va repitiendo. Lo mío no fue textual. Fue como poner información en un diario. Utilicé datos de ahí. Ahora está todo bien. Lo que yo creo es que todo el mundo está viendo lo que hago y tratando de pegarme. Eso es lo que pasa.*

No todo el mundo, pero unos cuantos miles de argentinos leyeron la primera nota que Lanata escribió para *Clarín*, el sábado 30 de junio de 2012.

No era un artículo más.

Era su debut en el corazón del grupo que él mismo tanto había denunciado y criticado desde hacía por lo menos veinticinco años.

Cualquier otro profesional la hubiera releído una y otra vez. Sin embargo, él no lo hizo.

Y pagó muy caro su descuido.

La tituló: "Los Moyano: Hugo, Pablo y Facundo".

A las pocas horas, Mariano Martín, el periodista que escribió junto a Emilia Delfino la primera biografía no autorizada de Moyano, puso el grito en el cielo a través de su cuenta de Twitter.

Lo hizo así:

Con @Emiliadelfino estamos muy contentos viendo a Lanata ROBAR data y textuales de nuestro libro *El Hombre del Camión* sin citarlo en *Clarín*.

Después agregó:

Les obsequio la columna de #LanataChorro ROBADA de *El Hombre del Camión*, que escribimos con @Emiliadelfino

Al día siguiente, *Clarín* publicó: *"Por un error de edición, ayer quedó fuera de página en la columna de Jorge Lanata un recuadro donde se consignaba que algunos datos, como los referidos a la relación de Moyano con su madre, habían sido tomados del libro* El Hombre del Camión *de Emilia Delfino y Mariano Martín, editado en noviembre de 2008"*.

Los enemigos de Lanata en Twitter aprovecharon el error para caerle encima sin piedad. Estos fueron algunos de los tuits más destacados.

Pablo Wittner @Viscurt ¿QUÉ? ¿En su primera columna en Clarín, que tendrá millones de ojos encima, copypastea de un libro? ¿SE VOLVIÓ SENCILLAMENTE PELOTUDO? Ay.

@aleberco @marianoemartin te acordás, berco, cuando copipasteó las bios de Jauretche y Scalabrini en Crítica para una columna sobre CFK?

Alejandro Wall @alejwall El libro de @marianoemartin y @emiliadelfino es el primer desaparecido del nuevo columnista de Clarín.

@marianoemartin a lo mejor Lanata, que se esmeró en aclarar que no nos adoptó, sí se siente padre de cualquier cosa buena que escribamos.

Victor @SldgHmmer @marianoemartin con lo que le pagaron para plagiarte podría devolverle la guita a la gente que dejó sin laburo en Crítica y Data54.

Otros salieron a criticar a los que se sintieron robados y quienes los bancaron:

Irene @imaarg Buscando 15' de fama xq Lanata no te nombró. Madre santa. El kirchnerismo nos llenó de bataclanas lloronas.

Los enemigos de Lanata sostienen que él es un plagiador serial. Los que lo quieren un poco más lo consideran, por lo menos, un tanto distraído.

Pero lo que muy pocos saben, porque jamás se publicó, es que Lanata debió pagar entre treinta mil y sesenta mil dólares a Hugo Gambini, como parte de un acuerdo extrajudicial. Gambini acusó a Lanata de reproducir varios párrafos de su libro *El Che Guevara* publicado en 1968. Parte del texto original de *El Che Guevara* fue incluido en las primeras ediciones del libro de Lanata *Argentinos (Quinientos años entre el cielo y el infierno)*.

Gambini no siguió el pleito porque Ediciones B, que publicó el libro de Lanata, le dio el dinero que pidió. El miércoles 6 de junio de 2012, a las 10 de la mañana, Gambini explicó:

—*Empezamos el juicio porque descubrimos que Lanata había tomado partes de un libro mío. Después hicimos un arreglo. Pero no puedo decir una palabra más. Me comprometí a eso y yo soy un caballero.*

Lanata, en cambio, explicó más:

—*A Gambini lo cité como cuarenta veces en el libro, pero él pretendía que lo citará aún más. Yo trabajé siete años en* Argentinos. *Hay cosas que saqué de millones de libros. Yo no puedo ponerme a inventar la historia. Ya está contada. Lo que Gambini planteó fue algo así como "exceso de cita" y nos hizo una demanda. Es más, cobró plata. Hubo un acuerdo extrajudicial. Esto igual a mí me parece algo menor. Para mí una cosa es un ensayo y otra una obra de ficción,* Argentinos *está lleno de citas, es lógico. Gambini quería plata. Ese era su honor. Y ni yo ni la editorial queríamos quilombos.*

Como estábamos hablando de libros, aproveché para preguntarle a Lanata por qué nunca escribió la investigación sobre corrupción kirchnerista que había pactado con la editorial Random House Mondadori.

De hecho, la editorial le había dado un anticipo y el texto tenía título tentativo: se iba a llamar *K por L.*

La existencia de ese proyecto hizo que me alejara de Random después de haber escrito la mayoría de mis libros allí. Consideré una deslealtad que la editorial estuviera negociando con Lanata y conmigo al mismo tiempo la publicación de un libro con idéntico tema. (Un libro que le había propuesto antes y que la empresa, a través de su director editorial, había aceptado.)

K por L nunca vio la luz. En cambio *El Dueño (la historia secreta de Néstor Kirchner, el hombre que manejó los negocios públicos y privados de la Argentina)* fue publicado por Editorial Planeta el 9 de noviembre de 2009.

Supe que Lanata había desistido de escribirlo porque me lo confirmó, a mediados del mismo 2009, el vocero de uno de los empresarios K a los que incluí en la investigación. Le pregunté al hombre de prensa por qué y no me quiso responder. El libro que Lanata nunca publicó tuvo un fuerte impacto en Random. Cuando los accionistas se enteraron de que *El Dueño* había superado los doscientos mil ejemplares quisieron averiguar por qué me había ido de allí para firmar con Planeta. Un empleado intentó "salvar la ropa" haciendo filtrar una interpretación mentirosa a través de Verbitsky: la idea de que Random no había tomado *El Dueño* porque el gobierno de Kirchner no tenía grandes casos de corrupción para ser investigados. El Perro escribió el argumento en *Página/12,* pero no se lo creyó ni la fuente interesada que se lo suministró. Le pregunté a Lanata por qué desistió de publicar *K por L.* Me respondió:

—*Porque en ese momento no terminé de entender parte de lo que estaba pasando. Y sentí que no tenía nada para decir. Después terminé sacando otro libro con Sudamericana.*

Hay muchas cosas que Lanata estuvo a punto de hacer y al final no realizó.

Una de ellas fue trabajar para Diego Gvirtz, a quien hoy considera un mercenario:

—*Gvirtz me ofreció mil veces hacer programas. Estuvo acá y en Punta del Este. Me ofreció diseñar una especie de* Diario Registrado, *esa porquería que hace en Internet. Cuando lo sacó a (Roberto) Pettinato, me ofreció a mí reemplazarlo. No acepté porque no me enganchaba el formato.*

—¿De otra forma hubieras aceptado?

—*Tampoco. Gvirtz no entiende nada de política. Y es evidente que no tiene escrúpulos. Cuando (Luis) Ventura publicó lo que el Estado le pagaba a 6, 7, 8, yo lo conté en Canal 26. Entonces Gvirtz me llamó. Me dijo que eso no era así. Que las cuentas no eran esas, y que me ofrecía que fuera a ver las cifras. No le di pelota. Después no hablamos nunca más.*

—Fue entonces cuando él te empezó a incluir entre sus víctimas.

—*Una vez vi 6, 7, 8 y me agarró tal calentura que no lo puse más. Me cuentan que me dedica programas enteros, al tipo de compararme con Videla. Una locura. ¡Es tan delirante!*

—Una vez me encontré con el papá de Gvirtz en la calle. Me dijo que su hijo hacía lo que hacía porque estaba convencido.

—*No. Eso es ponerlo a la altura de cualquiera de nosotros. Y no lo está. Gvirtz manipula y miente, y lo hace de manera deliberada. Yo no hago crítica sobre la cobertura de los medios en Angola. Voy a Angola y cuento lo que pasa. Nosotros estamos trabajando. Él está operando. Nosotros hacemos periodismo. Él hace propaganda. Y una cosa más: Gvirtz lo hace por plata. Y a mí me importa la plata, pero no lo hago únicamente por eso.*

Asocié el asunto de la plata con algo que me dijo una alta fuente de *Página/12* sobre la ida de Lanata. Se lo planteé así.

—Un miembro del consejo de administración de *Página* me dijo que, cuando te fuiste del diario, empezaste a cobrar dinero del entonces empresario de medios Samuel Liberman. Me sugirió que te pregunte por qué.

—*No me acuerdo si hubo guita. Yo tuve un par de reuniones con la mujer que trabajaba con Liberman, la madre de (Juan Pablo) Varsky. Se llama Adela Katz. Ellos querían hacer algo de medios, yo les llevé un proyecto y nunca se hizo. Tuvimos una reunión en el edificio de Aerolíneas pero nunca hicimos nada. Él ya había salido de Video Cable. Moya capaz que se acuerda, porque creo que fue a una reunión. Pero a mí me llamó mucha gente. Una vez me llamó Sofovich para hacer un diario: cuando estaba en* Expreso *y le iba mal me llamó para que lo dirigiera. No me interesaba, pero fui a la reunión.*

Después de hablar con Lanata, se lo pregunté a Moya. Me respondió que habían cobrado, por aquel asesoramiento que no terminó en nada, diez mil dólares mensuales durante un tiempo que no supo precisar.

También le pregunté a Lanata por qué cree que el empresario Carlos Ávila supone que él, en algún momento, recibió dinero de Raúl Moneta. Me dijo:

—*Yo lo vi a Moneta dos veces. Yo tengo cinco juicios de Moneta en mi contra. Algunos siguen abiertos. Me acuerdo de que Ávila me dijo "¿querés hablar con el Gaucho?". Yo le dije que no tenía problema en hablar con nadie. Es más, le dije que lo trajeran acá. Vino a mi casa. El tipo es muy seco. Lo vi después en la quiebra, porque el juzgado actúa como atracción de otras causas. Nos vimos en Tribunales, porque hubo un especie de conciliación que los dos nos negamos a conciliar. Después tuve una pelea con Ávila, por una cosa que yo saqué al aire sobre Hicks, diciendo que era un fondo buitre. Ávila tenía un negocio con Hicks y se enojó conmigo. Es más, estaba convencido de que la información me la había pasado Moneta. Y yo le dije: "Pero vos me presentaste a Moneta, ¿qué me estás diciendo?".*

Con Lanata nos peleamos en mayo de 2004, cuando subió a recibir un Martín Fierro y sugirió que habían levantado su programa para poner, en el mismo horario, a otro menos crítico. Ese programa era *La Cornisa*. Le respondí esa misma noche, desde el mismo lugar, mientras agradecía, como conductor, el Martín Fierro que recibimos los que integramos el noticiario del año 2003. Lo recordaré de manera textual:

—Acá se dicen muchas boludeces. Querido Jorge: no la juegues de periodista independiente, comprometido y perseguido. Decí si no fundaste un portal llamado Data54. Y si ese portal no fue financiado con muchos miles de dólares de Fernando de Santibañes, que era nada más y nada menos que quien manejaba la SIDE.

De Santibañes es economista egresado de la Universidad Del Salvador y becado en Chicago. Trabajó en el Banco Financiero en la década del 80. Fue primero presidente, después su director y llegó a tener el 28 por ciento de las acciones. Cobró varias decenas de millones de dólares cuando fue vendido al Banco Francés. Manejó la Secretaría de Inteligencia del Estado entre el 23 de diciembre de 1999 y el 20 de diciembre de 2000. Continúa procesado como sospechoso de haber entregado el dinero de presuntas coimas para un grupo de senadores que votó a favor de la ley de flexibilización laboral, más conocida como Ley Banelco.

Cuando le contesté a Lanata estaba demasiado enojado. Me pareció, y me sigue pareciendo, que fue injusto al incluirme en un conflicto que tenía con los dueños del canal. Él sabía y todavía sabe cómo funciona esto: los horarios de programación no los deciden los conductores ni los periodistas. Cuando bajé del escenario me preguntaron por qué creía que Lanata me había elegido como su nuevo enemigo. Respondí:

—Él se metió en este lío porque es un egocéntrico. Tiene la fantasía de que el horario del domingo es suyo. Es una cuestión de narcisismo, lo hace como estrategia para mantenerse en los medios.

Lanata me inició un juicio. No nos pusimos de acuerdo en la audiencia de conciliación. Sin embargo, la jueza nos pidió que extremáramos los esfuerzos para evitar el inicio de una causa. Nuestros abogados redactaron entonces un acuerdo básico. Ese tipo de textos en los que nadie se desdice pero cada uno resigna algo a cambio.

El acuerdo no significó que me haya desdicho sobre la afirmación de que De Santibañes ayudó a Lanata. Significa que no me consta que el dinero o la ayuda del empresario hayan provenido de fondos de la SIDE.

El dato de que De Santibañes lo había ayudado con dinero y contactos a Lanata me lo proporcionó el propio exbanquero. Es verdad que nunca me confirmó si el dinero había salido de la SIDE o de su propio patrimonio. Fui a ver a una fuente muy cercana a él para refrescarle la memoria. Me dijo:

—*Fernando ayudó a Lanata porque siempre lo respetó, igual que te respetó a vos. Y por la misma razón, cuando él asumió, ninguno de los dos aparecía en la lista de periodistas que recibía dinero de la SIDE.*

—¿Cuánto dinero le dio? ¿Qué tipo de gestión hizo para ayudarlo?

—*No puedo decir cuánto dinero le dio, porque Fernando no lo recuerda. Sí recuerda que le salió de garantía para que sus amigos banqueros le dieran crédito. O para que no le cobraran tasas exorbitantes en el medio de la crisis económica.*

Con Lanata no tenemos nada que reclamarnos desde agosto de 2007.

A partir de ese momento mantenemos una buena relación, cuya intensidad aumentó al comenzar este proyecto.

No me animaría a decir cómo terminará cuando lo lea o se lo cuenten. Sobre nuestro antiguo conflicto, le cedí, como corresponde, la última palabra a Lanata:

—*Yo me encontré con De Santibañes por algún quilombo político. Es más, fui a la casa u oficina cerca de acá. Estuvimos hablando de política y me cayó bien. De los tipos que estaban con De la Rúa me parecía uno de los más tratables. Él venía de tener un banco, en ese momento le pedimos si podía darnos apoyo publicitario. Después lo vi varias veces como fuente. Eso de que nos dio plata es un delirio. Después tuve un quilombo con el canal, hubo un Martín Fierro, yo me cagué en el canal y vos pensaste que me cagaba en vos. Quise hacer juicio por el quilombo que se armó. Pero yo nunca le hice juicio a nadie. Estaba caliente. Me parecía injusto. Ahora está todo bien. Esta es mi versión de los hechos.*

14

CHICAS

Lanata tomó la notita de su fan y la leyó con detenimiento:

Feliz cumpleaños.
Siento que ya te conozco.
Estaría bueno que nos viéramos alguna vez.
Firmado: Sara Stewart Brown.

Él acababa de cumplir treinta y seis. Ella tenía apenas veinte años. Debajo de la firma anotó su teléfono con números muy prolijos. Lanata se había encontrado con sus ojos más de una vez en las gradas de Estrellas, el estudio de televisión de la calle Riobamba desde donde se emitía *Día D*.

A Lanata no le había impresionado solo la notita. También le había impactado el regalo: ella le obsequió una botella de whisky JB, el mismo que tomaba *Teller*, la estrella de rock que quiso cambiar su identidad, el protagonista de su primera novela.

Lanata comprendió enseguida que Sara no parecía una *groupie* cualquiera.

Era demasiado linda, demasiado joven y demasiado intrigante como para no arriesgarse a conocerla.

Como si eso fuera poco, Lanata estaba convencido de que Sara tenía cáncer. ¿De qué otra manera se podía explicar esa gorrita que la chica se ponía en la cabeza, todos los domingos, sin falta, cada vez que iba a verlo y aplaudirlo?

El primer intercambio de palabras fue muy promisorio.

Lanata confirmó que Sara no se estaba aplicando quimioterapia. Que a la gorrita se la colocaba de coqueta nomás: había dejado de usar el pelo muy corto y el proceso de crecimiento estaba por la mitad. También supo que era traductora de inglés y que estudiaba Artes y Ciencias del Teatro, una carrera que la podría transformar en una buena directora de la disciplina. Además, apenas empezaron a hablar, ella le hizo una propuesta muy seductora: pretendía adaptar *Historia de Teller* como pieza de teatro y quería saber si a él le entusiasmaba la idea.

La primer salida "oficial" fue diez días después del cumpleaños de Lanata. Sucedió el domingo 22 de septiembre de 1996.

No bien terminó *Día D*, su conductor le hizo una seña para que lo esperara.

Se fueron a tomar algo al bar Dorrego, en la plaza de San Pedro Telmo. No dejaron de hablar ni de mirarse a los ojos hasta que el encargado les avisó que ya era hora de cerrar. Sara reconoció:

—*Fue como si nos hubiésemos conocido de toda la vida. A mí me fascinaba desde antes de verlo por la tele. Me empezó a encantar cuando lo escuché por primera vez, a través de la radio, durante el último año de* Hora 25. *Todos los que escuchamos ese programa sabíamos que nos hermanaba algo. Teníamos la sensación de que éramos pocos y que nos pasaban las mismas cosas. Además había leído sus libros. Primero* Polaroids. *Después* Historia de Teller, *que me alucinó.*

—¿Fuiste y lo encaraste de una?

—*No. No quería conocerlo de manera superficial, como cualquier fan. Fui, la primera vez, porque tenía una amiga que vivía a la vuelta del estudio. Sentimos curiosidad y nos mandamos. La tribuna era enorme. Pero semana tras semana quedamos cinco o seis personas que no faltábamos jamás. Él siempre nos miraba.*

—¿"Nos miraba"?

—*Me miraba, bah. Y la notita con el whisky fue una demostración de que no era una cholula más. Suponía que si a Teller le gustaba el JB, a él también le iba a gustar.*

La idea de llevar *Historia de Teller* al teatro no prosperó. Sin embargo, Lanata se quedó con el corazón de quien le propuso la idea.

En el recuerdo de Sara, el primer mes de la relación fue casi perfecto. Incluso viajaron juntos a Mar del Plata, donde Lanata se encontró con un fiscal para declarar contra Julio Mahárbiz, quien durante el gobierno de Menem fue director del Servicio Nacional de Radiodifusión y de Radio Nacional, y del Instituto del Cine.

—*Él se había terminado de pelear con su exnovia, pero cuando volvimos de Mar del Plata empezó a salir con otra chica y un poco más adelante retomó su relación anterior* —me contó la actual mujer de Lanata.

La chica a la que Sara definió como la exnovia se llama Florencia Scarpatti. Es periodista, productora y coordinadora de la sección Espectáculos del noticiario de *Telefé*. La otra chica con la que empezó a salir Lanata en aquella época es Mariana Erijimovich, productora de cine. Detrás de cada una de esas relaciones habrá una historia para contar.

—Sara, me sorprende que hables de las otras chicas con tanta naturalidad.

—*Es que él siempre fue muy sincero conmigo.*

Es increíble pero real.

Lanata siempre les contó a sus chicas casi toda la verdad. Aunque la verdad incluyera la información de que salía con otras mujeres de manera simultánea.

Por lo menos, con su actual esposa, la estrategia resultó:

—*A las dos semanas de conocernos fue tan sincero como pudo. Fuimos a un bar de Juncal y Callao. Me dijo que tomaba cocaína. Que tomaba mucha. Y que si íbamos a estar juntos yo lo tenía que saber. También me dijo que había estado buenísimo habernos conocido, pero que quizá no era el mejor momento de su vida para que estemos juntos.*

—¿*Y vos cómo reaccionaste?*

—*Yo era rependeja y estaba muerta con él. Él me llamaba y yo suspendía todo. Si tenía facultad, faltaba. Sabía que era súper mujeriego. Me importaba, pero tampoco me ilusionaba con tener una relación seria.*

Sara fue paciente.

Se aguantó que Lanata conviviera con Mariana.

Soportó que se reconciliara con Florencia.

Entendió cuando Lanata, a través de su asistente, Jorge Repiso, le encargó para la revista *Veintidós* algunas traducciones del inglés al español con una aclaración al pie. (La aclaración decía que el encargo no se lo hacía él, en persona, porque quería hacer buena letra con la que entonces era su pareja.)

Pero todo se volvió a precipitar cuando Sara fue hasta la redacción de la revista para entregarle un material a Gabriela Esquivada y se lo encontró a Lanata.

—*Nos cruzamos de frente. Él estaba en la mesa de noticias. Yo me quedé helada. Él se fue para su oficina, me llamó por el interno y me dijo: "Me estoy separando de Florencia; me gustaría que nos volviéramos a ver".*

Sara lo llamó sin demasiadas expectativas.

Después, casi todo se fue dando con más naturalidad.

Y cuando Lanata se fue de la casa de la calle Tres de Febrero para mudarse al departamento de doscientos cincuenta metros de Teodoro García, le pidió a Sara que pasaran la primera noche juntos en su nueva propiedad.

—*Al principio me quedaba a dormir de lunes a viernes y me iba al sábado a la mañana para no cruzarme con Bárbara, la hija de Jorge. Ella era muy chiquita y la relación del padre con Florencia había sido muy fuerte. Pero, con el tiempo, pasar el sábado a la noche cada uno por su lado se hizo más complicado, hasta que un día esa situación explotó.*

El recuerdo de Lanata de cómo se conocieron es menos preciso, y más gracioso:

—Confirmado: Sara es la chica del gorrito que me hizo pensar que tenía cáncer. La conocí porque venía a la tele y es todo lo que voy a declarar en mi contra. En esa época yo era un desastre. No me sentiría orgulloso de contarlo ahora. Fue mucho mejor lo que vino después.

Lanata y Sara vivieron momentos intensos e inolvidables.

Ella nunca se va a olvidar, por ejemplo, cuando él inició una investigación personal para que Sara, que había sido entregada en adopción apenas nació, conociera a su mamá biológica.

—Si no lo hacés y un día ella se muere te vas a arrepentir durante el resto de tu vida —le aconsejó Lanata.

Los padres de crianza de Sara son Lorenzo Ryder Stewart y Beatriz Brown. Ellos fueron los primeros que apoyaron la decisión.

Lanata habló con Atilio Álvarez, entonces responsable del Consejo del Menor y la Mujer, y con Gabriel Yelín, quien todavía no se había desprendido de la organización Veraz, para rastrear a la mamá biológica de Sara.

La buscaron en el padrón electoral. Y la encontraron en la puerta de una escuela pública, cuando salía de emitir su voto. Me contó Sara:

—La vi. Me presenté. Fue raro. No la pude querer de una. Es difícil que suceda. Se trata de una relación a construir. Es enfermera. Cuida ancianos. Tiene un hijo dos años mayor que yo. Nos vimos algunas veces. Hablamos de vez en cuando. El vínculo no prosperó. Pero fue mejor conocerla que imaginarla.

Otro momento inolvidable sucedió cuando Lanata y Sara discutieron mal, hasta que terminaron los dos abrazados y llorando.

Fue un sábado a la noche del mes de julio del año 2000, el único día de la semana en que no podían dormir juntos.

Lanata la llamó después de las veinticuatro. Ella estaba tomando algo con unos amigos. Él se puso celoso y explotó. Fue la escena en que ella le dijo, por primera vez:

—Me parece que la merca lo está poniendo un poco paranoico.

Ella siempre estuvo ahí.

Estuvo, por ejemplo, la noche del año nuevo de 1998, minutos des-

311

pués de que Lanata fantaseara con la idea de pegarse un tiro mientras jugaba con el arma cargada que había dejado sobre la mesa, junto con los restos de cocaína que acababa de inhalar.

Estuvo en noviembre de 1999, cuando a su compañero casi le da un coma diabético.

Estuvo en octubre del año 2000, cuando viajaron juntos a Boston para iniciar el tratamiento de desintoxicación que tuvo a Lanata más de una semana sedado entre ataques de furia y de llanto.

Estuvo en noviembre del mismo año, cuando ingresaron a la habitación de tres mil dólares de The Pierre, en Nueva York, y él la tomó del brazo para bailar un vals imaginario.

Sara estuvo en febrero de 2010, cuando lo tuvieron que operar de pericarditis de urgencia.

Además estuvo en noviembre del mismo año, cuando Lanata volvió de México deshidratado y contaminado, con los riñones a medio funcionar.

Y estuvo en octubre de 2011, cuando su marido tuvo que ser internado de urgencia por la disfunción renal que precipitó las sesiones de diálisis que tanto quiso evitar.

Lanata y Sara se tratan de usted.

Ellos dicen que todo comenzó como un tierno juego.

Lanata, a Sara, la llama *Kiwi*.

Kiwi es el único pájaro de Stewart, una isla en Nueva Zelanda que fundó, en 1800, el abuelo del abuelo de Sara, un ingeniero que construyó los primeros puentes de aquel territorio.

Lanata, a veces, también, la llama *Sarita* porque dice que es un lindo nombre de estancia.

—De hecho —cuenta Sara— *a la última casa que vendimos en Punta del Este Jorge le puso Sarita, algo que a mí, además de no gustarme, siempre me dio mucho pudor.*

Sara fue la que llamó a Lanata a Santiago de Chile en abril de 2004 para avisarle que Mamá, finalmente, después de tanto sufrir, se había muerto y que sería bueno entonces que la Tía Nélida, la segunda mamá de él, viniera a vivir con ellos para no quedar tan sola.

Y fue Sara también la que esperó a que él llegara, abriera la puerta de la casa y llorara en silencio a Mamá, para darle, de inmediato, una de las mejores noticias de su vida. Me lo dijo la propia Sara:

—*Cuando Nélida me llamó para decirme que Angélica había muerto yo recién terminaba de hacerme el Evatest. Esperé que llegara de Chile para decírselo cara a cara. Le dije sencillamente: "Vamos a tener un hijo".*

Ya tenían decidido que si era mujer le iban a poner Lola. También habían jugado con la idea de nombrarlo Washington Tacuarembó, por la cantidad de tiempo que pasaron juntos en Uruguay.

En 2003, un año antes de haberse enterado de que serían papás, Lanata escribió un poema titulado *Miedo*:

> *Kiwi dice*
> *que tiene miedo.*
> *También yo*
> *tengo miedo,*
> *aunque es probable que tengamos*
> *distintos miedos.*
> *Miedo a qué:*
> *a tener un hijo*
> *a no tenerlo.*
> *Kiwi le teme a eso.*
> *Yo no sé.*
> *Yo temo.*
> *Temo a lo que nunca va a llegar.*
> *Pero, temeroso,*
> *espero.*

Lanata y Sara concedieron a Lola un enorme cuarto del departamento del Palacio Estrugamou, en febrero del año 2004.

Cuando Sara se lo confirmó, Lanata se alegró de verdad:

–*Fue muy lindo tenerla. Yo nunca lo voy a terminar de agradecer. Me acuerdo de que Bárbara, su hermana mayor, sufrió mucho cuando se enteró. Tenía trece años. Me escribió una carta. Decía "Papá: no te voy a hablar nunca más". Yo la guardé. Lo hice para mostrarle cómo el paso del tiempo lo cambia todo. Yo amo a Bárbara. Es muy parecida a mí: tímida, sensible y cabrona. Lola es más expansiva y cariñosa.*

Lanata y Sara se casaron el 22 de septiembre de 2011, exactamente quince años después del día en que fueron a tomar algo por primera vez.

Fue durante una sencilla ceremonia, en el registro civil de la calle Uruguay.

Como Lanata estaba enfermo muchos de sus amigos y familiares, incluida su tía, Carmen Lanata, creyeron que lo hacía para dejar "las cosas en orden". O para que el día de mañana ni su mujer ni sus hijos tuvieran ningún problema económico.

Sara lo negó de manera terminante.

—*Eso es una verdadera boludez. Además me rompe las pelotas que la gente piense así.*

La primera vez que hablaron de casamiento fue durante 2003, apenas se mudaron desde Belgrano a Retiro.

—*Le pregunté por qué se había casado dos veces. Y él me dijo que siempre habían sido sus exesposas las que lo habían deseado. Que a él hacerlo o no hacerlo no le cambiaba la cosa.*

La segunda vez fue durante 2009. Ella le dijo:

—*Me está empezando a joder llenar el casillero de los formularios con la palabra "soltera".*

Después de aquella declaración, tanto Lanata como su amigo Martín Caparrós le empezaron a cantar *Nunca tuvo novio*. Es un tango compuesto en 1930 con letra de Enrique Cadícamo y música de Agustín Bardi. Empieza así:

> *Pobre solterona te has quedado*
> *sin ilusión/sin fe.*
> *Tu corazón de angustias se ha enfermado*
> *puesta de sol/es hoy tu vida trunca.*
> *Sigues como entonces releyendo*
> *el novelón/sentimental*
> *en el que una niña aguarda en vano*
> *consumida por un mal amor.*

Una noche, después de una de sus funciones en el Maipo, y luego de una seria discusión, Lanata le preguntó, por chat, si quería casarse con él.

—*Habíamos estado a las patadas durante todo el verano. Su ingreso al Maipo me puso celosa. Yo vengo de un ambiente de teatro y sé perfectamente que las minas no tienen ningún problema en andar en bolas dentro y fuera de los camarines. Pensé que como él no estaba acostumbrado, se iba a poner como loco. No solo me puse celosa. Incluso hice algo de lo peor. Una cosa de la que siempre renegué: revisarle los mails y la correspondencia. Como sea, cuando la cosa se aflojó, él me propuso matrimonio.*

Terminaron de ponerle fecha recién en 2011, a los postres de una cena a solas, en Gardiner, de Costanera Norte, después de una entrevista que le hicieron a Lanata en Todo Noticias (TN).

—*Nos casamos más por un deseo mío que de él. Por eso me rompe un poco las bolas eso de que lo hicimos porque se enfermó y entonces quiso arreglar las cuentas.*

Lanata escribió para Sara decenas de cartas y poemas. Hay uno que se llama *Observan los observadores* y es uno de los que más le gusta a ella. Pero hay otro titulado *Canción para Kiwi* cuyas partes más importantes vale la pena reproducir:

Lugar
Lugar
Mamá
Lugar
Ta-tá
Tatá
Ta-tá
Tatá.
Los caminos nunca se abren como las flores,
siempre abren después,
abren caminados
cuando es tarde para dar la vuelta.
Vivo yendo
con las manos abiertas
al destino.
Tararreo
la canción que nunca escuché.
Viajo al viaje.
Soy la ruta y me divido sin advertirlo.
Voy hacia lo que no empezó.
Ahí estoy esperándome.

Le pregunté a Kiwi si ese poema estaba relacionado con la idea de que es una hija adoptada. Me dijo que no. Que simplemente a Lanata le gusta jugar con las palabras.

Le pregunté también si después de tantos años, Lanata le seguía gustando. Me respondió:

—*Claro. A mí me gustan los tipos altos y grandotes. Me gusta más con barba que sin barba. Me gusta su voz. Que sea contenedor. Que sea un buen tipo pero no un tipo tibio. Sí. Todavía me gusta. Y todavía me encanta su pose de seductor. No me gusta tanto cuando parece un nene caprichoso. O cuando me sobreprotege sin pensar que yo necesito valerme por sí sola.*

Sara "Kiwi" Stewart Brown es la última y la definitiva de todas las conquistas de Lanata.

El propio Lanata se terminó de dar cuenta de eso cuando, luego de muchos años, sintió que la casa donde vivía era un buen lugar para regresar, después de cagarse a palos con el laburo y el resto del afuera.

Hasta ese momento, y contra lo que se pueda suponer, Lanata nunca había tenido ningún problema para conseguir chicas. De hecho, en *Tengo*, un poema/inventario que escribió en la navidad del mismo año en que conoció a Sara, Lanata se vanaglorió de tener "cientos de chicas en cientos de lugares".

Es preciso, otra vez, reproducir parte del texto:

> *Tuve un diario*
> *dos revistas,*
> *varios programas de radio,*
> *un programa de televisión,*
> *un psicólogo,*
> *tres médicos,*
> *una casa,*
> *una quinta,*
> *dos autos,*
> *más de quince relojes pulsera,*
> *quinientas camisas,*
> *treinta trajes,*
> *montones de ropa informal,*
> *medio millón de dólares en deudas,*
> *tres libros publicados,*
> *una antología publicada,*
> *(y) cientos de chicas en cientos de lugares.*

Guau, diría Lanata. Hay que tener una autoestima muy alta y una necesidad muy fuerte de que el mundo lo sepa para escribir *"tuve cientos de chicas en cientos de lugares"*.

Su primer amor infantil fue su compañerita de la primaria, Carmen Graciela Albornoz.

Su segundo amor de niño fue su otra compañerita de banco, Alicia Rodríguez. La historia completa de aquella relación también aparece en el capítulo "2. Mamá".

La tercera mujer de la que "se enamoró" fue una trabajadora del sexo. La conoció en Córdoba. Fue la chica que lo hizo "debutar".

Un poco después se entreveró con la actriz Aída Anastasi. Él tenía quince años y ella... ¡treinta y uno! El romance duró hasta que Aída se dio cuenta no solo de que era mucho más joven que ella, sino que no tenía ni veintiuno ni veintidós, como él le había contado.

Entre los 18 y los 19 años Lanata vivió ciertas experiencias dignas de relatar. Se las podría enmarcar en el inicio de su etapa lumpen. Que las cuente él mismo:

—*Yo iba al secundario de noche y un compañero mío, de apellido Meza, me invitó a ver a su familia, a Paraguay. En Argentina estaba la dictadura. En Paraguay también, pero a mí el viaje me parecía divertido. Empecé a laburar de locutor en una radio de Asunción que se llamaba Comuneros. Mientras tanto vivía en una villa, en la casa de un familiar de mi amigo. Vivía con un tipo que era obrero y compartía el techo con una mujer mucho más grande que él. Al poco tiempo me levanté una mina que vivía en la villa y estaba muy buena. Era muy parecida a la actriz italiana Agostina Belli. El único problema es que teníamos que salir con el hermano. El tipo no nos sacaba la vista de encima.*

—¿Entonces?

—*En un momento me quedé sin guita. Le pedí a mi viejo, a mi tía, a todo el mundo. Era un quilombo porque en esa época solo te podía llegar guita por correo. Y lo más práctico era viajar a Clorinda, en Argentina, para recibir el dinero ahí. Me tomé un barco y arriba conocí a otra mina que estaba recontrabuena. Ella iba a un casamiento y nos enganchamos. Fue muy gracioso, yo ni siquiera me la había garchado y terminé en el casorio, con camisa, saco y corbata prestados. Estuve viviendo con ella como una semana. El giro tardó como diez días. Con la guita volví a Paraguay, agarré mis cosas y me mudé de la villa a una pensión, a dos cuadras del hotel Guaraní. Al final me volví.*

Poco tiempo después viajó, solo, a Florianópolis, en Brasil. Allí conoció a una chica que le dio techo y comida:

—*La mina tenía dos amigas. Vivían todas juntas. Yo les cuidaba la casa cuando salían a laburar. Me levantaba todas las mañanas y comía langostinos.*

En 1982 Lanata se tomó un avión a Río de Janeiro, junto a una de sus más estrambóticas conquistas: una morocha de ojos verdes de veintiséis años que respondía al nombre de Carola McLenahan. Carola había estado presa por tenencia de estupefacientes. Con ella pasaron juntos momentos dramáticos. Que Lanata no me deje mentir:

—*Fue con Carola con quien una vez nos fumamos un porro en Río y yo vi, te lo juro, cómo goteaba sangre de una pared. La conocí cuando los dos trabajábamos de mozos en John Bull y un poco después de que fuera detenida por tenencia. Era muy linda, pero era un desastre. Se ponía en pedo cada dos por tres. Una vez, mientras la esperaba en la esquina de Cabildo y Juramento, llegó en un taxi, hecha pelota, en el asiento de atrás. Había vomitado todo.*

—¿Viajaron juntos a Brasil?

—*Sí. Pero antes ella le fue a pedir permiso a "La Negra", alguien que había sido su macho en la cárcel. La Negra ya estaba libre. Vivía en una casa, en Flores. Nos dio su bendición y nos fuimos.*

—¿De dónde sacaste la guita?

—*Del laburo que había hecho con el Tren Cultural de la OEA (Organización de los Estados Americanos). Nos tomamos un avión. Llegamos a Río. Alquilé un departamento. Me acuerdo de que nos drogábamos todo el tiempo. Especialmente con porro. En un momento le pedí a Carola que saliera a buscar guita. Al rato apareció con dos pibes y dos minas más. No habrá pasado ni una hora cuando uno de los pibes saca una credencial y grita, en portugués: "¡Policía Federal! ¡Están todos detenidos!" Pero yo, a pesar de mi estado, le saqué la ficha. Le dije: "¡Andá a la concha de tu madre! Esto es Río y vos sos argentino". Todavía estoy seguro de que el tipo era argentino y que además era botón.*

—¿Fuiste en cana?

—*No. Pero me hinché las pelotas de Carola y decidí volver. Dejame que haga memoria. El departamento estaba en la Rua Barata Ribeiro. Era un contrafrente. Nos tiraban botellas desde arriba. Regresé a Buenos Aires el 12 de septiembre, día de mi cumpleaños veintidós. Me acuerdo porque las chicas del shopping se dieron cuenta por el pasaporte y me regalaron algunas cosas.*

En abril de 1984 Lanata fue contratado por una agencia periodística que le consiguió suplencias en el noticiario de Radio Belgrano. En aquella productora conoció a Patricia Orlando, la primera mujer con la que se casó. Se separaron a fines de 1986, cuando Patricia Orlando ya tenía suficientes evidencias de que Lanata se había enamorado de otra mujer.

La otra mujer se llama Andrea Rodríguez, quien tres años después de transformaría en la madre de su primera hija, Bárbara Lanata.

Lanata y Orlando se divorciaron formalmente en 1990, cuando ella quedó embarazada de su primer hijo y el periodista empezaba a disfrutar de su relación con Silvina Chediek, la segunda mujer con la que se casó. Orlando, su primera mujer legítima, no lo recuerda con cariño. (Véase el capítulo "2. Mamá".) Cuando Andrea Rodríguez conoció a Lanata trabajaba en Radio Belgrano y *Tiempo Argentino*. Andrea nació en Azul y vino a Buenos Aires para estudiar periodismo en la Universidad Del Salvador.

Fue amor a primera vista.

En 1986 Lanata abandonó a Patricia y Andrea dejó a su novio Víctor.

Tardaron nada en ir a vivir a un departamento de un ambiente que alquilaron en Anchorena y Juncal.

Empezaron a trabajar juntos en *Página/12*.

Con los primeros ingresos se compraron un departamento de cuarenta metros cuadrados en Paraguay y Armenia.

Lanata recordó con Andrea cuestiones de la vida cotidiana.

—*Teníamos un patio chiquito y los vecinos de arriba nos tiraban de todo. Un día escribí una nota y me peleé con medio consorcio. Eran unos cerdos de mierda. Y los mandé con elegancia al carajo.*

Junto a ella, Lanata también compró su primer auto, un Renault 9, 0 kilómetro, modelo 1988. Reconoció Lanata:

—*Andrea, además de algunas cosas de la vida, también me enseñó a manejar.*

En 1989 Andrea quedó embarazada de Bárbara y un año después Lanata inició su enésimo proceso de separación.

—*Separarme con un bebé fue un rollo. Bárbara tenía un año y yo no sabía cómo relacionarme con ella. Cada vez que la iba a ver se largaba a llorar a los gritos. Fue por eso que inicié mis sesiones de terapia con José Töpf. No sabía cómo manejarme. Encima Andrea se había ido a vivir con otro pibe. Tardé bastante hasta que me acomodé. Un día fui a buscar a Bárbara y le dije: "Llorá todo lo que quieras. Me importa un carajo. Sos mi hija y te venís conmigo. Punto".*

Lanata ya era el director periodístico de *Página/12* y eso le parecía darle cierta licencia para conseguir chicas.

Nancy Pazos lo conoció en esa época, cuando ella todavía no había llegado a la categoría de cronista.

Pazos es licenciada en Ciencias de la Comunicación de la UBA, está casada con el ministro de Medio Ambiente y Espacio Público de la Ciudad, Diego Santilli, y tiene tres hijos. Hace más de veinte años que trabaja de periodista en diarios, en radios y también en la tele.

Se podría decir que ambos fueron protagonistas de un histeriqueo mutuo cuyos detalles ameritan el relato.

Lo recordó la propia Nancy Pazos, veintitrés años después, en su departamento que da al frente del Patio Bullrich.

—*No fuimos novios ni tuvimos nada. Fue, efectivamente, un histeriqueo. Yo era el chiche nuevo que había pasado por la puerta del despacho del director. El tipo, supongo, quería jugar con el chiche.*

Lanata y Pazos se conocieron gracias a Juan José "El Pájaro" Salinas, quien trabajaba en *El Porteño* junto a Rolando Graña y otros. Pazos tenía información caliente sobre un exmilitar llamado Paqui Foresi y le sugirió a Lanata que *Página*, como diario, le podía dar mejor uso que el mensuario donde trabajaba él. Lanata aceptó de buen gusto y, apenas la conoció, mandó a Pazos a recoger toda la información que le faltaba. A los pocos días la periodista entró a su despacho y vio cómo Lanata le revoleaba una taza de café a su secretaria Margarita Perata:

—*El panorama era un poco violento. Tardabas un tiempito en darte cuenta de que se trataba de un juego. Cuando terminé de hablarle sobre el laburo, le dije: "Jorge, ¿te puedo hacer una pregunta?". Él me habilitó. Yo me mandé: "Sos joven. Sos inteligente. Tenés poder. Tenés un diario. ¿No te molesta ser tan gordo?".*

—Una sutileza.

—*No. Se lo dije de corazón. A mí, su histeriqueo me pasaba por el costado porque yo entonces tenía novio y él me parecía demasiado grande y demasiado gordo. Pero estoy segura de que, después de mi comentario, algo le sucedió. Porque a los pocos meses me vino a buscar al otro laburo que tenía, en el CELS (Centro de Investigaciones Legales y Sociales), para ir a tomar un café. Ni siquiera me llamó antes. Tocó el timbre, preguntó por mí y pasó a buscarme en un auto cero kilómetro, con el que había aprendido a manejar. El tipo estaba reflaco. Y me quiso impresionar.*

—¿Y ahí terminó el supuesto intento de seducción?

—*No. Después, para mi cumpleaños, me regaló mi primer perfume francés: L'Air du Temps. También me regaló un oso de peluche que era imposible de ocultar. Creo que mi novio nunca se llegó a enterar. En esa época yo hacía colaboraciones para Página/12. Iba a lugares calientes, lo llamaba por teléfono a Lanata. Después él escribía las notas y ponía mi firma. Puedo decir que tengo ese orgullo: a las primeras notas con mi firma, en Página, las escribió Jorge Lanata. Una de las que más recuerdo fue la que le hice a la familia de Seineldín durante el levantamiento de Villa Martelli, en diciembre de 1988. Hice hablar hasta el loro.*

—¿Cómo terminaron con Lanata?

—*Me fui al diario Sur, cuando surgió como competencia de Página. Lo hice después de pedirle a Jorge que me pasara a redacción porque necesitaba escribir y que se me entendiera. Él me dijo: "Si te hago entrar a la redacción te vas a achanchar y vas a perder la frescura que tenés para conseguir información". Quizás haya tenido razón. Pero yo necesitaba la experiencia y la guita. Cuando me fui, Lanata se enojó. Eran las cosas del laburo.*

Un año después de aquella escena, en 1989, Lanata se encontró con quien se transformaría en su segunda mujer "legal": la conductora televisiva Silvina Chediek.

Fue un típico caso de fascinación y deslumbramiento mutuos. Se trató de un vínculo tan intenso y tan breve que, durante muchos años, se alimentó alrededor de aquella relación el rumor de que se había separado porque Lanata le había pegado.

Ella tenía 27 y Lanata 28.

Mientras estuvieron enamorados, ambos creyeron que fue algo parecido al Destino lo que los había hecho coincidir.

Se vieron por primera vez en la sala VIP del Aeropuerto de Ezeiza. Los dos habían aceptado la invitación de Manliba para ir a visitar una planta procesadora de residuos en Chicago. La propuesta incluía unos cuantos días de descanso, todo pago, en la ciudad de Nueva York.

Me lo escribió la propia Chediek, en una carta que redactó especialmente para este libro, a la que tituló *La historia que yo recuerdo*:

—*La sincronía fue total, él había rechazado la invitación el año anterior y yo fui sumada a último momento por Margarita Porcel, la encargada de prensa de Manliba, porque se había bajado un periodista de no sé qué medio.*

Lanata lo recordó de otra manera:

—*Éramos seis o siete periodistas en ese VIP. Estaba, por ejemplo, Patricia Miccio. Cuando vi a Silvina no sabía quién era. Creo que lo primero que hicimos fue mandarnos a la mierda. No sé qué me preguntó y la mandé a la mierda, de entrada.*

Silvina intentó aclarar:

—*En ese viaje no pasó nada. Él tenía una hija chiquita y todavía estaba casado con Andrea. Además, yo estaba saliendo con alguien que justo pasaba por Nueva York en ese momento.*

Pero Lanata aseguró:

—*Estuvimos en Chicago. Allí tuvimos un affaire. Después fuimos a Nueva York, pero ella estaba saliendo con un tipo que justo la había ido a ver ahí. Después se enamoró de mí y al tipo lo colgó.*

Apenas llegaron a Buenos Aires, Lanata la llamó por teléfono desde su despacho de director de *Página/12* al interno de la oficina de la dirección de *Paula*, la revista femenina de Chile que comandaba Chediek. Ella rememoró:

—*Él me decía Dalai Lama, porque yo lo atendía con una paz total mientras él tenía de fondo el ruido de un diario en cierre.*

En su primer intento, según ella, Lanata rebotó:

—Le dije que mientras siguiera viviendo con Andrea no me llamara. Que prefería que hiciéramos las cosas bien, o que no hiciéramos nada.

La próxima llamada de Lanata fue desde un apart hotel. El diálogo los encontró en el momento justo: los dos habían roto con sus respectivas parejas. Iniciaron algo que parecía para toda la vida.

Sostuvo Chediek:

—Lo pasábamos recontrabien. Nos reíamos. Hablábamos mucho. Yo todavía vivía con mis padres. Mis dos hermanos ya se habían ido y estaba a punto de mudarme sola. Jorge me pidió que esperara. Que si seguía nuestra relación lo lógico era irnos a vivir juntos.

Estuvieron de novios apenas siete meses.

—¿Él te propuso casamiento?

—Yo era la que me quería casar. Él accedió enseguida. Pero decidimos hacerlo en Nueva York. Fueron nuestros testigos Roberto Edwards, director de Paula *y Anahí Miralles, una gran productora de modas que estaba trabajando con él allá. Me compré un vestido negro con bolerito verde, partimos al City Hall y nos casamos.*

Contrajeron matrimonio el 16 de agosto de 1990.

Coincidió Lanata:

—Fue muy divertido. Y yo estaba muy enganchado con la onda de ella. Nos casamos en secreto, en el City Hall, en un trámite rápido. Me acuerdo de que la pareja que venía detrás de nosotros no tenía cambio y el casamiento se lo pagamos nosotros. Fue una pavada, nos salió cincuenta dólares.

Los amigos de Lanata y de Chediek pensaban que ellos tenían destino de pareja emblemática.

Quizá como Richard Burton y Elizabeth Taylor.

Como Marilyn Monroe y Arthur Miller.

O como Ricardo Darín y Susana Giménez.

Ella trabajaba con Juan Alberto Badía y Adolfo Castelo en el programa de televisión *Imagen de radio*. La gente la reconocía por la calle, en el supermercado y le pedía autógrafos. Él era director de un diario innovador y había empezado a conducir *Hora 25*, aquel programa de culto por el que recibía decenas de cartas todos los días.

Se fueron a vivir a un departamento alquilado de la avenida Las Heras entre Ugarteche y República Árabe Siria. Chediek recordó:

—Había un cuarto solo para Bárbara, que era muy chiquita.

Los problemas empezaron más rápido que los planes de un futuro en común.

Ella susurró el sueño de tener un bebé. Entonces escuchó de boca de Lanata, por primera vez:

—*La verdad es que no quiero tener más hijos.*

Ella quiso integrarlo con sus amistades y su familia.

Pero él, de manera sistemática, empezó a hablar de algo que Chediek denominó *"tu mundo/ mi mundo".*

Veintitrés años después, ella reflexionó:

—*Supongo que cuando decía tu mundo/mi mundo habría algo de los barrios donde nos criamos. Son esas cosas que cuando pasa la vida y el tiempo van perdiendo sentido, ¿no? Hoy, por ejemplo, somos vecinos. Vecinos de un barrio de mi mundo. Nos separan solo un par de cuadras.*

La infancia de Silvina transcurrió en la calle Libertad entre Alvear y Posadas. La de Lanata, en Sarandí, provincia de Buenos Aires. Ella fue a un colegio modelo de Barrio Parque. Él, al San Martín de Avellaneda.

Al mundo de Chediek le costaba entender por qué Silvina se había enamorado de Lanata. Sus amigas se lo pasaban preguntando:

—*¿Qué hace Silvina con semejante tipo?*

Chediek me dijo que se lo dejaron de preguntar cuando una de sus mejores amigas las encaró y les dijo:

—*¿Vieron lo ingeniosas y creativas que son las tapas de* Página/12? *Bueno, Silvina se enamoró de eso, así que no pregunten más.*

Al mismo tiempo, el círculo en el que se movía Lanata lo atacaba por frívolo y pretencioso. Al único que le encantaba la pareja era al encargado de la publicidad del diario, Héctor Calós, porque la facturación se había multiplicado a partir de aquella unión sentimental. De hecho, durante esa época en la redacción de *Página/12* se había instalado otro falso rumor. Decía que durante una fuerte discusión sobre ideas y autores Lanata le mandó a Chediek, de regalo, la *Enciclopedia Británica*, como para darle a entender que su mundo era hueco y el de él estaba lleno de cultura e información.

Ambos desmintieron el hecho.

Entrevisté a Chediek:

—¿"Tu mundo y mi mundo" fue determinante en la separación?

—*"Tu mundo y mi mundo" era complicado. Porque para Jorge, los que me pedían autógrafos por mi laburo en la tele eran cholulos. Él me cargaba por eso. Sin embargo, cuando me pasaba a buscar por ATC (Argentina Televisora Color) y yo abría el baúl, lo encontraba lleno de cartas de sus oyentes. Es decir, yo tenía "cholulos" y él "oyentes". Claro, yo venía de hacer* El Espejo *(para que la gente se mire) en Canal 13 todos los días, a las cuatro de la tarde, y había sido muy fuerte y muy popular.*

—¿Le abriste las puertas de tu mundo?

—*Eso sí. Fuimos a Punta del Este. Lo llevé a que conociera José*

Ignacio. En ese momento era un pueblito de pescadores. Se enamoró de ese lugar. En mi mundo también había solidaridad. Así fue como un día, un amigo mío me contó que su mujer, que era azafata, lo vio a Jorge con una mujer en un vuelo a una provincia de la Argentina o a Paraguay, no me acuerdo. Me dijo que lo había visto cuando todavía no nos habíamos separado. Una verdadera lástima, porque mientras estuvimos juntos me había dicho que era muy mujeriego, pero que tenía todas las intenciones de cambiar. Sin embargo el tiempo cambia todo, ya tuvo otra hija más y, por lo que sé, está asentado.

—¿Cómo era Lanata entonces?

—Muy divertido. Con un gran sentido del humor. Y muy generoso. Le pagaba a la mujer que trabajaba en la casa más de lo que correspondía. Dejaba unas propinas por encima de lo normal. También era flaco. Muy flaco. Y parecía brillante, tímido e introvertido.

—No tengo necesidad de recordarte que siempre se dijo que ustedes se habían separado rápido porque Lanata te había agredido. ¿Alguna vez te pegó? ¿Tuvo alguna actitud violenta?

—No, no y no. Él era y es incapaz de pegarle a nadie. Y a una mujer, menos. Creo que el rumor se alimentó porque nuestro matrimonio fue demasiado breve y algunos necesitaron encontrar una explicación más simple para la ruptura.

Se separaron a fines de enero de 1991.

Sostuvo Chediek:

—Habríamos estado mucho tiempo juntos si hubiese aceptado el vínculo que me proponía él. Pero no lo hice porque no quería sufrir.

—¿Cómo fue la separación de bienes?

—Perfecta, porque no teníamos. Yo le propuse separarnos y él aceptó. Me ofreció quedarme en Las Heras pero yo preferí que Bárbara no volviera a mudarse, porque iba a ser muy complicado para ella. Una mañana fui con dos amigas a sacar todas mis cosas. Volví a la casa de mis viejos por un par de semanas, lo que tardé en encontrar otro departamento para alquilar. Mi bronca con él duró todo el año. Fue un momento muy duro para mí. Porque, además, el 1° de septiembre de ese mismo año mi padre falleció de muerte súbita. Sin embargo, con el tiempo, a la ruptura con Lanata la canalicé muy bien.

—¿Cómo hiciste?

—Un día llevé a mi sesión de terapia todas las cartas que me había escrito, todas las fotos y todos los recuerdos y los tiré. No pensé ni en mis memorias ni en las de él. Las tiré y no me importó.

—¿Y todavía seguís enojada o sin entender?

324

–No. Con el tiempo aprendí a tener una mirada piadosa sobre lo que nos pasó. Fue una historia fuerte. Llamaba la atención de todos. Aprendimos el uno del otro y estuvo bien. Un par de años después lo vi en una revista con una camisa de Versace estridente y horrible y le dije: "¡Aflojá con Versace y comprate un terreno!". No solo nos pudimos reír. Con el tiempo me hizo caso. Si hay algo que hicimos bien fue no salir a aclarar nada. Nos casamos y nos separamos en el mismo silencio. Ahora yo no podría concebir mi vida sin Patricio (Feune de Colombi), alguien de quien me enamoré al año siguiente de separarme; ni con Pablo, el hijo que tuvimos juntos. La vida siempre pone las cosas en su lugar. Hay, por ejemplo, una foto muy linda de Jorge con Barbarita cuando era muy chiquita. La que falta en esa foto, la que apretó el disparador de la cámara, soy yo.

Le pregunté a Lanata:

–¿Por qué te casaste con Silvina?

–Porque tenía ojos azules, mucho sentido del humor y era muy cómplice. Porque era sofisticada y conocía por el nombre a los mozos del (Hotel) Plaza. Y también porque era raro.

–¿Por qué raro?

–Era raro para mí estar con alguien de la TV. Ella era de una familia de guita. El padre había tenido una constructora y una concesionaria de autos, pero venida a menos. El hermano fue juez. Ella era una chica de Punta del Este. Tenía cosas que yo no tenía.

–¿Y por qué te separaste?

–Nos separamos en una época donde yo empezaba a ser conocido. Un momento en el que también empecé a volcar. Salía con otras minas. Yo le dije que no quería seguir. No hubo discusión. A partir de ella me hice amigo de (Adolfo) Castelo. Sin embargo, no tuvimos amigos en común.

–¿Le pegaste?

–Es mentira. Nunca. Nunca le pegué a ella. Nunca me peleé con nadie. ¿Sabés de dónde viene el verso ese de que yo le pegaba a Chediek? De Seprin. Esos servicios hijos de puta. Lo sé porque vi el cable en Internet. Y además, los turros dicen que eso figura en el expediente de divorcio. ¡No solamente mienten, sino que citan una fuente que no existe! (N. del A.: en el expediente de divorcio no hay ninguna denuncia por violencia física.) También, en algún momento, alguien le dijo a Silvina que yo era puto. Está bien. Yo escuché cosas increíbles de mí, pero hay gente que inventa cosas delirantes.

–¿Cómo cuáles?

—Como eso. Que soy puto. ¿Sabés? Si yo fuera puto, sería como (Fernando) Peña. Me cogería a media ciudad. O a toda. Y lo último que haría sería no decirlo. Porque para mí no sería una vergüenza. Sería algo de lo más natural y aceptable. Resumiendo: con Silvina tuve dos etapas; la de la fascinación y la de la decepción. En la última, pesó mucho, en especial, mi mambo personal y el quilombo de tener varias minas.

Lanata y Chediek se encontraron después de muchos años, y gracias a este libro. Silvina, por alguna poderosa razón, necesitaba saber cuál iba a ser la versión completa del relato del periodista sobre el tiempo que pasaron juntos.

A Chediek siempre le había quedado la duda sobre quién había sido la chica con la que Lanata viajó a Paraguay en el avión donde estaba la azafata que era esposa de su amigo.

Durante su último encuentro, cuando Lanata se lo estaba por contar, Silvina se arrepintió:

—Lo pensé bien, mejor no me lo digas. Prefiero seguir sin saberlo.

Como pasaron tantos años y tanta vida, yo no tengo razones de peso para mantenerlo en secreto: era Graciela Mochkofsky, la chica a la que Lanata más amó, después de Sara y de Andrea Rodríguez.

Graciela nació en Neuquén el 16 de septiembre de 1969, y pasó su infancia y adolescencia entre esa provincia, Salta, San Juan y Córdoba. Es licenciada en Periodismo de la Universidad Del Salvador y tiene un Máster en Periodismo de la Universidad de Columbia. Está casada con el periodista y escritor Gabriel Pasquini. Escribió en *Página/12* entre 1991 y 1997 y en *La Nación* entre 1998 y 2003. Es cofundadora y editora —junto a Gabriel Pasquini— de la revista digital *El Puercoespín,* que reúne artículos de política, periodismo y literatura.

Publicó cuatro libros. Quizás el más importante haya sido *Timerman. El periodista que quiso ser parte del poder.* Escribió además *Pecado Original (Clarín, los Kirchner y la lucha por el poder)* y *Once (Viajar y morir como animales),* una radiografía de la tragedia de Once ocurrida el 22 de febrero de 2012 y que dejó 51 muertos y 795 heridos.

Lanata y Mochkofsky se conocieron en la Librería Gandhi, después de que el exdirector de *Página* terminara de dar una charla. Él tenía 29 y ella 23.

Fue durante el inicio de la etapa más descontrolada de Lanata. Él mismo recordó el perfume de aquellos días.

—En el departamento de Las Heras, después de lo de Silvina, tuve una época que fue un desastre. No te miento, salía día por medio con una mina distinta. De algunas ni me acuerdo los nombres.

—¿Por qué hacías eso?

—*Para probar hasta dónde podía llegar. Y también porque me gustaba. Un día me asusté porque no sabía con quién estaba. No te lo digo para hacerme el canchero. Para mí fue una cagada. Años después me di cuenta de que nada de eso es gratis. Que siempre algo terminás dando o dejando. Pero qué querés, estaba haciendo* Hora 25 *y me mandaban cartas cuarenta millones de minas. Además de las cartas, me había tomado la costumbre de llevar minas al estudio solo para verlas y poder elegir con quién me iba a acostar. Fue un verdadero desastre.*

Fue en la misma época en la que habían descubierto, junto a su amigo Fito Páez, que ambos habían estado con las mismas tres o cuatro chicas, pero que Lanata había ganado la partida porque había conseguido no solo seducirla sino llevarla a la cama. Los días en que Lanata conoció a Laura Casarino, la chica a la que Charly le dedicó la canción *Curitas*. (Véase el capítulo "6. Rock".)

La etapa en la que se lo pudo ver, por la calle y sin escapar de los fotógrafos, con la excelente actriz Gabriela Toscano, la misma cuyos enormes pechos habían aparecido poco antes en la película *El Exilio de Gardel*, de Fernando Pino Solanas.

—*En el medio de todo eso apareció Graciela* —me explicó Lanata, con cierta melancolía.

Lanata y Graciela M tuvieron una relación intensa. Y tormentosa.

A pesar de la intensidad del vínculo, Graciela nunca quiso ir a vivir con Lanata y se quedó en el departamento de Peña y avenida Pueyrredón.

En su enorme caja de cartón de los recuerdos, hay más fotos que recuerdan los viajes que Lanata hizo con Mochkofsky que cualquier otra cosa.

Viajaron juntos a Santo Domingo.

Viajaron también juntos a Nueva York, a pasar el año nuevo de 1993 en la compañía Fito Páez, Cecilia Roth, Rodrigo Fresán, su mujer y otros.

Y viajaron juntos a Venecia, donde Lanata pasó varias semanas escribiendo *Historia de Teller*. Es más, la novela está dedicada, en este orden, a Bárbara Lanata, a Graciela Mochkofsky y a Fito Páez.

Historia de Teller es la historia de un rockstar que no soporta más la fama y decide empezar otra vida a través de la simulación de su muerte y de un cambio de rostro.

No hay que ser crítico literario para adivinar que Teller tiene un poco de Lanata así como Mochkofsky tiene un poco de Hélène. En realidad, la novela tiene demasiado de Lanata. El gusto por el whisky JB y el champagne Veuve Clicquot y su paso por la Rua Barata Ribeiro en Río de

Janeiro son apenas tres de las "señales secretas" que el entonces director de *Página* envió a sus amigos desde aquel texto de ficción.

Mi llamado telefónico para consultarla por su historia con Lanata no fue algo que le cayó muy bien. Nos conocemos hace ya muchos años, cuando la recomendé junto a su marido ante los editores de Sudamericana para publicar *Los farsantes. Caso Cóppola, una crónica de fin del menemismo.* También sé que Graciela siempre me agradecerá una sugerencia que le hice cuando los buitres del mundo editorial intentaron evitar que publicara la biografía no autorizada de Jacobo Timerman. Para ser sincero, más que mi sugerencia fue su enorme voluntad lo que hizo que escribiera, al final, una de las mejores biografías argentinas de los últimos años.

Mochkofsky no solo me aclaró que no iba a poder ayudarme. También me explicó que su deseo era no aparecer ni como un nimio recuerdo. Ella es periodista. Supongo que comprenderá que las historias reales están para ser contadas.

Alguien que la conoció y la conoce mucho me dio detalles y su visión sobre el vínculo que tuvieron con Lanata.

Aunque me pidió reserva de su nombre, me dijo que a Graciela M le quedó un mal recuerdo de todo aquello.

Me contó, por ejemplo, que un día le explotó la cabeza cuando el psicoanalista de Lanata, José Töpf, la llamó para preguntarle dónde se encontraba su paciente.

Me dijo la fuente:

—*Graciela era una pendeja, sola, frágil y vulnerable. Hacía días que lo esperaba y el tipo se había ido con otra mina, ¡y ni a su terapeuta le decía dónde estaba! La situación era insostenible. Ella lo pasó decididamente mal.*

Otra escena junto a Lanata, que Mochkofsky seguramente no recordará con cariño, es el regreso de aquel inolvidable viaje a Nueva York con Fito y su pandilla.

Es que el periodista hizo escala en Buenos Aires y enseguida voló a Punta del Este, donde salió con varias otras chicas, aunque a Graciela durante mucho tiempo se lo haya intentado ocultar.

Y la tercera escena que Graciela M recordará, seguramente con tristeza, sucedió en el día de su vigésimo séptimo cumpleaños, el 16 de septiembre del año 1993. Fue cuando Lanata, muy suelto de cuerpo, le dijo:

—*Vendemos* Página/12. *Se lo tenemos que vender a* Clarín.

—¡Pero eso es una cagada! —habría reaccionado ella.

—No sé si es una cagada. Sí sé que no hay otra alternativa. Es una cuestión de negocios.

Graciela, igual que otras, se había enamorado de él de manera incondicional, pero a medida que pasaba el tiempo sentía que había cosas que le gustaban cada vez menos.

La más importante fue que Lanata empezara a tomar cocaína todo el tiempo.

La que menos le importó es que él estuviera tan preocupado en comprarse trajes Armani, como si con esa decisión pusiera en juego algo importante de su identidad.

Pero la definitiva fue cuando Lanata eligió no mentirle más y le empezó a contar que también se veía con otras chicas.

—¿No es un rasgo de sinceridad? —le pregunté a la fuente amiga de Mochkofsky.

—Depende de las circunstancias y las personas. Para mí, por ejemplo, decirle a tu pareja que también estás con otro es un síntoma de cinismo.

Estuvieron juntos y separados de manera alternativa.

La última vez que se vieron fue después del atentado contra la AMIA, en el año 1994.

Es curioso: Lanata también pareció tener cuentas pendientes con ella. Sin embargo, las razones por las que se quedó mal son muy distintas. O para ser más precisos: son "lanatianas". Me lo explicó así.

—No me gustó que Graciela no me haya mencionado en la biografía que escribió sobre Jacobo.

—¿Por qué creés que no te nombró?

—No lo sé. Lo que sé es que ella conoció el enorme living de la casa de Timerman en Punta del Este solo porque yo la llevé de la mano.

La queja suena parecida al reclamo que les hizo a sus compañeros de *Página* por el burdo intento de hacerlo desaparecer y negar su carácter de fundador del diario.

—¿Te parece que era tan necesario? —le pregunté a Lanata para desdramatizar el hecho.

—Me pareció mal que relatara el episodio y no contara que yo también estaba en la casa. Ella lo cuenta como que apareció de la nada. Que abrió la puerta y estaba Jacobo. Pero no fue así. Porque yo estaba ahí.

¿Cuánto le importó Mochkofsky a Lanata?

Un sábado a la noche de 1996, en el café Petit Callao, el exdirector de *Página* le confesó a otra de sus chicas lo relevante que había sido Graciela en su vida.

—Te parecés un poco ella. A veces me hacés acordar a ella. Yo a Graciela la quise mucho. La quise de verdad.

Cuando le pregunté por Graciela M, Lanata se inquietó un poco y empezó a escupir sus recuerdos, como si se tratara de algo que se quisiera sacar pronto de encima.

—Con Graciela no viví. Era muy chica cuando salía conmigo, estudiaba periodismo en Del Salvador. Enseguida empezó a laburar en el diario. No la pensaba como una relación para toda la vida. Con Graciela nos fuimos de vacaciones a Nueva York con Fito, Cecilia, Rodrigo Fresán, la mujer de Rodrigo, Ariel Roth, y los padres de Cecilia. Cuando Fito hizo El amor después del amor *yo estaba con Graciela.*

—¿Es verdad que el primer laburo que le encargaste fue investigar a tu colega Horacio Verbitsky?

Lanata primero se sorprendió con el dato. Me preguntó.

—¿Con quién estuviste hablando?

Pero no esperó mi respuesta y me contó:

—Sí. Mandé a Graciela a investigarlo porque no me cerraba su historia. Se lo pedí a ella porque era chica, estudiaba en Del Salvador, había venido del Interior. Era una buena manera de no levantar sospechas. Quería saber quién era realmente Horacio. (Véase el capítulo "13. Periodistas".)

—¿En qué orden de importancia figura Graciela en tu vida?

—Está primero Sara, después Andrea y luego Graciela. Era una pendeja cuando la conocí. Tenía un poco más de veinte años. Era de Córdoba, vivía sola en un departamento en Peña y Pueyrredón, y me enganché. Estuvimos como cuatro años. Dos seguidos y otros dos yendo y viniendo, porque yo también tenía otras minas. Le gustaba escribir, leer, estaba aprendiendo, iba a ser buena. Es cierto, la mandé a investigar a Verbitsky, estuvo conmigo en Venecia, en Nueva York. Hicimos muchos viajes. Yo la quise mucho. Y es todo lo que te voy a contar.

—Cuando la conociste, ¿ya habías empezado a tomar cocaína?

—Empecé a tomar cuando estaba separado de ella. Después volví con ella, pero no dejé de tomar. A ella no le gustaba para nada que yo tomara y me jodía mucho con eso. No terminé mal con ella, pero corté relación. Y no la vi más. Después terminó casándose con un tipo que trabajó con nosotros. Pobre. (Gabriel) Pasquini tuvo mala suerte conmigo. El tipo me debe odiar. Porque yo también salí con una mina de la que él estaba muy enamorado. Se llamaba Andrea Soutullo y nunca le dio demasiada bola. Después Pasquini terminó casado con

330

Mochkofsky. Estas cosas no son casualidad, parecen asignaturas cruzadas entre unos y otros. Además a Pasquini mucho no me lo banco. Pero a Graciela no la volví a ver más.

(N. del A.: en *Polaroids* Lanata agradeció a Andrea Soutullo por haber traducido unos poemas de Raymond Carver que se transcriben en el capítulo "Un pez en el aire").

—¿Graciela fue una de las chicas a las que le dijiste que también salías con otras?

—*Graciela supo todo el tiempo que yo salía con otras minas. De hecho en un momento hasta estuve casado o viviendo con alguien. Me acuerdo de que hasta estando con Graciela me iba de veraneo solo. Me pasó también de que me sacaron fotos con otras minas mientras estaba con Graciela. No fue lindo, tenía que inventar cualquier cosa.*

—Mucha energía puesta en ocultar la verdad.

—*Claro. Además, en Punta del Este, los fotógrafos me rompían las bolas. Un día uno me hizo una guardia y tuve que llamar a (Jorge) Fontevecchia para que no salieran las fotos.*

Aquel intenso y loco verano de 1993 también sirvió para que Lanata conociera a Florencia Scarpatti.

Lanata y Scarpatti se encontraron gracias a Corinne Guilhe, una modelo que conocía a Lanata y que a la vez era amiga de Florencia.

Las versiones sobre cómo empezó todo fueron ligeramente distintas.

Scarpatti me dijo:

—*Lo conocí por una amiga mía, quien le dijo a Jorge que estaba estudiando periodismo. Yo quería entrar a trabajar con él.*

Y Lanata creyó recordar:

—*Corinne me dijo que Florencia estaba muerta conmigo. Y yo necesitaba una productora.*

Cuando se vieron por primera vez, Lanata tenía 32 años y Scarpatti todavía no cumplía los veinte.

Ella estudiaba en el Círculo de la Prensa. Y Lanata precisaba a alguien para atender el teléfono en *Hora 25*. Scarpatti de inmediato empezó a trabajar en la producción. A los pocos días ya presentaba ideas propias. Una noche atendió el llamado telefónico de un ciego que tenía una muy linda voz y sabía mucho sobre literatura. Ella amaba la escritura y los libros. Su padre, para los quince años, le regaló una máquina de escribir que todavía conserva. Después de oír al no vidente, le propuso a Lanata invitarlo al piso y asumió la responsabilidad de la decisión. Fue una de las notas más interesantes de *Hora 25* temporada 1993.

Ella me dijo que se enamoró de Lanata apenas lo vio.

—*Me gustó de entrada. Era fascinante. Era para enamorarse. Me gustaba escucharlo. Me hacía reír mucho. Nos enganchamos. Un día me dijo: "Tomá, te llegó una carta de un oyente". Era una carta hermosa, de una carilla, con el logo de* Página/12. *Empezamos a salir. Y estuvimos relacionados entre mis veinte y mis veintiséis años. En la mitad, estuvimos separados como un año y medio.*

—¿Viviste y trabajaste con él?

—*Laburé con él en* Rompecabezas, *en la* Rock & Pop. *Y también en* Radio del Plata. *Cuando empezó* Día D *estábamos juntos, pero yo no laburé allí. Nunca fue una relación fácil. Pensá que él me lleva más de doce años.*

—¿Cuándo empezaron a vivir juntos?

—*Me acuerdo de que cuando empezamos a salir él vivía en la calle Libertad, enfrente del Cervantes. Nos fuimos a vivir juntos después de los primeros tres años. Él ya se había mudado a una casa en Belgrano. Más tarde nos separamos durante un año y un poco más. Volvimos a vivir juntos a la casa de la calle Tres de Febrero. Un año más tarde nos separamos de manera definitiva. Fue a principio de 1998.*

—¿Por qué te separaste?

—*Me separé porque en un momento advertí que si seguíamos mi vida iba a estar dedicada casi exclusivamente a él. Es decir, me separé porque necesitaba hacer la mía.*

—¿Qué grado de importancia tuvo Lanata en tu vida?

—*Mucha. Pensá que yo era muy chica y estuvimos muchos tiempo juntos. Viajamos a Nueva York, a Río de Janeiro. Hicimos un viaje a Puerto Madryn junto a Bárbara. Las diferencias que teníamos, al principio, no se notaban porque estábamos juntos todo el tiempo. Él conoció a mi familia y yo también a la suya. Conocí a su mamá, que no podía hablar pero era muy cálida. Conocí a la tía Nélida. Y también lo llegué a conocer muy bien a él. Un tipo muy libre, nada impostado. Con mucho sentido del humor. Muy egocéntrico, pero también muy generoso.*

—¿Terminaron bien?

—*Sí. Al principio tenía muchos celos. Pero creo que prevalecieron los momentos lindos. Yo lo acompañé en el proceso de construcción de su casa en José Ignacio. Me acuerdo de que él siempre se levantaba antes que yo y me dejaba una carta escrita. Durante mucho tiempo, al levantarme, con lo primero que me encontraba era con una carta de él. Y eran cartas muy lindas. Sé que yo lo atraje por mi calidez y también se que él me atrajo por su mundo fascinante. La presión de los medios y la locura de estar ahí.*

—¿Seguís enamorada de él?

—*No. Para nada. Pero quiero que le vaya bien. Y a veces me pongo mal cuando lo atacan demasiado.*

—¿Tuvieron una vida agitada?

—*Al contrario. Súper tranquila. Salíamos poco. Solo a comer. Íbamos a Happening o a Gardiner y no mucho más. A Fito (Páez), por ejemplo, lo vi dos veces. Una fue cuando pasamos un fin de año en su quinta, cuando estaba con Cecilia Roth. Otra en su casa del Botánico. Quizás alguna otra vez en José Ignacio. Además, Jorge laburaba mucho. No teníamos tiempo de ir de fiesta en fiesta. Me acuerdo de que en esa época estaba flaco. Era súper normal. También me acuerdo de que, al final, yo no quería quedar a la sombra de alguien con una personalidad tan fuerte y absorbente.*

—¿Lo lograste?

—*Ahora lo que me absorbe es el laburo. Soy la coordinadora de Espectáculos del noticiario de Telefé. Trabajo, en especial, para el de las veinte y el de la medianoche. Pero cada vez trabajo más y leo menos. Qué curioso, cuando estaba con él leía más. Y además me encantaba que Jorge escribiera ficción.*

—¿Sentís que Lanata te marcó?

—*Fue todo muy intenso. Y a veces no sabía qué era ficción y qué realidad. Me pasaba que me acordaba de algo que pensaba que me había dicho, pero después sucedía que era algo que había escrito. Me decía: "Pero eso lo escribí en tal libro". Yo sentía que él, como hombre público, necesitaba reconocimiento todo el tiempo. Y la verdad es que yo necesitaba más compartir. Para mí implicaba mucha presión salir con él. A la larga, no me lo banqué.*

Lanata habló sobre Scarpatti poco, pero bien:

—*Florencia fue productora mía en la radio. Era muy linda y muy chica cuando empezamos a salir. Estuvimos juntos, en distintas épocas, bastante tiempo. Con ella, con el tiempo, también empecé a blanquear.*

—¿Qué significa blanquear?

—*Contarle. Que si salía con más minas, se lo decía.*

Durante el año o el año y medio que Lanata estuvo separado de Florencia conoció y empezó a salir con Mariana Erijimovich, la chica con la que hizo el amor en la limusina que los transportó desde el aeropuerto de Nueva York hasta la ciudad de Glens Falls, donde intentó dejar de tomar cocaína por primera vez, el 5 de enero de 1997. (Véase el capítulo "3. Cocaína".)

Cuando se conocieron, Erijimovich estudiaba cine. Lanata le recordó así:

333

—*Me la presentó Moya. Mariana había tenido una relación con un familiar de Moya. Nos enganchamos. Estuvimos juntos unos meses. Fuimos a Nueva York y después a Glens Falls.*

—Me cuesta un poco seguir la secuencia.

—*Es que Florencia fue anterior a Mariana...Y también posterior. De Mariana puedo decir, no con orgullo, que estuvimos casi un año y que fue la única mina que me cagó.*

—¿Cómo que te cagó?

—*Sí. Me cagó con un pibe y la mandé a la concha de su madre. Vivíamos juntos en la casa de Belgrano, en la calle Tres de Febrero. No sé por qué me enteré, por afuera, de que estaba con un pibe de no sé qué filmación. Yo siempre me imaginé que algo pasaba. Entonces llamé a la casa del pibe.*

—¿Y?

—*Me atendió ella. La mandé a la concha de su madre. Le pregunté cuándo pensaba venir a buscar sus cosas. La vi al año, de casualidad. Creo que se fue a vivir a España.*

Le pregunté a Lanata por qué se casó con **Sara** después de tantos años de convivencia. Quería saber si pesó, en su decisión, la idea de proporcionarle cierta tranquilidad ante la posibilidad de que en cualquier momento pudiera morir. Me aclaró:

—*No pensé en eso para casarme con Sara. Me casé con Sara enganchado. Y después de casarme me enganché todavía más. Hoy no podría pensar mi vida sin ella. Es cierto que ella quería casarse. Para mí no era importante y para ella sí. Para mí fue más importante tener a Lola con ella. Igual, me encantó verla tan feliz. La idea tuya de que la mayoría de las minas con las que estuve fueron una especie de groupies yo no la comparto. Lo que pasa es que siempre tuve suerte con las minas. Siempre tuve muchas y casi siempre fueron buenas.*

—Menos mal, porque vivís rodeado de chicas.

—*Es verdad. A Sara es a la que más amo. Y también a la que más amé. Andrea es parte de mi familia. Yo sé que cuento con ella. Nos separamos hace muchos años, pero no nos dejamos de querer. ¡Si hasta Lola se quedaba a dormir en casa de Andrea para estar con Bárbara! No podríamos volver a vivir juntos, pero tenemos una hija. Además, Andrea se lleva bien con Sara. Te voy a contar algo para que tengas una idea de cómo funciona la cosa. Hace un tiempo, cuando hacía mucho que nos habíamos separado de Andrea, necesitaba un garante para alquilar una quinta. Se lo pedí a ella. Cuando fui a llevarle los papeles al tipo me preguntó quién iba a firmar mi garantía y se la presenté: "Es*

Andrea Rodríguez, mi exmujer". El tipo quedó alucinado. Me dijo: "Si tu exesposa es capaz de salir de garante tuyo, entonces no tenés nada que firmar". El tipo pensó que llevarte bien con tu exmujer es lo máximo que uno le puede pedir a la vida. Y yo también pienso lo mismo.

15

DECEPCIÓN

Néstor Kirchner sentenció:

—*Lanata es un extorsionador profesional.*

Entonces, Artemio López, encuestador oficialista y responsable de la consultora Equis, se detuvo en seco. No necesitó ni una palabra más para entender que su gestión había resultado un fracaso.

El encuentro entre el expresidente y López se produjo en la Quinta de Olivos, en marzo de 2008, poco después de la salida del primer número de *Crítica de la Argentina*. El sociólogo había ido a pedir apoyo económico en nombre de su amigo, Jorge Lanata, y de toda la plana mayor del matutino que había salido hacía apenas cuatro días.

Sé que Kirchner le dijo a Artemio López exactamente eso porque me lo confirmó, de manera textual, alguien que estuvo en aquella reunión y escuchó sus palabras con claridad.

López había evaluado, de manera equivocada, que a su jefe político no le disgustaría la aparición de un nuevo diario de centroizquierda, cuyos lectores serían afines a una parte del electorado que habían terminado de votar a Cristina Fernández.

Artemio le contó a una fuente muy segura:

—*Es cierto. Yo fui a ver a Néstor para arreglar la pauta. Y no fui por las mías. Fui porque me lo pidió Jorge (Lanata). El diario acababa de empezar. Le dije a Néstor que iba a escribir una columna en* Crítica. *Y también le dije que era algo que nos podía servir.*

—¿Servir en qué sentido? —le preguntó su amigo a López.

—*Como nos sirvió ir al programa de Lanata para la campaña presidencial de 2003. En ese momento* Día D *medía solo siete puntos de rating, pero fue muy importante para nuestro electorado.*

—¿Y qué te respondió Kirchner?

—*Me dijo, textual: "Lanata es un extorsionador profesional. No solo no lo vamos a ayudar. Lo vamos a hacer mierda".*

–Entonces Lanata tiene razón, el Gobierno contribuyó a la caída de *Crítica*.

–*Sí. Pero Jorge cuenta la mitad. No solo dijo: "Lo vamos a hacer mierda". También me dijo: "Lanata es un extorsionador profesional".*

Le comenté el episodio al propio Lanata.

Me respondió:

–*¿Justo Kirchner dijo eso de mí? Y bueno, debía pensar que todos somos iguales a lo que fue él.*

El diálogo entre Kirchner y López resultó determinante para el futuro del nuevo matutino.

Así fue como los responsables de *Crítica*, el último diario de papel, se enteraron de que el proyecto había comenzado a derrumbarse cuando recién había terminado de nacer, aunque su caída efectiva se produjo dos años después, el 30 de abril de 2010.

El nacimiento y la muerte de *Crítica* no solo fue la defraudación de un sueño colectivo. También fue, como se verá enseguida, una decepción profesional para muchos de los periodistas que aterrizaron allí, en busca del paraíso de prensa que les prometió Lanata.

Hay un documento que muestra el tamaño real de la ilusión. También explica la envergadura del fracaso.

Es el video previo a la salida de *Crítica*.

En aquel corto, Lanata, otra vez, se transformó en el centro de atracción de la fiesta.

En el gran motivador.

El que venía a poner patas para arriba a la prensa una vez más.

Después de verlo, ningún periodista de raza podía dejar de conmoverse.

–*Te daban ganas de largar todo a la mierda para ir a laburar allá* –me dijo un secretario de redacción de *La Nación* que tuvo oportunidad de verlo completo.

Lanata le habló a la cámara, pero también se dirigió a los jefes de sección, a los diseñadores y a los accionistas que pusieron dinero junto a él. El documental fue realizado por GP, la productora de Gastón Portal, y emitido por América TV, el sábado 1° de marzo de 2008. Los periodistas, los accionistas e incluso los anunciantes aparecieron como actores secundarios de la gran película protagonizada por el exdirector de *Página*. Los realizadores usaron un calendario para ilustrar la cuenta regresiva desde la instalación física de la redacción hasta la salida del ejemplar número uno. Se trató de una clase magistral de periodismo con toques de soberbia y aires de epopeya.

Estas fueron algunas de las cosas que dijo Lanata, cuando parecía que iba a conquistar el mundo:

- *"Crítica no es una cuenta pendiente. Es al revés, lo que yo tengo para perder acá es mucho. Porque yo ya hice un diario que me salió. Me salió bien y todos lo recuerdan. Ahora me voy a exponer a hacer uno que quizá no me salga."*
- *"Mucha gente dejó su anterior trabajo y entró a un lugar donde no hay nada. Sin embargo, sabe que después va a haber algo. Yo necesito estar convencido de que todo va a andar bien porque sino nadie va a pensar que todo va a andar bien."*
- *"No tengo plan B. Hay esto. ¿Y qué tengo ganas de hacer? Algo que es un delirio: el último diario de papel."*
- *"En realidad, los diarios son un producto del siglo XIX. Es loco, porque quizá ya no deberían ni existir, sin embargo todavía existen. La gente los compra por identificación, no solo para leerlos."*
- *"Nunca es un buen momento para sacar un diario. Siempre están todos en contra. Los demás diarios están dando anabólicos. Regalan ositos de peluche, compacts y serpentinas. Nosotros no. Nosotros queremos hacer periodismo."*
- *"Crítica no va a ser oficialista. Tampoco va a ser opositor: va a ser un diario. Vamos a contar lo que pasa. Por ejemplo, publicar la información de la bolsa con guita de (la exministra de Economía Felisa) Miceli, ¿eso es hacer oposición? No es oposición. Es periodismo. Yo no le puse la guita en el despacho."*
- *"Yo, para hacer periodismo, he confiado más en tipos que no son periodistas profesionales. Y, en general, en eso no fallé. Pero es una cuestión de intuición. Yo me doy cuenta cuando un tipo quiere hacer algo porque para él es importante."*
- *"Quiero que todos los jefes nos comprometamos a escribir dos notas por mes, mínimo: de ahí para arriba las que quieran. Lo que digo es, firmemos las notas buenas. Que no todo el mundo firme todo el tiempo. Pensemos que muy poca gente tiene la firma ganada."*
- *"Si hay algo que yo odio es verme con los avisadores. He llegado a discutirlo hasta por contrato. Tenía que ver a dos por mes. No me gusta porque me aburro. Es gente a la que no conozco. Mi lista de amigos está cerrada. Igual tengo que verlos: los diarios vivimos de eso."*

- *"Siempre digo que la peor redacción es la redacción llena. La redacción en realidad debería estar vacía, porque las cosas no pasan en la redacción, pasan en la calle."*
- *"En un momento estuve un poco desesperado. Creo que eso se notó en las reuniones de sumario. Me vuelve loco que no sepan hacer cabezas, que no sepan dónde está la noticia, que la pongan en el segundo párrafo... Hay cosas muy básicas de la profesión que no las saben. Con la carga de querer ser ingeniosos terminan poniendo cualquier pelotudez."*
- *"Vos fijate cómo empieza esta nota de Curutchet, el vicepresidente del Banco Ciudad. 'Juan Curutchet es casi un homónimo del máximo ganador del ciclismo argentino. Le sobra una t y el giro a la izquierda.' No entiendo nada de lo que dice... ¿El giro a la izquierda? Yo no sé quién es Curutchet el ciclista. No me importa saberlo. Tampoco podés presumir que yo lo sepa. Y esta no es una revista de ciclismo, ¿qué me estás diciendo? Otra cosa: ¡no están charlando conmigo, loco! ¡Basta de poner 'pues bien', 'vamos para allá', 'llego temprano', 'por otro lado', 'habría que agregar'...! Es de cuarta. No usen nexos coloquiales: esto es una nota, no una carta a la abuela. 'Sabe pedalear, aprovechar el viento a favor y apoderarse de algún que otro título.' Todo esto es una opinión de quien escribió la nota sobre Juan Curutchet, que a todo esto todavía no sé quién carajo es. Y ya me aburrí y me voy a leer otro diario, porque termina el primer párrafo y sigo sin enterarme quién mierda es Juan Curutchet. Otra cosa: este hijo de puta usa puntos suspensivos. Yo nunca en treinta años de mi vida usé puntos suspensivos."*
- *"Este no es un lugar donde les van a censurar las notas. Este no es un lugar donde los vamos a apretar con boludeces. Este no es un lugar donde los vamos a perseguir gremialmente."*
- *"Lo que yo quiero es que ustedes me ayuden a mí a cuidar esto. Cuidarlo significa tratar de laburar bien, no ser chanta, venir... No va a volver a pasar otra vez esto. Por eso. Primero cuidemos el diario. Después pasemos por arriba a todos los demás."*

El periodista que escribió la nota sobre Curutchet fue uno de los responsables de la sección Política, Diego Schurman. Hoy Schurman tiene un programa de cable y trabaja de columnista en el programa que conduce María O'Donnell en Radio Continental. Quien defendió el uso de los puntos suspensivos en casos excepcionales fue Silvio Santamarina, quien también pertenecía a la sección Política. Hoy es editor ejecutivo de *Noticias*.

Cuando la aventura estaba por comenzar estos eran los periodistas que se encontraban arriba del *Titanic*:

- Jorge Lanata, como director y copropietario, con más del 33 por ciento de las acciones.
- Martín Caparrós, como subdirector. Renunció a su cargo dos meses después para transformarse en redactor especial. Un año después, otros jefes lo acompañaron y se transformaron en lo mismo. Terminaron siendo redactores especiales, por ejemplo, Montenegro, Susana Viau y Santamarina. Se sumaron a Cristian Alarcón, Josefina Licitra, Jéssica Bossi, Osvaldo Bazán, el escritor Washington Cucurto, creador de la editorial Eloísa Cartonera, y Margarita García Robayo.
- Eduardo Blaustein, como secretario de redacción. Terminó a cargo de la edición de la "doble página central".
- Guillermo Alfieri, como jefe de redacción. Intentó evitar que saliera el diario cuando Lanata se fue a su casa. Terminó manejando la redacción junto con Daniel Capalbo y Andrea Rodríguez un año después de la salida de *Crítica*.
- En la sección Política, por debajo de Schurman y Santamarina, se encontraban Ignacio Miri, María Granata, Luciana Geuna, Javier Romero, Damián Glanz, Martina Noailles, Andrés Fidanza, Rodolfo González Arzac, Gabriela Vulcano, Eduardo Tagliaferro y Nicolás Wiñazki.
- Claudio Zlotnik, como jefe de Economía, Alejandro Bianchi, como editor. Mariano Martín, Alejandro Bercovich y Julieta Tarrés completaban la sección. Bercovich se terminó transformado en uno de los hombres más activos de la comisión interna gremial.
- Alfredo Grieco y Bavio, como jefe de la sección Internacional.
- Marcelo Panozzo y Osvaldo Bazán, primero fueron jefes de las secciones Cultura y Espectáculos. Después Panozzo se fue y Bazán se convirtió en redactor especial.
- Andrea Rodríguez, como responsable de Sociedad. Integraban esa sección Gonzalo Sánchez, Rafael Saralegui, Fernanda Nicolini, Mauro Federico y María Ripetta.
- Capalbo, como encargado de la página web del diario.
- Gustavo Veiga, como jefe de la sección Deportes. Él discutió con Lanata y se volvió a *Página/12*. Lo reemplazó Roberto Fernández.

Integraban Deportes Andrés Burgos, como editor, Ángela Lerena, Alejandro Casar González, Alejandro Wall y Agustín Colombo.

- A la sección Espectáculos, después de un año, la encabezaron Mariana Mactas como jefa, y Marcelo Fernández Bittar y Leonardo D'Espósito como editores. Además la integraron Marcelo Pavazza, Natalia Laube, Eugenia Saúl y Elena González García.
- En Cultura quedaron Sergio Olguín como jefe, Hernán Brienza como editor, Judith Savloff, Iván Schauliaquer y Juan Pablo Donoso.
- Los columnistas fueron María O'Donnell, Fernando Peña, Juan Becerra, Miguel Bonasso, Artemio López, Claudio Lozano, Torcuato Di Tella, Reinaldo Sietecase, Gustavo Noriega, Jaime Bayly y Máximo Jacoby.
- Paula Rodríguez fue la jefa de *Revista C*. Emilio Fernández Cicco, Pablo Perantuono y Nicolás Peralta también trabajaban ahí.
- Hacían Humor David Rotemberg, El Niño Rodríguez, Damián Sterman, Pablo Mir, Miguel Gruskoin y Néstor Luty.
- Había una sección denominada Periodismo Ciudadano. La integraban Mabel Moralejo y Griselda Yapur.
- El jefe de Diseño era *Sueco* Álvarez, un incondicional de Lanata. Integraban la sección Juan Maizares, Humberto Aste, Virginia Passini, Fabián Moret, Sebastián Pagmigiano, Guillermo Paltrinieri y Gustavo Pujol, entre otros.
- El jefe de Fotografía era Eduardo Sarapura. El editor Hernán Mombelli. Integraron la sección Diego Levy, Eduardo Carrera, Diego Sanstede, Patricio Pidal, Guadalupe Gaona, Eduardo Sánchez, Luis María Herr, Diego Paruelo, Eduardo Cabral, Claudio Herdener y Nicolás Correa.
- Del archivo fotográfico se ocupaba Bárbara Lanata. Ella, cuando empezó el conflicto, se bancó de manera estoica las cosas que dijeron de su padre los compañeros de trabajo.
- Alejandra Mendoza, asistente personal de Lanata, había sido designada como secretaria de la Gerencia.

Horas después de la emisión del documental, *Crítica de la Argentina* salió por primera vez a la calle.

Hubo fiesta en la Facultad de Derecho y presentación en sociedad.

Lanata aprovechó para dar a conocer a los demás accionistas.

Presentó, en primer lugar, a Marcelo Rubén Figueiras, contador, presidente y accionista mayoritario de Laboratorios Richmond. En el medio de

341

su ingreso a *Crítica*, Figueiras empezó a convivir con la senadora nacional por el Frente para la Victoria María Laura Leguizamón. Es padre de Ivana Figueiras, la novia del productor Sebastián Ortega.

En segundo lugar lo hizo con Gabriel Cavallo. Abogado recibido en la UBA, trabajó la mayor parte de su vida en la justicia. Primero como fiscal y después como juez en el fuero federal. Fue juez de la sala I en la Cámara Nacional de Apelaciones en lo Criminal y Correccional hasta diciembre de 2007, cuando sintió que ya había llegado a su techo.

Enseguida presentó Pablo Miguel Jacoby, abogado de casi toda la vida profesional de Lanata. Experto en Libertad de Prensa y Derecho de la Información, calumnias e injurias y daños y perjuicios cometidos a través de la prensa, Jacoby asistió a diferentes medios gráficos y asesoró a varios periodistas. También representó a distintas instituciones en procesos penales relacionados con casos de terrorismo de Estado y Derechos Humanos. Cavallo y Jacoby todavía son socios en un estudio jurídico.

Durante las primeras horas del domingo 2 de marzo de 2008, el mismo día del lanzamiento de *Crítica*, empezaron los problemas. Lanata los detectó de inmediato. Por eso citó a los accionistas y a todos los jefes a una megarreunión urgente a las once de la mañana del mismo domingo del estreno.

La resaca era insoportable.

Las noticias que dio Lanata no fueron buenas.

El diario había agotado los setenta mil ejemplares que había tirado pero las visitas a la web habían superado el millón y medio. A la fiesta no había asistido ningún funcionario del gobierno. Tampoco ninguno de los anunciantes a los que él no tenía ganas de atender.

—*Me preocupa que tengamos tantas visitas por Internet y al mismo tiempo hayamos vendido tan pocos diarios* —se sinceró Lanata.

—*Eso es porque estamos metiendo casi todos los contenidos del diario en la web y los chicos que te siguen van a buscar el diario gratis* —le respondió uno de los accionistas.

Capalbo, el encargado de *Crítica Digital*, no lo desmintió.

—*Pero eso no lo podemos modificar. Es una cuestión ideológica* —cerró la discusión Lanata.

El director introdujo después el tema de los invitados a la fiesta:

—*No vino nadie del gobierno. No vino un puto anunciante. Estamos solos.*

La mayoría se miró entre sí. Y nadie dijo una palabra más.

En efecto, estaban completamente solos.

Veinte días después, Lanata y los demás accionistas terminaron de confirmar sus sospechas de que el gobierno nacional no le suministraría publicidad oficial.

Lo hicieron el 25 de marzo de 2008, luego de la reunión de una hora y media que Lanata y Cavallo mantuvieron con el entonces jefe de Gabinete Alberto Fernández. Cavallo y Fernández se conocían hacía ya muchos años. Habían trajinado juntos los pasillos de la Facultad de Derecho de la Universidad de Buenos Aires.

El diálogo, según Cavallo, fue "medio cínico" y se desarrolló así:

Cavallo: Nos están bloqueando la línea telefónica. Nos jaquearon el sistema de computación.

Fernández: ¿En serio? No te puedo creer.

Cavallo: Nosotros somos gente honesta. No tenemos mala leche. Vos nos conocés bien.

Fernández: Claro. Nos conocemos desde hace años.

Cavallo: Encima Télam no nos cursó ni un aviso.

Fernández: ¿En serio todavía nos les pusimos ni un aviso?

Cavallo: Comprendemos que nos den menos que a *Clarín* o *La Nación*, pero ¿nada? ¿Ni un peso?

Fernández: Dejame ver qué es lo que puedo hacer.

Es obvio que Fernández no quiso o no pudo hacer casi nada.

Le pregunté sobre aquella visita al propio exjefe de Gabinete. Esto fue lo que recordó:

—*Vinieron a verme Lanata y Cavallo. Necesitaban publicidad del Estado para el diario. Les dije que sí.*

—Ellos dicen que el gobierno no puso ni un peso de publicidad.

—*Al principio sí se puso. Lo que pasó es que no bien arrancaron pusieron una tapa muy crítica. No recuerdo qué decía. Sí recuerdo que llamé a Jorge y le dije: "Che. ¿No me podían haber dado un poco más de tiempo?". La tapa generó una irritación enorme. Y Kirchner me recriminó. "¿Viste? ¡Vos les das publicidad y mirá lo que nos hacen!"*

—Artemio López habló con Kirchner y le pidió publicidad oficial para *Crítica*.

—*Es cierto. Artemio vino y preguntó: "¿Por qué no hacen algo con Lanata?". Yo le dije lo mismo que a Lanata. Que no tenía ningún problema con él. Pero que había mucho malestar del gobierno por lo que Lanata escribía.*

—¿Escuchó alguna vez decir a Kirchner que Lanata era un extorsionador?

—*No. Para Kirchner, Lanata no era tan preponderante. No lo veía como su principal problema. A Néstor le molestaban, en especial,* Perfil y Noticias.

—Lanata y los demás accionistas argumentaron que una de las razones por las que se fundió *Crítica* fue la falta de publicidad oficial.

—*A mí me parece que el problema fue que no encontró su nicho. Porque* Crítica *era un diario que daba como diario opositor, pero ese espacio lo tenía más ganado* Perfil *o* Noticias. *Soy de los que piensan que la publicidad oficial no le determina la vida a ningún medio de comunicación grande. Para un diario del Interior, la publicidad oficial es importante, pero para competir con* La Nación *o* Clarín *tenés que tener otro tipo de publicidad. Además, hoy el mayor gasto de publicidad oficial va a Fútbol para Todos. El resto representa menos del uno por ciento del total de la torta publicitaria, con la privada incluida.*

El problema de *Crítica* no solo fue la poca venta inicial y la carencia de pauta oficial. También fue, como lo previó Lanata el día de la fiesta, la ausencia de anunciantes privados. La mayoría se borraron porque el gobierno llamó para presionarlos. Algunos ni siquiera esperaron el llamado amenazador.

Pero el caso más curioso fue el de Hipermercados Coto.

En efecto, su dueño, Alfredo Coto, no solo confesó a Lanata que no publicitaría en el diario por temor a los aprietes oficiales. También ofreció poner dinero por debajo de la mesa. Es decir, sin que el diario tuviera necesidad de publicar, como contrapartida, los avisos de la empresa.

Los socios de *Crítica* rechazaron la propuesta.

Pero el domingo 11 de mayo Lanata se vengó de Alfredo Coto con una nota de tapa que todavía muchos empresarios y periodistas recuerdan con nitidez.

A la nota la firmó Montenegro.

Tenía una foto gigante del propio Coto. Su título era "Yo te conozco". La bajada fue lapidaria. Se podía leer: "Un relevamiento de la consultora Equis muestra que Coto, el supermercado preferido de los Kirchner y Moreno, encareció la canasta básica un 27 por ciento, con aumentos que van del 70 al 130 por ciento".

Los aumentos habían sido entre julio de 2007 y mayo de 2008. Lanata no se privó de publicar cartelitos con el mismo diseño de las ofertas de Coto. Incluyeron la harina de trigo, con un 116,8 por ciento de aumento, los porotos, con un 110 por ciento de incremento, las galletitas saladas, con el 83,9 por ciento, los huevos, con el 58,8 por ciento, el osobuco con el 77,9 por ciento y la papa con el 52,2 por ciento de aumento.

El jueves 15 de mayo Lanata y Gabriel Cavallo visitaron al entonces embajador de los Estados Unidos Earl Anthony Wayne y denunciaron aprietes cruzados en contra de *Crítica*. El dato fue revelado por Santiago O'Donnell en su libro *ArgenLeaks (Los cables de Wikileaks sobre la Argentina, de la A a la Z)*.

O'Donnell presentó a la reunión como una visita para vender avisos. Pero Lanata y Cavallo no fueron solamente a eso.

También denunciaron una campaña del gobierno para espantar anunciantes, presionar a gobernadores e intendentes adictos al gobierno con el objeto de que no le dieran a *Crítica* publicidad oficial. Además le explicaron a Wayne que tenían las líneas telefónicas y las computadoras chupadas por los Servicios de Inteligencia.

Lanata fue más preciso. No solo contó la curiosa oferta de Coto. También denunció que el gobierno había amenazado a Figueiras con dejar de comprar los medicamentos de sus laboratorios. Y agregó que los hombres de Kirchner le propusieron colocar un "comisario político" a cambio de abrirles la canilla de la publicidad oficial.

Los problemas políticos y de financiamiento no fueron los únicos que padeció *Crítica*, desde su fundación.

También hubo un serio problema editorial.

Un conflicto entre Lanata y su subdirector, Martín Caparrós, que se dirimió antes de la salida del ejemplar número uno. De hecho, Caparrós le anticipó a su amigo que abandonaría el proyecto no bien pudiera. Solo demoró su decisión un par de meses para que la noticia no estallara en la redacción antes de comenzar.

Me dijo Caparrós:

—*Me fui porque no me gustaba el diario. Pero eso no afectó nuestra amistad.*

—¿Y por qué no te gustaba el diario?

—*Porque sentí que iba a terminar siendo una mala copia de* Página/12.

—¿Por el contenido o por el formato?

—*La primera discusión que tuvimos fue por el formato. Después de muchas idas y vueltas decidimos que el mejor era el que yo había propuesto. Es un intermedio entre el tabloide y el formato sábana. El mismo que usa* The Guardian. *(N. del A.: se llama Berliner y también lo utilizan otros importantes diarios como* Le Monde.) *Yo estaba convencido de que tenía que ser ese: le iba a dar carácter; lo iba a hacer único en el mercado. No lo pudimos concretar por una cuestión técnica. O más bien industrial. No había máquinas para hacerlo. Para mí eso fue lo que condicionó todo.*

—¿Por qué?

—*Porque hacerlo tabloide fue el primer paso para transformarlo en algo muy parecido a* Página/12. *De hecho, cuando empezaron las pruebas, yo lo advertí. Le dije: "Quedamos en que no haríamos* Página".

—¿Y qué te dijo Lanata?

—*"*Página *es mi naturaleza. Es lo que soy." Yo se lo volví a cuestionar más de una vez, pero a Jorge no le gusta discutir en abstracto. Me decía: "Vayamos corrigiendo en el camino". Hasta que un día le dije que yo no podía seguir más así.*

—¿Y entonces?

—*Me dijo que respetaba mi opinión. Que me apreciaba. Pero que no podía ir contra su deseo. Y que la última palabra iba a ser de él, porque era el dueño. Me pareció honesto y sincero.*

—¿Cuándo le comunicaste tu decisión de irte?

—*Tres o cuatro días antes de la salida. Acordamos no revelarlo para no perjudicar el proyecto. Esperé un par de meses y me fui a África, porque tenía unos viajes pendientes. Seguí escribiendo contratapas. Y lo hice con gusto.*

—¿Es cierto que también te opusiste a la entrada de Marcelo Tinelli como socio?

—*Me pidieron opinión y yo la di. Pero yo no tenía el poder ni para alentar su incorporación ni para vetarla. No es ningún secreto lo que pienso sobre Tinelli. Me parece que lo que hace es una catástrofe cultural.*

En julio de 2008, cuatro meses después de su salida, un grupo de periodistas del diario se atrevieron a decirle a Lanata que el matutino no era de su agrado.

Uno de los más directos fue Alejandro Seselovsky. Rosarino de nacimiento y argentino por adopción, Seselovsky, de 41 años, estudió periodismo en la Universidad Católica y Letras en la UBA. Escribió para *Clarín, Diario Perfil, Página/12, Gatopardo, La Mano, Gente* y *Rolling Stone.* Es profesor de la universidad de las Madres de Plaza de Mayo. Publicó entre otros, el libro *Cristo llame ya!,* una curiosa experiencia personal en un call center y *Trash, retratos de la Argentina mediática.* Para mi gusto, es uno de los mejores cronistas de su generación.

Su testimonio es muy relevante porque forma parte de la generación de profesionales que se hizo periodista gracias a la profunda admiración que sentía por Lanata. Que lo cuente Seselovsky con su capacidad narrativa:

—*Yo me había enamorado de él en 1991, cuando lo escuché por primera vez en* Hora 25.

—¿Enamorado por qué?

—*Porque Lanata era más que un referente. Era el camino. El tipo que nos convenció de que el periodismo era capaz de transformar las cosas. Que el periodismo tenía romanticismo y épica.*

—¿Que los periodistas podíamos voltear ministros?

—*Que podías voltear ministros y además te podías voltear a las mejores minas. Que ser periodista era canchero. Era maravilloso. Era lo más.* Página/12 *fue el gran esplendor. Pero* Hora 25 *era el lugar donde Lanata hacía magia.*

—¿Magia?

—*Sí. El programa era nuevo y era adulto. El tipo empezaba a hablar hasta que su voz se iba perdiendo detrás de un tema. Uno pensaba: "Mirá vos. ¡Esto se puede hacer!". Invitaba a sus amigos y vos sentías que eran también tus amigos. Desde el Gordo Soriano hasta Miguel Rep. ¿Entendés?*

—Claro.

—*Bueno. Eso, para mí, era Lanata. Y lo fue hasta que veinte años después me tocó trabajar con él.*

—¿Fue el propio Lanata el que te convocó?

—*El que me convocó, en nombre de él, fue Martín Caparrós. Me llevó a un bar y me dijo: Ale, por fin vamos a hacer* El País *de Madrid. Vamos a hacer un diario fino, delicado. Quiero armar un gran equipo con vos, con Cristian Alarcón, con Josefina Licitra y con Cicco. Van a ser mis redactores especiales y van a escribir sobre lo que quieran.*

—Sonaba irresistible.

—*Era irresistible. Yo estaba en (la revista)* Rolling Stone. *Pero en* Crítica *me doblaban la guita y me daban la posibilidad de escribir gran literatura en el diario más importante del país. El sueño terminó de manera abrupta.*

—¿Abrupta por qué?

—*Porque no bien* Crítica *salió muchos nos dimos cuenta de que no iba a ser* El País *sino* Paparazzi. *Y ojo que yo recontrabanco a* Paparazzi. *Respeto al periodismo trash. A Luis Ventura lo respeto. Porque lo hace de verdad. No con una falsa impostura.*

—¿Cómo fue que le dijiste a Lanata que el diario no te gustaba?

—*Después de que apareció en la tapa Florencia de la V, a propósito de su participación en* Mujeres Asesinas. *El diario tenía ese aspecto feo, mal trazado. Y estaba Flor de la V con una nueve milímetros en la mano*

y un título que decía: "Flor vuelve a la tele con la pistola en la mano".
Yo lo agarré y le dije: "Escuchame, ¿qué significa 'Vuelve Flor de la V
con una pistola en la mano'?". Esperaba que me dijera que era un error.
Pero Lanata me contestó cortito. Lo cerró con una línea. Me dijo: "A
lo mejor nosotros somos esto". Y después no hubo más nada. Listo. Yo
sentí que esto era el fin.

—Enamoramiento y decepción.

—Sí. Ese fue mi camino con Lanata. Pero ojo, no dejo de reconocerle
lo que hizo. No dejo de ponerlo en la galería de los grandes editores
argentinos, con Natalio Botana y Jacobo Timerman.

—¿Cómo terminaste con Lanata?

—Mal. Me quiso echar. Me mandó a los abogados. Porque después
de aquella charla me puse de culo con él y con los editores. Pero está
todo bien. Yo, en el fondo, supe quién era Lanata antes de Crítica. *Me*
di cuenta cuando le fui a hacer una entrevista chiquitita para Rolling
Stone. *Estaba en su departamento y le pregunté: "¿A qué le tenés*
miedo?". Y él hizo un paneo por su departamento y me dijo: "A no
poder sostener esto".

—¿Cuál es tu opinión de Lanata como escritor de ficción?

—Lanata no es una gran pluma. Es, más que nada, un gran hace-
dor. Es un tipo que abre espacios y mientras tanto escribe. Él tiene un
sonido. Vos lo leés y escuchás su voz. Así escriba, así hable por radio,
así haga el aviso de Sprite. Es Lanata y es inconfundible. Si no sería
solo un brillante periodista. Él es más que eso, donde no hay espacio,
él va y lo crea.

—¿Te jodió que Lanata se fuera a trabajar al Maipo?

—No. Me pareció bien. Es experimentación. Él no es un periodista
tradicional. Es un artista del periodismo.

Otro periodista que se sintió defraudado por Lanata es Alejandro
Bercovich. Economista, 30 años, trabaja junto a Sebastián Wanraich
para su programa *Metro y Medio*. También escribe en el diario *Buenos
Aires Económico (BAE)* y en la revista *Crisis*. Fue uno de los integrantes
del diario que encabezó la protesta y negoció con el gobierno y otras
empresas para que los extrabajadores de *Crítica* pudieran conseguir
otro trabajo.

—¿Qué le endilgás a Lanata?

—Antes que nada, debo decir que nunca trabajé con tanta libertad
como en Crítica. *Lo que pasa es que la contracara fue una improvisa-*
ción empresarial increíble. Y de una irresponsabilidad con las fuentes
de trabajo imperdonable.

—*Clarín* decía que *Crítica* hacía oficialismo solapado. Y el gobierno lo boicoteó apenas arrancó.

—*Crítica denunció a* Clarín *sin ser kirchnerista. Fue uno de los pocos medios que escribió sobre la estafa que hizo* Clarín *con las AFJP o la contaminación en la planta de Papel Prensa. Al gobierno también le pegábamos. Cuando salió el conflicto del campo, el diario se lo tomó muy a la chacota y salimos con tapas muy en joda. Pero no había censura. Yo, al principio, me sentía parte de una selección nacional. Porque caminabas y te encontrabas con Alfredo Grieco y Bavio, que escribía los mejores panoramas internacionales del país; dabas la vuelta y allí estaba Bazán; un poco más allá te saludaba Sergio Olguín, encargado de Cultura, que fue premio Tusquets; estaba Nico Wiñazki. Era lindo trabajar ahí. Incluso con (Susana) Viau, con lo jodida que terminó siendo.*

—¿Por qué decís eso?

—*Porque al final del conflicto, nos terminó acusando de no pegarle al gobierno. Y ella consideraba que el gobierno era responsable exclusivo del cierre de* Crítica.

—¿Y no era así?

—*Nosotros decíamos que era verdad. Que el gobierno le había sacado la pauta (oficial) a* Crítica. *Pero nosotros le estábamos exigiendo al gobierno una solución, porque el dueño de* Crítica *(Antonio Mata) se había fugado. Si le hubiéramos prestado atención a quienes decían que teníamos que ir contra el gobierno no habríamos conseguido cuarenta puestos de trabajo para quienes iban a quedarse en bolas. Además, no fue solo el gobierno el responsable del cierre de* Crítica. *Y eso Lanata no lo dice.*

—¿Te referís a *Clarín*?

—*Claro.* Clarín *le dijo a sus anunciantes que si pautaban en* Crítica *les retiraba todas las promociones. Y eso Lanata no lo dice. Ni lo dijo nunca. Además, su vínculo con Mata, aun después de haberse ido, era innegable. Si hasta último momento el abogado de Lanata, Patricio Carballés, nos decía que al final Mata nos iba a pagar.*

—Lanata dice que vos pactaste con el gobierno.

—*Yo no pacté con nadie. Tampoco soy kirchnerista. Estábamos en la calle, y en pleno debate de la ley de medios el gobierno no podía dejar que se cierre un diario. Por eso pedimos una mesa donde se pudieran ubicar los que se quedaban sin laburo.*

—¿Quiénes se sentaron a esa mesa?

—*(Sergio) Szpolski; (Raúl) Olmos, dueño de* Crónica; *María Seoane, de Radio Nacional; y el director de Télam, Martín García. El Ministerio de Trabajo llamó a los medios oficialistas para que tomaran a algunos. Había correctores, diagramadores y periodistas de redacción. Algunos fueron a la biblioteca del Congreso. Otros terminaron en* Crónica. *Algunos fueron a parar a* El Argentino.

—¿Cómo era Lanata con la redacción?

—*Lanata casi nunca bajó a la redacción. Solo lo hizo dos o tres veces. Una fue el día del primer cierre, antes de la fiesta de la Facultad de Derecho. Dio un discurso de tono medio antisindical. Dijo: "Yo no quiero que venga nadie a hacerse el Lenin arriba de la locomotora, como me pasó en* Página. *Vamos a respetar el derecho de todos los trabajadores, pero no quiero este tipo de movidas". Esto nos chocó a todos, porque en definitiva era una redacción tirando a la izquierda.*

—¿Por qué quisiste ser delegado gremial?

—*Yo soy un periodista económico, no soy un loquito de la piedra. Fui delegado porque consideré que en ese momento se necesitaba un economista para negociar los sueldos. Nunca me imaginé que iba a ser el abanderado del cierre de* Crítica, *de la resistencia, de dormir tres meses en el diario y de toda esa mierda. Nadie lo esperaba.*

—¿Cómo cayó en la redacción que Lanata empezara como monologuista en el Maipo?

—*Todos lo comentamos con vergüenza ajena. Fue en octubre de 2008, siete meses después de la salida del diario. La mayoría pensamos que iba a largar. Que se había "cansado del chiche nuevo". También cayó muy mal su deseo de que cerráramos la tapa de* Crítica *temprano, para mostrarla en el teatro. ¿Desde cuándo un monólogo en el Maipo era más importante que el periodismo? Eso fue medio payasesco. No estaba bueno que él hiciera el show de la noticia. Porque nos había llamado para hacer otra cosa. Nosotros esperábamos ser el nuevo* Página/12.

—A *Página/12* lo también lo hizo Lanata.

— *Sí. Pero* Crítica, *desde que salió, estuvo viciado de superficialidad. Es evidente que cuando fue más chico Lanata escuchó a sus mayores como (Ernesto) Tiffenberg y (Alberto) Dearriba. En* Crítica, *en cambio, tuvo un ejército de aduladores que no le discutían nada. El diario terminó teniendo su impronta: el culo y las tetas en la tapa.*

—¿Fue para tanto?

—*Algunas compañeras se querían matar. Me acuerdo de Luciana Peker. Ella se ocupaba de los temas de violencia de género. Cada vez que veía una teta o un culo en la tapa decía: "Este diario de mierda. La puta que los parió".*

—¿Qué más le cuestionás a Lanata?

—*Su liviandad para sacarnos de un laburo y llevarnos a otro, prometiendo estabilidad financiera por dos años, mientras que él, al año, se fue. Y no solo se fue. Nos dejó en manos de un vaciador serial internacional como Antonio Mata. Porque Lanata sabía quién era Mata. Porque entre la Madre Teresa y Antonio Mata hay todo un enorme abanico de posibilidades.*

—¿No te pusiste a pensar que quizá Lanata no sea solo un periodista, o un editor, sino una especie de rockstar?

—*Sí. Eso sin duda. Quizá no toca la música que más me gusta. Pero sí. Igual se mueve como un rockstar, pero la imagen que vende es otra.*

—¿Cuál?

—*Él vende compromiso social. Vende la idea de que siempre está con el más débil. Él introdujo la idea de que* Clarín *es el más débil. ¿Y desde cuándo empezó a notar eso? ¿No se dio cuenta un poco tarde?*

En octubre Lanata se fue trabajar al teatro Maipo mientras que Cavallo y Jacoby se fueron a su casa.

Le pregunté a Lanata por su decisión de transformarse en capo cómico. Me lo respondió rápido. Se lo quería sacar de encima.

—*Lo del teatro no lo hice por guita. Lo acepté porque me pareció divertido. Vino un día Lino Patalano a proponérmelo. Me resultó tan delirante que acepté. Me pagaron entre 25 mil y 35 mil pesos por mes. Estuvo bien. En teatro no se gana tanto como la gente cree. Antes de hacerlo, pensé que iba a ser más fácil. ¿Sabés lo que es estar todas las noches hablando sin parar durante un par de horas? ¿Fue un éxito? No. ¿Fue un fracaso? Tampoco. Concurrió una buena cantidad de gente. Una taquilla normal. El teatro quería seguir. No me dio el físico. Lo hice tres meses. Y no me arrepiento de haberlo hecho. Quizá me equivoqué. Lo tendría que haber hecho solo un mes, apenas para sacarme el gusto. Ahora, los críticos, que nunca van a ningún lado, esa vez fueron en masa. Hasta los periodistas de la revista* Billiken *me vinieron a ver. Todos los hijos de puta. Me destrozaron. Igual, yo no siento que haya sido malo. Sí era raro: hablábamos de historia argentina entre plumas y concheros. Lo que diga el microclima me tiene sin cuidado. Y es mentira que me afectó en mi credibilidad, y la concha de su madre. No me afectó en nada, la gente no es idiota.*

Pablo Sirvén fue uno de los críticos que se sentó en la primera fila. Me dijo:

—*En el Maipo a Lanata le faltó alguien que le hiciera una dirección artística en serio. Alguien que lo produjera. Que le marcara los tiempos. No fue malo. No fue bueno. No fue nada.*

Hablé con Cavallo sobre la aventura trunca de *Crítica*. Resultó una visión distinta de casi todas las demás.

—¿Por qué se metió en *Crítica*?

—*Porque con Jorge siempre fantaseamos en hacer algo juntos. A él no le gustaba que yo siguiera en la justicia. Al mismo tiempo yo sentía que, como camarista, no tenía mucho más para dar. Había hecho cosas muy importantes como juez. Había criticado de manera pública al gobierno cuando modificó la ley de prescripción penal de la noche a la mañana. (Se trata de una ley que permitió dar por extinguidas causas de corrupción de los años noventa.) Cristina Fernández me había pedido mi juicio político bajo la falsa acusación de que yo había sido ascendido a camarista por senadores nacionales acusados de coima y que yo no había investigado. Al gobierno tampoco le habían gustado las críticas que formulé sobre cambios en el Consejo de la Magistratura. La Corte Suprema había ratificado mi fallo sobre la Ley de Obediencia Debida y Punto Final. Ya había sido declarada la inconstitucionalidad de los indultos. Ya había devuelto nietos. Tenía cuarenta y ocho años. Me faltaban doce como camarista. Sentí que en el ámbito de la justicia no tenía más para dar. Cuando surgió lo del diario, Jorge me dijo: "Vos te deberías ocupar de la administración y la plata. Yo de eso no entiendo nada". Por eso, junto con Marcelo (Figueiras), Pablo (Jacoby) y Jorge nos pusimos a hacer esta locura.*

—¿Está arrepentido?

—*Arrepentido no estoy. Pero no lo volvería a hacer. La experiencia fue fascinante. Pero el proyecto era imposible de realizar. Los dos primeros meses el diario vendió cerca de sesenta mil ejemplares diarios. Y pudimos vivir sin publicidad. Teníamos una estructura chica y un plan para comprar la impresora. Pero después se fue todo al diablo.*

—¿Cuál fue la principal causa del fracaso?

—*El lobby bestial en contra que hizo el gobierno sobre los privados que debían poner publicidad.*

—¿La oferta de Alfredo Coto de darles dinero sin poner los avisos fue por la presión del gobierno?

—*Yo no estuve en la reunión con Coto. Jorge sí. Nos ofrecieron plata sin publicar el aviso. Y dijimos que no.*

—¿Qué otros empresarios o funcionarios, además de Coto, fueron presionados por el gobierno?

—*Empresarios amigos míos, un montón. Tres, por lo menos, me dijeron: "Mirá, Gaby, cuando puse el aviso con el saludo por la salida del diario, me llamaron y me cagaron a pedos". Dos de ellos eran empresarios de servicios públicos. Lo mismo pasó con gobernadores e intendentes. El gobernador de Chaco, Jorge Capitanich. También el de Formosa, Gildo Insfrán. El intendente de Tucumán nos dijo lo mismo. También hubo tipos que se la bancaron, como Mauricio Macri, Daniel Scioli, Hermes Binner, cuando era gobernador; o (Miguel) Lifschitz, cuando era intendente de Rosario.*

—¿Para qué fueron a visitar al embajador de los Estados Unidos?

—*Fuimos a agradecer su presencia en la fiesta de presentación. No le fuimos a pedir avisos al embajador. ¿Cómo íbamos a hacer eso? Sí le contamos el episodio de Coto. También le contamos cómo nos presionaba el gobierno. No fue una reunión secreta. Como tampoco fue secreta la que mantuvimos con Alberto Fernández. La diferencia fue que la de Alberto fue una conversación cínica. No se daba por enterado: "¿En serio les está pasando lo que dicen?", se preguntaba.*

—¿Por qué dejaron entrar a Mata?

—*Porque nos quedamos sin plata después del segundo mes. Porque nunca nos imaginamos que el gobierno nos iba a boicotear como lo hizo. Mata entró con el quince por ciento de las acciones. Jorge nunca estuvo convencido. Y yo menos. Lo hicimos porque no quisimos dejar en la calle a casi doscientas familias. Y cuando Mata tomó el control, con el cincuenta por ciento de las acciones, Pablo y yo nos fuimos. No quisimos ser socios de un tipo como él, que por otra parte tenía un poder de decisión absoluto.*

—¿Estuvo en contra o a favor de que Lanata fuera a trabajar al Maipo?

—*Le dije que no me gustaba la idea. Pero no lo hice desde el punto de vista artístico. Me preocupaba su salud. El nivel de estrés que teníamos todos era altísimo. Yo llegaba al diario muy temprano y volvía a mi casa a las dos de la mañana. Además lo pasaba mal porque no dormía pensando de dónde podía sacar la plata de los sueldos. Jorge no lo estaba pasando mejor.*

—¿Es verdad que le regaló un reloj muy caro para mitigar su angustia?

—*Es cierto, le regalé un reloj del mismo modelo que él había tenido que vender. Es un IWC (International Watch Co.). Sale siete mil dólares. Compartimos la misma locura por los relojes. Pero él tiene algunos más que yo.*

—¿Lo hizo para que se sintiera mejor?

—*Sí. Pero yo también estuve mal. Después de que me fui, en octubre de 2008, terminé con siete stents. Para mí lo de* Crítica *fue devastador. La ilusión que tenía era enorme. Por eso el fracaso dolió tanto.*

El último en abandonar el barco fue Marcelo Figueiras. Nunca hasta ahora nadie había contado la trama de lo que pasó con el diario con tanto detalle. Es el único de todos los socios que llama a Lanata "El Gordo".

—¿Por qué se metió en *Crítica*?

—*Porque siempre quise ser periodista. En realidad, corresponsal de guerra. El tipo de periodismo que hace Gustavo Sierra, en* Clarín*. Pero también porque conocía a El Gordo, a Gabriel Cavallo y porque cuando todo comenzó pensé que hasta Marcelo Tinelli se iba a sumar al proyecto.*

—¿Y sus amigos empresarios no lo previnieron?

—*Claro. Me decían de todo. Pero yo quería apostar igual. Yo creía, y creo, en la libertad de prensa. Además, en ese momento, el proyecto me encantaba. Se estaba formando un grupo de la "san puta". Patricio (Carballés, el abogado de Lanata quien hoy trabaja con Figueiras) venía con las cuentas y decía: "No solo nos va a ir bien. Además vamos a ganar guita". Estaba Tinelli. Se suponía que con los cien mil pesos que nos aportaría una página de publicidad por día llegábamos a bancar el diario.*

—¿Lo de Tinelli estuvo a punto de hacerse?

—*Claro. Si hasta pensamos en armar un estudio de radio en la redacción de* Crítica. *Es más, yo te diría que uno de los motivos por los que no dudé en entrar fue porque creía que Marcelo ya estaba adentro.*

—¿Y por qué no entró?

—*Cuando lo fuimos a ver puso como condición que El Gordo se quedara en Del Plata. En ese momento se había terminado de ir Nelson (Castro) y parecía importante que Jorge lo hiciera. En esas cosas yo no tenía mucha opinión. En realidad escuchaba. Y cuando me mandaba alguna, me cagaban a pedos. La cuestión es que cuando Marcelo lo planteó, a mí se me ocurrió decir: "Gordo, son solo un par de horas de radio. Estás un rato al pedo. Hablás de lo que te gusta. Eso no es laburo". Me miraron con una cara que opté de nuevo por callarme. Mi sensación es que Marcelo no entró porque la línea periodística del diario pensó en hacer un* The Guardian *y supuso que Tinelli no se correspondía con ese perfil. Para mí fue Martín Caparrós el que no quiso. Y hoy creo que fue uno de los grandes errores.*

—¿Por qué?

—*Porque su figura y su imagen de empresario le hubieran dado al diario un equilibrio que lo habría hecho más atractivo. Igual El Gordo no quería hacer radio. Decía que quería cuidarse la salud. Viste cómo es esto, después terminó trabajando en el Maipo.*

—¿Cómo le cayó la oferta de Coto de darles dinero sin poner publicidad?

—*Primero pensé "¡Qué cagones!". Porque al principio todos querían anunciar, pero al final nadie anunció. Después, cuando analicé de nuevo lo de Coto, me dije: "Puta, pero acá pasa algo raro". Ahí empecé a entender por qué mis colegas me llamaban para decirme si yo era tonto o si estaba loco. El Gordo me decía que me quedara tranquilo, pero mis amigos me miraban como si fuera fiambre.*

—¿Nunca supuso que podía haber una especie de boicot del gobierno?

—*No. Ni en pedo. Jamás.*

—¿Le contaron la reunión de Kirchner con Artemio López?

—*Me la contó El Gordo. Y me pareció muy mal.*

—¿No se siente responsable por lo que pasó?

—*Pasó lo que pasó. No me saco responsabilidad. Lo que me decepcionó es que al final del camino yo fui el único de los socios que me quedé solo empujando. Y mi compromiso terminó siendo más fuerte con la gente de la redacción. Gente de primera que lo único que quería era conservar el laburo.*

—¿Cuánto dinero perdió?

—*Puse dos palos y perdí uno.*

—Para un laboratorio como Richmond no parece mucho dinero.

—*Para Richmond no. Para mí sí. Yo hoy tengo el cincuenta y uno por ciento del laboratorio. Pero una cosa es una empresa y otra el patrimonio personal.*

—¿Por qué aceptaron el ingreso de Mata?

—*El que dijo "Mata tiene que entrar" fui yo. El Gordo decía: "¡Pero este es un delincuente!". Los otros socios también se oponían. Yo les dije: "O entra Mata o nos matan".*

—¿Es verdad que Mata estuvo desde el principio y que recién lo blanquearon en octubre de 2008?

—*La historia con Mata es espectacular. Un día el tipo vino, tocó el timbre, subió y dijo: "Muchachos, quiero invertir en el diario". Lo recibieron Cavallo y El Gordo. Fue en julio de 2008. Mata ya estaba poniendo publicidad en* Crítica, *por eso muchos pensaron que había estado desde el inicio. Pero eso ni en pedo fue así. Cuando al otro día me contaron que había venido para ofrecer plata, yo les pregunté qué le habían respondido. Y ellos empezaron: "Imaginate. Es un delincuente".*

—¿Y usted qué les dijo?

—*Me puse firme. El Gordo decía: "No lo necesitamos. Los anunciantes nos van a empezar a apoyar. Subimos el precio de tapa. Hacemos una campaña y le pedimos una contribución a la gente". Un delirio. Como les dije en su momento, ahí ninguno sabía sumar. Porque yo, hasta que*

*apareció Mata, me había comprometido a poner quinientos mil (dólares),
ya llevaba puesto un palo y las cosas nos iban llevando a que pusiera
otro más.*

—¿Y cómo terminaron de arreglar?

—*A los dos días me fui a España para verlo. Le mentí. Le dije que
estaba de paso. La verdad es que me tomé un avión solo para hablar con
él. Me confirmó que quería invertir. Y empezó a poner plata.*

—¿Cuánto terminó poniendo?

—*Al final, cuando yo me fui y se acabó todo, el tipo terminó poniendo
por lo menos doce palos y medio.*

—¿Doce millones y medio de dólares?

—*Sí. Un montón de plata. Cuando él entró, yo pude recuperar la mitad
de mi parte, aunque al final terminé poniendo algo más.*

—¿Y por qué *Crítica* terminó cerrando, si cada día Mata ponía más
dinero?

—*El problema fue que Mata puso en el diario a un tipo muy básico.
Se llama Carlos Mateu. No tenía idea de cómo es el negocio. Además
era medio cabrón. Le empezó a romper las bolas al Gordo para que
bajara los costos. En la primera reunión que tuvimos estábamos Cavallo,
Carballés, Jorge y yo. Mateu dijo: "Bueno, señores, tenemos que subir
las ventas y bajar los costos". Lanata saltó mal. "Pero, nene. ¿Vos quién
sos? ¿Copérnico? ¿Qué hiciste antes de venir acá, inventaste la rueda?"
Lo masacró. Se levantó y dijo: "Yo con un analfabeto no voy a laburar".
En cierta forma, El Gordo tenía razón: Mateu dividía el costo de las
notas por la cantidad de palabras. Como si la firma de Caparrós o la
mía valiesen lo mismo.*

—¿Fue después de esa reunión cuando Lanata se fue del diario?

—*Sí. Porque primero llamó a Mata y le dijo que con Mateu no podía
laburar. Pero Mata bancó a su hombre de confianza. Entonces El Gordo
agarró sus cosas y se fue a la casa.*

—La gente de Mata me dijo que Lanata retiraba todos los meses una
cantidad de dinero demasiado alta para los costos de *Crítica*.

—*El Gordo Lanata retiraba honorarios propios de un tipo que gasta
demasiado. Estaban cerca de las doscientas lucas. Es lo que gasta El
Gordo con el circo que tiene. Él se caga en la guita. Por eso gasta tanto.
Igual, después de que se fue de la redacción siguió trabajando.*

—Empezó a escribir las columnas del domingo.

—*Sí. Y aceptó cobrar la mitad. La verdad es que en ese momento
parecía que la cosa se iba a encaminar. Pero ocurrió algo impensado.*

—¿Qué pasó?

—*Mateu le dijo que si quería que Luciana Geuna y Jéssica Bossi siguieran colaborando con él, las tenía que pagar de su bolsillo. Lanata era el dueño del diario. O en todo caso, la marca. Era como meterle el dedo en el culo. El Gordo, entonces, dijo que no escribía más. Y se fue para no volver.*

—¿En ese momento empezó la caída definitiva?

—Sí. Ahí empezó la debacle. *Porque además el tipo empezó a meterse en todo. Generó mucho ruido en la redacción. Los pibes empezaron a hacer paro. Al poco tiempo me enteré de que Mata se quería sacar el diario de encima. Les dije a los chicos: "No hagan locuras porque este loco se va". Mientras tanto, salimos a vender el diario por todos lados. Mata pedía una locura: treinta millones de dólares.*

—¿A quiénes se lo ofrecieron?

—*A casi todos. A* Clarín, *a* La Nación, *a Daniel Vila y a* Perfil *también. Ni siquiera se detuvieron a analizar los detalles. La cuestión es que los chicos lanzaron el paro y fue cuando Mata aprovechó para irse.*

—¿Irse cómo?

—*Ni el juez de la quiebra ni yo vimos nunca algo así. Mata fue a la primera reunión y cuando terminó agarró las dos carpetas que tenía en la mano, se fue y no lo vimos más.*

—Entonces la comisión interna empezó a reclamar por el diario a usted.

—*Claro. Ese fue el gran quilombo. Porque a mí Mata me había comprado casi todo. Pero antes de irse me devolvió parte de las acciones. Entonces la comisión interna me decía: "¿Así que todavía tenés el 20 por ciento? Entonces hacete cargo vos".*

—¿Cómo fueron cambiando de mano las acciones?

—*Al principio fue 30 por ciento para cada uno. Lanata con un tercio, Cavallo junto con Jacoby, con otro, y yo con otro tercio. Lanata tenía unos puntos más porque era el director periodístico. Después entró Mata. Primero compró el 15 por ciento y después y se fue quedando con la mayoría de las acciones. Y a medida que pasó el tiempo le fue tomando bronca a todas las partes: al gobierno, a la gente de la redacción y a todos los demás. Cuando yo intenté salvar el diario hablé con un grupo de dos empresarios argentinos que estuvieron a punto de comprarlo. Sin embargo, cuando vieron que parte de los trabajadores iban contra mí, se asustaron y se bajaron. Lo último que hice fue ofrecerle a Mata tres millones de dólares por el diario. Ya había hablado con (el secretario de Medios, Alfredo) Scoccimarro y se suponía que el gobierno nos iba a dar una mano. Yo estaba dispuesto a hacerme cargo de todos los quilombos.*

–¿Cuál fue la respuesta de Mata?

–*"Prefiero cero a tres millones. Si quieren que vayan todos a Plaza de Mayo y que vayan a tomar por culo." Como era una Sociedad Anónima, el tipo se presentó en quiebra y dejó a todo el mundo patas para arriba. Esta es la triste y completa historia de cómo cerró* Crítica *de la Argentina.*

De los 180 trabajadores que ingresaron a *Crítica*, solo unos 40 lograron cobrar la indemnización completa.

Ellos fueron los que estaban de acuerdo con las posturas de Lanata o prefirieron no seguir con la protesta.

A todos los demás la empresa les quedó debiendo los últimos 3 meses de sueldo. Unas 100 personas sostuvieron los reclamos. De ellos solo 40 consiguieron nuevos trabajos en medios como la agencia oficial Télam, el diario *Buenos Aires Económico* o la revista *El Guardián*, de Raúl Moneta.

Lanata renunció a la dirección de *Crítica* el 3 de abril de 2009. Dos días después escribió, desde el propio diario, una carta de despedida, dirigida a los lectores.

Debo ser una de las personas que más se ha despedido en los medios. Me despedí de Página/12, *de* Veintitrés, *de la radio. Me despidieron de la televisión. Me he despedido como víctima de la fatalidad o como ejercicio de libertad. Hay quienes lo han visto como una especie de postura dandy: –Se aburre y se va –dicen, etiquetando.*
Hace muchos, muchos años decidí vivir de acuerdo a lo que pienso. Vivo, entre otras contradicciones, la de levantar empresas sin decidirme a ser un empresario: no creo que el dinero otorgue la razón, ni siquiera que sea un mérito tenerlo. Siempre me causó gracia esa costumbre que lleva a los demás a felicitar al dueño de un auto o una casa nueva, "Te felicito", dicen. Nunca te felicitan por tener una idea. Dirigir un diario exige no solo luchar para captar lectores, tener buenas notas, comunicarlas con ingenio, pelearse con los otros medios, el poder, etc., sino también desvelarse por la distribución, el costo del papel, los ajustes de salarios, la falta de publicidad, las estrategias de crecimiento, los bancos y las cuentas. Comencé esta empresa con un veintiocho por ciento de su propiedad y después de volver –otra vez– a vender una casa y poner mis ahorros, pero el vértigo del primer año paralelo al crecimiento del proyecto, llevó a que el necesario aporte del resto de los socios redujera mi participación a un 5%. Una empresa, claro, no solo depende del dinero para comenzarla, sino del flujo para mantenerla mientras se estabiliza.

Vivo de mi trabajo, no tengo capital y realmente no soy útil en la desgastante pelea entre quienes disponen del dinero y quienes lo gastan en la producción.

En acuerdo con el resto de los accionistas decidí dejar la dirección periodística de Crítica de la Argentina, *aunque seguiré vinculado al diario escribiendo cada domingo el panorama político junto a Luciana Geuna y Jéssica Bossi. Marcelo Figueiras, el presidente de la empresa, Antonio Mata, el resto de los accionistas y los editores de la redacción continuarán con su trabajo de siempre en un diario que crece y se consolida en el camino hacia su segundo año en el mercado.*

Nuestro contacto, de todos modos, seguirá siendo cotidiano: desde el próximo martes 14 vuelvo a la televisión con Después de Todo, *un ciclo diario de 20:00 a 20:30 en el Canal 26. Y los domingos en* Crítica de la Argentina. *Sigo buscando, como ven, motivos para complicarme la vida.*

La carta tenía una posdata dedicada a *Clarín*. Fue, quizá, la crítica más dura que Lanata le haya realizado jamás al Grupo. (Véase el capítulo "17. Revancha".)

Puse a Lanata una vez más frente a su propio espejo:

—¿No te sentís responsable por lo que pasó en *Crítica*?

—*No. Cuando hice* Crítica, *con Sara tuvimos que poner cuatrocientas lucas. Vendimos una casa y menos mal que no vendí la otra, gracias a Sara, porque sino hoy no tendríamos nada.*

—¿Por qué no denunciaste desde el principio que el gobierno te quería fundir?

—*Porque revelar nuestra debilidad nos hubiera perjudicado aún más. Casi no teníamos avisos. Si hubiésemos salido a denunciar que uno se nos fue por miedo nos habría ido peor. Nadie quería pelearse con Kirchner para apoyarme a mí.*

—Sí. Pero se lo fuiste a contar a la embajada de los Estados Unidos.

—*Claro. Porque sentía que era una manera de romper el boicot. Es una boludez la que publicó Santiago O'Donnell sobre mi visita al embajador americano y quejándose porque no lo hice público. ¿Qué pretendía? Hacía muy pocos días que el diario estaba en la calle. No podía salir a quemar las naves. ¿Qué iba a salir a decir? ¿Que Kichner dijo que me quería fundir?*

—¿Pero era necesario ir a la embajada?

—*Nosotros fuimos a la embajada con Gabriel Cavallo porque el dia-*

rio estaba entrando en zona de turbulencias. No es novedad que cuando hay un quilombo acá, uno trata de defenderse con lobbys en el exterior. Me acuerdo de que yo hice una recorrida afuera cuando Menem decretó el indulto. Advertí a organismos de Derechos Humanos que el Presidente iba a firmar una amnistía. Afuera, al principio, pensaron que era mentira. Después pasó. En ese contexto fuimos a la embajada, a contar lo que estaba pasando. Que se estaba empezando a complicar. Y al final de la reunión, Gabriel, que era el CEO de la empresa, les preguntó si las empresas americanas que están en Buenos Aires nos podrían poner publicidad. A mí no me pareció ni me parece mal lo que hicimos. No me acuerdo de qué boludez nos respondieron. Después nos fuimos. De la manera que lo cuenta O'Donnell parece que nosotros fuimos a pedirles la escupidera. No fue así. A mí no me pareció para nada espurio. Fui a un montón de embajadas. Tenemos relaciones con los Estados Unidos. ¿Por qué no voy a ir?

—¿No te pareció por lo menos antiético salir con una tapa contra Coto después de que te ofreciera dinero sin poner la publicidad en el diario?

—*Lo de Coto fue una calentura. Sé que fue una arbitrariedad. Pero Coto me había cagado y yo me estaba defendiendo.*

—Y lo de ir a pedir publicidad oficial a la Casa de Gobierno, ¿cómo lo explicás?

—*Yo estaba por sacar un diario en la Argentina: no puedo no ir a la Casa de Gobierno. Hasta por una cuestión de educación tengo que ir. Por lo menos tengo que tener una relación política mínima. Mi charla con Alberto fue que queríamos recibir lo mismo que recibían todos. Él me dijo que iban a ser justos como eran con los demás. No hablamos de cifras. No lo cumplieron: nunca tuvimos. De la Provincia y del gobierno de la Ciudad sí recibimos.*

—Hablé con muchos periodistas a los que convocaste y sedujiste de manera personal. Más de uno me dijo que le garantizaste laburo de, por lo menos, dos años. Sienten que los defraudaste.

—*Yo no sabía que* Crítica *iba a andar mal. Yo perdí una casa. Cuando empecé no sabía que iba a terminar así. Es probable que dijera que había guita para dos años. Pasó que después se perdió más de lo que se pensaba. Pero yo no firmé ningún contrato prometiendo nada. Además yo me fui un año antes. Quiero decir: no tuve que ver con el cierre. Y no me fui porque soy un cagador. Al revés: me fui porque me licuaron mi parte. Me fui porque me cagaron a mí. ¿Quién puede juzgarme por eso? Hablemos de casos concretos.*

—Bueno.

—*Martín (Caparrós) estaba en la vicedirección. Se fue antes del diario por una diferencia de criterios. Además, no cagué a nadie.*

—¿Qué significa "no cagué a nadie"?

—*Que no me quedé con nada. Que me fui un año antes. Que no estaba cuando cerró. Y aun cuando ya no estaba hablé mil veces con Figueiras para que se pagaran cosas. No es que me desentendí. Otra vez: ¡perdí seiscientas lucas con el diario! ¿De qué se me acusa? ¿De que no hice una reunión para despedirme? Está bien. No la hice. Pero además no la hice porque me fui mal.*

—Alejandro Bercovich me dijo ...

—*... Bercovich no puede hablar. Bercovich encabezó una operación del gobierno para comprar el diario. Pero mientras yo estuve no se echó a nadie. Y si se echó a alguien se le pagó todo, como corresponde. Me tuve que ir. No pude evitarlo. Me licuaron. Con algunos quedó todo bien y con otros no. Todavía me putean. Bercovich me putea. (Raúl) Tuni Kollmann, de Página/12, todavía me putea. Laburó conmigo, servicio hijo de puta. Bazán labura conmigo en la radio. Capalbo se quedó caliente, pero también se fue a trabajar con Moneta. ¿Qué puede decir de mí? Y los otros se fueron a laburar con el gobierno. Mientras yo estuve se pagó siempre, después me fui. Yo no soy el padre de la gente. Crítica fue un fracaso empresarial.*

—Por primera vez usaste la palabra fracaso.

—*De alguna manera Crítica fue un fracaso. A mí me hubiera gustado que siguiera. No dio el mercado, no dio la guita. Y Mata nos cagó mal. Empezó a comprar mi parte, fue creciendo y me dejó con un cinco por ciento. Quedé dibujado, sin poder de decisión.*

—Pero Mata no ingresó a la fuerza. Ustedes lo dejaron entrar.

—*Sí. Y Mata se metió en el diario con un objetivo: conseguir Air Pampas. Pensó que estando en el diario el gobierno se la iba a dar. Al principio se metió con un palo y se quedó con el diez por ciento de las acciones. Después fue poniendo más, porque al diario le iba cada vez peor. ¿Entendés?*

—No del todo.

—*Nuestra idea original era que Mata entrara para quedarse con un diez, a lo sumo un diez por ciento de las acciones. Nunca pensamos que la situación nos llevaría a que se quedara con el cincuenta por ciento. Y la verdad es que era un socio loco. Un socio desprestigiado.*

—¿Y entonces por qué lo fueron a buscar?

—*Porque en ese momento, con tal de seguir bancando al diario, hacíamos cualquier cosa. Hasta defender la creación de Air Pampas.*

–Szpolski interpretó que tenés el síndrome de Estocolmo. Que terminaste siendo empleado de *Clarín*, el grupo que hizo más daño a *Crítica* que el propio gobierno.

–*El ataque del gobierno contra* Crítica *fue sesenta veces superior al de* Clarín. *¿Cómo podía sobrevivir un diario que, no bien empezó a salir, fue atacado por Kirchner, el hombre con mayor poder de la Argentina?*

–A todos tus exsocios los terminás acusando de algo. ¿No sería mejor pensar antes con quién te asociás?

–*Yo traté de que la Madre Teresa me mandara dinero, pero se ve que había problemas de giro. Yo escuché muchas veces en los bares de la vida a gente que amagó con crear un diario mejor que* Página/12. *Pero jamás lo hizo. Porque una cosa es hablar en los bares y otra cosa es hacer. Por ahí tengo escrito "cada uno es lo que hace y no lo que piensa". Todos tenemos ideas. Lo difícil es llevarlas a cabo. Hay una diferencia atroz entre pensar y hacer. Yo estoy en el medio de la mierda tratando de hacer algo digno, y creo que hice dentro de la mierda muchas cosas dignas. Lo demás no pasa, es mentira. Cuando nosotros hicimos* Página/12 *discutíamos con Osvaldo Soriano qué íbamos a hacer ¿Libération o* El País?, *como esquema, soñando. Y llegamos a la conclusión, ya en aquel momento, que nunca podríamos ser* El País. *Porque en la Argentina no hay una burguesía democrática, dispuesta a crear una estructura de prensa como la que se creó en España.*

–¿Creés que esta respuesta te libra de todo mal?

–*No. Solo te digo que es muy difícil. Y también te aclaro que nunca ni el MTP ni Yelín ni Mata ni nadie me hizo escribir algo que yo no pensara. Lo que yo hice siempre fue buscar gente que bancara mis proyectos. No le entregué el culo a nadie. Lo demás es paja. Cosas de pendejos pelotudos. De gente que no sabe cómo se maneja un medio. Que no tiene ni idea de cómo es esto.*

16

PRIVADO

Lanata es un hombre público, pero tiene un mundo privado al que muy pocos pueden acceder.

Un mundo en el que reina su mujer, sus dos hijas, un par de amigos indestructibles y dos o tres individuos más a los que necesita con desesperación, como su médico, su kinesiólogo, el abogado que trata de evitar que vaya preso y la mujer que lleva sus cuentas.

Quizá la única persona que lo conocía de verdad, más allá del personaje, ya murió. Fue su psicoanalista durante siete u ocho años. Se llamaba José Töpf, aunque Lanata le decía cariñosamente *Tofi*, como la golosina que hizo furor durante los años noventa. Lanata se empezó a atender con Töpf porque casi no podía relacionarse con su hija Bárbara cuando era bebita. Como se había separado de su mamá, Andrea Rodríguez, cada vez que la iba a buscar, Bárbara sentía a su papá como un extraño, empezaba a llorar y a gritar y a Lanata se le hacía casi imposible controlar la situación. Töpf le ayudó a superar aquel contratiempo.

A partir de ese momento Lanata aguantó las rabietas de la beba y además se entregó a Tofi sin resistencias. Hacían una terapia poco ortodoxa. Después de las primeras sesiones, se empezaron a encontrar en un bar, donde conversaban más como dos viejos amigos que como profesional y paciente. Töpf, además, lo llegó a acompañar en un viaje hacia Uruguay. Según Lanata, su psicoanalista le dejó una enseñanza que jamás olvidará: como sabía que estaba a punto de morir, llamó a sus amigos y a sus pacientes más queridos y se fue despidiendo de ellos, de una manera sobria y natural, sin rabia y con mucha paz.

Lanata contó la ceremonia de ese adiós en un texto que escribió para *Hora 25*. Se llama *Despedida con espadas*. Relató que Töpf lo mandó a llamar y le regaló dos sables de principios de siglo que pertenecieron al Regimiento de Granaderos a Caballo. También confesó que lo había abrazado y que, en el medio del llanto, pudo comprender cuánto lo quería. Sostuvo Lanata que mantuvieron el siguiente diálogo póstumo:

—Y ahora, ¿sabe algo más?

—Sí. Que es todo mucho más simple —le respondió el terapeuta, cuando intuía que le quedaba poco.

Lanata lo recordó así:

—Fue el único analista que tuve. Lo llamé después de hacerle una entrevista para la radio, porque me había caído bien. Fue uno de los fundadores del Centro Universitario de Devoto. Daba clases ahí y en la Facultad de Psicología. Lo llamé para saber cómo podía mantener una relación normal con Bárbara. Lo invité a comer a una parrilla cerca del diario. Lo quise mucho. Lo iba a ver una vez por semana. Más adelante nos empezamos a ver en un bar. Teníamos una relación especial.

—Está claro que te dejó una marca el hecho de que te haya elegido para despedirse.

—Me gustó. Se juntó con cada uno de sus pacientes antes de morir. A mí, cuando me muera, me gustaría tener esa templanza. ¡Guau! Tenés que tener mucho equilibrio para eso. Dos veces lo vi antes de morir. La primera le llevé Deuda, *antes del estreno. La última fui con Sara. A veces lo extraño. Me hizo entender todo el rollo con mi vieja. Y fue el primer lector de mis textos que después aparecieron en* Hora 25.

Töpf se despidió de este mundo el 13 de octubre de 2004. Las espadas están en la pared del escritorio de Lanata, justo enfrente de su vista.

Conocí parte del mundo privado de Lanata de a ratitos. Me introduje en él solo cuando me dio su permiso, con un gesto o con un par de palabras.

Doy fe de que el Lanata privado es muy diferente del que se para delante de una cámara de televisión, o el micrófono de una radio, e intenta llevarse el mundo por delante.

Lo registré en distintas situaciones de entrecasa.

Lo vi, mal, en calzoncillos, en diciembre de 2003, horas después de haberse quedado dormido bajo la ducha y haberse caído sobre la mampara de blindex que se estrelló contra el piso y cuyos vidrios se le incrustaron en parte de su cuerpo. Esa tarde me ofreció café y me dijo, muy tranquilo:

—Me saqué un vidrio así de grande de la pierna derecha. Si se me hubiese incrustado en la (arteria) femoral ya estaría muerto.

Lo vi tres o cuatro veces dejándose abrazar por su hija Lola, o intercambiando miradas cómplices con Sara, en el medio de una pausa de trabajo. Es decir, ejecutando gestos espontáneos sin pensar en que había un periodista dispuesto a registrarlo todo, como si fuera un *reality show*.

Lanata me introdujo en su intimidad, por ejemplo, cuando se dirigió a su habitación para ir a buscar la máscara con la que duerme para suplir la falta de aire provocada por su apnea y evitar el peligro de muerte súbita que tanto preocupa a su médico personal y a su mujer. Se la puso delante de mí. Parecía un personaje de *Star Wars*. Me confesó, con la máscara puesta y una voz metálica que salía desde adentro:

—*La máquina mete presión. Me obliga a respirar, ¿entendés? Si no fuera por esto me despertaría cada cuarenta minutos. Sería insoportable.*

Lanata también me abrió las otras puertas de su intimidad al reconocer, después de muchas preguntas previas, que había intentado suicidarse a los 12 años, que había tomado "anfetas" a los 16 y que ya había adormecido su instinto de quitarse la vida, aunque se mantenía muy atento a cualquier señal que lo pudiera hacer regresar.

Lanata me mostró su mundo privado cuando me contó sobre su tratamiento de rehabilitación en McLean Hospital, en Boston. Lo hizo con cierta vergüenza, pero permitió que su mujer y su médico aportaran más detalles. Creo que al final comprendió que, si por alguna razón me había enterado, ya no tenía sentido ocultar lo que había sido cierto, por más expuesto que lo dejara en un momento donde cada cosa que hace o dice tiene una repercusión desmesurada.

A Lanata no le gustó que cuestionara, a través de mis preguntas y mis averiguaciones, su discurso que lo justifica todo. Pero no tuvo más remedio que contar o admitir muchos asuntos incómodos, como los detalles de sus reuniones con Magnetto durante y después de la compra de *Página/12*, sus polémicas decisiones profesionales, las acusaciones de plagio, los pormenores de la quiebra de Grupo Tres, la desastrosa experiencia de *Crítica*, y sus controvertidas peleas con su exmejor amigo Adrián Paenza o su abogado, Pablo Jacoby, que, por cierto, incluyen cuestiones de dinero.

Tampoco le cayó muy simpático que lo confrontara con la verdadera historia del financiamiento de Gorriarán para fundar *Página/12* y del papel del diario en el asalto a La Tablada.

Lanata me contó, porque no tuvo más remedio, sus noches de cocaína, alcohol, delirio y rock and roll. También me relató sus tardes de profunda depresión e incluso su vínculo con las armas de fuego. Antes de terminar este trabajo, su esposa se dirigió al Registro Nacional de Armas y vendió las que tenía en su casa, después de que ambos le insistimos para que se desprendiera de ellas.

—*Le dieron una o dos lucas por las tres* —me informó con desgano.

Me alegro de haber contribuido a que se las sacara de encima.

Lanata es un tanto fóbico.

Es decir, no puede permanecer mucho tiempo en ningún lugar donde haya demasiada gente.

—*Es cierto. No puede estar en una mesa con más de ocho personas. No aguanta cinco minutos. Se para y se va* —me confirmó Sara, su esposa.

—¿Siempre fue así?

—*No. Antes era peor. Cuando dejó de tomar merca cambió un poco. Y para bien. Igual, a mí me parece que esa fobia tiene su explicación. Es que a partir de la muerte de su mamá nunca fue a una fiesta. Tampoco le festejaron un cumpleaños. No sabe cómo festejar. No sabe disfrutar de esas cosas. No le enseñaron.*

Lanata tampoco puede concurrir a ningún show musical. Las únicas excepciones las hizo con sus artistas amigos. Igual, siempre pide estar muy cerca del escenario, para tener la posibilidad de mandarse a mudar cuando se le da la gana.

A Lanata no le se puede practicar ninguna resonancia si antes no se lo duerme.

—*Soy claustrofóbico. Despierto, el tratamiento no lo puedo hacer. Tampoco puedo estar mucho tiempo en ambientes cerrados. Y menos donde haya mucha gente. No es que no me banque a la gente. El problema soy yo* —me dijo.

Lanata le tiene asco y repulsión a la mayoría de los insectos. Pero, en especial, a las arañas. Aníbal Gonçalves, uno de los dueños de John Bull, el bar donde empezó a trabajar de mozo a principios de 1980, fue testigo del pánico que sintió cuando encontró una dentro del auto en el que acababa de ingresar.

—*Nos dimos cuenta de que era aracnofóbico cuando Claudio, un chico que trabajaba con nosotros, lo llevó hasta el centro en su auto y apareció una araña en el parabrisas. ¡El Gordo se quería tirar!*

Lanata tampoco puede ver películas de terror.

Por otra parte, Lanata tiene con Lola, su hija más pequeña, una relación muy particular.

Nadie en la casa puede recordar si Lanata le cambió más de una vez los pañales. Tampoco si se metió en la bañadera para chapotear como los patos, como hacen la mayoría de los papás. Cuando Lola nació, Lanata sentó a Sara y declaró solemnemente:

—*Si usted quiere que yo me tire con ella al piso para jugar, sáqueselo de la cabeza. Eso no va a pasar nunca. Yo me voy a conectar desde otro lugar y va a estar todo bien.*

Desde entonces, Lanata y su hija viven un mundo aparte.

Lanata a veces la sienta sobre sus rodillas y le muestra en la pantalla de su enorme computadora juegos y videos. También miran juntos películas sobre gatos. Hace poco, incluso le enseñó a jugar a la generala.

—*Juegan por dinero. Y no te creas que la deja ganar. Con Bárbara hacía lo mismo* —me contó Sara con una sonrisa en la cara.

Hay algo que Lanata no soporta de nadie. Pero menos de sus amigos, de su mujer y de sus hijas. No soporta que le mientan, que lo engañen, o que le oculten la verdad.

—*Es un rollo que le quedó desde la enfermedad de su mamá. Nunca le terminaban de contar cuándo se iba a curar. Por eso no soporta la mentira* —me explicó Sara.

Qué curioso, es el mismo raye que Lanata le diagnosticó a su papá.

Las dos hijas de Lanata parecen muy distintas.

Lola es extrovertida y súper cariñosa.

Bárbara es retraída y cultora del bajo perfil.

Lola, si pudiera, se pondría a conducir *Periodismo Para Todos*, o *Lanata sin filtro*, junto a su papá.

Bárbara prefiere no gritar a los cuatro vientos que es hija de su papá, aunque no lo niega ni lo oculta de manera deliberada.

Cuando Radio Mitre pidió a sus periodistas varones que invitaran a hablar a sus hijos para el día del Padre, Bárbara primero se negó de manera terminante. Lanata se tuvo que poner firme y al final aceptó. Lola, en cambio, estaba encantada. La propuesta era que contaran en qué cosas se parecían. Y que otras cosas, por suerte, no habían heredado. Bárbara dijo:

—*Ahora que los veo bien, me parece que Lola y papá son iguales.*

Y Lola dijo:

—*Mi papá y yo somos iguales. Lo único que nos diferencia es la panza y la barba.*

Lola acompañó a su papá a Famatina, provincia de La Rioja, cuando Lanata quiso escuchar a quienes estaban en contra de la minería a cielo abierto. En un momento, mitad cansada y mitad asombrada por las muestras de cariño y los pedidos de autógrafos y fotos a su papá, dijo:

—*Tendríamos que hacer una estatua de mi papá, así todos se pueden sacar fotos con él y no perdemos tanto tiempo.*

Sara "Kiwi" Stewart Brown de Lanata no solo lo ama. También lo comprende de manera cabal, respeta su libertad y lo acompaña, sobre todo, en los peores momentos.

Ella lo defendió desde su cuenta de Twitter @*KiwitaStewart* cuando Cerruti puso en duda la verdadera gravitación de Lanata en *Página/12*.

También se paró junto a Lanata en la calle cada vez que alguien lo miró mal, lo insultó o lo trató de facho.

De los varios episodios complicados que vivieron juntos, recuerda por lo menos tres.

—*Uno fue en 2001, en la época del "que se vayan todos". Estábamos en Palermo, dentro del auto. En esa época teníamos un Audi 3 y un tipo le gritó. "¡Qué lindo coche tenés!". Como si nos lo hubiéramos afanado. Como si no tuviera derecho a tenerlo. Otra fue el día en que nos casamos. Uno pasó en bicicleta y le gritó: "¡Te vendiste a* Clarín, *gordo, te vendiste a* Clarín!". *No fue súper agresivo, pero tampoco fue agradable.*

—¿Y tuvo otros peores?

—*Sí. Una vez, yendo para Quilmes, con él y con Lola, paré a cargar nafta en el medio de la autopista. Pasó un tipo, con pinta de barra brava —musculosa, grandote, todo tatuado— en un auto destartalado. El auto iba lleno con un montón de tipos parecidos a él. Le gritó "¡Aguante, Cristina! ¡Te vas a morir vos antes que ella, Gordo!".*

—¿Y él cómo reaccionó?

—*No dijo nada. Por lo general los putea. Como puteó en el micro de un aeropuerto. Y otro día, también en Quilmes, mientras almorzábamos en un restaurante se acercó una señora y le dijo: "¡Pensar que te fui a ver a* Día D*! ¡Qué feo que ahora defiendas a la dictadura!". Yo me puse re mal. Él le dijo: "¡Ah, bueno! Se ve que no entendiste nada. ¿Querés que te lo explique?". Y cuando le empezó a explicar la mujer no quiso escuchar más.*

Sara sabe que no vive con una persona común. Por eso soporta con estoicismo situaciones que en otro contexto no toleraría.

Una muy extraña, por ejemplo, sucedió hace ya unos cuantos años, un domingo por la madrugada, cuando Fabiana Cantilo tocó el portero del departamento para pedirle algo que necesitaba con urgencia. Lanata, que siempre tenía de sobra, la hizo pasar, se lo suministró y después se fue a dormir.

En cambio Sara se quedó en vela, haciéndole el aguante a Cantilo, mientras la voz femenina del rock le hacía insistentes preguntas sobre sus costumbres privadas, que la mujer de Lanata no sabía cómo responder.

Pero que Sara lo comprenda y lo banque no significa que no se le plante cada vez que lo considere necesario.

Sucedió en un par de oportunidades y ardió Troya.

Una fue cuando estaban llegando a José Ignacio, y el cansancio los puso demasiado irritables. Lanata fue intenso, pero ella lo fue todavía más.

También se le plantó cuando logró vender a buen precio la casa de Punta del Este. Su buen criterio para desprenderse del inmueble en el momento justo hizo que obtuvieran una buena diferencia. A partir de ese hecho Lanata aceptó que su pareja tomara decisiones sobre los gastos y el ahorro de la casa.

Es que Lanata escucha con atención a muy poca gente.

Tampoco tiene demasiados amigos.

Uno, sin dudas, es el escritor y periodista Martín Caparrós.

Se conocieron durante los comienzos de *Página/12*. Martín recordó que empezaron a compartir las cosas que comparten los amigos durante un mediodía del año 1993, cuando Lanata lo invitó a almorzar al restaurante El jabalí y Lanata le confesó:

—*No se lo cuentes a nadie, pero me voy a ir de* Página/12.

Antes habían tenido un atisbo de acercamiento cuando Lanata aceptó presentar *Larga distancia*. Se trata de crónicas de viaje que le hicieron ganar a Caparrós el Premio Rey de España. Pero Martín sintió que la confesión de que Lanata abandonaría su proyecto más importante terminó siendo el principio de una amistad indestructible.

A partir de ese momento empezaron a hacer cosas juntos, según Caparrós, "fuera de registro".

Una de las primeras fue viajar a Punta del Este en carácter de padres separados. Lanata con su hija Bárbara y Caparrós con su hijo Juan.

—*Si mal no recuerdo el hotel era de canje. Y nos comportamos como si fuésemos verdaderamente amigos. No sé si antes o después repetimos el viaje con Miguel Rep. Nada fuera de lo normal. Gente grande hablando de boludeces.*

Hay otras dos escenas que Caparrós jamás podrá olvidar. Una fue cuando, instantes después del nacimiento de Lola, Lanata lo miró a los ojos y le propuso formalmente que fuera el padrino de su segunda hija.

—*Me emocionó mucho. Se lo agradecí. Ejerzo de padrino más o menos. No soy muy bueno para ese tipo de cosas.*

La otra escena fue cuando Lanata aceptó la invitación de Caparrós y se sumó, junto a decenas de personas, a los festejos de su cumpleaños número cuarenta.

—*Estoy seguro de que le costó un montón. Creo que fue con Graciela Mochkofsky. No le soltó la mano en toda la noche. Más que agarrado, estaba aferrado. Soportando el malestar que le causa estar junto a tanta gente. No se lo puedo dejar de agradecer.*

Lanata y Caparrós cultivan una amistad intensa y sana, se dicen en la cara todo lo que se tienen que decir.

Caparrós no estuvo de acuerdo con el diseño, el contenido ni el rumbo que tomó *Crítica*, y por eso abandonó la redacción dos meses después de su salida. (Véase el capítulo "15. Decepción".)

Tampoco comparte la mirada de Lanata sobre la violencia de los años setenta y sus consecuencias actuales.

Caparrós escribió, junto a Eduardo Anguita, *La Voluntad*, quizá la crónica más completa de aquella lucha.

Lanata escribió *Muertos de amor*, la novela que recrea una de las peores escenas de la guerrilla de los años sesenta y setenta. Miembros del Ejército Revolucionario del Pueblo (ERP) que entre 1963 y 1964 quisieron emular a El Che Guevara en el norte de Salta y terminaron matando a dos camaradas por alta traición, antes de entrar en combate.

Lanata me dijo sobre *La Voluntad*.

—El libro está buenísimo porque lo escribió Caparrós. Y no Anguita. Y no pudo tener mejor título, porque fue el voluntarismo lo que dominó a quienes impulsaron la lucha armada. Pero la revolución no se puede hacer solo con voluntad. Tenés que hacerla con inteligencia y en el momento oportuno.

Y Caparrós me dijo sobre *Muertos de amor*.

—Leí la novela. Y no estoy de acuerdo. Ni con la idea ni con el libro. Yo le dije que para hacer una novela sobre la lucha armada de los años sesenta y setenta no tenía que tomar el caso más caricaturesco o desdichado. Le sugerí que trabajara en el tema central del asunto. No sobre un pequeño grupo de pelotudos marginales.

Eso no les impidió, ni a Lanata ni a Caparrós, compartir un viaje en el helicóptero de Gendarmería que sobrevoló la zona de Salta donde sucedieron los hechos que se contaron en *Muertos de amor*.

Caparrós es un intelectual de izquierda y uno de los mejores escritores de no ficción de la Argentina. Además, tiene posición tomada tanto sobre el trabajo de Lanata como sobre su manera de ver la vida. Por eso me pareció interesante preguntarle algunas cosas.

—¿Qué opinás de Jorge Lanata como escritor de ficción?

—En los últimos veinte años no publicó tanto. Algunas cosas de Polaroids *me parecieron bien.*

—¿Cómo definirías a Lanata desde el punto de vista ideológico?

—Como un demócrata norteamericano, quizás un poco más progre.

—¿Distinto de vos?

—Yo me considero un tipo de izquierda. Porque no quiero mejorar este sistema social, sino cambiarlo por otro.

—¿Te hace ruido la manera de vivir de Jorge? ¿Qué se compre zapatos en Prada? ¿Que tome agua Perrier?

—No. Porque el cariño que le tengo me hace pensar que si lo decidió así está bien. Y también porque él genera su propio dinero. Lanata no

tiene una fábrica con cincuenta empleados a los que les paga dos pesos. Desde que yo lo conozco, Lanata lo único que hace es perder guita. Lo acusan de haber cagado gente, pero él de Crítica *no echó a nadie. Al contrario, puso una casa para entrar al proyecto y cuando las cosas empezaron a andar como el orto consiguió otro socio que puso plata. Cuando el tipo echó gente Lanata ya no estaba. Hacía ocho meses que se había ido.*

—El cliché dice que no se puede ser de izquierda y vivir muy bien.

—*Primero: yo no sé si Jorge es de izquierda. Me parece que él está a favor del mercado. Después está el mito de origen: nació en zona sur, pero tenía un padre dentista y una casa en Mar del Plata. Quiero decir: tan humilde no era.*

—¿Y cuál es tu mirada sobre su incorporación a *Clarín*?

—*Lo hemos hablado. Yo no hubiera aceptado. Pero para hacer el tipo de periodismo que él quiere hacer, ¿a qué otro lugar podría ir?*

—¿Cómo definirías a Jorge?

—*Como un tipo audaz y muy talentoso. El tema es que él ya renovó la manera de hacer un diario, de hacer televisión y también de hacer radio. ¿Qué otra cosa más le queda por hacer?*

—¿Lo definirías como un artista?

—*Es la discusión que tuvo Lanata con Charly García, ¿no? No sé si es un artista. Sí sé que es un renovador del discurso público. Y en una época en que los medios tienen tanto peso en nuestra cultura, ¿por qué no pensar que un tipo que renueva la forma de ver los diarios es tan importante como otro que pinta al óleo?*

Además de Caparrós, Lanata tiene otro amigo del alma: es argentino, vive en París, se llama Luis Rigou pero se presenta bajo el nombre artístico de *Diego Modena*.

Rigou nació en Buenos Aires en 1961. Mientras estudiaba Derecho en la UBA entró en el Conservatorio Nacional de Música, donde se especializó en flautas andinas y otros instrumentos como la ocarina y la quena.

A los veinte años, debutó con Maíz, un grupo de música contemporánea y folclore argentino. Recién en 1990 se instaló en París y empezó a hacerse llamar Diego Modena.

Su primer álbum, *Ocarina*, apareció en las listas de popularidad francesas durante ochenta y dos semanas consecutivas y llegó a vender casi dos millones de unidades.

—*En Francia, Luis vendió casi tantos discos como Michael Jackson* —informó, con cierto orgullo, Lanata.

Rigou está casado con la saxofonista noruega Helene Arntzen, con quien tiene dos hijas. Además, maneja una productora denominada TAC (Territoire Autonome de Création). Durante 2012 invitó a tocar a varios argentinos. Uno de ellos fue Jaime Torres.

Lanata y Rigou se conocieron en el bar de la Facultad de Derecho en 1979. En aquella época, el periodista tenía una tarjeta personal que decía: *"Jorge Ernesto Lanata: nada".*

Rigou me lo contó vía skype, como si lo estuviera viviendo ahora mismo.

—*La tarjeta no tenía ni dirección ni teléfono. Vivía como un linyera. Compartía el cuarto con dos compañeros que trabajaban con él en John Bull. Era un cuarto para dos, pero como trabajaban en horarios diferentes lo podían usar tres. Jorge hizo un par de años en Derecho y después empezó Filosofía. Su teoría era: como la universidad pública es gratis, algo habrá que estudiar. Y también decía: pero solo hay que estudiar un año, porque a partir del segundo te formatean la cabeza.*

—¿Tuvieron militancia política?

—*Nos metimos un poco en el Centro de Estudiantes. La mayoría de los profesores estaban comprometidos con el régimen. Me acuerdo, por ejemplo, de un tal Rodríguez Varela. Tenía la cátedra de Derecho Político y era ministro de Videla. Era de lo peor. En el Centro imprimimos una revista. Debe de haber sido la primera revista en la que participó Jorge.*

—¿Una revista política?

—*No. Aparecían culos de minas. De las estudiantes. Hicimos una valoración pseudocientífica de los distintos culos: los latinos, los sajones, los periformes y así.*

—¿Cómo se llamaba la revista?

—*Era la revista de la Facultad de Derecho. La hacíamos de manera clandestina.*

—¿Una revista, con culos, y clandestina?

—*Sí. Algunos hacían el laburo político y nosotros nos matábamos de risa. Éramos chicos. Éramos amateurs.*

—¿Qué hacían, además de ir a la facultad?

—*Nos cagábamos de risa del mundo entero. Salíamos mucho de noche. Nos tomábamos hasta el atrevimiento. Él aguantaba más que yo. Siempre me llevaba a mi casa en cualquier estado. En aquella época yo empecé a actuar con Maíz. Tocábamos en Belgrano R y en Palermo Viejo.*

—¿Jorge ya era gordo?

—*No. Era reflaco. Tenía una pinta tremenda. Igual, me parece que ya se le empezaba a manifestar la diabetes. Porque cada tanto le agarraban calambres en las piernas. Jorge era un desastre, igual que yo. Como dicen* acá en Francia "quemaba la vela por las dos puntas". Con todo, era más serio que nosotros.

—¿Por qué?

—Porque nosotros, los que estábamos en la banda, éramos unos pequeños burgueses. Estudiantes de Derecho con la vida arreglada. Teníamos una familia donde aterrizar. En cambio a él lo habían echado de la casa. El padre no quería saber nada con él. Jorge era un chico de la calle con una madre cuadripléjica.

—¿Te parece que era para tanto?

—Sí. Jorge era un chico de la calle. No se le notaba porque tenía un look señorial. Una especie de dignidad británica que lo hacía laburar de mozo en John Bull. Además, tenía una cabeza tremenda. Era muy chico, pero ya era Lanata.

—¿Y en qué se le notaba?

—En los proyectos que pensaba y realizaba. En aquella época Jorge inventó algo que creo que se llamó El Tren Cultural de la OEA. Un tren que mostraba obras de artes y que llegaba a pueblitos que estaban en el medio de la nada. Consiguió los contactos a través de El Francés, un compañero de la facultad que tenía doble nacionalidad, francesa y boliviana. Un personaje que parecía Rasputín pero en miniatura. Al principio pensábamos que pertenecía a una secta. Estaba más loco que una cabra. La cuestión que se contactó con el embajador de Chile, el consulado no sé de qué país, la OEA y salió a recorrer la Argentina con el tren cultural.

—Increíble.

—Impresionante. Llegaba, desenganchaba el vagón, mostraba las pinturas como si fuera una galería de arte y se iba. Y además, él no era solo un empleado de la OEA. También llevaba adelante la idea. Era un emprendedor.

—¿Y qué pasó con el tren?

—Un día Jorge descubrió una corrupción total sobre la venta de los cuadros. Se suponía que el dinero que recaudaban era a beneficio y resulta que una gente de la OEA se estaba quedando con unas comisiones impresionantes. Jorge hizo la denuncia en la provincia donde se enteró, pero se le cagaron de risa. Creo que era en la frontera con Paraguay.

—¿Hizo la denuncia ante quién?

—Como no le dieron bola, armó unos carteles que decían: "Estas pinturas son del pueblo. Sírvanse. Aprovechen. No dejen que se la roben los corruptos de la OEA". Se tuvo que escapar del país. Se fue a Paraguay.

—¿Seguro? Porque ya repasamos toda su vida, año por año, escena por escena. De eso no me contó nada.

—*Seguro. Dejó el tren abierto, con obras que valían millones, para que se las llevara la gente. Y la gente se las llevó.*

—¿*Y qué pasó después?*

—*Se armó un quilombo tremendo. Porque Jorge dejó las pruebas de la corrupción en el tren.*

—¿*Qué pruebas?*

—*Las cartas que había mandado. Y por duplicado. Para que todo el mundo se entere. Claro, Lanata tenía apenas veinte años, pero ya empezaba a ser Lanata. Si hasta recuerdo que llegué a recibir llamados a la casa de mi vieja. Primero de la policía y después de Interpol. Querían saber dónde se había metido Lanata.*

Le pregunté a Lanata por el episodio del tren de la OEA, la denuncia y la búsqueda de Interpol. Me respondió, seco:

—*No. Eso es un delirio de Luis.*

—¿*Vos decís que lo inventó?*

—*Decile que te diga cuando yo le quise hacer una tarjeta con la siguiente leyenda: "Luis Rigou, recreador de realidades".*

—*Pero tu amigo aseguró que te tuviste que ir a Paraguay.*

—*Es que yo estuve en Paraguay y trabajé como locutor en la Radio Comuneros. Pero eso fue antes. Viajé con un compañero mío del colegio nocturno, un paraguayo de apellido Meza. Viví un tiempo en una villa con una familia. Pero todo lo demás es un delirio de Luis.*

Hablé una vez más con Rigou. Le comenté que Lanata sostuvo que no era cierto el cuento del Tren cultural de la OEA e Interpol. Pero el artista añadió:

—*Interpol nos dijo que para que levantaran los cargos teníamos que pagar la indemnización de las obras que se habían llevado, a mí se me ocurrió la idea de juntar la plata entre los amigos. Debían ser de hoy como quince mil dólares. Y entre otra gente contacté a su padre, que era un número que no debía usar, salvo por fuerza mayor. Pero el padre me mandó a la mierda. No le importó. No se quiso meter. Jorge decía que su padre lo había echado de su casa, a los 14 años. Y yo creo que fue así. El padre no se bancó la enfermedad de la madre y no se podía bancar a Jorge. Y esa soledad para Jorge fue tremenda. Imaginate: sin familia... en otra ciudad.*

Lo que ambos confirmaron sin contradicciones fue la celebración de una fiesta descontrolada en la casa de la entonces novia de Rigou, que tenía en General Rodríguez, provincia de Buenos Aires. El motivo también era desopilante. Lanata había anunciado que después del festejo partiría para cumplir el sueño de su vida: unir Tierra del Fuego con los Estados Unidos por tierra y a dedo.

Lo venían preparando hacía tiempo. Lanata había prometido que él mismo prepararía una feijoada, con la cachaça incluida, como le habían enseñado algunas chicas en Brasil. El recreador de realidades lo recordó así:

—*Arrancamos muy temprano, a la mañana. Teníamos que preparar comida y bebida para más de treinta personas. Pero empezamos a tomar y fumar porro y cuando llegó la gente estábamos en Júpiter.*

—¿Se arruinó la fiesta?

—*No. ¡Qué se va a arruinar! Al revés. Nos pasamos dos días sin dormir. Toda la noche chupando, cogiendo, con la feijoada sin terminar. Fue algo orgiástico. Teníamos 19 años. Éramos unos pendejos de mierda.*

—Imposible de olvidar.

—*Desopilante. La última imagen que tengo de él es más o menos a las seis de la mañana, antes del desmayo. Se había disfrazado de (el poeta chileno Pablo) Neruda. Parecía una ballena. Se había engordado con almohadones. Había empezado a leer poemas hasta que todo terminó. Cuando me desperté, Jorge ya no estaba. Había salido a cumplir su promesa. Salí con la bicicleta y lo vi. Estaba caminando por la ruta, hecho pedazos, haciendo dedo. Me quedé con él hasta que le paró un camión y se fue.*

—Parece una película. ¿Cumplió con su sueño?

—*No. Creo que llegó hasta Mar del Plata y ahí paró.*

Lanata lo confirmó casi todo. Y también contó, como una curiosidad, que ese día, llegó a enrollar un cigarrillo de marihuana en papel de diario, porque tenían la sustancia pero les faltaba el papel para armar.

—*Te lo juro, fue la única vez en mi vida que pensé seriamente en quedarme a vivir en un baño. En ese baño del que sentía que no podía salir.*

El vínculo entre Lanata y Rigou, sin embargo, es muy real.

Solo dejaron de verse un tiempo prolongado cuando Rigou tuvo que hacer el servicio militar obligatorio. Lanata no la hizo porque le tocó número bajo. Precisó:

—*Me saqué el 042. Me enteré leyendo* La Razón.

Pasaron juntos el último día del siglo XX en París. Vieron crecer a sus respectivos hijos. También compartieron las vacaciones de 1998 con sus respectivas parejas en Puerto Madryn. Y cada uno o dos años se encuentran en Europa o en Argentina y se saludan como si se hubieran visto ayer, porque ambos pueden saber cómo se encuentra el otro con solo una palabra o una mirada.

Quizá sea el amor incondicional que siente Rigou por Lanata el que lo hace recordarlo como si fuera casi perfecto.

—Jorge tenía mucha pinta y muchas minas. Incluso tenía pinta cuando se vestía de mozo, en John Bull. ¿Te contó la anécdota de las viejas burguesas que lo mandaron a llamar haciendo palmas?

—Todavía no.

—Fue una noche. Estábamos en John Bull. Una de esas viejas burguesas y con acento inglés empezó a aplaudir sobre su propia cabeza para que fueran a atenderla. Fue muy desagradable. Jorge no lo podía creer. En un momento se acercó, se puso una servilleta blanca encima, se arrodilló y le dijo, de manera irónica: "Sí, señora. ¿Qué necesita? Haga de cuenta que soy su boy". La vieja se puso loca y llamó al gerente. A Jorge no le importó.

La misma anécdota fue contada con algunas variaciones en una nota que le hicieron a Lanata en la revista *Noticias*. También dio cuenta del episodio Aníbal Gonçalves, quien todavía es el dueño de John Bull.

—Es cierto. Fue acá, en el jardín, un domingo a la tarde. Estaba lleno. Había entre ciento cincuenta y doscientas personas. Una gorda paqueta, en vez de llamar como corresponde, aplaudió. El Gordo me miró, como diciendo "¿qué hago?". "Andá y decile que acá no hay ningún perro", le dije yo. El Gordo fue y se manejó con una cancha tremenda. Le dijo: "Señora, la época de la servidumbre ya pasó. Llámeme mozo y yo la voy a atender. Pero no me vuelva a llamar con las palmas". Las minas quedaron ridiculizadas pero él fue muy respetuoso.

Gonçalves definió a Lanata como un buen profesional y un gran conquistador.

—Yo he visto a El Gordo con minas espectaculares. Las volvía locas con el verso y el remo. Porque nunca fue lindo. Pero siempre tuvo una inteligencia elevada.

—¿Laburaba bien?

—Era una saeta. A los pocos días le propuse a mi socio de ese momento que lo tomáramos como encargado. Y no me equivoqué.

—¿Se defendía?

—La recontrapiloteaba. Distribuía las zonas, adicionaba y se encargaba de dejar todo ordenado para arrancar al otro día. Él entró en el verano de 1980 y en agosto o septiembre me planteó que tenía que dejar porque debía dos materias en la Facultad y que el centro le quedaba a trasmano. Como era tan bueno le propuse que se quedara acá, en uno de los cuartos que tengo en el fondo. Vivió como un bacán. Y en un par de meses rindió Civil I y Civil II, que eran dos materias rejodidas.

Lanata ganaba, como encargado, el equivalente de entre cinco mil y siete mil pesos de ahora. De lunes a viernes, empezaba su jornada de trabajo a las cuatro de la tarde y terminaba a las dos y media de la madrugada. Los fines de semana, John Bull abría a las 11 de la mañana y cerraba a las 3 y media de la madrugada.

A pesar de lo sacrificado que era su trabajo, Lanata lo recordó como una de las mejores épocas de su vida.

—*Éramos unos irresponsables, pero nos divertíamos a lo loco* —me dijo.

De hecho Lanata diseñó junto a dos de sus compañeros que trabajaban de mozos, Gustavo Barrios y Jorge Buraschi, un álbum de recuerdos de John Bull que incluyó música y fotos con comentarios a la manera de epígrafes. Fue el regalo de casamiento y luna de miel que recibió el dueño del boliche. Un año y medio después de renunciar a John Bull Lanata invitó a Gonçalves a la inauguración del polémico Tren cultural de la OEA.

Otra persona que vivió momentos inolvidables junto a Lanata es Romina Manguel, la periodista que pasó muchos años de su vida trabajando para él y que conduce el programa de la primera mañana en Vorterix Radio. Ahora están distanciados, pero no por eso lo recuerda siempre mal.

Judía, comprometida con la mayoría de las políticas del Estado de Israel, Manguel le propuso a Lanata una experiencia religiosa: lo llevó al templo de la calle Murillo, en el barrio de Villa Crespo, y lo hizo ingresar por la puerta principal. Ella lo recordó así:

—*El templo estaba lleno y la gente abría paso para dejarlo entrar. Y al mismo tiempo susurraban: "Lanata. Ese es Lanata". Yo me le acerqué al oído y le dije: "Parecés Moisés". No lo podía creer. Porque él tiene posiciones chotas con respecto a Medio Oriente. Tiene esa mirada maniquea de creer que el Estado de Israel se come a los chicos palestinos crudos. Mirá qué amigos que habremos sido: se bancó tres horas sin fumar, junto a mi vieja y a mí.*

Manguel compartió uno de los peores momentos de la vida de Lanata. Fue cuando estando en Washington, le avisaron que su mamá estaba muy mal y que en cualquier momento se podía morir. (Véase el capítulo "2. Mamá"). De esa tremenda escena también participó Silvina "La Negra" Chaine, otra de sus amigas del alma a la que ahora casi no frecuenta.

Chaine conoció a Lanata cuando el periodista estaba insoportable, y también conoció a la persona detrás del personaje.

—*Ya no trabajaba con él cuando mi mamá se murió. Por eso fue tan fuerte para mí recibir una orquídea con una notita en la que me pedía que la cuidara y la hiciera crecer. Que de alguna manera representaba un renacimiento. Tampoco me voy a olvidar de lo que hizo en el año 1995.*

—¿Qué hizo?

—*Yo me había ido a vivir a Londres con un tipo. Pero la cosa no funcionó porque el tipo me cagó. Lo llamé a él y me pidió que me tomara el primer avión de vuelta a Buenos Aires. Me dijo que me necesitaba para laburar. Me fue a buscar al aeropuerto. Hacía como cuarenta grados de calor. Me invitó a comer por ahí. Me escuchó. Me dijo que me olvidara de las valijas. Y me cambió, el día, la semana y el mes.*

También fueron inolvidables, para Chaine, algunas de las discusiones alrededor del trabajo.

La más seria fue cuando viajaron de un día para el otro a Pakistán, con la intención cubrir la guerra de Afganistán.

—*Yo estaba muy exigida. El clima era difícil y casi no dormía. Mientras los demás descansaban yo tenía que mandar el material. Lanata se rayó porque cuando llegamos al hotel cinco estrellas que habíamos reservado ya no había más habitaciones. Eran las cinco de la mañana y no teníamos muchas alternativas. Al final conseguí un "cuatro estrellas paquistaní" con un olor a curry infernal. Le rogué a Lanata: "Estoy agotada. Necesito dormir. Durmamos una noche aquí y mañana nos vamos". De hecho, al otro día dormimos en la casa del embajador. Nos fuimos cada uno a su cuarto y cuando me empezaba a dormir Lanata me llamó y me dijo: "Chaine. Yo me voy. En este cuarto hay pulgas". ¡Era imposible! Las pulgas no sobreviven con el aire acondicionado. A la mañana siguiente, bien temprano, me vuelve a llamar para pedirme que nos cambien de hotel. Estábamos con Walter Goobar y Juan Carlos Destéfano. En un momento me mira y me dice: "Chaine, alcanzame el cenicero". ¡Y lo tenía al lado! Me agarró un ataque. Me puse a llorar. Le dije que no lo aguantaba más. Él me quiso tranquilizar: "Se ve que estás muy presionada y muy nerviosa. No te preocupes, después nos quedamos unos días en París". Le dije que no. De hecho él se fue a París y yo volví a Buenos Aires. En esa época discutíamos mucho, por los criterios periodísticos y por cuestiones de la vida. Yo no soportaba su manera compulsiva de comprar, y él me decía que era una miserable.*

Lanata y Chaine nunca tuvieron nada. Sin embargo, se besaron en la boca.

Fue durante la filmación de *El lado oscuro del corazón*, la película de Eliseo Subiela donde uno hizo de marinero y la otra de prostituta. Lo hicieron a pedido del director. Subiela había tenido a Chaine de asistente y admiraba el histrionismo de Lanata en televisión. Por eso los invitó a jugar de actores.

—*Me dio más vergüenza a mí que a él. "¿Qué problema puede haber, si solo somos amigos?", me decía para convencerme.*

Jamás se pusieron una mano encima.

La única persona que sí lo hace desde hace más de diez años, además de Sara, su mujer, se llama Félix Orozco. Tiene 65 años, está casado, tiene hijos y nietos y trabaja de kinesiólogo desde 1970.

Orozco no es un quiropráctico más.

Fue nada más y nada menos que el profesional que primero se dio cuenta de que Lanata era diabético, dio la señal de alerta y así evitó el coma que se venía gestando de manera acelerada.

—*Lo empecé a atender por recomendación de Adrián Paenza. Él me conocía porque antes atendía a su mamá. Lo primero que me llamó la atención, cuando lo empecé a tratar, era que se quedaba dormido a los dos minutos de empezar a hablar. Se dormía profundo y, cuando me iba, no lo podía despertar. Y no solo pasaba cuando yo le hablaba. A veces el que hablaba era él y no podía terminar porque se quedaba dormido. Se lo advertí a Adrián. Le dije que necesitaba urgente ver a un médico clínico. Adrián le recomendó a Julio Bruetman. Apenas lo vio, le mandó a hacer un examen de sangre urgente. El Gordo tenía 450 de glucosa y no lo sabía.*

—¿Así le salvaron la vida?

—*Sí. Menos mal que lo agarró Bruetman. Porque antes de eso estaba muy medicado. Tomaba pastillas para dormir, ansiolíticos y relajantes musculares.*

—¿Por qué necesitaba en ese momento un kinesiólogo?

—*Por la panza. Porque tenía lumbalgias, como las embarazadas. El peso que tenía adelante le hacía cambiar la descarga del cuerpo, le aumentaba la lordosis lumbar y le provocaba un dolor profundo. Tenía que atenderlo tres veces por semana. Con el tiempo lo fuimos corrigiendo. Igual, siempre digo que el peor mes de mi vida kinésica fue con Lanata.*

—¿Por qué?

—*Fue durante el mes que Bruetman me pidió que lo volviera a atender. Que estuviera atento a la mañana temprano para confirmar que se estaba aplicando la insulina. Y que de paso hiciera actividad física. El médico le sugirió que contratara un personal trainer. Y Lanata le dijo que con el único que lo podía hacer era conmigo. Fue el peor septiembre de mi vida.*

—¿Qué pasó?

—*Fue una tortura. Y yo sentía lo mal que lo pasaba. Ojo, tenemos una relación afectiva. Sucede con las personas a las que durante muchos años le pusiste la mano encima. Hablamos mucho. Generamos un vínculo. Y aquello era tremendo. No podíamos arrancar. Hacíamos dos minutos de*

bicicleta y empezaba a quejarse: "Basta. Dejame. Terminemos esto aquí".
Se arrastraba hasta la heladerita y se tomaba una Seven Up. Después
yo lo hacía subir a la cinta y era igual. Dos minutos y se bajaba. No
podía. Ni quería. Un día se me ocurrió traer una colchoneta para que
hiciera algo de gimnasia. Fue peor. No se levantaba con nada. Hacía
tres o cuatro cosas y no se podía mover. Llegó un momento en que no
dio para más. Ni siquiera completó el mes. Resultó un verdadero fracaso.
    —¿Y ahora?
    —*Ahora es distinto. Hoy, 22 de julio de 2012, establecimos un nuevo*
récord, hizo más de quince minutos de cinta sin quejarse ni una vez.
    Orozco atiende a Lanata en su casa, todos los martes y los viernes,
a las 8 de la mañana.
    Como tienen cierta confianza, Lanata lo recibe boca arriba, en slip y
el kinesiólogo empieza a trabajar a destajo.
    Primero le practica magnetoterapia en la zona del cuello. Lo hace con
un aparato que hace las veces de antiinflamatorio y analgésico. Enseguida
le empieza a masajear las piernas.
    Cuando termina, lo coloca boca abajo y le pasa el magneto en la zona
lumbar mientras le masajea la parte posterior de las piernas.
    Para finalizar le masajea la parte de arriba de la columna y en la parte
de abajo le aplica otra vez la magnetoterapia.
    Orozco es silencioso y casi invisible.
    Cuando entra a alguna parte, casi nadie se da cuenta.
    Además es prudente y discreto. Solo aceptó la entrevista para este
trabajo después de que Lanata lo autorizó de manera formal.
    Orozco viene haciendo con Lanata un trabajo lento y artesanal. Se
dedica a asustarlo, de manera inteligente y sutil, y le explica una y otra
vez a qué futuro lo podría llevar su descuido físico. Una vez lo asustó
con el tema de la apnea. En otra oportunidad lo hizo cuando le empezó
a tratar los calambres. Y al final le dijo que si seguía comiendo cualquier
cosa y ni siquiera se movía para ir al baño, iba a terminar como ciertas
personas a las que él, también, les puso su mano encima.
    —*Yo atendí y atiendo a muchos diabéticos. Por eso le expliqué más*
de una vez, como al pasar, que los síntomas de quienes la padecen son
bastante solapados, pero una vez que explotan te hacen cagar fuego. Le
di dos ejemplos claros. Uno es que te podés quedar ciego de un día para
el otro. Y el otro es que también, de un día para el otro, para salvarte la
vida, y a raíz de los problemas circulatorios que provoca la diabetes, por
ahí te tienen que amputar una pierna o un pie.
    —¿Presta atención a sus advertencias?

—No lo sé. Lo que sí sé es que el miedo de tener que operarse para que le hagan un by pass gástrico o repetir las sesiones de diálisis fue lo que determinó que él se decidiera a bajar de peso. Mi opinión es que lo que lo salvó de la diálisis fue su miedo y ninguna otra cosa. Por eso es que creo que es tan importante hablar con él cada vez que esté dispuesto a escuchar.

Lo único que le falta a Orozco, para terminar de educar a Lanata, es que un buen día el periodista se decida a abandonar para siempre el cigarrillo.

El mundo privado de Lanata incluye lo que podría denominarse cierto resentimiento literario. Es decir: una sensación muy íntima y personal de que la crítica ha sido muy injusta a la hora de valorar la mayoría de los libros que escribió. Le propuse un repaso personal.

—El primero fue La Guerra de las Piedras. *Para buscar información me fui a Gaza y a Cisjordania. Lo sacamos con Editora 12. Es la misma editorial que publicó* Artistas, locos y criminales, *de Osvaldo Soriano y* Medio Siglo de Proclamas Militares, *de Horacio Verbitsky. Con mi libro se ganó dinero de una manera insólita: la embajada de la República Árabe Unida compró una edición, y repartieron ejemplares del libro en todas las embajadas de América latina. A mí me vino bien. Eso lo manejó una amiga de Fernando (Sokolowicz), Aviva Katz. No es que se lo tuve que vender a ellos, ellos aparecieron. Me gustaba la idea de cubrir una guerra, estuve un par de meses. Lo escribí en Montevideo, en un hotel. Tuve una discusión con Fernando en ese momento, porque él estaba muy en la línea israelí, y el libro era más pro palestino. Después escribí* Historia de Teller. *Lo escribí en Venecia, donde me fui a vivir con Graciela (Mochkofsky) un tiempo. Después publiqué* Vuelta de Página. *Fue cuando me fui de* Página/12. *Lo edité con Gaby Esquivada. Lo vendimos en quioscos porque no tenía editora. Nos fue muy bien. Se vendieron cincuenta mil ejemplares.* Hora 25 *es más reciente y quizás el más íntimo de todos. Es una recopilación de textos que escribí durante toda mi vida. Muchos de ellos inéditos. Más tarde vino* Argentinos. *Iba a ser un solo libro pero la cantidad de información que tenía lo convirtió en dos. Y el tercero,* ADN, *que es como la conclusión de* Argentinos I *y* II.

Argentinos fue el volumen más exitoso de Lanata. Escribió la mayor parte de la serie en José Ignacio, Punta del Este, y para hacerlo se hizo instalar una compleja conexión que le permitió usar Internet.

—¿Cuándo dejaste la máquina de escribir para empezar a escribir en computadora?

—Una buena parte de Historia de Teller *la escribí a mano. Estaba en*

Venecia y lo más cómodo para trabajar eran unos cuadernitos que me había comprado.

—¿Es cierto que fuiste uno de los últimos periodistas de *Página* que se adaptó a escribir en computadora?

—*Sí. Qué paradoja, yo informaticé Página y fui uno de los últimos en empezar a escribir en computadora. Me sentía más cómodo con mi Lexicon 80. El Gordo Soriano, que era más grande que yo, había aprendido más rápido y me hinchaba las pelotas para que me adaptara.*

—¿Por qué no podías?

—*Sentía que la computadora hacía un ruido raro. Como si vibrara. No podía arrancar. Tampoco podía empezar si la hoja con la que tenía que escribir no estaba completamente en blanco. Al poco tiempo tuve otro problema: escribía tanto a máquina que ya no pude hacerlo a mano, porque no me entendía la letra. Todo cambió cuando empecé a escribir poesía en la computadora. Era como si estuviera escuchando o tocando música.* Polaroids *fue escrito en una computadora porque me lo pasó Graciela. Al libro* Cortinas de humo *también lo escribí en computadora. Mi libro más íntimo es* Hora 25. *Lo escribí en una computadora, incluidos* Fuegos, Relojes *y todos los textos sobre los que no dejás de hacerme preguntas todo el tiempo.*

Después de la conciliación posterior al juicio que Lanata nunca me inició, el periodista y escritor Juan Terranova escribió en hipercritico.com una crítica negativa sobre *Muertos de amor*.

La tituló "Guerrilla para principiantes".

Consideró que la novela atrasaba veinte años y que era hija, nieta o bisnieta del llamado boom latinoamericano.

Criticó la tapa y calificó al título de cursi.

Lo acusó de travestir la voz de narrador.

Le endilgó practicar un guevarismo de remera.

Hipercritico.com es una página que yo dirijo. Escriben allí, entre otros, Gustavo Noriega, Emilio Fernández Cicco y Pablo Llonto. Por supuesto, cada uno de ellos escribe lo que se le da la gana con completa libertad. Ni haría falta aclararlo. Lanata entonces me llamó y me dijo:

—*Si queremos volver a estar bien no está muy bueno que empieces con esa crítica de Terranova.*

Fui sincero:

—*No la comparto. Me gustó* Muertos de amor. *Jamás suscribiría esa crítica. Me parece que contiene un ensañamiento inexplicable. Pero yo no soy Terranova.*

Creo que lo comprendió a medias.

Lo que Lanata privado nunca terminará de comprender es la lógica de los críticos. Le cité, en especial, las de Esteban Schmidt.

Schmidt escribió un largo ensayo contra Lanata en su blog El fin del periodismo.

Pero además escribió una durísima crítica sobre su programa de Canal 13 para la revista *Rolling Stone*.

Fue, antes que nada, una crítica política y desmesurada.

Lo criticó por hacer el mismo programa de siempre, con algunas variaciones, pero con la misma idea fija: injuriar a los políticos.

Lo acusó de hacer periodismo inmobiliario por mostrar el departamento de Amado Boudou. Lo calificó de payaso libertador y de showman político.

Schmitd, también con bastante saña, comparó a Lanata con Tenembaum, Zlotowiagzda, Montenegro y Sietecase y lo calificó como el peor de todos ellos.

Recordó con sorna que, para él, todo lo de Lanata fueron golpes de efecto: el stand up en el Maipo, el *Amarillo/12* y la tierra de Anillaco.

Mostró la hilacha cuando consideró que había atacado sin razón a *"uno de sus mejores contemporáneos"*, Víctor Hugo Morales.

Terminó con otra consideración política estridente:

−*...Si todo sale bien, como nos conviene a todos, pues tendrá Lanata que irse de Canal 13, en fade, como ya se fue de tantos lados.*

Replicó Lanata:

−*¿Qué hizo Schmidt en su carrera? Cuando crezca hablamos.*

−*¿Por qué descalificás al crítico en vez de discutir la crítica?*

−*A mí me parece buenísimo que existan los críticos. Yo coincido con esa frase que dice que los críticos son como los eunucos. Ellos saben todo lo que hay que hacer pero no saben cómo hacerlo. Veo a los críticos así: yo estoy en el medio del ring peleando; abajo hay un tipo con una camisa nueva, recién bañado, que anota los golpes que doy. Está todo bien. Están en su derecho. Pero yo no tengo nada que ver con ese tipo. Él está abajo anotando. Yo estoy arriba esperando que no me caguen a trompadas. O viendo cómo lo cago a trompadas al otro. Que el tipo anote lo que quiera. Yo sobre él no tengo opinión. No puedo decir nada. Vive en otro barrio. En otro planeta. Está cómodo. Descansó, se bañó y pensó cómo podía ser un programa ideal. Pero no lo está haciendo. No está peleando contra nadie. Yo era muy sensible a la crítica. Vienen y me dicen: leé la nota de El Guardián. Y ya ni me molesto. ¿Saben qué? Pongan lo que quieran. Me costó llegar a esta indiferencia. A los treinta no llegaba ni en pedo. Digamos que estoy menos pendiente de los eunu-*

cos. *El otro día me puse una vincha en la cabeza. Me la regalaron junto con una bandera argentina y la radio estaba transmitiendo en HD. Vino uno de los productores y me dijo: "No te la pongas, la van a usar los de 6, 7, 8". ¿La van a usar? ¿Y? ¡Que la usen! ¡Qué carajo me importa! Es sano cagarse en eso. Si pudiera, yo sería mucho peor. Viviría sin filtro. No me cagaría en la gente. Me cagaría menos en mí, que es la mejor manera de ser libre.*

Lanata privado se sintió más o menos libre cuando se peleó con Paenza después de interpretar que lo había traicionado. Es algo que no quiere revisar de ninguna manera. Y lo mismo le pasó con Pablo Jacoby, su abogado de toda la vida y uno de sus socios en *Crítica de la Argentina*. Lo habían mantenido en secreto desde el año 2009. Se sorprendió cuando se lo mencioné. Lo admitió con tristeza:

—*No quedamos en buena relación cuando se fue del diario. Además, en un momento se peleó con (Patricio) Carballés y yo lo contraté como mi abogado. Supongo que le habrá dado bronca. Yo no estoy resentido.*

—¿Pero no hubo un problema de dinero?

—*Tuvimos una discusión. Yo le pagaba una mensualidad cuando trabajaba en distintos medios. Una vez que nos peleamos me empezó a mandar liquidaciones de períodos en los que él había cobrado la mensualidad. Hablé entonces con Gabriel (Cavallo, socio de Jacoby, amigo de Lanata). Le dije que le dijera a Jacoby que se dejara de joder. Gabriel me dio a entender que no me quería cobrar. Que era más una cosa para hincharme las pelotas. La verdad es que no tuve ni ganas ni tiempo de hacerlo todavía.*

Lanata y Jacoby salvaron sus diferencias antes del cierre de este libro.

Lanata privado tuvo un solo nuevo amigo en los últimos años de su adultez. Estaba completamente loco. Me consta, porque lo conocí bien, y por momentos también me sentí su amigo. Se llamaba Fernando Peña. Fue Lanata quien inició los trámites pertinentes para que Peña fuera velado en la legislatura porteña. Habló de él con mucho cariño.

—*Fernando Peña era un artista de verdad. Porque siempre te conmovía. Nunca te dejaba indiferente. Yo no voy a ver teatro porque, en general, no les creo a los actores cuando están arriba de un escenario. En las películas sí. Pero si los tengo tan cerquita, no. ¿Por qué te cuento esto? Porque una de las pocas veces en que me pasó algo fue cuando fuimos con Sara a ver una de sus obras. Ella había hecho la crítica para* Veintitrés. *Llegué. Me senté. Él sabía quién era yo y yo quién era él. Y fue muy fuerte. Ese mismo día nos fuimos a cenar. Y a partir de ese momento tuvimos mucha relación. Fuimos juntos a Uruguay. Estuvo en mi casa miles de veces. Y yo estuve con él cuando se murió. Era lo menos que podía hacer.*

—¿Es cierto que tenés un gato que era suyo?

—Sí. *Heredé a Cuca, su gata. Pero creo que no estará con nosotros mucho tiempo más. Me parece que se la va a llevar Bárbara a su departamento porque Lola quiere tener un perro. Aunque no lo conocemos, ya le puso nombre. Se va a llamar Salsa. Al otro gato que teníamos, Fantasma, se lo llevó Nico Wiñazki.*

—Volvamos a Peña y tu definición de artista.

—*Fernando Peña era como Fernando Noy. También artista. También gay. Noy, quizá, sea un poco más under. Hace tiempo que no lo veo. Pero cuando lo ibas a ver, también te pasaba algo. No era solo para ir y entretenerte. Te pasaba algo de verdad. ¡Fernando Peña tenía tanta violencia adentro! Era un concheto, pero era un artista. Se movía en el mundo de los crueles, pero era demasiado sensible. Era muy puto y nació puto en un mundo donde los putos estaban mal vistos. Era un egocéntrico. Un loco de mierda. A veces pensaba que era un genio. Pero no lo era.*

—¿Cuál es tu mundo?

—¿Cómo cuál es mi mundo?

—Sí. ¿Cuál es? ¿El de Fito o el de la política? ¿El de Peña y el de Charly o el de Alfonsín, Menem, Kirchner, Macri o Scioli?

—*El de todos ellos. Yo estoy en todos esos mundos. Y estoy porque soy periodista. Quizás un periodista muy famoso. Pero no lo siento como algo contradictorio. Es mi vida. Y es así.*

Una de las que conoce los dos mundos de Lanata es Tamara Florín, quien trabaja como su productora audiovisual hace ya más de diez años. Florín considera a Lanata más que un periodista tradicional.

—*Tiene ideas geniales. Mi trabajo es realizarlas. Mi primer laburo con él fue* La argentinidad al palo. *Yo no me había recibido pero igual confió en mí. Hicimos* El templo del culo perfecto. *Tuvimos que montar una iglesia en un estudio y una clase media llena de chorros. Lo realizamos en Montevideo. Cuando lo vi en la tele no lo podía creer.*

—¿Compartió algunas noches locas con los chicos de la Bersuit?

—*No. El Jorge que yo conozco es más rescatado. ¿Viste que hay una versión de los noventa y otra más actual? Bueno: a mí, por suerte, me tocó la versión 2.0.*

—¿Qué querés decir?

—*Que a la hora de laburar es un tipo disciplinado. Te voy a contar una anécdota y entonces lo vas a entender. Al empezar* Periodismo Para Todos, *grabamos una entrevista con Pity Álvarez, el de Viejas Locas. Llegó dado vuelta. Apenas se sentó, tuvimos que hacer un corte para que Pity fuera a tomar. Nos tuvo esperando a todos quince minutos.*

Jorge me miró y me dijo: "Pobre pibe. Qué suerte que ahora estoy del otro lado".

Florín sufrió, como todo el equipo de Lanata, por algunas decisiones y caprichos del periodista que siempre pretende hacer lo que se le da la gana. Ella, a pesar de ser su productora audiovisual, tenía que estar atenta, junto con Mavi Bourdieu, por si Lanata se descomponía en medio de los viajes y a miles de kilómetros de la Argentina. Un día tuvo que llamar de urgencia a Bruetman, desde los Estados Unidos, porque los calambres en las piernas lo estaban matando de dolor. Desde ese día Florín llama a Lanata *Doctor House*, como el médico protagonista de la serie. Es porque le tuvo que dar Vicodin, el medicamento con el que House combatía el dolor de su pierna averiada.

Pero la escena más cómica, o dramática, sucedió en Siberia, antes de abordar el tren transiberiano que llevaría a todo el equipo al lago Baikal, la reserva de agua más grande del planeta.

Llegaron a la estación a las once de la noche, muy cerca del horario de la partida. El frío era casi insoportable. Ya sabían que tardarían en llegar por lo menos dos días. Cuando subieron al tren comprobaron que los camarotes eran demasiado pequeños y el olor a alcohol y suciedad corporal era insoportable. Entonces Lanata tomó a Florín de un brazo y dio la orden de bajarse de inmediato.

—*¡Nos bajamos ahora! ¡Nos bajamos ya mismo!* —empezó a gritar Tamara.

Cada uno tomó sus valijas. La última que quedó fue una de Lanata. Probablemente tuviera allí los implementos para aplicarse la insulina. Lanata entonces empezó a gritar.

—*¡Me quedó adentro! ¡Me quedó adentro!*

Alguien del equipo la encontró, la sacó del vagón de un tirón y detrás de la valija también se bajó Lanata.

Fue un momento de mucha tensión. Sin embargo, desde la mirada de su productora, fue compensado con otro mucho mejor.

—*Estábamos en el medio de Siberia y él pidió que prendiéramos la cámara. Nos dijo que registráramos el silencio. Después lo usamos para* BRIC. *Te aseguro que es el silencio más profundo del mundo.*

Le pregunté a Lanata privado:

—¿Y vos te considerás un artista?

Se tomó unos segundos para responder y dijo:

—*Sí.*

—¿Sí?

—*Aunque todavía no sé explicar muy bien por qué.*

386

—Tenemos tiempo.

—*Creo que porque casi todas las cosas que hago tienen una carga subjetiva muy grande. Una energía que excede la profesión.* Página/12 *no fue cualquier diario.* Día D *no fue como cualquier programa de tevé.* Periodismo Para Todos, *tampoco. Ahí está la diferencia.*

—¿Qué diferencia?

—*La diferencia que le pongo a cada una de las cosas que hago. Pero no es algo que busco. Tiene más que ver con el dejarme fluir que con los datos que manejo. Además, creo que lo que nosotros hacemos, en este tiempo y en este lugar, tiene algo de artístico. Quizá muchos piensen que no. Yo estoy seguro de que sí.*

17

REVANCHA

Lanata coqueteaba con la muerte, se sentía un periodista en el exilio y estaba con algunos problemas de dinero, hasta que selló un acuerdo con el Grupo Clarín y toda su vida se transformó para siempre.

Desde que supo que el mayor multimedios del país lo iba a contratar, Lanata bajó cerca de treinta kilogramos, no tuvo que volver a diálisis, dejó de transitar los aeropuertos en sillas de ruedas y mejoró de manera ostensible su precaria salud.

Además, multiplicó varias veces su nivel de conocimiento público, su programa se transformó en el periodístico con más rating de la televisión argentina y logró, durante algunos meses de 2012, el primer puesto en la franja horaria que ocupa en Radio Mitre, algo que no sucedió con ningún otro envío de la emisora.

Su incorporación a *Clarín* no solo hizo crecer su imagen positiva por encima de cualquier político de la oposición y también de la Presidenta. También multiplicó su facturación y lo transformó en uno de los hombres más influyentes de la Argentina, junto con Cristina Fernández, Marcelo Tinelli y Diego Armando Maradona.

El acuerdo entre Lanata y *Clarín* no se consumó de la noche a la mañana. Pero se coronó con un encuentro, cara a cara, a solas, entre Héctor Magnetto y el exdirector de *Página/12*, en la oficina del primero, sobre la calle Piedras, en octubre del año 2011.

Cuando Lanata se sentó frente a Magnetto, Jorge Porta, el responsable de la programación de Mitre, ya había empezado a mover la grilla para hacerle un lugar en la radio. Por su parte, Adrián Suar, el que decide la programación de Canal 13, se adelantó a la bendición del CEO de *Clarín* y le anticipó Lanata que si todo salía bien empezaría en abril de 2012, los domingos, a las once de la noche.

Lanata supo en diciembre de 2011 que, al final, sería la estrella más importante del grupo. Hacía mucho tiempo que no pasaba unas fiestas de navidad y de año nuevo con tanta felicidad y semejante expectativa.

Estaba tan contento por su nueva situación que no pudo resistir la tentación de contármelo, aunque me pidió estricta reserva hasta que el gran anuncio se hiciera público:

—Tanto me jodieron con la corpo, que ahora voy a trabajar para la corpo. ¡Y que se vayan todos a la concha de su madre! —me anticipó, como pidiendo aprobación.

Varios meses antes de arreglar con *Clarín*, Lanata había estado a punto de cerrar un trato para su regreso a América TV. Los dueños del canal no se terminaron de poner de acuerdo con Lanata y su mánager, Fernando Moya. Después de aquel retorno fallido, Lanata se empezó a desesperar.

El estado de sus finanzas personales no era el mejor. Como necesitaba el trabajo, llegó a pensar en aceptar una propuesta de Cristóbal López para entrar a Radio 10 una vez que culminara el proceso de compra a Daniel Hadad. Me lo contó en uno de nuestros primeros encuentros.

—Cristóbal López me vino a ver. Fue a través de (Carlos) Infante. Vino con un chico que se llama Fabián. (Se trata de Fabián De Souza.) Me querían conocer. Los tipos tienen la fantasía de que si vienen y te conocen vos los vas a atacar menos. En ese momento a López lo estaban atacando con algo. Yo le dije que no le convenía responder. Él estaba interesado en mostrarse como un empresario importante antes de conocer a Néstor. Cuando estaba por comprar Radio 10, me preguntó a través de Infante: "¿Vos laburarías con nosotros?". "Discutámoslo", le respondí. Si me dejan trabajar tranquilo yo no tengo problemas. Después no se hizo y la cosa ahí quedó.

Cuando recién habían empezado las conversaciones con Radio Mitre y Canal 13 le pregunté a Lanata por su patrimonio. Intentó dejar en claro que no era millonario. Y que no podía dejar de trabajar. Me lo planteó así:

—No tengo ni siquiera plata en el banco. A lo sumo, ahora, debo tener unas veinte lucas (dólares). Y eso es más a o menos lo mismo que cobró por mes. Gano más o menos cuatro mil euros por mi participación en La Ventana, *el programa de radio de España que es uno de los más escuchados. Tengo ahora lo de* Perfil. *Me falta cobrar lo de Turner y chau. Tengo que ponerme a laburar.*

El contrato con *Clarín* no pudo llegar a su vida en un momento más oportuno.

¿Cómo y cuándo se produjo el milagro?

¿Cuándo y cómo Lanata y Magnetto decidieron que debían dejar de lado el mutuo resentimiento para enfrentar al gobierno, el enemigo común que los atacaba sin piedad y sin respiro?

La historia secreta de semejante matrimonio profesional es digna de ser contada.

Para empezar, hay que decir que Suar siempre lo quiso tener en su equipo. Incluso ambos llegaron a mantener conversaciones para producir juntos un programa de televisión cuando Pol-ka todavía no existía y *Día D* era apenas una idea.

Para seguir, hay que informar que también Porta siempre tuvo a Lanata en carpeta. Sin embargo, nunca se había animado a firmar un contrato en firme en un horario *prime time*, porque temía que el periodista se aburriera o se enfermara.

¿Quién llamó a quién? ¿Lanata a la gente de *Clarín* o la gente del Grupo a Lanata?

Fue Lanata quien tomó un teléfono para pedir una reunión, a solas, con Magnetto, con la excusa de obtener de primera mano, datos reales sobre su estado de salud. Cuando el encuentro entre Lanata y Magnetto se consumó, en octubre de 2011, Suar, Porta y Carlos de Elía, gerente de noticias de Canal 13 y Todo Noticias, ya se habían puesto de acuerdo para preparar el gran desembarco.

Le pregunté a Lanata cómo había sido la reunión del reencuentro con Magnetto. Tenía curiosidad por saber qué era lo primero que se habían dicho. La última vez que se habían visto cara a cara fue para el traspaso de *Página* a *Clarín*, a fines de 1993. ¿Aprovecharon para pasarse alguna factura? Lanata me contó:

—*Ojo, Magnetto es un tipo muy cordial y muy agradable. Lo volví a ver ahora después de veinte años y hablamos de eso. (De cuando* Clarín *compró* Página.) *Me dijo: "Pero fue usted fue el que se quiso ir…" (de* Página). *Yo le dije: "No. Era lógico que yo me fuera". "¿Por qué?", me preguntó el tipo. Yo le respondí que porque no estaba de acuerdo con la venta. Entonces le pregunté: "¿Usted hubiera querido que me quedara?". "Por supuesto", me dijo. Ahora y entonces siempre mantuve con él reuniones muy agradables.*

Trasladé a Lanata de nuevo al pasado. Quise saber cómo veía, en perspectiva, aquellos encuentros de los jueves que mantenía con Magnetto mientras hacía su despedida por etapas del diario que más quiso. Le consulté si alguna vez supo por qué *Clarín* se había interesado en *Página*. Intentó quitarle dramatismo:

—*Por qué lo quisieron comprar, lo ignoro. Para mí fue una apuesta a largo plazo. Además siete palos (siete millones de dólares) no era nada para ellos. Tampoco usaron a* Página. *Nunca se metieron en la línea editorial.*

—¿Entonces lo compraron porque sí?

—*Lo compraron como compraron* Segundamano.

—¿Y ahora, *Página*, de quién es?

—*Está claro que* Clarín *ya no está ahí.*

(N. del A.: una alta fuente del consejo de administración de *Página* me dijo que además de Sokolowicz, ahora, hay otro socio, un empresario que simpatiza con el gobierno, no pertenece al mundo de los medios y posee el cuarenta y nueve por ciento de las acciones. Es, de acuerdo a la fuente, un socio "pasivo". Es decir: alguien que no se inmiscuye en la línea editorial.)

Lanata especuló:

—*Lo que creo es que ahora el gobierno le dio muchísima publicidad oficial y con eso financió la autocompra.*

—¿Imaginaste, cuando te negaste a seguir en *Página* por la compra de *Clarín*, que terminarías trabajando para el grupo?

—*Son dos cuestiones distintas. Yo voté en contra de la compra porque no quería trabajar para* Clarín *dentro de* Página/12*. Si hubiera querido trabajar en* Clarín *lo habría hecho. La verdad es que, antes de* Página*, ya había colaborado con la sección Cultura de* Clarín*. Yo me quedé un año (negociando la transición con Magnetto) porque era director de* Página*, nada más. No lo hice para tratar de dirigir Canal 13, como especuló alguien del consejo de administración de* Página *con el que decís que vos hablaste. Nunca se me hubiera ocurrido. Lo que sí me acuerdo es que Magnetto me ofreció trabajar en TN. Y que yo no quise porque era el cable.*

—Y todos se juramentaron para no hablar del ingreso de *Clarín* a *Página*, hasta que vos rompiste el juramento.

—*Es verdad que todos nos juramentamos no decir nada sobre la venta a* Clarín*. Yo hablé por primera vez de la venta a* Clarín *cuando me harté de que* Página/12 *me censurara, me ninguneara, me sacara el nombre, me ignorara y me echara. Fue entonces cuando les mandé a algunos compañeros aquella famosa carta. (Véase el capítulo "4. Página/1".) Que se vayan a la concha de su madre.*

¿Quién o quiénes fueron los que pensaron que Lanata podía trabajar para el Grupo Clarín después de tantos desencuentros? ¿Fue su incorporación solo producto del impulso de Lanata?

Pocos saben que hubo otras gestiones que jamás se hicieron públicas. El exjuez federal Gabriel Cavallo, uno de los mejores amigos de Lanata, fue uno de los que las motorizó. Para evitar malos entendidos, que las cuente el mismo Cavallo.

—*Hubo dos momentos. Uno fue hace tiempo. Estoy casi seguro de que fue durante 2005. Yo todavía estaba en la justicia y Jorge ya no estaba en América. Creo que ni siquiera había empezado en Radio del Plata. Como yo tenía una buena relación con Jorge Rendo hicimos un par de reuniones en mi casa. Estuvimos Jorge, Rendo y yo. Se habló de la posibilidad de que Jorge trabajara por lo menos en algún medio del Grupo. Se habló, en concreto, de Radio Mitre. Hubo dos meses de febriles gestiones. Y en un momento todo se trabó.*

—¿Lanata estaba dispuesto a ir a trabajar ahí?

—*Sí. Se había mostrado muy dispuesto. De hecho, todos pensamos que salía. No salió, creo recordar, porque todavía le quedaba un año de contrato a Magdalena Ruiz Guiñazú. Después el diálogo se cortó. La salida de* Crítica *los terminó enfrentando de nuevo.*

—¿Quién tomó la iniciativa entonces?

—*La iniciativa fue de Jorge.*

—Ese fue un momento. ¿Y el otro?

—*El otro momento fue este: el que terminó con su contratación. Yo le ofrecí a Jorge que si quería podía hablar con alguien del Grupo para acercar posiciones. Hablé entonces con Martín Etchevers (gerente de Comunicaciones del Grupo Clarín). Y a él también le pareció bien.*

—¿Cuándo fue exactamente?

—*En 2011.*

—¿Quiénes y cómo empezaron a negociar?

—*Lo llamó, de manera directa, el responsable de Radio Mitre. Sin embargo, no bien empezaron a conversar, Jorge tuvo problemas de salud y la cosa se volvió a enfriar.*

—¿Qué fue lo que destrabó todo?

—*¿Quién lo puede saber? Yo hablé con Martín (Etchevers) una sola vez. Le dije que vieran la posibilidad de hacer algo con Jorge. Ellos se mostraron comprometidos. Después se agregó (Fernando) Moya a la negociación y en algún momento se volvió a trabar. Jorge estaba preocupado y yo le di me opinión sincera.*

—¿Qué le dijo?

—*Que la única manera de destrabar todo de una buena vez era que él mismo se sentara a hablar con Magnetto. Era lo más lógico. En algún momento habían tenido una relación. Se debían una conversación.*

—¿Lanata prestó atención a su consejo?

—*Me parece que sí. Promediaba 2011. Se lo dije en el restaurante La Huella, de Punta del Este. Estábamos con nuestras familias y me sentí con la libertad de aconsejarlo.*

—¿Cómo sabe que le hizo caso?

—*Lo sé porque él habló con Martín (Etchevers) y le pidió formalmente una entrevista con Magnetto. Y también lo sé porque Jorge me escribió diciéndome que (Magnetto) se la había concedido.*

—¿Le contó lo que hablaron?

—*Sí. Le pregunté cómo le había ido. Me dijo que había sido una reunión de dos tipos de la industria que se dijeron todo lo que se tenían que decir. Y que hablaron todo lo que tenían que hablar.*

—Fue la cumbre que "produjo el milagro".

—*Es evidente que después de aquel encuentro Jorge empezó a trabajar en la radio y la televisión. Yo me alegré. Porque la situación se destrabó de manera definitiva.*

Moya también me confirmó que lo que hizo posible la alianza fue la famosa reunión con Magnetto:

—*Él me preguntó si le convenía acordar con Clarín. Yo le dije que sí. Y que la única manera era hablar con Magnetto, porque es la única persona que maneja el multimedios completo. La reunión se concretó, fue positiva y a partir de ahí se abrieron todas las puertas. Primero las de la radio y enseguida las del canal. Era evidente que no podía desaprovechar la oportunidad.*

—¿Lo aconsejaste desde tu mirada política?

—*No. Al contrario. Lo hice de acuerdo a cómo funciona la televisión abierta. Y no fue difícil. Hay dos canales muy importantes: Telefé y el 13. Otros dos con menos audiencia: América y el 9. Habíamos tenido una conversación con América y no había resultado. ¿Qué otra cosa le quedaba por hacer, seguir puteando a Clarín?*

¿Seguiría Lanata agrediendo a *Clarín* como lo venía haciendo desde la época de *Crítica de la Argentina*? Esa era una de las grandes dudas que tenía. Por eso le pedí una opinión sincera sobre Magnetto, ahora que se transformó en el periodista más importante del Grupo Clarín. Lanata tomó aire y respondió:

—*Magnetto es un empresario argentino. Con todos los defectos y todas las virtudes de los empresarios argentinos. Ha tenido buenas relaciones con el poder cuando pudo. Ha crecido al amparo de esas relaciones. Defiende la industria nacional y me parece que está bien. Tiene una vocación monopólica como tienen todas las empresas privadas. ¿O vos te pensás que las demás empresas no serían monopólicas si las dejaran? A mí me resulta gracioso que Clarín sea el ejemplo de monopolio: ¿Aeropuertos qué es? ¿Edesur y Edenor qué son? ¿Telefónica qué es? Hay un montón de grupos. Si vos me decís políticamente, lo mejor sería*

393

que no hubiese monopolios. Hoy también hay un montón de monopolios estatales del aparato de propaganda, que nadie habla de ellos. Todos hablan de Clarín *pero nadie habla, por ejemplo, de (Sergio) Szpolski. El otro día me decían que en Santa Cruz hay cuarenta y cinco radios. ¿Sabés cuántas son críticas? Solo una. A mí los monopolios no me gustan. Por otra parte, ¿sabés quién firmó la fusión Cablevisión-Multicanal? Yo no fui. La firmó Néstor. Después se pelearon, como se pelearon con (la familia) Eskenazi. ¿De qué se me puede acusar? Cuando compraron* Página, *yo me fui. Lo vi todo un año por la transición. Él fue correcto conmigo y yo con él. Siempre hablé de frente, y hace poco lo volví a ver, después de veinte años. No hablamos de mi incorporación, sino de temas generales. Si vos me preguntás si yo pienso que Magnetto es el enemigo número uno, la respuesta es no. Siempre fue difícil competir con* Clarín, *y a veces las armas que usó no fueron las correctas moralmente. Cuando nosotros salimos con* Página *les pagaban a los quiosqueros para que no lo distribuyeran en la costa, o te boicoteaban la publicidad. Lo dije en su momento y lo repito ahora.*

Su alianza táctica con el Grupo no solo le posibilitó volver "a jugar en primera". También le levantó su autoestima, y le permitió mejorar su salud.

Lo aceptaron todos los que siguen con detenimiento su historia clínica. Se lo pregunté de manera directa a su esposa, Sara Stewart Brown de Lanata.

—¿Resucitó?

—*Sí. Resucitó. Ni más ni menos. Venía de un año difícil. Uno de los peores de su vida. Entonces para él, y para todos, estar en la pantalla de Canal 13 fue un golazo. Hoy está bien. Hasta te diría muy bien. Bajó más de veinte kilos. Es que había llegado casi a ciento cincuenta. Solo había aumentado tanto en el momento que dejó la merca. Ahora está pesando cerca de ciento quince. Antes usaba talle cuarenta y seis y ahora usa cuarenta y dos. Bajó de peso porque se asustó. Y porque no quiere volver a diálisis. Además, si no hubiera bajado como bajó, no podría estar haciendo todas las cosas que hace. Alcohol, por suerte, no toma. Solo sigue fumando Benson, Parliament o Marlboro light.*

Su asistente personal, Mavi Bourdieu, no habló de resurrección, pero desde que Lanata empezó en *Periodismo Para Todos* sintió que había cambiado de jefe:

—*Antes, en el medio de un viaje, me llamaba a la noche a la habitación del hotel para que le alcanzara o le comprara algún remedio. Sufría de calambres muy fuertes que no lo dejaban dormir. No podía caminar* mucho y en los aeropuertos lo llevábamos en silla de ruedas. La última vez que viajamos fue todo lo contrario, estábamos en el aeropuerto, empezó a caminar ¡y no lo podía alcanzar!

Su médico de cabecera, Julio Bruetman, me lo explicó en términos científicos:

—No sé si llamarlo resurrección. Lo que pasa es que bajó casi treinta kilogramos. Recuerdo haberlo pesado no hace mucho. ¡Llegó a los ciento cuarenta y ocho kilos! Ahora está en ciento dieciocho. Eso lo mantiene al borde de la necesidad de diálisis. ¿Cómo no se va a sentir mejor después de ese brutal descenso de peso?

—¿Ya no sufre insuficiencia renal?

—Su insuficiencia renal persiste. Es crónica. Estuvo descompensada con síntomas clínicos que hicieron imprescindible iniciar las sesiones de diálisis. Su baja de peso, el estricto control clínico al que se somete cada quince días y la dieta lo pusieron mucho mejor.

—¿Pudo haber influido el hecho de volver a ser reconocido por la calle y lograr la repercusión que antes su trabajo no tenía?

—Es un estímulo muy importante. El hecho de que vuelva a sentirse muy bien con su trabajo no es un factor de mejoría menor. Estaba en un círculo vicioso y entró en otro que se podría llamar virtuoso. Con treinta kilos menos, las apneas de sueño se reducen y entonces dormís mejor. Si dormís bien estás más reactivo y concentrado. Si estás más concentrado, rendís mucho mejor. Jorge ha tenido una mejor evolución de la que uno puede esperar. Y esta es una opinión no médica: a Jorge, todas las opciones de trabajo, en especial los nuevos desafíos, lo hacen sentir mejor. Son un estímulo positivo. El dato malo es que sigue fumando muchísimo.

—Cuando nos vimos por primera vez, su diagnóstico era que las sesiones de diálisis se iban a prolongar y que eran inevitables.

—Bueno, cuando nos vimos por primera vez él tenía un clearance de creatinina menor a diez y en este momento tiene veinticuatro. El índice de creatinina sirve para evaluar el funcionamiento del riñón. Lo normal es tener entre cien y ciento veinte. Con ocho, nueve o diez no se puede vivir sin diálisis. Los síntomas son los de la uremia: náuseas, cansancio y confusión.

—¿Le molesta la palabra resurrección?

—Es un término inadecuado. Es verdad que está teniendo la oportunidad de hacer una gran cantidad de cosas con una enorme repercusión. Es cierto que esto coincidió con una franca mejoría clínica. Ambas situaciones se retroalimentan. Pero eso no solo le pasa a Lanata. Le sucede a cualquier ser humano.

Su mánager, Fernando Moya, tampoco quiso hablar de resurrección o de revancha. Sí se mostró impactado por la repercusión de cada una de las cosas que dijo o que hizo desde que empezó a trabajar en el Grupo Clarín.

—*Nunca sucedió algo igual. Antes la repercusión era fuerte, pero en contra. Las cosas que decía antes eran peores, o más importantes. Pero las decía por América y muy pocos las levantaban. Desde que está en Mitre o en Canal 13, los tres diarios, Clarín, La Nación y Perfil se hacen eco de cada cosa que hace o que dice. Para colmo, las redes sociales lo amplifican. Y también lo toma Todo Noticias (TN), porque también pertenece al Grupo. Es algo serio. Insisto, nunca nos pasó algo así.*

—¿Así como hay una agenda del gobierno hay otra agenda Lanata?

—*Sí. Pero creo que hay una agenda Lanata porque el gobierno amplifica lo que Jorge dice. Si ellos lo ignoraran, la cosa no sería tan grande. Los que ayudan a crear la agenda Lanata son 6, 7, 8, Duro de Domar y todos los medios oficialistas. Ellos son los que ayudan a crear la "agenda Lanata".*

—¿Y la agenda de Lanata es la agenda de *Clarín*?

—*Sí. Yo creo que hoy es una agenda muy combinada con la de* Clarín. *Si bien Lanata elige sus propios temas, hoy está más con la línea de TN, con (Carlos) De Elía o con los productores de* Periodismo Para Todos.

Lanata sintió la enorme repercusión que significó ingresar al Grupo Clarín en carne propia. Y lo sintió de inmediato. Fue el martes 7 de febrero de 2012, el otro día de su debut en Radio Mitre, con *Lanata sin filtro*, el programa que va desde las 13 hasta las 14:30 horas. Lo acompañaron, en la aventura radial, Luciana Geuna, Osvaldo Bazán, Nicolás Wiñazki, Andrea Rodríguez y Adriana Verón, entre otros. En la apertura pareció burlarse de quienes pronosticaron que sería un engranaje de la *corpo*, al recitar: "*Magnetto/ Magnetto/ Me aprendí el libreto.*"

Lanata me confesó por qué semejante repercusión lo conmovió tanto:

—*Fue raro. Y fuerte. Y sentí miedo. Te lo digo de verdad. Apenas empezamos Nico Wiñazki denunció que (el vicepresidente Amado) Boudou tenía un testaferro (Alejandro Vandenbroele). El famoso monotributista con el que había fundado una empresa trucha y que tenía la impresión de los billetes de cien mangos en la Argentina. Bueno, sacamos por la radio a la exesposa del monotributista, Laura Muñoz. A partir de ese momento se armó un escándalo impresionante. Yo sabía que era fuerte. Pero no me di cuenta de la verdadera dimensión hasta el otro día, cuando vi la tapa de* Clarín.

—¿Por qué?

—*Porque esa mañana supe, como nunca antes, cómo funciona el sistema. Y es terrible. Y me dio miedo. Porque una cosa es saberlo y otra vivirlo, como me pasó a mí. El mismo diario que durante veinte años me ignoró, me jodió y me ninguneó de golpe estaba levantando una nota que había hecho para la radio. Era muy fuerte. Es muy fuerte. Parece una boludez. Pero hasta en la volanta de tapa pusieron que fue en un programa radial.*

—¿*No fue bueno?*

—*Claro. Por un lado estuvo bueno. Porque significa que pude influir en medios importantes. Y porque me siento más fuerte para defenderme de un gobierno que me viene atacando como nunca nadie me atacó en toda mi vida. Por el otro lado no puedo dejar de pensar que el establishment de la prensa me odió y me jodió durante años. Y que ahora salgo diciendo cualquier boludez en La Nación y tengo cuatro mil cliqueos. ¡Y yo digo y hago lo mismo que antes! Solo que la repercusión es mil veces mayor.*

Otra de las fantasías sobre la incorporación de Lanata a *Clarín* es cuánto dinero pactaron para hacer posible semejante alianza. Informó Lanata:

—*Con la radio estuvimos dos meses negociando. Finalmente acepté un salario que es menos de lo que yo pensaba y deseaba. Un salario y un par de PNT (Publicidad No Tradicional). Es decir que tengo que salir a buscar publicidad, cosa que nunca me pasó. Y en la tevé estamos en la cifra que nosotros pensábamos. Para que hagas tus propios cálculos: en radio voy a estar un poco menos que lo que ganaba en Turner y en la tele un poco más de lo que ganaba en Turner. Y en cualquier caso me van a pagar mucho menos de lo que merezco.*

Que a Lanata le están pagando mucho menos de lo que merece es algo en lo que coincide Jorge Rial, alguien que ha demostrado conocer la industria de los medios como pocos. El jueves 25 de octubre de 2012, desde *Ciudad Goti-K*, su programa de radio, Rial argumentó:

—*Clarín venía cascoteado y estaba desorientado. No lograba con el diario tanta repercusión. Y tampoco con TN. No podían instalar ningún tema. Del otro lado había un Lanata arrumbado, en el cable, haciendo documentales, viajando por el mundo. Además venía con un tropezón por lo de* Crítica. *Hasta no hace mucho, Clarín a Lanata no lo quería. Y Lanata hablaba mal de* Clarín. *Yo no sé qué pasó después. Tampoco sé si este plan lo hicieron a propósito o les salió de culo... Pero nunca, antes de este Lanata, había visto al gobierno tan nervioso. Lanata ha logrado que lo puteé medio gobierno, en vez de ignorarlo. Le dicen "infame",*

"Larrata" y eso lo convierte en un mártir. Ojo, hay un mérito de Lanata. Es vivo. Tiene sentido del show. Yo laburé con él. Me llevó a la mítica revista Veintiuno *cuando conseguí la información sobre el padre (Julio César) Grassi. ¿Sabés qué hizo? Agarró la nota y la subió a la tapa. También fui yo quien le aconsejó que se fuera a descansar un poco cuando era gerente de programación de América, porque estaba muy mal. Lanata tiene un cincuenta por ciento de mérito. Pero el otro cincuenta por ciento se lo debe al gobierno. Porque sale a responderle y le levanta el precio. El Grupo no tenía un periodista como Lanata. Ahora lo encontró. No sé cuánto le paga* Clarín *a Lanata. Pero todo lo que le pueda pagar es poco, comparado con la repercusión que le garantiza.*

Para saber cuánto le pagó durante 2012 *Clarín* a Lanata la mejor fuente es su mánager Fernando Moya. Que lo diga él:

—La radio lo quiso contratar directamente. De la negociación con Mitre me abrí. No quise bancarme el quilombo de asumir su representación, cobrar un porcentaje y discutir todos los días con Porta. Por eso le dije a (su abogado, Patricio) Carballés que cerrara el contrato y lo manejara él.

—Lanata me dijo que es un contrato con honorarios y publicidad. ¿Conocés el monto?

—Debería llegar a los ciento veinte mil pesos tranquilamente.

—¿Y el contrato de la tele?

—Al principio yo no entré, porque pensábamos que lo querían para TN. Pero después nos dijeron que Suar lo quería para el canal abierto. Entonces me junté primero con (Daniel) Zanardi, el director general y me aclaró la cosa. Me explicó que la parte artística la manejaba Suar y la periodística De Elía. Y que en este caso iban a participar los dos. Es decir, tampoco hicimos un típico contrato de coproducción. La producción es del canal. Recién ahí empezamos a hablar del contrato de Jorge.

—¿A cuánto ascienden sus honorarios?

—Entre doscientos cincuenta mil y trescientos mil pesos. La cifra final depende de la publicidad y del premio por rating. De ese monto, nosotros le pagamos a seis o siete personas. Es el equipo de confianza de Jorge.

—¿Ustedes pueden vender publicidad?

—Puedo incluir PNT (Publicidad No Tradicional) pero hoy está difícil conseguir. Lanata es un producto premium pero muy caro para nuestros clientes.

—¿Hicieron un buen arreglo?

—No sé si es un buen arreglo. Nosotros no estábamos en la tele. Y ahora estamos. Eso era lo importante. A partir de ahora buscaremos

una mejora. ¿Es un gran negocio? No. ¿Es un buen negocio? Sí. Para que sea mejor tiene que seguir cuidando su salud y también la relación con Clarín.

La mejor fuente para chequear el dinero que recibe Lanata es Alejandra Mendoza, una de sus secretarias y la mujer que le lleva todas las cuentas. Hablé con ella el 17 de abril de 2012, después de hacerlo con Moya.

—*El mes pasado cobramos de Radio Mitre un poco más de sesenta mil pesos. Este mes cobramos sesenta y seis mil más quince mil pesos de publicidad. El mes que viene llegaremos a los cien mil con publicidad y todo. Lo de Canal 13 no me lo dieron, porque eso lo maneja Moya.*

—¿Qué porcentaje recibe Moya?

—*En general es el quince por ciento de lo que recibe Lanata. En este caso, no lo sé.*

—¿No sumás entre sus ingresos lo que gana en Cadena Ser de España?

—*Lo de la radio de España no pasa por mí, se lo depositan allá. Hasta hace unos días escribía en* Perfil, *cobraba cuatro mil dólares mensuales por* Perfil *y cuatro mil por* Libre. *Él tiene todo en blanco. Este año pagará cuatrocientos mil pesos de impuesto a las ganancias correspondientes al balance de 2011.*

Tres meses después le pregunté a Sara si, luego de su ingreso al Grupo Clarín, Lanata había empezado a ordenar sus cuentas. Fue sincera:

—*Sí. Lo estamos haciendo. Me acabo de juntar con el contador. Estamos tratando de pagar deudas viejas del Impuesto al Valor Agregado (IVA). Pedimos un préstamo para pagar IVA viejo. Es que nos estaban matando los intereses. Recién ahora lo entendimos bien. Hay plata de la que uno no dispone. Es de la AFIP. Puede pasar por nuestras cuentas, pero las tenemos que pagar. Quiero separar ese dinero. Ponerlo en una cuenta separada. Así, cuando tengamos que pagar, no se nos venga el mundo encima. Por lo demás, estamos bien, acabamos de vender los dos autos que teníamos (una camioneta Ford EcoSport y un New Beetle de Volkswagen) y nos compramos un Volkswagen CC.*

Tan llamativo como el contrato que Lanata firmó con Canal 13 y con Mitre es el dinero que utilizó el canal, durante todo 2012, para sostener la producción de *Periodismo Para Todos.*

A Lanata le dieron todo lo que pidió, y un poco más. Viajó junto a un equipo de por lo menos cuatro personas a Angola, a Nueva York, a Venezuela y a El Calafate, entre otros lugares del planeta. Además estuvo a punto de armar un móvil en vivo para salir desde Tucumán, a un costo aproximado de medio millón de pesos.

Lanata se subió más de una vez a un avión privado para completar una cobertura periodística que creía necesaria.

Lanata, durante 2012, se reunió casi todos los lunes con Suar y De Elía para reflexionar sobre el programa del día anterior y soñar juntos con el del domingo siguiente. Y eso es algo que jamás sucedió con ningún programa ni ningún periodista en toda la historia del Grupo Clarín. Me lo reconoció Lanata, apenas empezó a saborear su revancha.

–*Nunca me sentí tan apoyado como este año en Canal 13. Y eso fue desde el principio. Los tipos siempre estuvieron ahí. El primer domingo Telefé inventó una especie de Martín Fierro del propio canal. Antes del programa me vinieron a ver Suar y (Pablo) Codevilla y me dijeron: "No te preocupes por el número. Si hacemos diez o doce puntos va a estar todo bien". Yo dije: "Uy. Los tipos están más cagados que yo. Vamos a hacer dos puntos". Hicimos dieciséis y fue muy bueno. Pero después me siguieron apoyando. Yo, con Suar, con De Elía y con Codevilla sigo trabajando todas las semanas. El canal está apostando de verdad. Además estoy laburando con absoluta libertad. A nadie se le ocurre preguntarme ni decirme nada de nada. Yo tenía más prejuicios contra Clarín que los que Clarín siempre tuvo conmigo. Y si mañana me tengo que ir de Mitre o de Canal 13 me iré, no me importa nada.*

–¿Ya estás abriendo el paraguas?

–*No. Pero no me engaño. Si a mediano o largo plazo ellos arreglan con el gobierno me tendré que ir. Ellos son el poder en sí mismo.*

El equipo de *Periodismo Para Todos* 2012 estuvo formado por Ricardo Ravanelli, como productor general; Andrea Rodríguez y Tamara Florín, como productoras ejecutivas; el director, Luis Barros; los coordinadores de producción, Yanina Montanaro y Sebastián Gómez Sánchez; y los periodistas Ismael Bermúdez, Luciana Geuna, Nicolás Wiñazki, Rodrigo Alegre y Gastón Cavanagh. Lanata contó, además, con un grupo de guionistas integrado por Marcelo Birmajer, Esteban D'Aranno y Miguel Gruskoin, quienes realizaron valiosos aportes para sus monólogos y pasos de comedia durante la emisión del programa. Martín Bilyc hizo las imitaciones de Aníbal Fernández, y Fátima Florez, las de la Presidenta. La polémica sueca Alexandra Larsson hizo de ella misma, y de la enfermera que atiende a Lanata en el medio de la sesión de diálisis cuando el periodista despertó de los sueños que le sirvieron para presentar polémicas imágenes de archivo. Mavi Bourdieu cumplió las funciones de asistente personal y Bárbara Lanata trabajó como vestuarista. Para Lanata, hacer trabajar a su hija es tan importante como el rating del programa.

—*Bárbara labura desde los 18 años. No es Máximo Kirchner, que no tiene la menor idea de nada* —me aclaró.

Una de las piezas claves del programa es Tamara Florín.

Ella hace casi diez años que lo conoce.

Tiene 31 años y trabaja como productora audiovisual de Jorge Lanata desde los 20 años. Estudió cine y filosofía pero no terminó las carreras. Fue productora de *Deuda*, el documental *Tan lejos, tan cerca: Malvinas 25 años después*, el video clip *La argentinidad al palo* con la Bersuit, el documental sobre el Che Guevara: *Los últimos días del Che*, el programa *Después de Todo* en Canal 26, *BRIC* y *26 personas para salvar el mundo*. El encuentro con Florín se produjo en el bar Módena el jueves 14 a las 10 de la mañana. Tamara es alta, flaca, tiene ojos celestes y, como la mayoría de las mujeres que están a su alrededor, está fascinada con Lanata.

Tamara sabe bien cuándo una producción tiene todo lo que tiene que tener. Cuándo un canal o una productora pone a lo mejor o a lo peor de su personal. Ella dijo:

—*Es inédito e ideal que las cabezas de la división artística y de noticias de un canal se sienten a discutir y poner en marcha las ideas de un programa. Los editores de los informes, por ejemplo, pertenecen al área de noticias. A las escenas de diálisis las hacemos con los editores de ficción. Ravanelli, el productor ejecutivo, tiene diez periodistas y productores que trabajan para* Telenoche *y* TN *y aportan notas e investigaciones para el programa. Nos dieron el mejor estudio del canal, el "B". Nos dieron el mejor director de cámara (Carlos Torres), los mejores camaristas y también los mejores editores. En la isla de edición nos dieron a Félix Villaverde, el editor con más experiencia. Luis Barros, el director, trabajó con Ideas del Sur y también con nosotros en* BRIC. *Y, como si esto fuera poco, respetan las decisiones de Jorge de producción. No las resisten.*

—¿Qué significa eso?

—*Que no le hablamos por la cucaracha porque no le gusta usarla. Que no le decimos el rating mientras está haciendo el programa. Y que decidimos qué poner y qué no poner sobre la marcha, porque consideramos que es mejor así.*

Durante 2012, Lanata se juntó, todos los lunes, a las cuatro de la tarde, con Carlos De Elía, Ravanelli, Andrea Rodríguez y Florín para evaluar el impacto del programa del día anterior. Los martes o los miércoles Lanata y Florín también se encontraron para pensar nuevas ideas. Los jueves a las ocho de la mañana Lanata recibió a los guionistas para hacer un intercambio de ideas sobre los temas de la semana y la inclusión de chistes en el monólogo inicial.

El regreso de Lanata a la tele resultó aluvional.

La expectativa era enorme porque hacía nueve años que no tenía un programa propio en la televisión abierta.

El contexto político lo amplificó todavía más.

La guerra entre el gobierno y el Grupo Clarín determinó que Lanata no tuviera ningún límite para investigar, denunciar y mostrar todo: desde casos de corrupción escandalosos hasta situaciones de alto impacto mediático, como las imitaciones de la Presidenta y del senador nacional Aníbal Fernández.

Hasta el nombre, *Periodismo Para Todos (PPT)*, fue pensado para mojarle la oreja al gobierno y a la productora de Diego Gvirtz, denominada *Pensado para la Televisión (PPT)*. A ellos, los que eligió, desde el principio, como los enemigos a vencer y como los representantes de la prensa que más desprecia.

A la Presidenta la enfrentó con ironía con la imitación de Fátima Florez. Nunca, hasta ese momento, la televisión argentina había presentado una sátira tan crítica desde que Néstor Kirchner asumió como presidente, en mayo de 2003. Para sus enemigos de *6, 7, 8* Lanata tenía preparada una sorpresa que nunca llegó a poner en el aire: era una enorme rueda gigante con ocho ratas de laboratorio que harían las veces de Orlando Barone, Sandra Russo, Luciano Galende, Cabito Massa Alcántara y Carlos Barragán. Suar y De Elía lo convencieron de que no tenía sentido perder tiempo en tan poca cosa. Fue una decisión inteligente. En cambio todos festejaron con entusiasmo la idea de usar el dedo de *fuck you* para representar todo lo contrario a la impostada alegría de los programas de propaganda oficial. La excusa artística fue perfecta: *Fuck you* es también el título de la canción de apertura cuya autora es Lily Allen.

A la expectativa previa, el contexto político y la absoluta libertad para criticar al gobierno, Lanata sumó el hecho de estar en una de las dos pantallas más calientes de la Argentina. Para ser más precisos: el *prime time* del 13 es apenas más bajo que el de Telefé y triplica y cuadriplica el de América y Canal 9, más allá del contenido de los programas de una y otra pantalla y de las fallas de la medidora IBOPE.

La maquinaria de prensa y publicidad que lo acompañó también fue inédita: nunca un programa periodístico tuvo más avisos y notas previas que *Periodismo Para Todos*. *Clarín*, *La Nación* y *Perfil*, pero también TN y todas las radios del Grupo Clarín, publicaron notas y publicidad de *Periodismo Para Todos*, mucho antes del debut. Además, Lanata fue entrevistado una y otra vez por decenas de medios, incluido *Telenoche*, el noticiario central del multimedio *Clarín*.

Periodismo Para Todos debutó el domingo 15 de abril a las once de la noche. Obtuvo 16,3 de rating, mucho más de lo que esperaba Suar, Codevilla, De Elía y el propio Lanata. Esto significa que fue visto, solo en la ciudad de Buenos Aires y en la provincia de Buenos Aires, por más de un millón y medio de personas durante las casi dos horas que duró la emisión.

El domingo siguiente, 21 de abril, Lanata viajó a El Calafate y burló a todos los controles de Inteligencia del gobierno nacional. De otra manera no se explica cómo pudo aparecer, en piyamas, desde la suite *Evita* del hotel boutique *Los Sauces*, propiedad de la presidenta Cristina Fernández de Kirchner y de sus hijos Máximo y Florencia. La información sobre los terrenos municipales que decenas de funcionarios, incluida la jefa de Estado y el expresidente, habían comprado a precio de bicoca no era nueva. La había publicado el propio Lanata seis años antes, en *Perfil*. Amplié la información en noviembre de 2009, en *El Dueño*. Lo que sí resultó nuevo fue que Lanata estuviera ahí, a metros de la casa donde Cristina Fernández había visto morir a su marido. Fue como hacerle pito catalán a la jefa de Estado en la antesala de su lugar en el mundo. Ese domingo, *PPT* midió un poquito más que el domingo del debut: 16,6 puntos.

Durante aquellos días "de gloria", me tocó entrevistar a Lanata para esta biografía no autorizada. Estaba exultante. No cabía en su enorme humanidad. Me confesó:

–*Le dije a los chicos de producción que trabajemos para hacer 30 puntos. No es que piense que algún día los vamos a conseguir. Pero es lindo ponerse metas cada vez más altas, ¿no?*

Se sentía indestructible. No solo había dejado de respirar de manera pesada y ruidosa. Los kilos que había adelgazado se le notaban en todas partes. Bajaba de un avión y se tomaba otro. Aterrizaba en Ezeiza para ir directo a la radio o al canal. En la calle lo tocaban como si fuera un santo. Le preguntaban por su salud. Le pedían que se dedicara a la política. Y él, nutrido por semejante demostración de apoyo, se transformó en una máquina de tirar ideas. Y una más audaz que la otra.

El 6 de mayo Lanata presentó una investigación sobre usuarios "truchos" de Twitter que lanzaban mensajes a favor del gobierno y utilizaban fotos de otras personas. No era un dato nuevo para los asiduos navegantes de las redes sociales. Sí para la mayoría del público de televisión abierta. Los ciber-k volvieron a quedar en *off side*. Fue otro golpe durísimo para miles de activistas del gobierno.

El 13 de mayo Lanata intentó generar un hecho político, parecido al que impulsó Tato Bores cuando la jueza María Servini de Cubría intentó frenar la emisión de uno de sus programas. En aquella oportunidad, decenas de personas, entre las que estuvieron el exfiscal de la Juntas, Luis Moreno Ocampo, Mario Pergolini, Luis Alberto Spinetta, Soda Stereo, Magdalena Ruiz Guiñazú, Enrique Pinti, Jorge Guinzburg, Alejandro Dolina, Miguel Ángel Solá, Soledad Silveyra, Darío Grandinetti, Juan Alberto Badía, Mariano Grondona, entre otros, le dedicaron una canción a la magistrada que tuvo un impacto espectacular. Todos cantaron:

La jueza Barúburubudía,
La jueza Barúburubudía,
La jueza Barúburubudía
es lo más grande que hay.

Lo hicieron así porque no querían ni podían mencionar a la magistrada con su nombre y apellido. Pero toda la Argentina se enteró de cuál había sido el problema.

En una movida parecida, Lanata logró que decenas de periodistas de diferentes medios se sumaran a su consigna #queremospreguntar. Reclamaron que la Presidenta convocara a conferencias de prensa con preguntas no condicionadas. El rating fue uno de los más bajos. Apenas alcanzó los 13,7 puntos. Pero el ruido fue casi tan alto como si hubiera logrado 20.

El 20 de mayo Lanata mostró un informe sobre Angola, donde Cristina Fernández viajó para entrevistarse con el presidente de aquel país. Lanata no pudo lograr un reportaje con la Presidenta. Sí alcanzó a consultar al canciller Héctor Timerman. Lanata le preguntó una y otra vez sobre las violaciones a los derechos humanos denunciadas en el país africano. El ministro no le contestó, y su no respuesta se pareció mucho a un papelón. Con la expectativa previa, el baile de la Presidenta con las mujeres angoleñas y la fantasía de que Lanata pudiera enfrentarse, cuerpo a cuerpo, con la jefa de Estado, *Periodismo Para Todos* alcanzó su más alta medición: 19,4.

Al día siguiente los twitteros k acusaron recibo y quisieron tomar venganza: #muriojorgelanata se convirtió en el segundo *trending topic* en Twitter.

Los comentarios apuntaron a destruir su credibilidad como profesional.

El 3 de junio le escribió Lanata una carta a la Presidenta. La calificó de patética por haber participado de la fiesta de los veinticinco años de *Página/12* y no haberlo mencionado como uno de sus fundadores. (Véase el capítulo "5. Página/2".)

El domingo 1° de julio viajó a Tucumán. Explicó que lo hizo porque su programa estaba prohibido en la provincia. Denunció al gobernador José Alperovich por corrupción. Responsabilizó a su administración por el hambre y la pobreza de la provincia.

El 5 de agosto *Periodismo Para Todos* cambió de horario. Se adelantó una hora y empezó a emitirse a las diez de la noche. Prepararon, para la ocasión, un condimento picante. Mostraron cómo parte del equipo del programa había sido agredido, en Jujuy, por militantes de Túpac Amaru, presidida por Milagro Sala, mientras tomaban imágenes del barrio levantado por la organización. Lanata viajó a Jujuy para demostrarle al público que él era capaz de poner el cuerpo cuando atacaban a gente de su equipo. Fue recibido por Milagro Sala. Una multitud que respondía a la dirigente los acompañó cuando se despidieron al grito de:

—¡Nosotros somos buenos!

El 19 de agosto Lanata viajó a Formosa. Allí denunció la corrupción y los aprietes del gobierno de Gildo Insfrán.

El cambio de horario no lo favoreció. La fuerte competencia directa con *La Voz Argentina*, el programa de Telefé, hizo bajar la audiencia cerca de un veinte por ciento. La tendencia parecía inmodificable hasta que Lanata viajó a los Estados Unidos y Cristina Fernández le hizo el regalo más grande del año. Fue a responder a los estudiantes de Georgetown y Harvard con altanería, prepotencia y chicanas. Incluso, cuando uno de ellos le preguntó por la pobreza, la inflación, la presión de gobierno y la no convocatoria a las conferencias de prensa, la Presidenta le contestó como una frase que pasará a la historia por su contenido elitista y discriminatorio:

—Chicos, ¡estamos en Harvard, no en La Matanza!

Lanata venía de medir 14 puntos. Pero la cobertura del viaje de la Presidenta hizo trepar al programa del 30 de septiembre hasta los 19,4 puntos de rating. Lanata no pudo preguntar. Pero sí mostró una suite igual a la que ocupó la Presidenta y una cartera y varios pares de zapatos que había adquirido para la ocasión. En Twitter, el hashtag *#LanataEnHarvard* lideró los *trending topics* de nuestro país y estuvo entre los más mencionados a nivel global.

El lunes 20 de agosto, Darío Gallo, periodista de *Clarín*, escribió una nota titulada: "Los silencios que provoca Lanata en Twitter".

Esta es una síntesis de su interesante artículo:

405

Cada domingo, Jorge Lanata provoca un fenómeno digno de destacar en Twitter. En la red social donde hablar es gratis y se comenta la programación de la tele como si fuera un inmenso living nacional, Lanata provoca un largo silencio entre los funcionarios, los periodistas militantes y los intelectuales ligados al gobierno. Cada domingo, a las 22, la tribuna "oficialista" de Twitter se repliega de una manera tan evidente que se ha convertido en un clásico (...) Cuando Lanata empezó su ciclo en Canal 13, los influyentes oficialistas comentaban, hacían bromas o insultaban al periodista. Pero hubo un quiebre. A mediados de mayo, cuando Lanata viajó a Angola y redondeó 19 puntos de rating, el panorama cambió. Algunos de esos influyentes oficialistas en Twitter comenzaron a preguntarse si atacar al periodista no era sumarle puntos de rating.

El 14 de octubre se emitió el programa donde Lanata denunció que los Servicios de Inteligencia de Venezuela le habían quitado y borrado el material grabado durante las elecciones de ese país. Midió 17,3 de rating. Lanata estalló:

—*Quiero saludar a todos los hijos de puta del aparato del gobierno que dijeron que era todo mentira. (Carlos) Cheppi (embajador argentino en Venezuela) representa bien a este Estado: es ausente, mentiroso, inepto y amigo de sus amigos.*

Cheppi había afirmado que a Lanata no le habían quitado ningún material. Lanata gritó:

—*¡Yo pago impuestos como un pelotudo para que este hijo de puta diga esto!*

La denuncia hizo que Lanata se enfrentara con Aníbal Ibarra, Gabriela Cerruti y Víctor Hugo Morales, entre otros legisladores y periodistas K. (Véase el capítulo "13. Periodistas".)

El 21 de octubre Lanata mostró un informe sobre una presunta estafa de Luis D'Elía con la entrega de viviendas sociales.

—*D'Elía, vos afanás a los pobres* —le gritó Lanata al referente social de Cristina Fernández.

Vecinos del barrio San Javier habían denunciado que no habían recibido las escrituras prometidas desde dos años atrás y que para normalizar su situación el líder piquetero los habría intimado para volver a pagar por los terrenos noventa cuotas de trescientos pesos.

D'Elía hizo tanto ruido antes del programa que generó una expectativa enorme, por encima de la habitual.

El 28 de octubre Lanata reconoció que había cometido un error al adjudicarle como propio un chiste discriminatorio que D'Elía había reproducido, pero que había sido realizado por otra persona. Alguien a quien el dirigente social lo calificó como de clase alta.

El chiste era brutal. Decía:

—¿*Sabés cada cuánto saca la basura un boliviano?*

—No.

—*Cada nueve meses.*

Durante todo ese fin de semana, en el medio de *Fútbol para Todos*, se pudo ver la promoción de *6, 7, 8* en la que apareció el error de *Periodismo Para Todos*.

Lanata primero admitió su responsabilidad:

—Se coló un error grave. Fue realmente un error.

Pero después miró a cámara y dijo:

—*¡D'Elía, no te vamos a dar cincuenta minutos de réplica a menos que nos obligue un juez!*

Y remató:

—*Vos tendrías que estar en cana. ¡Agradecé a Dios que estás suelto!*

Uno de los momentos de mayor atracción de *Periodismo Para Todos* es cuando Lanata presenta sus monólogos, con una escenografía de stand up. Los trabaja con sus libretistas y los mezcla con videos y pasos de comedia.

Periodismo Para Todos, Lanata sin filtro y sus columnas de los sábados en el matutino *Clarín* transformaron a Lanata en el periodista más conocido y más creíble de la Argentina. Incluso mejor visto y más creíble que la propia presidenta de la Nación, Cristina Fernández.

En julio de 2012 Aresco, la consultora dirigida por Julio Aurelio, hizo una encuesta sobre la imagen del exdirector de *Página/12*. El estudio se realizó entre el 24 y el 25 de julio, en la ciudad de Buenos Aires. Respondieron mil cuatrocientas treinta personas. Los resultados fueron apabullantes.

- Dijo conocerlo el 99,65 por ciento de los entrevistados.
- Su imagen positiva llegó al 68,44 por ciento.
- Su imagen negativa fue del 28,2 por ciento.
- Su índice de credibilidad fue del 68,52 por ciento.

Cuando se preguntó la opinión sobre su rol de periodista, el 37,3 por ciento lo consideró muy bueno y el 31,4 por ciento bueno. Un 17,2 por ciento lo calificó de malo y un 10,9 por ciento lo encontró muy malo.

Lanata obtuvo buena imagen entre los jóvenes, los mayores, las mujeres y los hombres, con oscilaciones mínimas entre unos y otros.

Las personas con estudios primarios le dieron una positiva de 71,7 por ciento, los que completaron el secundario del 67,8 por ciento y los universitarios del 63,9 por ciento.

Pero el dato más curioso de la muestra es el que comparó la imagen de Lanata como periodista con la de Cristina Fernández como presidenta. Porque entre quienes evaluaron como positiva la imagen de la Presidenta también lo hicieron con el trabajo de Lanata. E incluso, en esa competencia, la imagen positiva de Lanata superó a la negativa por unos pocos puntos. Para ser más precisos: quienes evaluaron a la gestión de Cristina Fernández como buena le otorgaron a Lanata una imagen positiva del 49,7 por ciento contra una negativa del 46,6 por ciento.

La credibilidad de Lanata como periodista resultó muy alta.

Altísima entre los lectores de *Clarín*, con casi el 82 por ciento; muy alta entre los de *La Nación*, con casi el 77 por ciento; y alta, con más del 60 por ciento entre los lectores, de *Perfil* y *El Cronista*.

Lanata cosechó su imagen más negativa entre los lectores de *Página/12*, el diario que fundó: casi el 80 por ciento no lo consideró ni creíble ni buen periodista.

Los resultados de las encuestas hicieron pensar a algunos dirigentes políticos y analistas de opinión que Lanata podría ser el candidato ideal para liderar la oposición. El 24 de septiembre, en Córdoba, Lanata logró lo que no pudo ni José Manuel de la Sota con un aparato partidario muy aceitado. Esa tarde, más de diez mil personas se sentaron a escuchar a Lanata en un espacio abierto, el Parque de las Naciones. Fue en el marco de la Feria del libro. Durante la charla, muchos de ellos gritaron: "*Se siente/ Se siente/ Lanata presidente.*"

Le pregunté a Alfredo Leuco, uno de los analistas políticos más prestigiosos, nacido en Córdoba, si Lanata debería empezar a ser considerado como el verdadero jefe de la oposición. Me dijo:

—*Yo no tengo ninguna duda. Lanata se ha transformado en el jefe de la oposición a pesar de él mismo. Y no porque lo haya buscado. Fue la realidad la que lo puso allí. Es, sin duda, el tipo más convocante de la Argentina después de Cristina Fernández. Te aseguro que los diez mil tipos que Lanata juntó en esa provincia no los junta ni el gobernador. Y no le gritaban solo: "Aguante, Lanata". Le gritaban "Lanata presidente". El Gordo no es solo el jefe virtual de la oposición. Es el gran catalizador de los cacerolazos. El periodista que ya, en el primer programa, anunció:*

"Vengo a romper con el miedo". El miedo de la sociedad que habla bajito. De los empresarios que no hacen crítica ni denuncias públicas por temor a la AFIP. Lanata, con su fuck you, hizo que mucha gente lo usara en las movilizaciones como símbolo de rebeldía.

—¿Puede ser considerado Víctor Hugo Morales la contracara de Lanata?

—*¡No! Entre Víctor Hugo y Lanata hay una disparidad enorme. Son boxeadores de distinto peso. Lanata pelea en la misma categoría de Cristina, no en la de Morales. Lanata es el único periodista de Mitre que la gana a Radio 10, tiene un rating de dos dígitos en Canal 13 y escribe en el diario más importante y más leído del país. Pero no se trata solo de cantidad o de rating. Víctor Hugo es el vocero de las políticas del gobierno y Lanata es el intérprete de muchas de las demandas de la sociedad que está disconforme. Y como si eso fuera poco tiene una virtud única: puede sintetizar con una idea o un par de palabras asuntos muy complejos y al mismo tiempo muy urgentes.*

—¿Cuál es tu mirada sobre el ingreso de Lanata al Grupo Clarín?

—*Es obvio que se trata de un matrimonio por conveniencia. Que se aliaron para cuidarse las espaldas. Yo creo que, en algún lugar, a El Gordo le hace ruido trabajar con Magnetto. Y que a Magnetto también. Pero fueron inteligentes. Minimizaron sus "diferencias políticas" porque comprendieron que el gobierno va por todo y que eso los incluye a ambos. En realidad nos incluye a todos. A vos y a mí también.*

—¿Por eso fuiste al programa de #queremospreguntar?

—*Justamente por eso. Porque esta no es una pelea solo contra el Grupo Clarín. Es una pelea contra la libertad de informar, investigar y denunciar y el derecho de ser informados.*

—Es la teoría de que *Clarín*, en esta guerra, es el más débil.

—*Sí. Y yo la comparto. Yo no quiero que Argentina se transforme en Venezuela. Quiero ir hacia Brasil. Coincido con Lanata cuando dice que ningún privado, por más grande que sea, puede ser más fuerte que el Estado. Y menos que el Estado que maneja este gobierno. Porque Cristina Fernández es la presidenta con mayor poder desde 1983.*

—¿Lanata es el mejor de nuestra generación?

—*Yo soy un poco más grande que ustedes y no sé si es el mejor. Sí creo que es el gran creativo del periodismo. Y también uno de los que tiene más coraje. Ojo, no creo que sea un gran analista político. Tampoco pienso que sea un buen investigador. Quizá sea un poco vago. Tal vez no lea los diarios con tanta profundidad. Pero sí es el periodista que más moviliza. El que más política genera.*

El sueño de que Lanata se transforme en candidato de la oposición en circunstancias normales difícilmente se convierta en realidad.

A Lanata ya se lo ofrecieron, ya lo analizó y ya llegó a la conclusión de que no lo haría de ninguna forma. Ni siquiera en circunstancias excepcionales.

Todo comenzó cuando una tarde de marzo de 2007, la misma Elisa Carrió lo fue a visitar a su departamento para ofrecerle la candidatura a jefe de Gobierno de la Ciudad. Ella misma ya se había postulado como candidata a presidenta y necesitaba una figura atractiva y convocante para competir contra Mauricio Macri.

En aquella época, Lanata era el conductor de *Lanata PM*, que se emitió por Radio del Plata de 17 a 20 horas y se disponía a viajar a Malvinas, enviado por *Perfil*, para hacer un documental sobre las islas, por los veinticinco años de la guerra.

Lilita se dirigió de inmediato al fondo de la cuestión:

—*Tu candidatura en Capital es la única esperanza para frenar a los Kirchner y también a Macri y evitar que este bendito país se vaya al diablo.*

A Lanata, la propuesta, al principio lo impactó. Carrió, para convencerlo, le mostró una encuesta en la que Macri aparecía primero, pero Lanata lo seguía detrás, con muy poca diferencia entre uno y otro.

Lilita le pidió reserva y al mismo tiempo le solicitó que respondiera cuanto antes. Lanata le contestó que aprovecharía su viaje a Malvinas para no atender el teléfono y pensar con tranquilidad. El domingo 11 de marzo de 2007 Santiago Fioriti, de *Clarín*, publicó la información que generó un alto impacto entre la dirigencia política, en general. Su título y su volanta: *"Lanata es el candidato sorpresa que Carrió quiere para la Capital. El periodista analiza el ofrecimiento y responderá dentro de una semana".*

Antes de viajar a Malvinas, Lanata convocó a su plana mayor. Es decir, sus amigos y consejeros de siempre. Fue durante una cena. Estuvieron allí el exjuez Gabriel Cavallo; el escritor y periodista Martín Caparrós; su secretaria de toda la vida, Margarita Perata; y su mujer, Sara Stewart Brown. Que los detalles los cuente el propio Lanata.

—*Un día Carrió vino a casa y me hizo un planteo muy inteligente. No me dijo que yo era el candidato ideal. Me pintó un panorama tremendo. Un escenario en el que se iba a pudrir todo. Y me preguntó, si en ese contexto, podrían contar conmigo. Le dije que no me interesaba participar en la política partidaria, pero que si el país se incendiaba podía pensar en ayudar.*

410

—Hizo que te picara el bichito.

—*Claro. Por eso dudé.*

—¿Y cómo se desarrolló el cónclave?

—*Martín quería. Desde 2001 que venía diciendo que había que meterse en política. A Gabriel no le entusiasmaba Carrió. Margarita pensaba que era imposible gobernar una ciudad como Buenos Aires. Surgieron cosas que parecían boludeces, pero que lo hacían inviable.*

—¿Qué cosas?

—*Por ejemplo. Si íbamos a elecciones y ganábamos, ¿de qué iba a vivir? Porque trabajar de intendente está buenísimo, pero tengo dos hijas, pago expensas muy caras. ¿Cómo mierda hacía para vivir? Uno de ellos explicó que lo habitual es que mientras un intendente gobierna, hay un grupo de amigos que te ponen plata. "Ni en pedo", dije yo. "Depender de unos tipos con guita para gobernar no está bueno."*

—¿Esa era la principal objeción?

—*No. Esa era la más chica. Después estaba la idea de cómo gobernar. ¿Sabés cuantos tipos laburan en el gobierno de la Ciudad? Son como ciento cuarenta mil. ¿Cómo íbamos a hacer para determinar quién servía y quién no? Alguien dijo: a los sesenta mil que no tienen idea los mandamos a estudiar a la casa y mientras tanto les pagamos el sueldo. Era eso lo que debíamos hacer, porque las cosas no se arreglan sin cambiar nada. Margarita decía: "¡Ah! ¿sí? ¿Y qué le vas a decir a Patricio Datarmini y Amadeo Genta? ¡Los sindicatos nos comen crudos en un minuto!". Y Romina Manguel, que trabajaba con nosotros en la radio, decía: "Vamos a durar dos días. ¡Pero qué dos días van a ser!". Enseguida surgió otra duda. ¿Qué hacemos si ganamos? ¿Quiénes podrían ser nuestros ministros? Con la mano en el corazón, ¿conocemos cincuenta personas por las que pondríamos las manos en el fuego? No necesitamos mucho tiempo para confirmarlo. Ahí me terminé de convencer de que no tenía que agarrar.*

—¿Cuándo y cómo le dijiste que no a Carrió?

—*Al regresar de Malvinas. Le expliqué por qué. Me parece que no le gustó mucho. No le gusta que le digan que no. Coincidí con ella en el diagnóstico macro. Cuando dice que el peronismo y el radicalismo terminan siendo cómplices a la corta o a la larga. Pero también le dije que no comparto la idea de que todos tengan que ser presidentes, incluida ella. Es más, le sugerí que se presentara como candidata a la Ciudad. Que se metiera en toda la mierda y que empezara a hacer política de abajo hacia arriba. Por lo que se ve, mucha bola no me dio.*

Quienes aman y también quienes odian a Lanata tienen posición tomada sobre su incorporación al Grupo Clarín. Lo que ninguno de los

411

dos bandos hicieron es tomarse el trabajo de registrar, con seriedad y sin recortes, qué decía antes y que dijo Lanata sobre *Clarín* después de su ingreso.

Es un buen momento para hacerlo.

En abril de 2008 Lanata escribió, en su fallido diario *Crítica*, una extensa y documentada nota sobre Papel Prensa.

Los cuestionamientos contra *Clarín*, Ernestina Herrera de Noble y Magnetto fueron durísimos.

Lanata citó un texto de Juan Gasparini para destacar que en 1977, Lidia Papaleo, viuda de David Graiver, fue convencida de firmar "el pre-boleto" de venta de las acciones de Papel "sin chistar". Y que en aquel "solemne acto" estuvieron, entre otros, Magnetto, de *Clarín*.

Recordó que todos los miembros del Grupo Graiver fueron detenidos e intervenidos sus bienes. Y que mientras tanto, los diarios *Clarín, La Nación* y *La Razón* como socios de Papel Prensa obtuvieron créditos de dos bancos privados por más de siete millones de pesos, a sola firma y sin ningún aval.

Lanata rememoró las quejas tanto de Héctor Ricardo García, entonces director de *Crónica*, como las de Julio Ramos, de *Ámbito Financiero*. Ellos habían denunciado que el Estado no solo le había regalado Papel Prensa a solo tres diarios, sino que también había elevado el arancel de importación para obligar a los demás diarios a comprarle a esa fábrica a un precio exorbitante.

Lanata, antes de terminar, denunció a *Clarín* por ejercer un periodismo vengativo.

Lo hizo al recordar que ante una denuncia de la Secretaría de Medio Ambiente contra la planta de Papel Prensa en San Pedro, el matutino había respondido con una acusación de corrupción contra la responsable del organismo público, Romina Picolotti.

También destacó que había *"una causa por apropiación ilegal de menores en la Corte, con un análisis de sangre pendiente en la familia Noble"*.

Y finalizó:

—Hay una pelea de socios que nunca se sabe en qué puede terminar.

El 17 de abril de 2008 Lanata escribió la nota de tapa de *Crítica* que acompañó la denuncia que hizo el gobierno por la supuesta contaminación de la planta de Papel Prensa. El título de la nota de tapa fue: *"Peor que Botnia"*.

Y el título de la columna de Lanata: *"Nada personal"*.

En aquella columna Lanata intentó explicar por qué *Crítica* decidió publicar la denuncia oficial sobre la contaminación de Papel Prensa y la llegada a la Corte de la causa que investigaba la filiación de los hijos adoptados de Herrera de Noble. Explicó el sentido de la oportunidad. Habló, en suma, sobre ética de prensa. Y terminó la nota así:

—¿*Debíamos postergar su difusión para no quedar en el medio de la pelea del gobierno y* Clarín? ¿*Debíamos directamente censurarlos, ya que algunos suponen que se está de un lado o del otro? ¿Por qué debemos elegir entre dos opciones que no nos gustan? No creo que eso sea lo que ustedes esperan de nosotros.*

El 5 de abril de 2009 Lanata escribió una carta de despedida a los lectores de *Crítica*. También escribió una posdata para responder a la información que horas antes había publicado *Clarín*. Fue, quizás, una de las críticas más violentas que propinó contra Ernestina Herrera de Noble, contra Magnetto y también contra el editor general del diario, Ricardo Kirschbaum. No tiene desperdicio.

Párrafo aparte merece la reacción de ayer de algunos medios al informar con verdadera mala leche sobre esta noticia. Es gracioso y patético verse corrido por izquierda por Clarín: *que el diario que convivió e hizo grandes negocios con los militares (Papel Prensa, junto a* La Nación), *gerenciado por la señora que se sospecha apropiadora de hijos de desaparecidos, que implementa el terror como política laboral (no tiene, por ejemplo, comisión interna) sostenga en un artículo sin firma que* Crítica *"moderó últimamente su posición sobre Kirchner" es tan torpe que resulta cándido. "Lanata se va por la caída en las ventas", dice* Clarín *luego de aclarar que no tiene cifras del IVC sino afirmaciones del mercado.* Crítica *tiene, sin embargo, cifras del IVC: en febrero* Clarín *cayó 61.875 ejemplares los domingos y 26.213 de lunes a viernes. Cifras altas incluso para los 250.000 ejemplares promedio de* Clarín. *El diario que montó ilegalmente Radio Mitre, que obtuvo Canal 13 del menemismo y logró la fusión monopólica del cable con Kirchner nos acusa de falta de independencia.* Clarín *no soporta que no le tengan miedo. Me hubiera gustado, al menos, dar esta pelea con Roberto Noble, su creador, y no con su lobbista Héctor Magnetto y el genuflexo señor Kirschbaum, cada día más encorvado por decir que sí. Nada de lo que digan sobre nosotros cambiará la imagen que ustedes tienen al mirarse al espejo.*

El 8 de junio de 2009, desde su programa *Después de Todo (DDT)* que se emitió por el Canal 26 de Alberto Pierri, Lanata presentó un mapa de los medios. Es el que repite una y otra vez *6, 7, 8* y sus programas satélites. Intentó hacerlo de manera didáctica. Allí describió cada uno de los medios que eran propiedad del Grupo Clarín. Recalcó que *Clarín* no solo tenía medios. Que también era accionista de Expoagro, que formaba parte de un fondo junto a Goldman Sachs y que además estaba vinculado al grupo Techint a través de Impripost. Lanata pidió a sus televidentes que recordaran que gracias a las facilidades que le dieron "los milicos" y otros gobiernos a Papel Prensa, *Clarín* había crecido, durante todos estos años, como ningún otro diario.

El 7 de septiembre Lanata respondió una pregunta de Víctor Hugo Morales, quien lo llamó para su programa *La mañana*, de Radio Continental. En aquel entonces parecían llevarse muy bien. Muchos interpretaron sus afirmaciones como un apoyo concreto a la Ley de Medios.

—*A mí me preguntan si estoy a favor de la ley. ¿Quién puede estar a favor de un monopolio? No encuentro ninguna persona sensata que me explique de buena fe que lo que hay que hacer en una misma ciudad es escuchar una sola opinión.*

El martes 6 de octubre de 2009, Lanata dijo, en *Le doy mi palabra*, el programa de Alfredo Leuco, en Canal 26:

—*Clarín no soporta que no le tengan miedo. Clarín ha estado con todos los gobiernos. Con la dictadura y con cada gobierno democrático. Y ha obtenido prebendas de todos los gobiernos. Radio Mitre la obtuvo de (Raúl) Alfonsín. Canal 13 de (Carlos) Menem. La fusión Multicanal-Cablevisión de (Néstor) Kirchner. Papel Prensa de (el dictador Jorge) Videla. Entonces, que Clarín me corra por izquierda me parece patético.*

Leuco le preguntó su opinión sobre la Ley de Medios. Lo que dijo se lo puede definir como un apoyo crítico:

—*Hace muchos años que tiene que haber una ley de radiodifusión. Yo prefiero que esté la que propone Kirchner y no ninguna otra. ¿Qué, la van a usar mal? Probablemente la usen mal. Pero por lo menos va a haber una ley mejor que la que está. Igual, no tengo confianza en que lleven la ley a fondo. Hasta ahora las peleas entre el gobierno y Clarín fueron y vinieron. Nunca son definitivas. Y no sé en qué pueden terminar.*

En abril de 2010 Lanata la volvió a emprender contra *Clarín* desde *DDT*. Hizo un editorial de dos minutos y medios criticando un institucional del Grupo en el que se advertía que, con la Ley de Medios, la señal de cable Todo Noticias podía desaparecer. La nueva intervención de Lanata incluyó una curiosidad. Contó con publicidad oficial tanto para la apertura como para el cierre. La publicidad oficial fue emitida por la

Secretaría de Turismo de la Nación. Rezaba: *"Argentina punto ar/ El portal oficial de promoción de la Argentina".*

Lanata explicó que la denuncia de *Clarín* advirtiendo que TN puede desaparecer era mentira. Abundó:

—*Si vos leés la ley (de medios) te vas a dar cuenta de que nadie puede tener un canal de cable y de aire a la vez. Pero sí podés tener nueve señales que no sean nacionales. Y dentro de esas nueve* Clarín *puede mantener a TN tranquilamente. Quiero decir, el mensaje del aviso es un mensaje manipulado para que vos pienses que queremos que la información desaparezca.*

Y agregó:

—*Además, la utilización de la palabra desaparecer en la Argentina me parece poco feliz. Durante los años de la dictadura aquí desaparecieron miles de personas. Y* Clarín *no se caracterizó por decirlo. No solo eso. No tuvo ningún empacho en que desaparecieran miles de personas más. E hizo grandes negocios mientras desaparecían miles de personas. Entre otros, Papel Prensa, una empresa subsidiada por el Estado que les permitió crecer más que cualquier otro diario. Que quienes en algún momento por omisión o por silencio consintieron desapariciones ahora usen la palabra desaparición como argumento para mantener un negocio me parece realmente poco feliz. Yo no tengo nada contra TN. Pero TN no va a desaparecer.*

El 24 de agosto de 2010, horas después de que la Presidenta anunciara por cadena nacional su denuncia contra Papel Prensa, Lanata, desde *DDT*, leyó un editorial. Lo tituló: "Déjenme pensar tranquilo".

Lanata puso tanto al gobierno como a *Clarín* en un mismo plano: el de los negocios.

Esto es parte de lo que dijo:

Hay cosas en las que estoy de acuerdo con Clarín *y otras cosas en las que estoy de acuerdo con el gobierno. ¿Y qué hago? ¿Miento? ¿Para quedar bien con el gobierno me callo las cosas de* Clarín*? ¿Para quedar bien con* Clarín *me callo las cosas del gobierno? ¿Algunas de esas posiciones me convierten en un traidor? ¿Saben qué? Ni estoy de acuerdo ni soy traidor. Me quieren meter en una pelea que no es la mía. Estamos en una mesa, hay dos tipos peleándose y los dos me dicen: "Che, ¿no te das cuenta lo que está diciendo el otro?". Y no me quiero meter en esa pelea, porque es mentira que esa pelea es ideológica. Esta es una pelea de negocios. No están discutiendo ideología, están discutiendo poder, negocios. Entonces no me quiero*

meter del lado de ninguno. No les creo el progresismo a los Kirchner.
No creo en el progresismo de un matrimonio que duplica cada año
su fortuna. Que me expliquen cómo carajo la consiguen. No conozco
a nadie que un año tenga 10, al otro 20, al otro 40 y al otro 80. Tam-
poco le creo lo de la libertad de prensa a los monopolios de prensa.
Blancas palomitas, como decían en Jacinta Pichimahuida. ¿Ahora
somos todos nenes de pecho? Tienen monopolios, radios, canales,
¿y piensan en la libertad de prensa? Chicos, vamos: Somos todos
grandes. No nos hablen más de libertad de prensa. Porque no están
defendiendo la libertad de prensa.

En agosto de 2010 Lanata fue entrevistado por Ernesto Tenembaum para su programa *Palabras más, palabras menos*. En aquellos días, el gobierno no solo siguió presionando al Grupo Clarín con la denuncia contra Papel Prensa. También intentó quitarle Fibertel.

Se trata de un reportaje clave. Fue durante esa ocasión cuando Lanata desarrolló por primera vez su teoría de que *Clarín* era más débil que el gobierno y que por eso se iba a poner del lado del multimedio.

Lanata lo explicó así:

—Si hablamos de Papel Prensa (PP) nadie me puede correr por izquierda. Yo fui uno de los primeros que hablé del tema y me gané bastantes enemigos. La historia de PP no es como el gobierno la cuenta hoy, aunque es cierto que su formación fue irregular. PP fue una empresa subsidiada por el gobierno. Y solo tres diarios se beneficiaron con provisión de papel barato. Yo no pertenecí a ninguno de los tres. Al contrario: cuando estaba en Página queríamos comprar papel y PP no nos vendía. Todo esto es así, pero no se soluciona con (Guillermo) Moreno y sus guantes de box.

—¿Y cómo se soluciona?

—A través de la justicia. Porque los funcionarios no son jueces. No te pueden meter en cana. Y la otra verdad es que la causa PP ya fue a la justicia y los jueces dictaminaron que sus directivos son inocentes. Hubo un dictamen de la Fiscalía de Investigaciones Administrativas de Ricardo Molinas. Y hubo otro fallo del juez (Miguel) Pons. Y fue durante la etapa democrática. Y en ningún caso dijeron que se cometió ningún delito de lesa humanidad ni que nadie fue torturado para vender las acciones de PP. Ahora, si el gobierno decide quedarse con PP y meter preso a Magnetto y Bartolomé Mitre, estamos en un problema serio. Pero no por Magnetto y por Mitre. Es porque mañana van a meter preso a Tenembaum y a Lanata con la misma discrecionalidad.

Tenembaum le preguntó por el intento de intervención en Fibertel:

—*Es lo mismo. Hace ocho años que Fibertel funciona así y antes nadie había dicho nada. Y el ministro (de Planificación, Julio De Vido) en vez de ir a la justicia decide cortar el servicio. Es una locura que el gobierno intente reemplazar al Poder Judicial. Entonces, ¿de qué lado te ponés? Es paradójico, pero ¿sabés qué? Me voy a poner del lado del más débil. Porque siempre me puse del lado del más débil. Y el más débil, ahora, es quien parecía el más fuerte.*

—¿El débil es *Clarín*?

—*Sí. El mismo diario que ni me menciona cuando hablo en un programa. Pero no importa. Son cosas distintas. Una cosa es mi carrera y otra lo que está pasando en la Argentina.*

Luego de aquella nota, muchos directores del Grupo empezaron a pensar que Lanata no solo iba a sentar posición a favor de *Clarín*, sino que bien podía ser uno de los principales periodistas del grupo. Me lo dijo uno de ellos con toda claridad:

—*Ese día nos dimos cuenta de que teníamos más coincidencias que diferencias, por encima del ruido y de la historia.*

Siete meses después, el 26 de marzo de 2011, Lanata dio otro gran paso que lo dejaría muy cerca de Magnetto. Ese día aceptó la invitación que le hicieron Marcelo Bonelli y Edgardo Alfano, de *A Dos Voces*. Además compartió la mesa con Kirschbaum, el mismo a quien había llamado genuflexo en su carta de despedida de *Crítica*.

Fue cuando un grupo de trabajadores vinculados a la Federación de Camioneros de Hugo Moyano bloqueó por primera vez la planta impresora de *Clarín*.

Lanata criticó la acción con dureza. Alfano le planteó:

—Tanto el gobierno como los periodistas que lo defienden esperaban que vos apoyaras el bloqueo, por tu posición ideológica.

—*Quizá porque su diario ahora es* Página/12. *Pero ellos admiran una cosa que yo fundé y edité hace veinte años. Ellos consideran que cambié yo. Y yo pienso que los que cambiaron fueron ellos.*

El 17 de julio de 2011 hizo otro gesto que fue muy bien visto tanto por Magnetto como por los demás accionistas. Escribió una columna de opinión, nada menos que en *Clarín*, horas después de saber que el ADN de los hermanos Marcela y Felipe Noble Herrera no coincidía con el del Banco de Datos Genéticos de los familiares de víctimas de desaparecidos.

Lanata atacó a fondo al gobierno y defendió el principio de inocencia no solo en el caso de los hermanos Noble Herrera. También lo hizo con la acusación *"extraviada y poco verosímil"* de que Papel Prensa había sido obtenida *"poco menos que bajo tortura"*.

Lanata se justificó una vez más al recordar que había denunciado a PP por obtener papel cincuenta por ciento más barato.

—*Pero eso es una cosa, e inventar un delito de lesa humanidad, otra distinta* —escribió.

El 21 de diciembre de 2011, cuando ya sabía que sería contratado por el Grupo, dio otra prueba de lealtad al escribir en *Clarín* una columna en la que criticó la irrupción de la Gendarmería en las oficinas de Cablevisión por una denuncia judicial impulsada por el Grupo Uno de Daniel Vila y José Luis Manzano.

Hablé con Lanata largo y tendido sobre su transformación. Lo que sigue es solo parte de la apasionante charla:

—*¿Vos también me vas a romper las pelotas porque ahora laburo en* Clarín?

—Creo que es algo que tenés que explicar.

—*Yo he sido víctima de Papel Prensa, y ahora que trabajo para* Clarín *sigo pensando lo mismo. Lo mismo que hace veinte años. Yo fui uno de los pocos que habló de Papel Prensa cuando nadie lo hacía. Y no lo hacían porque le tenían miedo a* Clarín. *Éramos cuatro. Y no era un tema popular. ¿Sabías que salía el doble hacer Página/12 que* Clarín? *Por eso éramos más caros a pesar de tener menos páginas. Y cuando le queríamos comprar papel a Papel Prensa nos decían que no había stock. Los hijos de puta le vendían a los diarios asociados. Ahora, de decir eso a decir que Papel Prensa es una empresa de lesa humanidad, hay un mundo de mentira. Yo soy periodista. Si un gobierno inventa un conflicto gremial para que un diario no salga, yo voy a defender a ese diario. Y no me importa quién sea ese diario. La gente se tiene que expresar. Yo no quiero prohibir a nadie. Es increíble cómo se instalan los temas: el otro día me decían "ahora que* La Nación *te trata bien...". ¿Sabés cuál fue mi primera tapa en una revista? En la revista de* La Nación, *hace veinte años. ¿Sabés por qué fui tapa? Porque me había ido de* Página/12 *y empezaba* Día D. *La titularon "Vuelta de Página", igual que el libro. Antes la gran prensa me ignoraba. Ahora me publica, aunque diga cualquier pelotudez. Yo no dejé de decir lo que pienso. Y eso es lo importante. No qué medio me publica o me deja de publicar.*

—¿Estás seguro?

—*¡Claro! Acá tenemos muchos prejuicios sobre los medios. Yo trabajo para la Cadena Ser. Y es un monopolio más grande que* Clarín. *Tiene setenta editoriales, canales de TV, radios y diarios. Hago mi*

programa y nadie, ninguna autoridad, me vino a ordenar que dijera
tal o cual cosa.

—¿Por qué decís eso?

—*Porque la idea de que los grandes grupos bajan una línea y todo*
el mundo la repite es una gran boludez. ¿Vos te pensás que Clarín es
algo orgánico, que Magnetto se levanta todas las mañanas y los pone
en fila? Yo he dirigido redacciones de trescientas personas. ¿Creés que
podía controlar lo que escribían todos? Algún despistado que no conozca
cómo funcionan los medios quizá pueda suponer que vos y yo podemos
controlar el contenido de un sueltito de quince palabras. Pero vos y yo,
que hace años que estamos en esto, sabemos que no es así. Que no está
todo tan organizado.

—Pero sí pueden pensar que Magnetto o cualquier otro se siente más
cómodo trabajando con periodistas que piensen como él.

—*Para mí trabajar en un canal tan visto como el 13, una radio tan*
escuchada como Mitre y ponerla primera en mi franja o escribir para
Clarín, desde el punto de vista profesional, es buenísimo. ¿O mejor te
doy bola y me voy a trabajar a una radio en La Matanza?

—No se trata de eso.

—*Sé adónde querés llegar. Yo te voy a responder: No voy a cambiar mi*
opinión sobre Magnetto. Pero mis objeciones hacia él no alcanzan para
que no esté. Como ya te dije, no laburaría con Hadad. Porque creo que
una cosa es la mafia y otra la industria. Ahora voy a Canal 13, ¿cuánto
sé lo que voy a durar? Eso no me impide ir. Pero cuando te quieren
sacar, te sacan.

—Durante 1996, en una nota que te hizo Daniel Guebel para la revista
Noticias, sentenciaste "*no laburaría para Clarín*". Acá tengo la fotocopia.

—*Está bien. ¿Vos decís que no debería hablar al pedo?*

—Sí. Eso sería una de las maneras de mirarlo.

—*Lo admito: "No debería hablar tan al pedo". ¿Pero te puedo explicar*
cómo lo veo desde mi lado?

—Claro.

—*Un día, un chico llamó en vivo a la radio para decir que él pensaba*
que al entrar a Clarín, yo había perdido. Que ellos me habían doblegado.
Y yo pienso al revés. Pienso que el que les gané fui yo. Que les gané a
los tipos que me ignoraron durante años y ahora me tuvieron que tomar.
Ahora me necesitan. Porque el tema no es tanto dónde estoy. Es si man-
tengo o no mantengo lo que dije. Y yo sigo diciendo lo mismo que antes.
No cambié lo que pienso de Papel Prensa y de los monopolios en general.
Visto desde mi lugar el que cambió fue Clarín, no yo.

—¿Cómo sería eso?

—Clarín *fue kirchnerista durante años y después se peleó con el gobierno. Ahora está peleado. Hoy los dos nos necesitamos. Yo me pasé la vida trabajando fuera del establishment de la prensa, pero hoy eructo y salgo en* La Nación. *Hago una nota de Boudou, y salgo en la tapa de* Clarín *al otro día. Nos pasamos veinte años tratando de que nos pongan una puta línea y nunca la prensa me dio pelota. Ahora es al revés: me dan mucha pelota. ¿Por qué no voy a estar contento? Es al revés: estoy feliz. Y estoy feliz porque yo gané.*

420

18

SOSTIENE

Nunca vi a Lanata tomarse tanto tiempo para pensar antes de responder cada pregunta como cuando supo que serían para el último capítulo de esta biografía. La grabación está llena de silencios. La última entrevista comenzó con un ejercicio de imaginación, continuó con una mirada crítica sobre la Argentina y los argentinos, atravesó todos los gobiernos desde 1983 y terminó con la última escena de la película de su vida.

—Imaginemos que tuvieras las posibilidades de empezar todo de nuevo, pero con el conocimiento previo de lo que viviste hasta acá. Si además se te concediera el don de revivir lo que te hizo bien, y hacer desaparecer lo malo, ¿qué escenas repetirías y cuáles quitarías?

Lanata se detuvo a pensar por lo menos treinta segundos.

—*Me encantaría poder hacerlo. Pero es imposible. Soy lo que soy por lo que me pasó con mi mamá. Si no, sería distinto. Creo que a las personas que les pasaron cosas pesadas de niños y sobrevivieron se transforman, después, en especiales. Porque nos formamos de manera especial. ¿Entendés?*

—Sí.

—*Pero si pudiera elegir, elegiría ser feliz en vez de haber vivido lo que le pasó a mi vieja. Hubiera querido que no se enfermara. Y hubiera querido tener una mejor relación con mi viejo. Pero quizá, si no le hubiera pasado, sería abogado, o médico. Quiero decir: estoy arrepentido de muchas cosas que hice. Sin embargo, me gusta ser lo que soy. No querría ser otro. Y lo que soy tiene que ver con lo que fui. No cambiaría nada. Bah, solo algunas pequeñas cosas.*

—¿Cuáles?

—*Me hubiera gustado ser más desconfiado. Que me cagaran menos. Que los tipos que hicieron* Página *conmigo no se hubieran cagado en mí. Pero también soy lo que soy por eso. Si no hubiese sido tan confiado no habría dado todo lo que di. Qué curioso, mientras te respondo voy obteniendo la certeza de que uno, en la vida, no elije casi nada. Que*

421

uno es lo que es. Que parece que uno elije, pero en realidad no elige un carajo.

—¿Creés en la ley de las compensaciones? ¿Intuís que para vivir los mejores momentos de una vida uno tiene que pasar antes por uno de los peores?

—*Sería un idiota si no me diera cuenta de que ahora estoy viviendo el mejor momento profesional de mi vida. Pero sería más idiota si creyera que esto me va transformar en otra persona. Yo ya te dije una vez que me puedo ir del canal y la radio dentro de una hora, y estaría todo bien. Vos pensás que es una pose y yo estoy seguro de que no lo es.*

—No lo sé. Lo que sí creo es que tu regreso a los grandes medios hizo, por ejemplo, que no volvieras a diálisis.

—*Tenés razón. La actividad te inyecta adrelanina y te pone bien. O al revés, si no estuviera mucho mejor desde el punto de vista físico no podría hacer todo lo que estoy haciendo. Pero yo no podría decir que antes de volver a la tele mis momentos hayan sido malos, o peores.*

—Te faltaba la droga más potente: la energía de la gente en la calle.

—*Puede ser. Este es el momento de más alta exposición. Pero yo voy a ser yo siempre, no porque trabaje en Canal 13. No se va a ir la vida en esto. Que la gente te quiera en la calle es muy lindo. Cuanta más gente, mejor. Eso lo entiendo. Cuando viajé a Córdoba y me fueron a ver diez mil personas pensé: "¡Qué bueno! No estoy meando tan fuera del tarro".*

—¿Por qué lo planteás así?

—*Porque en algún momento lo pensé. En especial cuando me tiraron todo el aparato de propaganda encima. Eran muchos los que me puteaban. Llegué a pensar: "¿No estaré metiendo la pata?". Después, lo de Córdoba me hizo saber que tan loco no estoy. Porque no son de Barrio Norte. Todo eso me hace sentir menos solo. Siempre tuve buena relación con la gente. Ahora parece más porque estoy en uno de los canales con más rating.*

—Si Bruetman te dijera: Lanata, te queda un año de vida. ¿Cómo vivirías ese año?

—*Trataría de estar con Sara, con Lola y con Bárbara. Quizá me iría de viaje a algún lado. Pero no estaría en los medios. Aunque es probable que hiciera un último programa de despedida. ¿Te acordás de que hubo un tipo que filmó su propia muerte? Era un director de cine y le pidió a su colega (Wim) Wenders que filmara su propio deceso.* (N. del A.: se trataba de Nicholas Ray.) *Bueno. Yo no filmaría mi muerte. Me parece que la muerte es un acto privado. Quizás haría lo que hizo (José) Töpf conmigo.* (Fue su psicoanalista. Lo llamó para despedirse cuando se estaba por morir.) *Capaz escribiría, si pudiera. Por lo menos trataría.*

Lanata volvió a pensar, en silencio, unos cuantos segundos. Después dijo:

—*Debe ser muy extraño tener esa certeza. La certeza de que te vas a morir a plazo fijo. Debe cambiar todo, ¿no?*

—Si en cambio tu médico te recomendara: Lanata, lo mejor para su salud es irse a vivir unos cuantos años a una isla desierta. ¿Qué libros, qué películas, que personas te llevarías con vos?

—*No, no le daría bola. No me iría a ningún lado. Me gusta hacer lo que hago. Y lo seguiría haciendo desde acá. No haría nada tan planificado. Prefiero la eventualidad. Dios proveerá. Alguna película veré, algún libro encontraré. Estará todo bien. No pasará nada malo.*

—Si percibieras que el país está por volver a una situación parecida o peor que la que se vivió en 2001 y alguien te pidiera que asumieras como presidente, ¿lo harías?

—*Sí, pero después me arrepentiría. Lo haría por la omnipotencia y por otro lado por sensibilidad. Es decir: por ayudar a los demás. Ojo, por otro lado sé que lo podría hacer. Aunque sea una locura, siento que lo podría hacer. También sé el quilombo que sería, por eso me arrepentiría. El otro día, cuando estaba en Córdoba y la gente gritaba "Lanata presidente", les expliqué por qué no quería hacer política. Les dije: "Yo hago un trabajo público y quiero que todos ustedes me quieran; a mí me gusta que esto me pase. Pero también yo quiero ser libre. Irme de acá ahora mismo, si lo sintiera así. Y si fuera político no me podría ir. Quiero decir: si el amor de ustedes me quita libertad prefiero no tenerlo. Para ser yo necesito ser libre". Y la gente lo entendió. Y no gritaron más eso. Ahora vos me proponés que juguemos con esa fantasía. Mi respuesta es: me encantaría; me cagaría de risa. ¡Estar en campaña, de gira por todo el país, hablando con la gente! Sería increíble. Pero sería una locura. Me cagaría la vida.*

—¿Por qué decís que Argentina es un país precapitalista?

—*Capitalismo es ganar poco durante mucho tiempo. Precapitalismo es pretender ganar mucho durante poco tiempo. En Argentina hay tipos que ganan mucho durante tiempos muy cortos. Eso es saqueo, no es capitalismo. Es totalmente anticapitalista. También creo que el costo argentino no está en el obrero sino en el empresario. El capitalismo bien entendido necesita que al trabajador le vaya bien. Que tenga buenos salarios para que se pueda comprar un auto. El mismo auto que fabrica o el de otra empresa que le guste más. También necesita que el laburante se compre una casa, porque la construcción multiplica el crecimiento económico. Es decir: el capitalismo es una rueda. Y acá no hay capitalismo porque la rueda no funciona. Acá solo hay acumulación. Por eso Argentina me parece precapitalista. Y porque es un país precapitalista en la Argentina no está bien visto que alguien gane dinero y no lo oculte.*

−¿En el resto del mundo no es igual?

−No. En Estados Unidos o Europa la gente se siente orgullosa de acumular bienes y dinero. Y no lo oculta. Lo cuenta. En Roma, Madrid o Nueva York cuando a un tipo le empieza a ir bien lo primero que hace es comprarse un descapotable. En Argentina prácticamente no se usan. Acá los millonarios quieren pasar inadvertidos. Son capaces de andar con un Renault 12 hecho mierda. Al mismo tiempo tienen guardada en el garaje de su casa de Punta del Este una Ferrari. Es que en Argentina, que un tipo ande con una Ferrari es sinónimo de que es un hijo de puta y cagó a medio mundo.

−Leí en *Argentinos* que este país siempre fue declarado en estado de emergencia permanente, para que los que mandan pudieran gobernar con decretos o leyes de excepción.

−Es que Argentina nació y se fundó sobre esa idea. Se fraguó sobre excepciones y favores del Estado para algunos vivos. Lo primero que hicieron los españoles, cuando vinieron, fue cerrar el puerto. Sin embargo, la mercadería de contrabando de los ingleses llegaba a Buenos Aires igual. Lo llamaban "navíos de arribo forzoso". Era contrabando. Pero el verso era "no tuvimos otra que bajar las cosas acá porque había problemas en el buque". Unos hijos de puta. Unos mentirosos, bajaban alcohol y telas y todo lo que te puedas imaginar. A partir de esa primera mentira la excepción se empezó a transformar en regla. Como la emergencia económica y las amnistías, las dos grandes medidas de excepción, se empiezan a transformar en una ley permanente. ¿Sabés la cantidad de amnistías que hay en este país? Cientos. ¿Sabés la cantidad de declaraciones de estados de excepción? Desde 1810 para acá se firmaron más de doscientas leyes de emergencia. Pero si se hubiera necesitado declarar durante tanto tiempo el estado de emergencia Argentina no sería un país. Es decir, no habría país. Se habría destruido. O habría desaparecido.

−¿Y cuál es tu conclusión? ¿Para qué las dictaron y promulgaron?

−Para favorecer a determinados sectores. Para defender los privilegios de las corporaciones. El nuestro ya era un país trucho cuando nació. El Virreinato (del Río de la Plata) fue el centro más importante de América del Sur en tráfico de esclavos. El primer garito que funcionó en Buenos

Aires fue manejado por el tesorero del Cabildo. Eso marca cómo somos los argentinos.

—¿Por qué decís que en Argentina hay democracia pero de baja intensidad?

—*Esa idea la planteó y la desarrolló Guillermo O'Donnell. Él sostuvo que hay como democracias democráticas. Que al final somos democráticos solo a la hora de votar. Somos una democracia de pico, no una democracia real. Ejercemos la democracia de baja intensidad porque los gobiernos solo convocan a la gente para ratificar un liderazgo y no para consultar. Es decir, en nuestra democracia de baja intensidad la gente tiene solo una relación de sumisión con el poder.*

—¿Por qué te molesta la Asignación por hijo? Es cierto que desde Elisa Carrió a Francisco De Narváez lo presentaron como proyectos de ley en el Congreso. Y es verdad que la primera idea fue del frente que integraban Germán Abdala y Víctor De Gennaro, entre otros. Este gobierno la puso en marcha.

—*Pero los gobiernos tienen que dar trabajo, no planes sociales. El plan social es una curita. No está mal. Pero tampoco podemos estar orgullosos de repartir curitas. Yo la llamo "Limosna Universal por Hijo". Porque es eso: el derecho a recibir doscientos pesos por mes. Comprendo: es preferible antes que nada. Pero el deber de un Estado es darte trabajo. O mejor dicho, generar las condiciones para que el trabajo se desarrolle. Todos estos planes, asignaciones, subsidios, son, en realidad, vínculos que envilecen a quienes los dan y a quienes los reciben. El Estado se envilece porque crea clientelismo, y las personas que los reciben se envilecen porque no le piden nada a cambio. No trabajan. O casi no trabajan. En el fondo es una relación que está mal desde los dos lados. ¿No los podés hacer trabajar? Hacelos estudiar. No está bien darles plata sin pedirles nada a cambio. Y que no me jodan, esto que digo lo defiendo desde la izquierda. No hace falta defenderlo desde la derecha.*

—Desde hace un tiempo muchos tenemos que estar aclarando por qué no somos de derecha.

—*El problema es que este gobierno dividió a la sociedad en amigos y enemigos. Y te plantean la discusión política como si estuviéramos en la Guerra Civil Española. Hablan como si hubiera que defender las ideas con cascos y ametralladoras. Y es grave. Porque en una democracia no puede existir la disyuntiva amigo/enemigo. Yo no me siento enemigo de nadie. Ni siento odio hacia quien no piensa como yo. No tengo armas, ni cascos, ni una granada. Tampoco tengo ganas de liquidar a nadie. Al kirchnerismo le conviene plantear que esto es una guerra. Fabricar enemigos ficticios para darle una épica al proyecto mientras se afanan todo y hacen mil quinientas cagadas por minuto.*

—Otro nuevo concepto que apareció con el kirchnerismo es el del *periodista militante.*

—*Yo, al periodista militante, le preguntaría: ¿Con qué plata militás, con la tuya o con la mía? Yo no tengo problema con los periodistas militantes, pero ¿sabés qué?, no uses mi plata. Los recursos son de todos, no del gobierno. Yo no tengo por qué bancar una militancia parcial. La democracia no es defender solo al 54 por ciento de los votantes. Es, también, defender a las minorías. Democracia es el sistema con el que el Estado incide para que las mayorías no pasen por encima de las minorías. Si la democracia solo fuera ganar las elecciones (Adolf) Hitler sería democrático porque la gente lo votó. Si vos militás con la plata del Estado y hacés una militancia de parte, de sector, es decir, estás usando nuestra plata para militar para vos. Militar con la plata de Aerolíneas Argentinas, por ejemplo, no tiene ningún mérito. Es más bien una truchada.*

—¿No le reconocés nada a este gobierno? ¿No te parece bien, por ejemplo, entregar computadoras para que los chicos estudien?

—*Uruguay tiene tres millones de habitantes. Y el gobierno de (Pepe) Mujica ya entregó cuatrocientos cincuenta mil computadoras. Argentina todavía no llegó siquiera al diez por ciento de la población. Es decir: lo que hizo Uruguay podría haberlo hecho Argentina. Pero no lo hizo. O puedo decir que lo está haciendo de manera demasiado lenta. Además, en Uruguay se hizo desde el interior a la capital. Acá se hizo al revés. Y otra cosa: Mujica no fue a repartir computadoras. Acá Cristina va todos los días con una laptop abajo del brazo. Y ya pasó que se la dan a una alumna de una provincia para la foto y después se la quitan y no se la entregan más. Clientelismo puro. Yo estuve en el LATU (Laboratorio Tecnológico del Uruguay). Da envidia. Tienen una forma muy distinta de hacer las cosas. Distinta y mejor.*

—¿No estás de acuerdo, por ejemplo, con la estatización de las Administradoras de Fondos de Jubilación y Pensión (AFJP)?

—*Estoy de acuerdo con que se hayan estatizado las AFJP. Pero no estoy de acuerdo con el uso de esos recursos para paliar el déficit que ellos mismos generan. Tenemos un Estado económico que está "inflado". Es una época parecida al uno a uno, un peso un dólar, de (Domingo) Cavallo. El Estado usa esos recursos como un "inflador". Pero esos recursos no son genuinos.*

—¿Cómo te definirías ideológicamente?

—*Me considero un liberal de izquierda. Liberal, porque creo en el individuo por sobre el Estado. De izquierda porque miro alrededor y no soy ciego. Creo en la libertad de conciencia, en la de prensa. Creo que el Estado no tiene que meterse en la vida privada de la gente. ¿Por qué, por ejemplo, el Estado ahora quiere repartir el papel? Si lo distribuye como hace con la publicidad oficial, estamos listos. Y encima en este país el Estado siempre es ocupado por el gobierno de turno. Por ejemplo, yo no entiendo por qué acá nadie discute por qué la oposición no tiene un programa en el canal del Estado. Retrocedimos tanto que ni siquiera hablamos de eso. ¿Por qué no prender Canal Siete y escuchar a alguien que hable mal de Cristina, si está en todo su derecho?*

—¿A quién votaste desde 1983 hasta acá?

—*En 1983 no voté a Alfonsín. Voté a (Ítalo) Luder. Me decidí por algo que me pasó en el cuerpo. Yo estaba en un bar de Constitución, escribiendo, y vi pasar primero a una movilización de los radicales que iban para la 9 de Julio. A los dos días, vi pasar a la de los peronistas. Yo preferí a los negros. Porque yo soy de Sarandí. Y sentí que no tenía nada que ver con la mayoría de los radicales. Porque sentí que venían desde la avenida Santa Fe. Sé que fue una locura. Pero en aquel momento no dudé ni un minuto. Después voté al socialismo. El viejo Oscar Alende me caía simpático, pero nunca lo voté. Y tampoco nunca tuve nada que ver con el Movimiento Todos por la Patria (MTP). En 1989 no voté a Menem, sino al socialista Alfredo Bravo. A los radicales nunca los voté. En mi barrio decíamos que, antes de garcharse a una mina, los radicales doblaban el pantalón. Si mal no recuerdo vengo votando en blanco desde 2007.*

—¿Votar en blanco no termina favoreciendo a la primera minoría?

—*Es muy rebuscado pensarlo así. Para mí votar en blanco es una manera de elegir. No es que no voté. O que fui a anular mi voto. Al contrario: yo estoy de acuerdo con que el voto sea obligatorio. Fui a votar todos los domingos. Me expresé. Y luego acepté lo que votó la mayoría.*

—¿Por qué estás a favor de la despenalización del consumo de drogas?

—*Porque estoy en contra de los narcos. Porque la gente no se muere de sobredosis. Se muere por el corte. Se muere porque los narcos "cortan" la droga con cualquier cosa para que rinda más. El mundo va a terminar despenalizando el consumo. Dejemos que cada uno se inyecte lo que quiera, y démosle tratamiento cuando lo pida, como un tema de salud pública. Yo como padre tengo que educar a mis hijas antes de que empiecen a drogarse, no después. Si lo hice bien, seguro que no se va a drogar. Pero si se droga, tampoco tendrá sentido darle un palo por la cabeza. O meterla presa. Habrá que contenerla.*

—¿Cómo hiciste vos con tu hija mayor?

—Yo le conté sobre mi problema a Bárbara porque no quería que se enterara de mala manera o por otros. Pero educar a tu hijo no es solo ir a decirle que te estuviste drogando unos cuantos años y que tuviste la voluntad de salir. No es que es solo una charla. Tiene que ver con cómo la educaste, la escuchaste, y le hablaste siempre. Pero, además, ¿cómo podría estar de acuerdo con que la metan presa si la encuentran drogándose? ¿Cómo no la defendería? Si mañana tu hija descuartiza a alguien, ¿cómo no la vas a defender, si es tu hija?

—¿Compartís la idea de que la cocaína era la droga del menemismo?

—Yo no lo viví así. No tomé con veinte minas alrededor en plan de reviente y en medio de fiestas que no terminaban más. Muy pocas veces tomé delante de alguien. Y cada vez que tomaba, sufría más. No es que tomaba con gusto. El problema es que me enganché mucho, y no me podía desenganchar. Aparte de eso, es cierto: la cocaína era la droga de la época. Igual que el HIV-sida fue la gran enfermedad de dos generaciones. Tuve suerte de haber podido salir de la droga. Pero en mi caso tomar no tuvo que ver con una conducta frívola. No me considero frívolo. Soy un frívolo con culpa. Por eso me parece una boludez que me preguntes por qué tomo Perrier. ¿A vos te gusta el vino? ¿Tomás Resero? Ah, ¿no? Entonces no me rompas las pelotas. Decime que conduzco mal, que escribo mal, pero eso es mi vida. ¿Qué te importa qué agua tomo? Pero me parece una mirada frívola, este país está lleno de eso. Acá el Partido Comunista (PC) era dueño de la Coca-Cola. El PC tenía bancos en Argentina y los dueños te corrían por izquierda porque decían que eran comunistas. Váyanse todos a la concha de su madre. ¿Pibes de Barrio Norte, que fueron a colegios privados, me gritan gorila a mí que soy de Sarandí? Mátense.

—¿A quiénes se lo decís?

—A los que dicen que no podés ser de izquierda si vivís más o menos bien. Soy de izquierda porque miro alrededor y creo que eso no es justo. Que se puede mejorar. Tampoco soy marxista y no creo en una dictadura del proletariado. Sí creo en una democracia progresista. Por otra parte este gobierno es de derecha y fue de derecha siempre.

—Este gobierno se presenta como de izquierda y sostiene que fue el que más se preocupó por los derechos humanos.

—Este gobierno compró los Derechos Humanos. Pero no fue el primero. Es un proceso que empezó con Menem. Lo que hicieron los Kirchner fue ponerle el moño. Cuando Menem dio las leyes de amnistía, inventó los subsidios para los desaparecidos. Mucha gente se opuso a eso. Y yo también. Si a mí el Estado me mató un familiar, ¿para qué voy *a querer plata? Lo primero que quiero es que me devuelvan el cadáver. Y al mismo tiempo quiero saber quién lo mató, para que pague por eso. Eventualmente, veo, mucho después, si le pido plata al Estado. Pero todo el mundo se calló la boca y fue corriendo a buscar la guita. Casi todos recibieron doscientas lucas (doscientos mil dólares por familiar muerto o desaparecido) menos las Madres (de Plaza de Mayo). Fue el comienzo de la corrupción grupal en el movimiento de los Derechos Humanos. Después, Néstor y Cristina los partidizaron. A mí me pareció lamentable que las Abuelas y las Madres estuvieran en la tribuna con Kirchner, más allá de que Néstor haya hecho o no algo a favor de los derechos humanos. Primero, porque no fue el único. El exjuez Gabriel Cavallo, para darte solo un nombre, tuvo tanto que ver en todo esto como Néstor. Porque desde la justicia hizo que se declararan imprescriptibles los juicios. Es cierto que el gobierno creó las condiciones políticas, pero las dos cosas fueron paralelas. Y al final los K terminaron desmembrando y haciendo pelota todo el movimiento.*

—Hay mucho ruido con tu posición sobre qué hacer con las Islas Malvinas. ¿Querés seducir a los kelpers?

—*Las Malvinas son argentinas y hay que recuperarlas. Lo que pasa es que el problema no es tan simple. Se las analiza a las islas como una ficción. Como si estuvieran vacías. Y hay casi tres mil personas. Si por alguna casualidad se recuperaran mañana, algo habría que hacer con esos tres mil tipos. Y nadie lo discute ni se lo pone a pensar. Yo sé por qué: porque nadie lo ve como una posibilidad real. Yo estuve en Malvinas. Hice un documental. Hablé con la gente. No soy un improvisado. Parece un pueblito del interior de Inglaterra. Los tipos nos odian. Sienten que los invadimos. Además, la política del Estado argentino fue siempre muy errática. Pasamos de la guerra a los ositos de peluche. De los ositos de peluche al aislamiento. Del aislamiento a los tres vuelos por semana. Una locura. Nadie nos puede tomar en serio así. La política del actual gobierno es aislarlos más y más. Para mí no conduce a nada. Al contrario, es la manera más efectiva de no recuperarlas. Y hasta ahora eso no sirvió. Por otra parte, el reclamo diplomático sirvió durante la Guerra Fría, pero ya fue. Nadie te va a dar las islas porque vayas a pedirlas a los foros. Y una cosa más: nosotros, digo la Argentina, nos creemos importantes. Sin embargo, en el mundo, no existimos. Queremos negociar como si fuéramos Alemania y no tenemos ninguna influencia. Además, Malvinas se usó siempre como una excusa de política interna. (Margaret) Thatcher y (Leopoldo Fortunato) Galtieri no habrían pasado a la historia de la manera que lo hicieron si no hubiese sido por Malvinas. Cristina*

(Fernández) y (David) Cameron están intentando malvinizar la política. Por eso hay tanto ruido alrededor. Pero Malvinas no es un tema popular. Malvinas no mide. Es un problema. Es un bajón. Es triste y no sabemos qué hacer con ellas. Poner un cartel en Tierra del Fuego que dice "Fuera los barcos piratas" es una tontería. No ayuda. Ni a un futuro acuerdo ni al turismo, que es una de las pocas formas de intercambio pacífico. Ellos nos odian y a nosotros eso no nos gusta. ¿Cuál sería el problema en recibirlos e intentar una conexión? Mi propuesta es no pensar a corto plazo. Generar vínculos, más allá de este presente. Puede tomar años, generaciones enteras. Que los tipos dejen de sentirnos como enemigos. Pero con este gobierno no se puede pensar distinto. Te tratan de cipayo, de gorila y de fascista.

—Una de las críticas más fuertes que te hacen es que vos representás la antipolítica, que tus denuncias son frívolas, que no te importa tanto analizar la expropiación de YPF como cuánto pagó CFK por su última cartera Louis Vuitton.

—*Creo que uno tiene que analizar las críticas como de quien vienen, porque sino uno toma por igual cualquier crítica. Yo no quiero responderle a (Gabriela) Cerruti, pero puedo justificar toda mi vida profesional. Yo estuve en contra de la privatización de YPF. Néstor (Kirchner fue quien) estuvo a favor. Y también estuve en contra de la expropiación de YPF sin pagar porque creo que es perjudicial para el país: el que expropia tiene que pagar. Yo he hecho un montón de programas sobre el petróleo. No me la paso hablando de las carteras Louis Vuitton. Es absurdo. También me parece que la cartera de Louis Vuitton en algún lugar exhibe una característica de personalidad: ser un funcionario público, no haber trabajado nunca de tu actividad privada y hablar de la pobreza y tener carteras de cincuenta mil dólares, no me parece bien. Ahora, si la mina es millonaria y tiene una empresa y se la compra, no me importa nada. Nunca cuestioné eso. Pero depende también cómo viene y quién te lo dice. Por ejemplo, yo no tengo ningún respeto profesional por Cerruti, ni político tampoco, porque yo la he visto haciendo menemismo en Página.*

—Haciendo no, cubriendo menemismo, que no es lo mismo.

—*No. Haciendo menemismo. Por eso no le puedo creer. Había gente que nos servía y los poníamos porque traían buena información. Por eso estaban. Hasta que terminaban haciendo lobby por distintos sectores, los dejábamos. Ella era una. Con lo de las relaciones cárnicas fui un boludo. (Véase el capítulo "13. Periodistas".) Me caliento demasiado y digo boludeces. Estoy en un nivel de exposición muy alto y cualquier cosa que digo...*

430

—Si Cerruti tuvo o no relaciones cárnicas con Menem o Kohan no es relevante.

—*Tampoco es que hice una campaña, lo dije una sola vez en la radio y al pasar. No es que hice un programa sobre eso. También digo boludeces, ¿ok? Digo boludeces. Lo que yo dije es cierto, pero no lo tendría que haber dicho. Es un chisme privado sin interés. Pero ella hizo algo terrible, poniéndome a mí en una situación de tener que explicar por qué había sido agredido en Venezuela. Y eso para mí fue mucho peor. Porque lo último que me esperaba era que un grupo de hijos de puta nos pusiera en la situación de tener que explicar. Me parece perverso, una mierda, sádico, me parece una porquería. Eso fue lo que me pasó.*

—¿Te parece que fue para tanto?

—*¿Acusarme de inventar o de mentir un apriete como ese? ¡Por favor! ¿Vos te pensás que yo necesito que hablen de mí? Hablan de mí más de lo que yo quiero. No pueden ser tan miserables. No es una cuestión ideológica. Viene una mina y te dice "me violaron"... Y del otro lado lo justifican. Dicen: "¡Ah, pero tenía minifalda, eh...!". Andate a la concha de tu madre. Es una cuestión humana, no política, k o antik. Por eso me enoja. Es más, me parece una mierda.*

—Unos hablan sobre tu capacidad de simplificar como un elogio. Otros lo subrayan para presentarte como el sucesor de Bernardo Neustadt.

—*¡Qué hijos de puta! Neustadt era un tipo con mucho talento para comunicar, pero mi carrera es completamente diferente de la de Neustadt. Él nunca fue un editor. Tampoco armó corrientes dentro del periodismo. Neustadt siempre fue él. Yo siempre laburé en equipo y formé gente. Su trayectoria y la mía no tienen nada que ver. Yo no he vendido notas. No hice lobby. Tampoco trabajé con los militares... No somos lo mismo. La comparación me parece injusta.*

—Los que te venían siguiendo desde *Sin Anestesia, El Porteño* y *Página* sostienen que te fuiste corriendo a la derecha cada vez más.

—*Sí. Hay gente que cree eso. Mi respuesta está en lo que hice y sigo haciendo. Yo me he peleado toda la vida con el poder. Eso no cambió nada. En la época de* Sin Anestesia *yo publicaba que (el expresidente Raúl) Alfonsín hacía acuerdos con Nicaragua y le vendía armas a Honduras. Y hoy publico que (el vicepresidente Amado) Boudou quiere una Casa de Moneda personal. Para mí no hay diferencias: me entero de una cosa, la chequeo y la tiro. No me importa qué gobierno está. Y una cosa más: yo no les creo a estos tipos, no les creo nada: son unos chorros, mienten, son autoritarios.*

—¿A quiénes?

—A este gobierno. Porque este gobierno no es de izquierda. Este gobierno es conservador con discurso de izquierda, que no es igual. Fijate: Los dueños de la Argentina son casi los mismos. La diferencia es que ahora agregaron tres o cuatro amigos de ellos. La justicia está peor que nunca.

—¿Peor que durante el menemismo?

—Sí. Peor que en la época de Menem. Acá el Estado está amenazando a los jueces con armarles causas, boludo. Es una locura lo que está pasando. Ellos reivindican la política militante, ahora, cuando otros militantes están en contra de ellos, son fachos, golpistas o tilingos. Te acusan de cualquier cosa.

—Sí. A vos te presentaron como un líder opositor más que como un periodista cuando fuiste a cubrir las últimas elecciones presidenciales en Venezuela.

—Sí. Sacaron un video donde yo aparezco puteando al terminar la trasmisión. Se lo chuparon del aire, porque las trasmisiones vía satélite no son encriptadas, otros canales las pueden tomar. El programa había sido un quilombo. Yo tuve que hacer una locura, salí al aire sin monitor. Empezaba a hablar cuando me decían ahora. Y terminaba cuando me indicaban cortá. Hice dos horas así. Cuando terminé me fui caminando y dije: ¡La concha de su madre! Pero lo hice para descargarme. Porque habíamos llegado al final de un programa muy difícil de hacer. Pero los turros lo sacaron de ahí y lo usaron para decir que yo había puteado por el resultado de la votación.

—¿Y no fue así?

—No. Para nada. Pero supongamos que hubiese sido así. Que hubiera puteado porque ganó Chávez: ¿Y? ¿Cuál sería el problema? Lo voy a decir bien fuerte: entre Chávez y (Henrique) Capriles hubiera votado cuarenta y dos veces a Capriles. ¿Sabés por qué? Porque Chávez es un fascista. Sin embargo, la cobertura fue equilibrada. No es que hice lobby para Capriles. Están todos mal de la cabeza, ¿entendés? Lo único que está permitido acá es ser militante kirchnerista. Si no lo sos, no podés ser nada.

—Otras de las fuertes críticas que se te hacen desde la izquierda es sobre tu posición frente a la lucha armada de los años sesenta y setenta.

—Yo entiendo por qué pasó eso. Comprendo que fue una respuesta a la represión y la violencia perpetrada desde el Estado. Pero eso no quiere decir que la justifique.

—Si vos y yo tuviéramos cinco o diez años más quizás hubiéramos formado parte de Montoneros o el ERP.

—Si yo hubiera tenido cinco o diez años más no habría estado ahí.

No me lo habría bancado. ¿Qué, iba a matar a un colimba, a un pibe que estaba haciendo la guardia? ¿Me hubiera sumado al proletariado para ir a trabajar a una fábrica cambiándole el sentido a mi vocación o a mi deseo de escribir? Ni en pedo. Realmente no. Es difícil decirlo ahora que pasó. Pero realmente creo que no. No estoy de acuerdo con eso. No pienso así, no pensé nunca así. No creo tampoco que el terrorismo de (Eduardo) Firmenich sea igual al terrorismo de Estado. Pero tampoco creo que haya estado bien lo que hicieron esos tipos. Y cuando vas creciendo y te vas enterando de más historias, entendés más por qué estás en contra. Entendés por qué estos pibes estaban mal de la cabeza. Menos mal que Néstor no fue monto, porque los Montoneros eran un desastre... Cuando viene un chico de La Cámpora y te habla de los Montoneros como si hubieran sido lo mejor del mundo no lo puedo creer. ¿Vos serías capaz de dispararle a un tipo desarmado? ¿Tendrías a un tipo en un pozo, como tuvieron a Aramburu tanto tiempo?

—El contexto era distinto.

—*El contexto las pelotas. Un asesinato es un asesinato en cualquier época. Esto no fue una guerra. Hubo gente en la guerrilla que lo pensó como una guerra, que es distinto. Tenían grados de militares, tenían uniformes. La guerrilla no era la mayoría de la gente, si no hubiera ganado. Además ninguno de ellos quería la democracia. Te repito, no creo en matar colimbas o secuestrar empresarios. Además no quiero que otra vez los pibes salgan a matar por una pelotudez, y que los que los mandaron terminen con toda la guita en Europa. Olvidate de mi novela (Muertos de amor). Pudo ser o no un buen libro. Yo hablé de esa historia loca. De esa gran metáfora de la guerrilla. Por eso lo comparé con* Esperando a Godot. *Porque hubo un grupo de gente, aislados, en la selva de Salta, a ciento y pico de kilómetros de la zona más poblada, que terminaron matándose entre sí antes de pelear. Eso marca la locura de la época. Chicos universitarios que no podían bancarse esa vida. En un momento dos se quisieron ir. ¡Y les pegaron un tiro! Eso es un asesinato, no importa en nombre de quién carajo sea.*

—Pero Martín Caparrós, que es tu amigo y te quiere, considera que fue un error haber tomado el episodio del asesinato de dos propios en la selva salteña como la síntesis de la lucha armada de aquellos años.

—*Muertos de amor cuenta esa historia, no la historia de la guerrilla. Me pareció increíble y digna de contar esa historia en particular. Además, me pareció una gran metáfora. Una patrulla perdida de una organización que acusa de traición a dos de sus integrantes y los asesina antes de empezar a combatir con el enemigo. Hacía mucho tiempo que esa*

*historia rondaba por mi cabeza. Por eso me decidí a contarla. Y no estoy
arrepentido. Lo haría de nuevo.*

—Otra de las críticas que se te hace más seguido es: ¿cómo puede ser
que un periodista de izquierda y progresista esté tan preocupado por el
dinero, las cosas materiales, las marcas de ropa y los hoteles donde se
aloja?

—*Yo lo veo totalmente al revés. Deberían decir: a pesar de tener todo
lo que necesito para no preocuparme, igual pienso en los otros. Vivo
bien y me importan los demás. ¿Que yo piense en los demás hace que
yo tenga que vivir en un contrafrente en La Matanza? Yo no vivo en
un contrafrente en La Matanza. Pero además. ¿Qué hago para tener las
cosas que tengo? ¿Le afano a otro? ¿Le robo al Estado? ¿Vendo droga?
No. Trabajo. Entonces no me parece mal. Me parece legítimo. Además,
todo el mundo quiere estar mejor de lo que está. ¿Está mal querer estar
mejor? Un sillón más cómodo es mejor que uno incómodo. Y eso vale
para todos. Para un obrero y para un millonario. ¡Es tan idiota ese
razonamiento que pretende correrme por izquierda! ¿Hay que tener una
silla de madera para ser más austero y por eso ser más puro? Es un
razonamiento imbécil.*

—¿Te molesta que los críticos te presenten como una mezcla de periodista y humorista?

—*Yo no niego que utilizo el humor para comunicar. Está a la vista y
me parece recontra bien. Lo reivindico. Si algo me queda de* Página/12
*con los años, es que nosotros hicimos una renovación de la forma. Mos-
tramos que la forma no modifica el contenido si el contenido es serio. Los
elementos de la comunicación pueden ser diversos si el contenido sigue
siendo serio. La forma solo te ayuda a entrar a más gente. Lo discutimos
varias veces: el sentido del humor es popular; el título coloquial es más
popular que el título serio; el diálogo es más popular que el texto corrido.
Son todos recursos de forma pero el contenido es el mismo. En* Página
*nos fuimos dando cuenta hasta que lo tuvimos muy claro. El lector se
sorprendía con la tapa, pero se metía adentro y encontraba información
muy seria. La tapa era nuestro vehículo de comunicación. A través de ella
entrábamos al lector. Creo que el mismo razonamiento es válido para la
televisión. Por algo vos no hacés un programa político tradicional. Hoy
los programas de periodismo político me aburren. No los soporto. No
explotan la imagen. Y, por otra parte, el sentido del humor lo usé siempre. Ahí en la pared está colgada la tapa de la revista* (Veintiuno) *con el
agujero en el medio. Hoy todos se acuerdan del agujero, pero adentro hay
una nota tremenda sobre cómo se malgastaba el presupuesto nacional.*

—Se te acusa de egocéntrico. Te doy dos ejemplos. Uno: cuando le dijiste patética a CFK. Y dos: cuando te pusiste en el lugar de perseguido en el aeropuerto de Caracas, aunque no fuiste el único.

—*¿Vos creés que Cristina ignora que yo hice* Página/12*? Bueno, entonces que no sean hipócritas y que no me rompan las pelotas. Por lo de Venezuela, le pido a mis críticos que no sean vagos. Que llamen al Colegio de Periodistas de Venezuela y pregunten cuántas agresiones hay a la prensa. Son como ocho mil casos. Y sucede todo el tiempo. Yo no tengo la culpa de tener más exposición, de ser más conocido, y de que los hechos que me pasan a mí tengan más trascendencia. Es loco que yo tenga que explicar eso, ¿no? Hay muchos periodistas que tuvieron problemas. Ahora, Cynthia García, que trabaja para Víctor Hugo Morales y 6, 7, 8 dijo: "Lo que pasa es que Lanata fue a provocar". Claro, si yo hubiera hecho lo que hizo ella, pararte frente a Chávez y decirle "muy bien, comandante. Siga así", seguramente no hubiera tenido ningún problema.*

—Ya que hablamos de Venezuela. ¿Cómo explicás la fractura y la división que hay en Argentina?

—*En* Periodismo Para Todos *le dediqué un programa entero a eso. Un programa completo sobre el odio. Hablar de narcosocialismo para definir un partido como el de Hermes Binner es odio. Denominar alternancia boba a la democracia para promover la reelección indefinida de Cristina es odio. A partir del kirchnerismo, el odio se fue dando de arriba para abajo. Pero ahora también hay odio de abajo para arriba. ¿Cuándo empezó? Hay quienes dicen que se inició con la Resolución 125 y el conflicto con el campo. (El filósofo Tomás) Abraham tiene una idea interesante. Sostiene que empezó con el relato K sobre los juicios por las violaciones a los derechos humanos. Pero no porque Abraham esté en contra de que se realicen los juicios. Él cree que ahí comenzó una división falsa entre quiénes colaboraron y quiénes no. Entre los falsos héroes y los falsos verdugos y sus falsos cómplices. Una falsa disyuntiva planteada no por (el Premio Nobel de la Paz, Adolfo) Pérez Esquivel sino por quienes durante la dictadura hacían negocios con la 1050 y los deudores hipotecarios. Es decir, por tipos que se disfrazaron de combativos y nos vendieron una falsa épica. Quizás el odio haya empezado porque necesitaron falsear la historia para legitimarse. Y el problema es que una buena parte de la sociedad le prestó mucha atención, como si corriera peligro la democracia y los milicos se pudieran levantar y plantear un golpe de Estado. Es parecida a la locura del pulpo Paul.*

—No entiendo.

—*Claro. ¿No te acordás como casi todos, durante el Mundial, estuvi-*

mos pendientes de los resultados que supuestamente adivinaba el pulpo Paul? Lo pasaban en todos los noticiarios. También en los diarios y en las radios. Era mentira. Era irreal. Era un invento. Una fantasía. Pero de alguna manera todos lo esperábamos.

—¿Decís que ahora está pasando?

—*Claro. ¿No viste en las paredes de la ciudad la pintada "Clarín: con la democracia no se jode"? Para mí fue como si hubiera resucitado el pulpo Paul. Porque estamos hablando de algo que no está pasando y que tampoco va a pasar. ¿Entendés?*

—Explicate mejor.

—*Claro, no está por suceder un golpe de Estado. Tampoco* Clarín *está propiciando un golpe de Estado. Y sin embargo, para nosotros, esto es lo más importante que está pasando en términos políticos. ¡Quiere decir que estamos mal de la cabeza! Tenemos que tomar distancia de esta locura, porque no es normal lo que estamos discutiendo. Es mentira. No existe. ¡Estamos discutiendo sobre el índice de aciertos del pulpo Paul! Suponé que mañana no solo cierra* Clarín, TN *o Canal 13 sino todo el Grupo: ¿Se va a arreglar la Argentina? ¿Va a bajar la inflación, se va a detener la inseguridad, se va a acabar la corrupción? ¿Toda la culpa es de (Héctor) Magnetto? Lo que estamos discutiendo ahora es lo mismo que discutir sobre la credibilidad del pulpo. Dentro de diez años nos vamos a agarrar la cabeza y vamos a decir: ¿Hubo un gobierno que puso toda su energía en esto, en vez de solucionar los verdaderos problemas del país? El problema es que hoy no tenemos la suficiente distancia para verlo. Por eso me parece que esto del odio y la división es una mierda. Y es una mierda muy mala, porque va a terminar trascendiendo al gobierno de Cristina Fernández.*

—Una encuestadora preguntó a la gente cuál fue el mejor gobierno desde 1983 hasta acá. Te lo pregunto ahora a vos.

—*A mí no me gustó ninguno. Sin embargo, en perspectiva, creo que el de Alfonsín fue el mejor. No es que me haya parecido espectacular. Fue un gobierno de cinco puntos sobre diez. Pero valoro que haya habido menos clientelismo, y que hayan intentado pelear un poco más contra las corporaciones. Creo que Alfonsín estaba más a la izquierda que la sociedad. Además creo que los militares todavía tenían poder y que lo fueron complicando demasiado. También fue un gobierno cagón. Yo me peleé con él después del copamiento de La Tablada cuando invitó a los directores de los medios para contarnos que había integrado a los milicos al Consejo de Seguridad. Y después me llamó para putearme cuando me vio en un canal de Salamanca criticando a la Obediencia*

Debida y el Punto final. Él justo estaba de visita en España y tomó mis
críticas como una especie de campaña antiargentina en el exterior. Así
y todo, y en perspectiva, Alfonsín fue el que estuvo más cerca de la idea
que yo tengo sobre una democracia social. Mucho más cerca, por cierto,
que los Kirchner. Además no puedo olvidarme de que la matriz de la
corrupción de estos años empezó con Néstor. Kirchner fue el primer
presidente que compró empresas. Además, el de Néstor, para mí fue un
gobierno peronista típico.

—¿No le reconocés, si quiera, los cambios en la Corte Suprema de
Justicia?

—*Ponele que haya sido verdaderamente así. Igual, la corrupción*
dura fue de la Néstor. Cristina la mantuvo, pero primero la heredó.
Porque Néstor era un chanta. La matriz de la corrupción dura es no
pedir coimas pero convertirse en parte de las empresas. Eso es Néstor
puro. ¿Por qué se pelea Néstor con Clarín? Porque lo quiere comprar
y Clarín no quiere vender, esa es la historia. Hay un libro de un tipo
que se llama Ángel Rama, sobre la historia del fascismo, que cuenta
que el fascismo se desarrolla igual que el nestorismo. No quiero decir
que Néstor haya sido un fascista, sino que da la puta casualidad que
el fascismo se desarrolla así.

—¿No tenés una buena valoración del gobierno interino de (Eduardo)
Duhalde?

—*Duhalde tuvo que devaluar y tuvo la gran visión de nombrar a*
(Roberto) Lavagna ministro de Economía. Pero está lejos de lo que yo
votaría. No es más de lo que se ve: un bañero que te puede salvar la vida
si te estás por ahogar en la pileta o en la playa. Además, no generó un
cambio estructural. Y a mí me cuesta elogiar a Duhalde si pienso que
fogoneó la renuncia de (Fernando) De la Rúa estimulado por (el entonces
gobernador de la provincia de Buenos Aires, Carlos) Ruckauf.

—¿Y Menem?

—*Menem hizo el cambio estructural más grande de la historia de la*
Argentina. Pero no porque haya sido bueno. Fue un desastre. Ahora no se
puede negar que el tipo dio vuelta la Argentina. No es un dato valorativo.
Es solo descriptivo. Porque aumentó la desigualdad, el clientelismo y
creó una cultura de mierda. La del exhibicionismo. La de la pizza con
champagne.

—¿De la Rúa?

—Nada.

—¿Cristina Fernández?

—*Cristina está convencida de su propia mentira. Ella cree en lo que dice, pero mi opinión es que va al suicidio. Va a ir por la reelección y va a perder.*

—En algún momento escribiste que te parecía una mujer inteligente.

—*Sí. El problema es que ella se cree más inteligente de lo que es. Está todo el tiempo tratando de probar que es inteligente. Así que tanto no lo debe ser. Por eso a veces habla tanto. Y al hablar por demás mete la pata. Es inteligente, pero es, sobre todo, hábil. Y además maneja muy bien los medios. Siempre tuvieron claro cómo pueden manejarlos y cómo los pueden joder. Creo que entraron en una trampa, porque no tiene segunda línea. Y Máximo, su hijo, no parece preparado para estar donde está. El otro día me imaginé lo siguiente: si Carlitos Junior, hijo de Menem, hubiese sido un primer ministro virtual, ¿cuánto hubiera durado? Transportémoslo al presente. Imagínatelo yendo a las reuniones de gabinete o hablando con el ministro de Economía. Y que en el medio de una reunión llame Menem y diga "se hace lo que dice Junior". Eso es lo que hace Máximo. O lo que le hacen hacer. Por otra parte, ya es un tipo de 34 años sin experiencia laboral de ningún tipo. Eso a mí me preocupa. Yo creo que la gente tiene que laburar desde los 18. Es más, yo a mi hija la obligué a hacerlo. A mí me parece que está mal que los chicos no trabajen, porque tienen que entender que la vida real es otra cosa. Lo digo por Máximo pero lo digo también por Bárbara. Para estar en un gobierno tenés que tener dos cosas de las que Máximo carece: preparación y representatividad. Tiene apellido, pero eso no alcanza, excepto en el caso de las monarquías. Y la Argentina todavía no lo es.*

—Imaginá que estás frente a un enorme jurado. Tenés que hacer tu último alegato. El más interesante de la historia reciente es el de Fidel Castro: *La historia me absolverá.* Este sería el juego: tu última oportunidad de explicarte.

—*Espero que me recuerden como un tipo libre. Como alguien que trató de sobreponerse a sus propias limitaciones. Para mí es importante la libertad. Pero no tiene que ver solo con poder hacer lo que querés. Tiene más que ver con poder pensar lo que querés. Diría: démonos la libertad de pensar los unos a los otros. Me gustaría que se me recuerde como un libertario. No en el sentido anarco. No contra la autoridad, sino a favor de uno mismo. O contra todas mis limitaciones. Porque yo siempre fui y todavía soy mi peor enemigo. Yo creí que no iba a llegar y después llegué. Yo creí que no iba a poder y después me sobrepuse y pude.*

—En *Hemisferio Derecho* planteaba a los entrevistados dos preguntas finales. Una era: ¿Dónde y cuándo te imaginas en el año 2050?

—*Recontra muerto.*

—¿En serio?

—*Sin duda. Yo nací en 1960. Voy a tener noventa años. Voy a estar recontra muerto, boludo. Muerto y en paz. En realidad, espero convertirme en una estrella.*

—Eso sí me parece improbable.

—*Yo ya te conté que para mí los muertos son estrellas. Si es cierto lo que creo voy a estar en equilibro, seguro. Creo que somos como luz y volvemos a la luz. ¿Viste que el universo está formado de las mismas cosas que crean a las estrellas...? Bueno: yo creo eso. Pero no lo tomes al pie de la letra. Es una locura mía. Me gusta pensar eso. Me parece que hay un sentido. Que hay luz. Y que también hay como un equilibrio. Me gusta pensar que estaré ahí arriba, como una estrella, en otro estado material. Es decir: no creo que vayamos a la nada ni creo que vengamos de la nada.*

—La otra pregunta que hacía era: imaginá la última escena de tu vida como si fuera el final de una obra de teatro o una película. Ponele los elementos y los personajes que quieras, incluidos tu familia, tus amigos y tus enemigos. Vos sos el director y absoluto responsable del corte final.

Lanata tardó casi un minuto en contestar. Entonces dijo:

—*Exterior. Atardecer. Viento. Fin.*

DETRÁS DEL LIBRO

Ni Lanata ni yo sabíamos que se iba a transformar en una de las personas más influyentes y más populares de la Argentina cuando empecé a trabajar en su biografía no autorizada.

La historia de cómo nació este proyecto merece ser contada una vez más, para los que ven oportunismo donde solo hubo libertad para pensar.

Le propuse a Lanata que él mismo escribiera su propia biografía a principios de octubre de 2011. Terminaba de asimilar una negociación frustrada con América TV. Todavía no sabía que iba a ser contratado por el Grupo Clarín.

Le di tres razones.

La primera fue práctica: sabía que había colegas que habían empezado a hablar de contar su vida a partir del deterioro de su salud; por otra parte él se venía quejando del tiempo muerto de sus interminables sesiones de diálisis.

La segunda fue profesional: le comuniqué que quería que esa, su autobiografía, fuera el primer libro de Margen Izquierdo, el nuevo sello editorial del que sería responsable.

Margen Izquierdo significa, para mí, más libertad, un poco más de aire, en el contexto de la mayor ofensiva oficial contra los medios críticos que se haya vivido desde la dictadura militar hasta el presente.

La tercera razón fue humana. Le dije a Lanata:

—Es mejor que cuentes la historia de tu vida vos mismo y que no lo haga un improvisado, un oportunista o alguien que no te conozca más allá del personaje.

Le planteé que estaría bueno ir acompañado a sus sesiones de diálisis con un periodista de su confianza para dejar registrados sus recuerdos y armar la base para sus memorias.

A la semana siguiente me invitó a tomar un café a su casa y me dijo:

—No me da ni el cuerpo ni la carga emocional para ponerme a escribir

lo que me pasó en la vida. Sin embargo, yo conozco una persona que haría un muy buen laburo.

Minutos antes nos habíamos cruzado, en el pasillo del departamento de Lanata, con Gustavo González, editor general de *Perfil*. Ambos somos periodistas a vida completa. De manera que González no se privó de preguntarme:

—¿Qué hacés acá?

Y Lanata, que también estaba ahí, se apresuró, aunque no fue preciso:

—*Estamos hablando de hacer mi biografía.*

Era un simpático malentendido. Mi propuesta era que la escribiera el propio Lanata. Pero a González le cambió la cara. Entonces exclamó:

—*¿Una biografía de Lanata escrita por Majul? ¡Esa es la mejor idea que escuché este año!*

Le expliqué que no era esa la propuesta original. Que mi intención era editarla, no hacerla. Pero González no me prestó ni la más mínima atención. Y se fue con la certeza de que sería el autor de la biografía de Lanata.

Juro que hasta ese momento no tenía el deseo de volver a escribir otro libro. Había puesto demasiada energía en defenderme de la persecución de la Secretaría de Medios y de la AFIP mientras terminaba de entregar *Él y Ella*, en julio del mismo año. Me había prometido que dejaría pasar por lo menos dos o tres años después del estrés al que sometí a mi mujer, a mis hijos y muchos de mis amigos.

González se despidió y Lanata, después de decirme que él conocía al tipo que podía escribir sobre su vida pública y privada, se quedó en silencio. Me obligó a preguntar.

—¿Quién es ese tipo?

Me respondió:

—*Uno al que haciendo libros no le va tan mal.*

Me di por aludido. Y quise desalentarlo.

—Te agradezco de verdad que hayas pensado en mí, pero no va a funcionar.

—*¿Por qué no?*

—Porque si lo escribiera yo, ya no sería una autobiografía, sino una biografía no autorizada, algo completamente distinto.

—*¿Distinto por qué?*

—Porque no escribiría solo lo que vos querés contar, sino, especialmente, lo que no querés contar.

—*Yo no tengo problemas. A mí no me importa nada.*

—Además, nos vamos a pelear de nuevo. Y ya estamos grandes para eso.

442

—¿*Pero por qué? ¿Qué podrías escribir que me pudiera joder?*
—Todo.
—*Dame un ejemplo.*
—Bueno, ¿te vas a bancar que aparezca publicada la verdad sobre los financistas de *Página/12*? ¿Te va a gustar que todo el mundo lea qué pasó entre vos y Silvina Chediek? ¿Vas a aguantar ver escrito los detalles de cuánto ganás y cómo gastás la guita? ¿Que todo el mundo lea sobre tu experiencia con las drogas?
—¿*Era eso solo?* —me desafió—. *Porque si era solo eso y tenés un grabador a mano empezamos cuando quieras.*

Esa tarde que llegó hasta la noche, Lanata, de alguna manera, me manipuló. Y yo me dejé manipular con gusto. Le pedí un tiempo para pensar pero la verdad es que ya tenía la decisión tomada. ¿Cómo lo sé? Porque había empezado a adelantar trabajo: antes de llegar a mi casa, anoté todos los elementos que tenía en su escritorio y empecé a pensar en Lanata como mi principal objeto a investigar.

Nos vimos quince veces.

No solo llevé grabador de voz, sino una camarita de video que registró más de treinta horas de reportaje con una textura sucia, más cerca de una filmación casera que de una profesional.

La última sucedió el sábado 4 de noviembre de 2012. Fue una entrevista con mucha tensión. Y también muy emotiva. Tuvo clima de despedida.

Lanata supo desde siempre que no podría leer ni una línea antes de que fuera publicada.

Por eso, antes del final, me dijo:
—*Después de que salga, yo no la voy a leer.*
Le di mi opinión:
—La tenés que leer.
—*No voy a tener la templanza.*
—Pero va a ser mejor.
—¿*Por qué?*
—Porque si no te vas a quedar con lo peor que te digan terceras personas. Y ellos la van leer con sus ojos, no con los tuyos. Y eso nos va a hacer pelear de nuevo, por un malentendido.
—¿*Y qué proponés?*
—Que la leas. Si después nos volvemos a pelear, el conflicto va a tener fundamentos más sólidos y no será por culpa de ningún teléfono roto.

Sara, su mujer, estaba ahí.

—*La va a leer Sara y después me va a contar* —se quiso quitar el tema de encima.

—No. La tenés que leer vos porque después va a ser peor.

Sé que, tarde o temprano, Lanata va a leer la historia más completa sobre su vida que jamás se haya publicado.

Sé que quizá no le guste.

Pero nunca podrá decir que este no es un trabajo honesto que respetó el principio básico de un periodista que escribe libros: su compromiso con el lector.

También sé que, tarde o temprano, no va a resistir la tentación de decir lo que piensa. Aunque sea una barbaridad.

Será, también, honesto de su parte.

Y estará bien: de otra manera no sería Lanata.

Él, durante el trabajo, me confesó que se sintió demasiado expuesto pero también muy aliviado. Como si se hubiera quitado un peso de encima al tener que responder, muy a su pesar, sobre sus partes oscuras.

Una sola cosa más. Está dirigida a quienes afirman que para escribir una biografía, el personaje tiene que cumplir cien años o estar a punto de morirse: Lanata tiene 52, pero este trabajo demuestra que vivió más de una vida.

Buenos Aires, 15 de noviembre de 2012

Para la familia que elegí, porque juntos
somos indestructibles.
Para la familia que me tocó, porque con el tiempo
también pudimos elegirnos.

COLABORACIÓN PERIODÍSTICA
Fernando Lema y Nicolás Diana

AGRADECIMIENTOS

A mis compañeros de la productora, de la radio y la tele,
por su paciencia y su tolerancia.
A mis papás, Tita y Julio, por el amor incondicional.
A mis amigos Jorge Fernández Díaz, Alfredo Leuco y Miguel Peña,
cada uno sabe bien por qué.
A Santiago Korín, sin permiso y con cariño.

ÍNDICE